詳解 感染症の予防及び感染症の患者に対する医療に関する法律

五訂版

厚生労働省健康・生活衛生局感染症対策部感染症対策課◉監修

中央法規

序　文

「人類は、これまで、疾病、とりわけ感染症により、多大の苦難を経験してきた。ペスト、痘そう、コレラ等の感染症の流行は、時には文明を存亡の危機に追いやり、感染症を根絶することは、正に人類の悲願と言えるものである。

医学医療の進歩や衛生水準の著しい向上により、多くの感染症が克服されてきたが、新たな感染症の出現や既知の感染症の再興により、また、国際交流の進展等に伴い、感染症は、新たな形で、今なお人類に脅威を与えている。」（「感染症の予防及び感染症の患者に対する医療に関する法律」前文）

人類は誕生以来、感染症と闘ってきた。人類が誕生した時、地球上には既にウイルスや細菌が存在していたことを考えれば、それは決して言い過ぎでは無いだろう。これまでに様々な国が感染症の危機にさらされ、国を挙げて、感染症の根絶という究極の目標に向け感染症対策に取り組んできた。しかしながら、記憶に新しいところでも平成二十年の新型インフルエンザの世界的流行や平成二十六年の西アフリカにおけるエボラ出血熱の流行、令和二年以降の新型コロナウイルス感染症（COVID-19）の世界的流行など、新興感染症、再興感染症が流行を繰り返し、今日も世界中のあらゆる保健機関が感染症と闘っている。

当然のことながら我が国も例外では無く、国際社会の進展に伴い、感染症対策の重要性は増すばかりである。感染症対策と法制化という点に目を向けると、明治三十年制定の伝染病予防法をはじめ、結核予防法、予防接種法、性病予防法、検疫法等により感染症の予防、まん延防止、水際対策に取り組んできたが、現代における感染症の脅威と感染症を取り巻く状況の変化を踏まえ、伝染病予防法及び性病予防法を引き継ぎつつも、旧来の考え方を大きく見直し、施策を再構築した「感染症の予防及び感染症の患者に対する医療に関する法律」いわゆる感染症法を平成十年に制定し、それ以降、本法を感染症対策の根幹としてきた。

詳しい感染症法改正の経緯は第一編第一章に記すとおりであるが、平成十年の制定からこれまでに、東アジアにおけるＳＡＲＳ発生を契機にした平成十五年改正、生物テロの未然防止対策を重要な課題として病原体管理について盛り込み、また、結核予防法との統合を行った平成十八年改正、新型インフルエンザ対策を講じた平成二十年改正、感染症の発生状況、環境変化等を踏まえ、Ｈ７Ｎ９型の鳥インフルエンザ及びＭＥＲＳを二類感染症に位置付けたほか情報収集体制の強化等の改正を行った平成二十六年改正、そして新型コロナウイルス感染症の世界的流行に対処し、またその対応の検証を踏まえ次なる感染症危機に備えるための抜本的な保健医療提供体制の確保を図った令和三年改正及び令和四年改正と六回にわたる改正を行ってきた。また、政省令についても、日々めまぐるしく変遷する国内外の感染症情勢に呼応し、種々の改正を行ってきた。引き続き、世界に目を向けつつ、国内対策を万全にすべく不断の検討を行う中で、今後更なる改正を加えていくことにはなろうが、令和四年の法改正を一つの区切りとして、これまでの法制度体系の転換と、新たな規制の導入に係る運用・解釈等を収載し、本書「詳解　感染症の予防及び感染症の患者に対する医療に関する法律　五訂版」

をここに発行することとした。

感染症対策は、国、都道府県及び市町村等の自治体、医療関係者、研究者、専門家等が一丸となって取り組むものであるが、その実効性は国民の理解のもとに確保される。本書が、より幅広い方々にとって感染症法への理解を深めるための一助となり、国内の感染症対策に対する共通理解の醸成に寄与できれば幸いである。

最後に、本法はこれまで感染症対策に取り組んでこられた方々の経験の蓄積である。この場を借りて感染症対策に関わってこられた全ての皆様、法整備に心血を注いでこられたこれまでの当課法令係の皆様のご尽力に敬意を表するとともに、感謝を申し上げる。

令和五年十一月

厚生労働省健康・生活衛生局感染症対策部感染症対策課企画法令係一同

凡例

内容更新の基準（内容現在）

本書に収載の法令は、令和五年十二月一日までに発行された官報を原典に内容を更新した。

略表記

本書では、特に断りのない限り、以下のような略表記で示す。

法…感染症の予防及び感染症の患者に対する医療に関する法律（平成十年法律第百十四号）
令…感染症の予防及び感染症の患者に対する医療に関する法律施行令（平成十年政令第四百二十号）
規則…感染症の予防及び感染症の患者に対する医療に関する法律施行規則（平成十年厚生省令第九十九号）
平成十五年改正…平成十五年法律第百四十五号による改正
平成十八年改正…平成十八年法律第百六号による改正
平成二十年改正…平成二十年法律第三十号による改正
令和三年改正…令和三年法律第五号による改正
令和四年改正…令和四年法律第九十六号による改正

罰則（懲役と拘禁刑）について

感染症法の条文中「懲役」「禁錮」という文言は、令和四年法律第六十八号により「拘禁刑」に改正される（令和七年六月一日施行）。

この改正は、本書刊行時に未施行となることから、原則として「懲役」「禁錮」と表記した。ただし、「拘禁刑」と表記した部分については、令和七年五月三十一日までは「懲役」と読み替えて適用される。

目　　次

目　　次

第三章　感染症に関する情報の収集及び公表

第四章　就業制限その他の措置

目　次

第三編　参　考

1　附帯決議

2　参考資料

目　　次

第一編　感染症法の制定とその背景

第一章　感染症法の制定経緯

一　感染症法の制定背景

感染症の予防及び感染症の患者に対する医療に関する法律（以下、感染症法）制定の背景は、次のとおりである。

(1)　感染症の発生・拡大の状況の変化

①　現在における感染症の脅威

世界保健機関（ＷＨＯ）は、「我々は、今や地球規模で感染症による危機に瀕している。もはやどの国も安全ではない。」との警告を発している。この背景には、一九七〇年以降、少なくとも三十以上のこれまで知られなかった感染症（新興感染症）が出現し、また、近い将来克服されると考えられてきた結核、マラリア等の感染症（再興感染症）が人類に再び脅威を与えてきている。

（近年明らかにされた新興感染症例）

・エボラ出血熱（一九七六年）

・エイズ（一九八一年）

・Ｏ１５７（一九八二年）
・Ｃ型肝炎（一九八九年）

②　感染症を取り巻く状況の変化

旧伝染病予防法は、明治三十年の制定以来百年以上経過したが、この間、感染症を取り巻く状況は、医学・医療が進歩し、衛生水準や国民の健康・衛生意識が向上し、人権の尊重及び行政の公正透明化への要請が高まるなど大きく変化した。さらに、国際交流の活発化や航空機による迅速かつ大量輸送の進展により、短時間のうちに病原体が我が国に持ち込まれるおそれがあるにもかかわらず、水際防疫により海外からの感染症の侵入を防ぐことに限界がある。

また、感染症に対する医療が向上し、過去に重大な脅威となっていた感染症の多くが、ワクチン等による予防、治療等により軽症にとどまり、旧来の隔離といった対策を一律に講ずる必要が減少してきた。

このような現代における感染症の脅威と感染症を取り巻く状況の変化を踏まえた施策の再構築が必要とされてきた。

⑵　旧伝染病予防法の下での感染症対策の問題点とそれへの対応

旧伝染病予防法の下での感染症対策については、次のような問題点があったため、感染症法では、これらの問題点の解決を図っている。

①　既に旧伝染病予防法に基づく法定伝染病としての対応が不要となっている感染症が法律に位置づけられている一方で、今日、感染の危険が世界的に問題視されているウイルス性出血熱等への十分な対応が図られていない。また、法定伝染病について、旧伝染病予防法では法文上は発動する措置が一律で硬直的になっていた。

このため、感染症の類型の再整理が必要とされていた。すなわち、最新の医学的知見に基づき、各感染症の感染力、感染した場合の重篤性、予防方法や治療方法の有効性等の再評価を行い、感染症の類型を再整理するとともに、各類型ごとに、就業制限、入院等の必要最小限な措置を講ずることとした。

② 患者等に対する行動制限に際しての人権尊重の観点からの体系的な手続保障が設けられていなかった。

このため、患者の意思に基づく入院を促す入院勧告制度を導入するとともに、入院等の措置をとる場合の要件の客観化と所要の手続規定を整備するなど、患者等の人権の尊重を図ることとした。

③ 原因不明の感染症の発生や感染症の集団発生といった国民の健康危機に適切に対応できる制度が設けられていなかった。

このため、感染症の発生時の対応のみならず、発生前からの対応を制度化する必要があり、感染症の集団発生時の対応、発生以前の環境整備等の総合的な取組みを推進するため、基本指針及び予防計画を国及び都道府県において作成することとするとともに、感染症発生動向調査体制を整備するなど感染症の発生・拡大に備えた事前対応型行政の構築の整備を図ることとした。

④ 患者に対する良質かつ適切な医療の提供の視点が欠落していた。

このため、患者個人個人における感染症の予防・治療に重点を置いた制度を設ける必要があり、入院の対象となった患者等に対し、一定の基準を満たす感染症指定医療機関による医療を提供することとするとともに、感染症発生状況の適切な公表により、国民が自ら予防のための措置をとれるようにした。

⑤ サル等の動物由来感染症に係る対策が設けられていなかった。

このため、サルの輸入検疫等、動物由来感染症対策を創設した。

二　感染症法の制定経緯

平成八年七月、公衆衛生審議会伝染病予防部会（現在の厚生科学審議会感染症分科会）の審議において、感染症対策の抜本的な見直しを図るべきとの結論に達し、同部会の下に基本問題検討小委員会（委員長：竹田美文国立国際医療センター研究所長（当時））を設けて検討を進めてきた。同小委員会では、平成八年十月から審議を始め、平成九年十二月に報告書を取りまとめ、同月公衆衛生審議会に報告した。公衆衛生審議会では、さらに審議し、小委員会報告書を基本的には適当とし、同報告書に追加意見を加えて、同月二十四日「新しい時代の感染症対策について（意見）」を取りまとめた。

その後、感染症法案の制定要綱について、平成十年二月十日に公衆衛生審議会からの答申を得て、同月二十四日には社会保障制度審議会の答申を得て、三月十日に閣議決定し、第百四十二回国会に「感染症の予防及び感染症の患者に対する医療に関する法律案」として提出した。

第百四十二回国会においては、参議院先議となり、四月十日に本会議で趣旨説明及び質疑を行い、国民福祉委員会に付託され、同月十四日及び十六日に質疑、二十一日に参考人からの意見聴取並びに二十八日及び三十日に質疑を行い、同月三十日に同委員会で一部修正の上可決され、同日本会議で可決された。また、同委員会では附帯決議が付されている。

衆議院では、五月二十一日に本会議で趣旨説明及び質疑を行い、厚生委員会に付託され、同月二十二日、二十七日及び二十九日に質疑、二十九日に参考人からの意見聴取を行ったものの、継続審議となった。第百四十三回国会では、九月十六日に衆議院厚生委員会で質疑し、一部修正の上可決され、同月十七日に本会議で可決された。また、同委員会では附帯決議が付されている。

衆議院で一部修正がなされたため、参議院に送付され、九月二十四日に国民福祉委員会で質疑及び可決され、同月二十五日には本会議で可決、成立し、十月二日に法律第百十四号として公布された。なお、同委員会では附帯決議が付されている。

第二章　感染症法の改正

一　平成十五年改正法の制定背景

感染症の予防及び感染症の患者に対する医療に関する法律及び検疫法の一部を改正する法律の制定の背景は、次のとおりである。

(1)　感染症法の見直しの検討

感染症法が平成十年十月二日に公布され、平成十一年四月から施行されたが、法制定時の附則第二条において、施行後五年を目途として、感染症の流行等の状況等を勘案しつつ検討するものとし、必要があると認められるときは、所要の措置を講ずるものとする旨のいわゆる検討規定（見直し条項）が規定されており、これを踏まえて、平成十六年の改正を視野に入れた検討が厚生科学審議会感染症分科会において逐次進められていたが、以下に述べるような、ＳＡＲＳの発生、問題点の指摘を踏まえ、平成十五年八月一日厚生科学審議会感染症分科会が感染症対策の見直しについて提言したことを受け、早急に法改正を行うとの結論となった。

(2)　ＳＡＲＳへの対応

一方、平成十五年三月に世界保健機関（ＷＨＯ）が新興感染症である重症急性呼吸器症候群（ＳＡＲＳ）について緊急情報を発表し、政府は、地方自治体と連携して、検疫の強化等とともに、国内でＳＡＲＳ患者が発生した場合の医療体制の確保等の措置を講じた。同年五月には、関西地方の観光を終えた台湾人医師が、台湾でＳＡＲＳと診断される事件が発生し、政府、関係府県が連携、協力の下、国内での接触の可能性がある者等の健康状態の把握や国民への情報提供が行われた。

これらのＳＡＲＳに関する一連の情勢の中で、複数の府県にまたがった感染可能性事例において、結果として、疫学調査の実施方法等について、関係府県間で十分な連携が取れなかった。

このため、感染症対策は、国民全体の健康に重大な影響を及ぼすため、緊急時においては、国が必要に応じて地方自治体に関与ができるよう、国と地方における権限の分担の見直しが必要であり、緊急時における感染症の発生状況等の調査に関する厚生労働大臣の事務、厚生労働大臣が都道府県知事に対して新感染症について行う事務に関する指示の創設を行うこととした。

(3)　輸入動物

我が国においては、世界各地から多種で膨大な野生動物等を家庭用の愛玩動物用等の用途で輸入しているが、感染症法の施行以降、海外においては、ウエストナイル熱、鳥インフルエンザ、サル痘（現：エムポックス）など、動物由来の感染症が次々に発生している。

これらの状況の下、感染症法によりサル、プレーリードッグ、イタチアナグマ、タヌキ、ハクビシン、狂犬病予防法により犬、猫、あらいぐま、きつね、スカンクについて、それぞれ輸入禁止又は検疫の措置が実施されていた。

しかしながら、すべての動物に対して検疫を行うことは物理的に不可能であること、問題が発生してから感染経路を把握することは非常に困難であること、大部分の動物が航空機により一日ないし二日で輸入されている実態があること、国際獣疫事務局の国際動物衛生規約で輸出国に求めるべきとされている衛生証明書の添付が担保されていないこと、等の理由から、海外で動物由来感染症が発生してから、輸入禁止又は検疫の措置を講ずるだけでは、必要な対応が遅れてしまうとの問題点があった。

このため、海外での動物由来感染症の発生に対応して、感染症を人に感染させるおそれがある動物の輸入に係る情報を迅速に把握し、適切な対応を探ることができるよう、一定の動物又はその死体については、輸入又は検疫の制度に加え、種類、数量等の情報を衛生証明書とともに事前に届け出る制度や感染症の媒介動物等の調査の規定の創設を図ることとした。

(4)　対象疾病の見直し

新たな疾病の発生等に伴い、感染症の類型の見直し等が必要となった。

このため、一類感染症に「重症急性呼吸器症候群」及び「痘そう（天然痘）」を追加するとともに、鳥インフルエンザ等について、媒介動物の輸入規制、消毒、ねずみの駆除等の措置を講ずることができるようにするため、四類感染症の類型を見直すこととした。

(5)　検疫対策の強化

SARSに関する一連の情勢の中で、入国者に対する検疫感染症についての検疫所長の実施する診察等の措置に関しては、感染症の指定感染症に規定することと併せて、検疫法第三十四条の規定に基づき政令指定することにより、診察等の措置を行うことを可能としたところであったが、政令指定するまでの間は流行地域からの入国者であっても発熱等の症状がある者に対しては、法的根拠を欠くことから、本人の同意を得た上で医師の診察を実施した。

幸いにして、これらの対応の中で、いわゆる診察拒否等の問題事例は生じなかったところであるが、新感染症は、国民の生命及び健康に重大な影響を与えるおそれがあることから、国外で新感染症が発生している場合には、国内への侵入を防止するため、医師による必要な診察が適切に実施されるよう法的根拠を整備する必要があり、このため、厚生労働大臣が外国で新感染症が発生し、緊急の必要があると認めるときは、検疫所長に対し、新感染症にかかっていると疑われる者に対する診察を行うことを命ずることができることとした。

二　平成十五年改正法の制定経緯

平成十四年六月以降数次にわたり、厚生科学審議会感染症分科会及び同分科会感染症部会において、感染症法の施行後五年の見直し規定を受けて、感染症法見直しに関する議論が行われ、また、同部会にワーキンググループを設けて検討が進められてきたが、平成十五年三月に世界保健機関（ＷＨＯ）が新興感染症である重症急性呼吸器症候群（ＳＡＲＳ）について緊急情報を発表するなど、ＳＡＲＳの一連の状況を契機として、平成十五年四月以降ＳＡＲＳの一連の対応及び感染症法の見直しについて、精力的に審議が行われ、同年八月十四日には、同分科会において、感染症対策の見直しについて提言が取りまとめられた。

その後、政府は、「感染症の予防及び感染症の患者に対する医療に関する法律及び検疫法の一部を改正する法律案」を平成十五年九月二十六日に閣議決定し、第百五十七回臨時国会に提出された。

第百五十七回臨時国会においては、平成十五年十月三日に衆議院厚生労働委員会で審議、可決され、同日本会議で可決された。また、同委員会では、附帯決議が付されている。

参議院では、十月九日に厚生労働委員会で審議、可決、同月十日に本会議で可決された。また、同委員会では、附帯決議が付されている。

三　平成十八年改正法の制定背景

感染症の予防及び感染症の患者に対する医療に関する法律等の一部を改正する法律の制定の背景は、次のとおりである。

(1)　病原体等の取扱いの規制について

生物テロを含めたテロの対策については、国際的な対応の必要があることから、諸外国で連携して行われているところであり、国内においても、病原体等をテロ行為に使用する生物テロの未然防止対策が重要な課題となっている。これらの状況の下、政府においては、平成十六年十二月、「テロの未然防止に関する行動計画」を決定し、「感染症の病原体を保有している者に対し、国及び都道府県に対する届出を義務づけるとともに、病原体の譲渡の規制、国及び都道府県による報告徴収、調査及び立入検査等に関する規定を設け、違反等に対し行政処分を行い、又は罰則を科すことを内容とする法改正について検討を行い、感染症の予防及び感染症の患者に対する医療に関する法律（以下「感染症法」という。）の改正案を平成十八年の国会に提出することとする。」と定めている。

また、感染症の病原体及び感染症の原因となる毒素（以下「病原体等」という。）については、米英等日本を除くＧ７各国において法制が確立しているとともに、Ｇ７を中心として世界的なネットワークが形成され、病原体等の管理の充実と強化が国際的に進められているところである。一方、国内においては、法改正前は、病原体等の管理については何ら規制が設けられておらず、また、国内の関係施設における病原体等の管理は適正に行われているとはいえない状況にあり、問題が指摘されていた。

病原体等については、不適正な管理によって人為的に重篤な感染症が発生するおそれが高いとともに、その感染が病原体等を取り扱う研究者等の関係者のみならず、その他の多数の者にまで拡大し、その生命及び身体に危害を及ぼし、事後的に回復が困難な事態となり得ることから、我が国において病原体等の適正な管理体制を迅速に確立する必要がある。

このため、病原体等については、国内において必要な管理体制が法規制として確立していない中、生物テロとして使用される危険性が高いことから、感染症法において、病原体等について、病原性、感染力、重篤度等に応じて、一種病原体等から四種病原体等までに四分類し、所持、輸入等の禁止、許可、届出、基準の遵守等の規制を講ずることにより、感染症の発生及びまん延を防止するバイオセーフティ（実験室等における病原体等の安全取扱いの確保）及びバイオセキュリティ（実験室を含み、病原体等の管理、悪意又は無意識のトラブルを防ぐ方策の強化）を確立し、もって生物テロや事故等による人為的感染に対処可能な感染症対策の強化を図ることとしたものである。

(2)　感染症の分類の見直し

感染症対策については、迅速かつ的確な対応をとる必要性と過度な対応による人権の侵害を防止する必要性の調和を図る必要がある。このため、感染症法第六条に規定する感染症の範囲及びその類型については、感染症の予防に関する措置が必要最小限で合理的なものとするため、感染症法附則第二条において「少なくとも五年ごとに、医学医療の進歩の推移、国際交流の進展等を勘案しつつ検討するものとし、必要があると認められるときは、所要の措置を講ずるものとする」とされているほか、重症急性呼吸器症候群（以下「ＳＡＲＳ」という。）については、平成十五年感染症法改正で感染力の知見が未知のため一類感染症に位置づけられたが、平成十五年十月三日衆議院厚生労働委員会附帯決議においてＳＡＲＳに係る感染症法上の類型については、ウイルスの解明、ＳＡＲＳの病態・感染経路の解明を急ぎ、治療薬・ワクチンの開発などの医療の状況も含め医学的知見の集積等を踏まえ、二年ごとの見直しを行うこととされ、同月九日の参議院厚生労働委員会における附帯決議においても同旨とされている。これらは、当時の知見を前提に当座暫定的に一類感染症に位置づけたが、二類感染症以下への格下げも視野に入れた入念的な立法意思の表明といえる。

平成十八年の改正においても、最新の医学的知見等に基づく検討の結果、ＳＡＲＳを含め、感染症の分類について、次のとおり、所要の見直しを行っている。すなわち、①南米出血熱を新たに一類感染症に分類、②ＳＡＲＳを一類感染症から二類感染症に分類、③結核を新たに二類感染症に分類、④腸管感染症を二類感染症から三類感染症に分類、⑤炭疽、ボツリヌス症及び野兎病を四類感染症に分類（法律上に四類感染症として明記）するものである。

(3)　旧結核予防法の廃止

旧結核予防法及びこれに基づく各種措置については、昭和二十六年に制定されて以降、我が国の結核対策に大きく寄与してきたところであるが、近年、法律上の限界、新たな結核対策に関する提言等の実現の支障となるような課題も少なからず認められているところであること等の理由により、旧結核予防法については、法制上の存続の理由は乏しいものといえることから、結核を感染症法の二類感染症に分類し、位置づけることにより、従前の旧結核予防法による施策を継続するほか、加えて、感染症法による措置、施策を新たに対応することが可能になることにより、結核対策の一層の適正化、充実化を図るとともに、他の病原体等の規制と一貫して、結核菌の適正な管理体制の確立を図ることとしたものである。

(4)　患者の人権尊重の観点

感染症は、その疾病の性格から、不安、恐怖心、混乱を生じやすく、患者及びその家族等への差別、偏見を生じやすいため、感染症対策を理由として不合理な隔離等の人権制約、人権侵害が起こりやすい。また、感染症法の施行後において、感染症患者に対する人権侵害に関して、ハンセン病判決及びハンセン病報告書が取りまとめられ、重要な指摘がされているところである。このほかにも、感染症発生時又は疑い事例の発生時において、科学的知見に基づかない必要最小限度の合理的範囲を超える消毒等の措置、解雇等の雇用問題、風評被害による経済的損失、個人情報に関する不適切な事例なども生じていた。結核対策における人権上適切でない運用の実態や二類感染症に係る入院勧告の事前審査における形骸化などの指摘もあり、感染症法施行後の実態も踏まえ、患者等の人権を制約する措置を始めとする感染症対策において、人権を尊重する観点から、一定の見直しが必要であった。

このため、感染症法の基本理念等の規定において感染症の患者の人権の尊重について明確に規定を設けるとともに、入院に係る勧告を行う際の患者側の意見聴取手続、感染症の診査に関する協議会への法律に関する知見を有する者の参画、患者の処遇等に関する苦情の申出の制度等人権の尊重に資する具体的な制度の導入を図るものである。

(5) 予防接種法及び検疫法の改正

感染症の予防及び感染症の患者に対する医療に関する法律等の一部を改正する法律の制定の背景は、既述のとおりであるが、同改正法は、感染症法の改正、予防接種法の改正、検疫法の改正については、感染症対策を的確に行うためのものである点で共通しており、三法律の規定は、感染症法を中心に相互に関連していることから、三法の改正として制定公布されたものである。予防接種法上、結核を一類疾病として、法定の予防接種の対象疾病に位置づけることとするとともに、検疫法において、コレラ及び黄熱を検疫感染症に関する規定から削除するものである。

四　平成十八年改正法の制定経緯

米国においては、平成十三年九月に同時多発テロが発生したが、同年十月には、炭疽菌を混入した郵便物による生物テロ事件で死亡を含む健康被害が生じ、これを契機として、生物テロ対策の関係法令の整備が進められるなど、生物テロを含めたテロの対策については、国際的な対応の必要があることから、諸外国で連携して行われているところである。国内においても、某団体が炭疽菌、ボツリヌス菌等の生物剤の研究を行っていたことが明らかになるなど、病原体等をテロ行為に使用する生物テロの未然防止対策が重要な課題となっている。

このため、政府においては、国際組織犯罪等・国際テロ対策推進本部において、生物テロ対策を含め、今後速やかに講ずべきテロの未然防止対策が検討され、平成十六年十二月には、「テロの未然防止に関する行動計画」を決定した。この行動計画においては、「感染症の病原体を保有している者に対し、国及び都道府県に対する届出を義務づけるとともに、病原体の譲渡の規制、国及び都道府県による報告徴収、調査及び立入検査等に関する規定を設け、違反等に対し行政処分を行い、又は罰則を科すことを内容とする法改正について検討を行い、感染症の予防及び感染症の患者に対する医療に関する法律（以下「感染症法」という。）の改正案を平成十八年の国会に提出することとする。」と定められている。その後、同行動計画の趣旨を踏まえ、厚生科学審議会感染症分科会において、感染症法改正に関する議論が行われ、その中で出された意見等を参酌した上で、政府は、感染症の予防及び感染症の患者に対する医療に関する法律等の一部を改正する法律案を平成十八年三月六日に内閣提出法案として閣議決定し、同日衆議院に提出した。

同法案は、平成十八年の第百六十四回国会（常会）においては審議未了により継続審議の扱いとなったところであるが、同年九月に召集された第百六十五回国会（臨時会）においては、同年十一月十日に衆議院厚生労働委員会で、同月十四日に衆議院本会議で、同月三十一日に参議院厚生労働委員会で、同年十二月一日に参議院本会議で、それぞれ可決され、同法案は成立した。なお、衆議院厚生労働委員会及び参議院厚生労働委員会では、附帯決議が付されている。同改正法は平成十八年十二月八日、平成十八年法律第百六号として公布された。

五　平成二十年改正法の制定背景

平成二十年当時、鳥インフルエンザ（Ｈ５Ｎ１）が、鳥から人に感染する事例が増えており、この鳥インフルエンザのウイルスが、人から人に感染する形に変異し、人類にとって新型のインフルエンザが出現するのではないかと危惧されていた。新型のインフルエンザは、人類にとって新たな型のインフルエンザであるが故に、人類のほとんどが対抗する免疫を有していない。また、この点とインフルエンザが咳、くしゃみなどの飛沫で感染する感染力の高い疾病であることとが相まって、新型インフルエンザは強い感染力を持つと想定され、一度発生すると、世界的な大流行を引き起こすと考えられている。

一方、新型インフルエンザの治療については、インフルエンザの一種であることを踏まえると、冬季に流行する通常のインフルエンザの治療薬である抗インフルエンザウイルス薬の投与が有効な治療法となり、また、感染防止には、冬季に流行する通常のインフルエンザと同様に、患者の咳、くしゃみなどの飛沫との接触を避けることが有効であると考えられている。

そこで、新型インフルエンザのまん延を防止するためには、発生直後から必要な対策を実施することが必要であり、また、患者に対する入院措置等のみならず、かかっていると疑うに足りる正当な理由のある者について疑いの段階から行政としての対応、例えば、健康状態の報告の要請、外出自粛等、感染を防止するための協力の要請を開始するなど、まん延防止策の拡充を図ることが必要である。加えて、新型インフルエンザについては、既知のインフルエンザの一種であることからその治療法や感染防止の方法について一定の予測が可能であるものの、個別具体的な性質については、発生してみないと分からない部分が残る。

このため、確定的な疾病の性質を迅速に把握し、施策に活かしていくために、特に発生初期の段階において国に情報を集約すること、その結果新たに必要と判明した措置があれば当該措置を迅速に実施できるようにすること、併せて、発生地域や検査方法、診断・治療方法、感染防止方法や、必要となるまん延防止策について、確定次第速やかに情報を公表し、医療機関、感染症対策を担う都道府県等及び国民のそれぞれが、まん延防止のための適切な対応を行えるようにすることが必要である。

感染症法は、新たに緊急的に感染症のまん延予防策を実施する必要が生じた場合への対応として、既知の感染症については指定感染症、未知の感染症については新感染症という類型を設けて、臨機の対応を可能としているところである。インフルエンザという既知の感染症の一種である新型インフルエンザについては新感染症として扱うことができないが、発生後に指定感染症に指定することは可能である。しかしながら、指定感染症の指定には、審議会に諮った上で政令を制定するという手続きが法令上必要であり、発生後一定の時間がかからざるを得ず、指定感染症の指定では、強い感染力を持つと想定される新型インフルエンザに対して発生直後から迅速なまん延防止策を講ずることができない。

また、既述の新型インフルエンザのまん延を防止するための対応は、従前の一類感染症から五類感染症、指定感染症、新感染症にはない対応である。

このように、新型インフルエンザについては、既存の感染症対策を超えた対応が必要であり、従前の一類感染症から五類感染症までの感染症の類型のいずれかに位置づけるだけでは十分な対応がとれないことから、新たに一つの類型を設けるものとした。

次に、インフルエンザの中には、かつて世界的に流行したものの、近年は発生せず、そのためかつての流行以降に誕生した世代は対抗する免疫を獲得していないものがある。こうしたインフルエンザが再度発生した場合は、免疫を獲得していない世代にとっては、新型インフルエンザと同様の脅威となり、また、こうした免疫を獲得していない世代の人口規模によっては、社会全体としても、新型インフルエンザと同様の脅威となり得る。例えば、かつて新型インフルエンザとして流行したインフルエンザ（Ｈ２Ｎ２）（アジアインフルエンザと呼ばれ、一九五七年から一九五八年に世界的規模で流行し、全世界で推定で二百万人の死亡者を出した。）は、近年は流行を見せず、現在、そのウイルスは実験室で保管されているのみである。

このことから、かつて世界的規模で流行したインフルエンザであって近年流行がなかったために人類の大部分がそれに対する免疫を獲得していない状況にあるインフルエンザについて、新型インフルエンザと同様の対策を講じられるよう規定を整備する必要がある。そのため、こうしたインフルエンザを再興型インフルエンザと定義し、新型インフルエンザと再興型インフルエンザをまとめて「新型インフルエンザ等感染症」という類型を設けて、対策を講じるものとした。

六　平成二十年改正法の制定経緯

平成十九年四月以降二回にわたり厚生科学審議会感染症分科会において、新型インフルエンザ対策に関する議論が行われた。これらの専門的な議論の結果等も踏まえ、その後、政府は、「感染症の予防及び感染症の患者に対する医療に関する法律及び検疫法の一部を改正する法律案」を平成二十年二月五日に閣議決定し、同日第百六十九回国会に提出した。

第百六十九回国会においては、平成二十年四月二十三日に衆議院厚生労働委員会で審議、可決され、同月二十四日に本会議で修正の上、可決された。また、同委員会では、附帯決議が付されている。参議院では、平成二十年四月二十四日に厚生労働委員会で審議、可決、同月二十五日に本会議で可決された。また、同委員会では、附帯決議が付されている。同改正法は平成二十年五月二日、平成二十年法律第三十号として公布された。

七　平成二十六年改正法の制定背景

平成二十六年当時、Ｈ７Ｎ９型の鳥インフルエンザや中東呼吸器症候群（ＭＥＲＳ）を始めとした新たな感染症が海外において発生しており、これらの感染症に対し万全の対策を講じることが求められていた。また、こうした昨今の感染症の発生状況、国際交流の進展、保健医療を取り巻く環境の変化等を踏まえ、感染症に対応する体制を一層強化する必要がある。

このため、新型インフルエンザ等感染症に変異するおそれが高い鳥インフルエンザ及び中東呼吸器症候群（ＭＥＲＳ）を二類感染症へ追加するほか、一類感染症等の患者等からの検体の採取について定めるなど、感染症に関する情報の収集を強化するための規定を整備し、感染症予防対策の推進を図るとともに感染症のまん延防止策の充実を図るため、法改正を行ったものである。

改正の概要は以下のとおり。

第一に、鳥インフルエンザについて、新型インフルエンザ等感染症に変異するおそれが高いものに限って二類感染症とし、その範囲は政令で血清亜型を定めることにより特定することとした。併せて、中東呼吸器症候群（ＭＥＲＳ）を二類感染症とした。政令により暫定的に二類感染症に相当する措置を講ずることができることとしていたＨ７Ｎ９型の鳥インフルエンザ及び中東呼吸器症候群（ＭＥＲＳ）について、引き続き、これらの感染症が国内で発生した場合に患者の入院等の措置を可能とし、そのまん延の防止を図ることとしたものである。

第二に、医療機関や感染症の患者等に対して検体等の提出等を要請する制度を創設した。

第三に、一類感染症、二類感染症、新型インフルエンザ等感染症及び新感染症について、医療機関や患者等からの検体の採取等の制度を創設した。

第四に、厚生労働省令で定める五類感染症の患者等の検体等の提出を担当させる指定提出機関制度を創設することとした。

第五に、第二から第四までの制度により入手した検体等について、都道府県知事による検査の実施、厚生労働大臣による検査の基準の策定、厚生労働大臣への結果の報告、厚生労働大臣から都道府県知事に対する提出の要請等について規定を設けた。

このほか、感染症予防対策の推進に関し、必要な事項を定めた。

八　平成二十六年改正法の制定経緯

平成二十六年一月以降数次にわたり厚生科学審議会感染症部会において、法改正に係る審議を行い、六月に提言が取りまとめられた。政府は、感染症の予防及び感染症の患者の医療に関する法律の一部を改正する法律案を平成二十六年十月十四日に閣議決定し、第百八十七回臨時国会に提出した。

第百八十七回臨時国会においては、平成二十六年十一月六日に参議院厚生労働委員会で可決され、同月七日に本会議で可決された。また、同委員会では、附帯決議が付されている。衆議院では、平成二十六年十一月十三日に厚生労働委員会で可決され、同月十四日に本会議で可決された。同改正法は平成二十六年十一月二十一日、平成二十六年法律第百十五号として公布された。

九　令和三年改正法の制定背景

新型コロナウイルス感染症（COVID-19）については、それぞれ、新型コロナウイルス感染症を指定感染症として定める等の政令（令和二年政令第十一号）により感染症法上の指定感染症に、新型コロナウイルス感染症を検疫法第三十四条第一項の感染症の種類として指定する等の政令（令和二年政令第二十八号）により検疫法上第三十四条の感染症に指定され、さらに、新型インフルエンザ等対策特別措置法の一部を改正する法律（令和二年法律第四号）により、新型インフルエンザ等対策特別措置法（平成二十四年法律第三十一号）の新型インフルエンザ等とみなして同法を適用することとされた。

新型コロナウイルス感染症への対応を進めていく中で、こうした制度の下での取組から得られた知見や経験を反映させ、早期の感染収束につなげていくことが重要であり、対策の実効性を高め、より確実に取組を推進していくこととした。

このため、新型インフルエンザ等対策特別措置法等の一部を改正する法律（令和三年法律第五号）として、感染症法の一部改正を含む関係法律の改正を行ったものである。

改正の概要は以下のとおり（なお、同改正法については、十のとおり、衆議院内閣委員会において修正がなされており、これを反映したもの）。

《新型インフルエンザ等対策特別措置法の一部改正》

第一に、特定の地域において、国民生活及び国民経済に甚大な影響を及ぼすおそれがあるまん延を防止するため、「まん延防止等重点措置」を創設することとし、営業時間の変更等の要請、要請に応じない場合の命令、命令に違反した場合の過料（二十万円以下）を規定した。

第二に、緊急事態宣言中に開設できることとされている「臨時の医療施設」について、政府対策本部が設置された段階から開設できることとした。

第三に、緊急事態宣言中の施設の使用制限等の要請に応じない場合の命令、命令に違反した場合（三十万円以下）の過料を規定した。

第四に、事業者及び地方公共団体に対する支援として、国及び地方公共団体は、事業者に対する支援に必要な財政上の措置、医療機関及び医療関係者に対する支援等を講ずるものとすること、国は、地方公共団体の施策を支援するために必要な財政上の措置を講ずるものとすることを規定した。

第五に、差別の防止に係る国及び地方公共団体の責務規定を設けることとした。

第六に、新型インフルエンザ等対策推進会議を内閣に置くこととした。

《感染症の予防及び感染症の患者に対する医療に関する法律及び検疫法の一部改正》

第一に、新型コロナウイルス感染症を「新型インフルエンザ等感染症」として位置づけ、同感染症に係る措置を講ずることができることとした。

第二に、国や地方自治体間の情報連携として、保健所設置市・区から都道府県知事への発生届の報告・積極的疫学調査結果の関係自治体への通報を義務化し、電磁的方法の活用を規定することとした。

第三に、宿泊療養・自宅療養の法的位置づけとして、新型インフルエンザ等感染症・新感染症のうち厚生労働省令で定めるものについて、宿泊療養・自宅療養の協力要請規定を新設した。また、検疫法上も、宿泊療養・自宅待機その他の感染防止に必要な協力要請を規定することとした。

第四に、入院勧告・措置の見直しとして、新型インフルエンザ等感染症・新感染症のうち厚生労働省令で定めるものについて、入院勧告・措置の対象を限定することを明示するとともに、正当な理由がなく入院措置に応じない場合又は入院先から逃げた場合の過料（五十万円以下）を規定した。

第五に、積極的疫学調査の実効性確保のため、新型インフルエンザ等感染症の患者等が積極的疫学調査に対して正当な理由がなく協力しない場合、応ずべきことを命令できることとし、命令を受けた者が質問に対して正当な理由がなく答弁をせず、若しくは虚偽の答弁をし、又は正当な理由がなく調査を拒み、妨げ若しくは忌避した場合の過料（三十万円以下）を規定した。

第六に、緊急時、医療関係者（医療機関を含む。）・検査機関に協力を求められ、正当な理由なく応じなかったときは勧告、公表できることを規定した。

十　令和三年改正法の制定経緯

令和三年一月十五日の感染症部会において、事務局から提案のあった「新型コロナウイルス感染症対策における感染症法・検疫法の見直しについて」は、概ね賛成がされ、了承となった。こうした中で、政府は、感染症法の一部改正を含む新型インフルエンザ等対策特別措置法等の一部を改正する法律案を令和三年一月二十二日に閣議決定し、第二百四回通常国会に提出した。

第二百四回通常国会においては、衆議院では、令和三年二月一日に内閣委員会での審査及び同委員会と厚生労働委員会との連合審査が行われた後、議員修正の上、衆議院内閣委員会で可決され、また、同日に本会議で可決された。なお、同委員会では、附帯決議が付されている。参議院では、同月三日に内閣委員会での審査及び同委員会と厚生労働委員会との連合審査が行われた後、内閣委員会及び本会議で可決された。同日同改正法は、令和三年法律第五号として公布された。

十一　令和四年改正法の制定背景

政府は、新型コロナウイルス感染症（COVID−19）の発生後、感染拡大防止等の対策に全力で取り組んでおり、その時々の状況に応じて必要な立法措置を講じてきた（新型インフルエンザ等対策特別措置法の一部を改正する法律（令和二年法律第四号）、予防接種法及び検疫法の一部を改正する法律（令和二年法律第七十五号）、新型インフルエンザ等対策特別措置法等の一部を改正する法律（令和三年法律第五号）及び医薬品、医療機器等の品質、有効性及び安全性の確保等に関する法律等の一部を改正する法律（令和四年法律第四十七号））。

また、立法措置に限らず、令和三年十一月には新型コロナウイルス感染症対策本部（以下「対策本部」という）において「次の感染拡大に向けた安心確保のための取組の全体像」（以下「全体像」という）を取りまとめ、感染力が高まった場合にも対応できるよう、都道府県と医療機関との間で新型コロナウイルス感染症に対応する病床等を提供する協定の締結などを行い、保健・医療提供体制の強化等に取り組んできた。

しかし、感染の急拡大やそれに伴う病床の逼迫等に対し、関係機関が一丸となって、迅速かつ効果的に対応することの難しさも存在し、新型コロナウイルス感染症への対応全体への評価を踏まえ、必要な保健医療分野の対応力強化を図ることで、将来的な感染症の全国的かつ急速なまん延から国民の生命及び健康を守る必要があった。

政府は、これまでの新型コロナウイルス感染症に対する政府の取組みを客観的に振り返り、次の感染症危機に向けた対応の礎とするため、令和四年五月に「新型コロナウイルス感染症対応に関する有識者会議」を立ち上げ、同月から同年六月にかけて、経済団体、地方団体、医療関係団体、政府の方針の決定にも携わった専門家等といった各方面からの意見聴取や構成員の意見等をもとに、限られた時間の中で計五回にわたって議論が行われた。そして、同月十五日にこれまでの対応や保健・医療提供体制等の評価と、これらの対応に係る中長期的観点からの課題の整理がなされた。

同会議により指摘された多くの課題について、政府は同月十七日に対策本部において検討し、「新型コロナウイルス感染症に関するこれまでの取組を踏まえた次の感染症危機に備えるための対応の方向性」を取りまとめた。「全体像」に盛り込まれた各施策の実効性をさらに確保する観点から、医療機関との協定を法定化する等必要な法改正を含め対応を強化することとした。

さらに、同年九月二日に対策本部において「新型コロナウイルス感染症に関するこれまでの取組を踏まえた次の感染症危機に備えるための対応の具体策」を取りまとめ、政府は、令和四年十月七日に感染症法、地域保健法（昭和二十二年法律第百一号）、予防接種法（昭和二十三年法律第六十八号）、医療法（昭和二十三年法律第二百五号）、検疫法（昭和二十六年法律第二百一号）、新型インフルエンザ等対策特別措置法、健康保険法（大正十一年法律第七十号）その他関係する法律の一部を改正する法律案を閣議決定し、同日国会に提出した。

改正の概要（感染症法の改正部分に限る。）は以下のとおり。

第一に、都道府県が定める予防計画等に沿って、都道府県等と医療機関等の間で、病床、発熱外来、自宅療養者等（高齢者施設等の入所者を含む）への医療の確保等に関する協定を締結する仕組みを法定化した。加えて、公立・公的医療機関等、特定機能病院、地域医療支援病院に感染症発生及びまん延時に担うべき医療提供を義務づけ、都道府県等は医療関係団体に協力要請できることとした。

第二に、初動対応等を行う協定締結医療機関について、流行前と同水準の医療の確保を可能とする措置（流行初期医療確保措置）を導入した（その費用については、公費とともに、保険としても負担）。また、協定履行状況の公表や、協定に沿った対応をしない医療機関等への指示・公表等を行うことができることとした。

第三に、自宅療養者等への健康観察の医療機関等への委託を法定化した。健康観察や食事の提供等の生活支援について、都道府県が市町村に協力を求めることとし、都道府県と市町村間の情報共有を進めることとした。さらに、宿泊施設の確保のための協定を締結することとした。

第四に、外来・在宅医療について、患者の自己負担分を公費が負担する仕組み（公費負担医療）を創設した。

第五に、医療人材について、国による広域派遣の仕組み等を整備した。

第六に、都道府県と保健所設置市・特別区その他関係者で構成する連携協議会を創設するとともに、緊急時の入院勧告措置について都道府県知事の指示権限を創設した。

第七に、医療機関の発生届等の電磁的方法による入力を努力義務化（一部医療機関は義務化）し、レセプト情報等との連結分析・第三者提供の仕組みを整備した。

第八に、医薬品、医療機器、個人防護具等の確保のため、緊急時に国から事業者へ生産要請・指示、必要な支援等を行う枠組みを整備した。

第九に、医療機関等との協定実施のために都道府県等が支弁する費用は国がその四分の三を補助する等、新たに創設する事務に関し都道府県等で生じる費用は国が法律に基づきその一定割合を適切に負担することとした。

十二　令和四年改正法の制定経緯

令和四年九月五日の感染症部会において、事務局から提案のあった「現行の感染症法等の見直しについて」は、概ね賛成がされ、了承となった。こうした中で、政府は、感染症の予防及び感染症の患者に対する医療に関する法律等の一部を改正する法律案を令和四年十月七日に閣議決定し、第二百十回臨時国会に提出した。

第二百十回臨時国会においては、衆議院では、令和四年十一月四日に厚生労働委員会にて審査が行われた後、議員修正の上可決され、また、同月八日に本会議で可決された。同委員会では、附帯決議が付されている。参議院では、同月十一日に厚生労働委員会で可決され、また、同年十二月二日に本会議で可決された。同改正法は同月九日、令和四年法律第九十六号として公布された。

第三章　感染症法の概要

一　感染症法の構造

感染症の予防は、基本的に、①疾病に罹患しないこと、②患者の早期発見、即時治療、③疾病の悪化や合併症発生の防止・機能維持・機能回復の三段階に分類される。①の観点から、公衆衛生の確保、予防接種の実施等が考えられるが、感染症法では、公衆衛生のための社会基盤、制度等を活用するため、国が基本指針及び特定感染症予防指針を策定すること、都道府県及び保健所設置市等が予防計画を策定すること、動物から人への感染症の感染を防止するため輸入禁止、輸入検疫及び輸入届出を実施することが規定されている。また、生物テロによる感染症の発生、まん延を防止するための病原体等の所持、輸入の禁止、許可及び届出、基準の遵守等が規定されている。②の観点からは、感染症の発生を把握するための感染症発生動向調査、健康診断、入院、消毒等の措置等、また医療措置協定の締結等が法に規定されている。③の観点に加え、患者に対する良質かつ適切な医療の提供の観点から、患者に対する医療の提供、感染症指定医療機関の指定が法に規定されている。なお、結核については、総合的な結核対策を推進するための規定を設けている。

これらの対策は時系列を基本として整理されているが、感染症法の規定の順番も原則として時系列で規定されている。まず、感染症法の基本的な考え方と対象を規定するため総則が置かれ、次に、施策が時系列的に、基本指針等、感染症に関する情報の収集及び公表、健康診断、就業制限その他の措置、消毒その他の措置、医療の順番で規定され、さらに、新型インフルエンザ等感染症、指定感染症、未知の感染症である新感染症、結核、感染症対策物資等、感染症の病原体を媒介するおそれのある動物の輸入に関する措置、特定病原体等、感染症及び病原体等に関する調査及び研究並びに医薬品の研究開発が規定されている。これら施策の規定の後に感染症対策に係る費用負担が規定され、その後に雑則と罰則が規定されている。

二　感染症法の概要

(1)　感染症法の制定趣旨及び背景

感染症法の概要を以下略説するが、まず、その制定趣旨及び背景について、簡単に触れておく。世界保健機関（ＷＨＯ）は、「我々は、今や地球規模で感染症による危機に瀕している。もはやどの国も安全ではない」との警告を発している。一九七〇年以降、少なくとも三十以上のこれまで知られなかった感染症（新興感染症）、例えば、エボラ出血熱（一九七六年）、エイズ（一九八一年）、Ｏ１５７（一九八二年）、Ｃ型肝炎（一九八九年）などが出現し、また、近い将来克服されると考えられてきた結核、マラリア等の感染症（再興感染症）が人類に再び脅威を与えている。

我が国では、旧伝染病予防法の明治三十年（一八九七年）の制定以来百年を経過したが、医学・医療の進歩、衛生水準の向上、国民の健康・衛生意識の向上、人権の尊重及び行政の公正性・透明性の確保の要請、国際交流の活発化、航空機による大量輸送の進展にみられるように、この間、感染症を取り巻く状況は、大きく変化した。そこで、現代における感染症の脅威と感染症を取り巻く状況の変化を踏まえた施策の再構築が必要となったのである。

(2)　感染症の発生・拡大に備えた事前対応型行政の構築

原因不明の感染症の発生や感染症の集団発生等の国民の健康危機に適切に対応するため、感染症の発生・拡大に備えた事前対応型行政の構築が求められた。そこで、感染症の発生を迅速に把握するための感染症発生動向調査体制の整備及び確立を図るとともに、国、都道府県が関係各方面と連携を図り、総合的な取組みの推進を図るため、国が感染症予防の基本指針、都道府県が予防計画を策定し、公表することとしている。さらに、特に総合的な予防のための施策を推進する必要がある感染症として、インフルエンザ、後天性免疫不全症候群、性器クラミジア感染症等の性感染症等が定められており、これらの感染症について、国が原因の究明、発生の予防、まん延の防止、医療の提供、研究開発の推進、国際的な連携に関する指針を策定し、公表している。

(3) 感染症類型と医療体制の再整理

旧伝染病予防法に基づく対応では、現在の感染症に十分な対応ができず、その対応も一律で硬直的であるため、感染症の類型の再整理が必要とされていた。このため、最新の医学的知見に基づき、各感染症の感染力、感染した場合の重篤性、予防方法や治療方法の有効性等の再評価を行い、感染症の類型を一類感染症から五類感染症、新型インフルエンザ等感染症、指定感染症及び新感染症に整理するとともに、各類型ごとに、就業制限、入院等の適切でかつ必要合理的な措置を講ずることができるようにした。

また、旧結核予防法の廃止に伴い、結核に関する措置等についての旧結核予防法に固有の規定については、引き続き施策を実施するものとして新たに感染症法に規定することとし、定期健康診断、患者の登録等の対策を講ずることとしている。

(4) 患者等の人権尊重に配慮した入院手続の整備

患者等に対する行動制限に際しての人権尊重の観点からの体系的な手続き保障が求められている。このため、感染症の類型に応じた就業制限や入院、患者の意思に基づく入院を促す入院勧告制度の導入、入院の勧告の際の適切な説明の努力義務、都道府県知事による七十二時間を限度とする入院、保健所に設置する感染症の診査に関する協議会の意見を聴いた上での十日ごとの入院、都道府県知事に対する苦情の申出、三十日を超える長期入院患者からの行政不服審査請求に対し五日以内に裁決を行う手続きの特例として適正手続きに関する規定を設けている。

(5) 感染症のまん延防止に資する必要十分な消毒等の措置の整備

一類感染症から四類感染症のまん延を防止するための消毒等の措置を規定するとともに、一類感染症のまん延防止のための建物に対する立入制限等の措置を規定した。

(6) 検疫体制・動物由来感染症対策の整備

一類感染症を検疫法第二条に規定する検疫感染症に追加するとともに、輸入禁止、輸入検疫及び輸入届出の制度を設けた。また、狂犬病予防法の適用範囲に、犬に加えて猫等の狂犬病を追加した。

(7) 病原体等の取扱いの規制

病原体等については、国内において必要な管理体制が法規制として確立していない中、生物テロとして使用される危険性が高いことから、病原性、感染力、重篤度等に応じて、一種病原体等から四種病原体等まで四分類し、所持、輸入等の禁止、許可、届出、基準の遵守等の規制を講ずることにより、感染症の発生及びまん延を防止するバイオセーフティ（実験室等における病原体等の安全取扱いの確保）及びバイオセキュリティ（実験室を含み、病原体等の管理、悪意又は無意識のトラブルを防ぐ方策の強化）を確立し、もって生物テロや事故等による人為的感染に対処可能な感染症対策の強化を図ることとした。

三　旧伝染病予防法等の取扱い

従来の伝染病予防法、性病予防法等の感染症予防関係の法律については、患者の隔離といった強制的な予防措置を中心として規定されてきた。これらの法律については、感染症の発生の予防及びまん延の防止に重点を置くという考えから、患者に対し良質かつ適切な医療を提供し、患者を早期に社会復帰させるという視点や、人権に配慮した適正な手続きが保障されていないといった問題点があった。このため、感染症法においては、「感染症の患者に対する医療」の提供を例示的に示していく必要があり、法律の名称を「感染症の予防及び感染症の患者に対する医療に関する法律」とし、予防及び医療について規定した。また、本法の制定に伴い、伝染病予防法、性病予防法及び後天性免疫不全症候群の予防に関する法律を廃止した。さらに、検疫法及び狂犬病予防法を改正し、国内感染症との連携を図った。

四　旧結核予防法の取扱い

旧結核予防法及びこれに基づく各種措置については、近年、法律上の限界、新たな結核対策に関する提言等の実現の支障となるような課題も少なからず認められているところである。そこで、感染症法への統合によって、その解決を図ることとした。

また、多剤耐性結核菌については、生物テロに使用される危険があり、感染力が強く、その治療方法がないなど、その病原体の危険性に照らして所持等の規制の対象とする必要があり、病原体等の取扱いの規制を体系的、統一的、効果的に行うことが必要となっていた。このため、旧結核予防法については、法制上の存続の理由は乏しいものといえることから、結核を感染症法の二類感染症に分類し、位置づけることにより、従前の旧結核予防法による施策を継続するほか、加えて、感染症法による措置、施策を新たに対応することが可能になることにより、結核対策の一層の適正化、充実化を図るとともに、他の病原体等の規制と一貫して、結核菌の適正な管理体制の確立を図ることとした。

〔参　考〕旧結核予防法の変遷

旧結核予防法が昭和二十六年三月三十一日に公布され（昭和二十六年法律第九十六号）、同年四月一日に施行されて以降、平成十九年三月三十一日限り廃止されるまでの間の主要な法改正の概要は、次のとおりである。

⑴　結核予防法の一部を改正する法律（昭和三十年法律第百十四号）

・市町村の行う定期の健康診断の対象者の拡大

一般住民に対する健康診断は、厚生大臣が指定する区域の市町村長が、その区域内に居住する三十歳未満の者のみを対象として、毎年定期に行われてきたが、あらゆる地域、あらゆる年齢層に広範にまん延している事実が判明したため、区域の指定及び年齢の制限を廃止し、小学校就学の始期に達しない者を除く一般住民全部を対象として健康診断を行い、結核予防対策の強化を期することとした。

・定期の健康診断の回数

定期の健康診断は、一律に毎年一回行うものとされていたところ、結核の発病率の高い者においては、毎年一回では不十分であることから、定期の健康診断の回数を政令に委任し、対象者の区分に応じた適当な回数を政令で規定することとした。

・結核患者の入院に関する届出義務

病院の管理者に対し、結核患者が入院したとき、所定の事項を保健所長へ届け出る義務を課し、保健所長が行う家庭訪問指導等の対策を一層強力かつ円滑に推進することとした。

(2) 結核予防法の一部を改正する法律（昭和三十二年法律第六十三号）

・健康診断、ツベルクリン反応検査又は予防接種の無料化

健康診断実施者又は予防接種実施者は、結核予防法に基づいて実施した健康診断、ツベルクリン反応検査又は予防接種の実費を受診者又はその保護者から徴収することができる旨の規定により、受診者の種別によりそれぞれ実費を徴収していたところ、実費徴収に関する規定を削除することにより、健康診断、予防接種の実施の徹底を図ることとした。

(3) 結核予防法の一部を改正する法律（昭和三十六年法律第九十四号）

・命令入所制度の強化

感染源患者に対し行政庁が命令入所等の措置をとった場合に必要とされる医療費について、全額を公費で負担することを原則とし、患者に負担能力のある場合に限って自己負担をさせることとするとともに、従来の二分の一の国庫補助率を十分の八の国庫負担率に引き上げること等によって、命令入所等の措置の円滑な実施を図ることとした。

・公費負担の優先化

公費負担と社会保険各法との関係について、公費負担を保険給付に優先するように改め、その間の調整を行うこととした。

・患者登録制度の改正

患者登録制度の整備を行い、登録患者に対する精密検査の実施等について規定を設ける等、結核対策の強化徹底に資することとした。

(4) 結核予防法等の一部を改正する法律（昭和四十九年法律第八十八号）

・健康診断及び予防接種に関する改正

健康診断は、毎年実施することとされていたが、患者の発生状況、エックス線被曝による健康に対する影響等を総合的に考慮して適切に実施できるように、政令で定める定期において実施することとした。

予防接種は、ツベルクリン反応検査の反応が陰性又は擬陽性であるものに対して行うこととされていたが、擬陽性である者については、そのほとんどが既に結核に対する免疫を有しているので、陰性である者に対してのみ予防接種を行うこととした。

市町村長は、小学校就学の始期に達しない者のうち、幼稚園や施設で集団生活をしていない者に対して、毎年、ツベルクリン反応検査を行い、かつ、その反応が陰性又は擬陽性である者に対して、定期の予防接種を行うこととされていたが、予防接種による免疫効果はかなり長期間にわたって持続するものであることが明らかにされたため、小学校就学の始期に達しない者に対して、政令で定める定期において、ツベルクリン反応検査を行い、かつ、その反応が陰性である者に対して、定期の予防接種を行うこととした。

・診療報酬の審査及び支払事務に関する改正

結核予防法による医療に関する給付に関わる審査及び支払いに関する事務を、新たに国民健康保険団体連合会等にも委託することができるようにし、診療報酬事務の簡素化を図ることとした。

(5)　予防接種法及び結核予防法の一部を改正する法律（昭和五十一年法律第六十九号）

・予防接種による健康被害の救済等

結核予防法による予防接種を受けたことにより、疾病にかかり、廃疾となり、又は死亡した場合（注：当時の法律の条文を引用した表現）には、市町村長は、予防接種法の例により給付を行うこととした。

予防接種法の一部改正により、予防接種による健康被害の救済の措置として、予防接種を受けたことにより、疾病にかかり、廃疾となり又は死亡した場合には、市町村長は、医療費、医療手当、障害児養育年金、障害年金、死亡一時金及び葬祭料を支給することとし、その額、支給方法等については、政令で定めることとした。また、これらの給付に要する費用については、市町村及び都道府県がそれぞれ四分の一、国が二分の一を負担することとした。

(6) 予防接種法及び結核予防法の一部を改正する法律（平成六年法律第五十一号）

・予防接種の実施方法、予防接種による健康被害の救済措置等に関する改正

予防接種法の一部改正により、予防接種の対象者は、予防接種を受けなければならないとしていたものを、予防接種を受けるよう努めなければならないと改めることとし、国は予防接種による健康被害を受けた者に対する保健福祉事業の推進を図るほか、予防接種に関する知識の普及、予防接種事業に従事する者への研修、予防接種による健康被害の発生状況の調査などの措置を講ずることを明確に定めることとした。

(7) 結核予防法の一部を改正する法律（平成七年法律第九十三号）

・国及び地方公共団体の責務について

国及び地方公共団体は、結核の予防及び結核患者の適正な医療に関する施策を講ずるに当たっては、地域の特性に配慮しつつ、総合的に実施するよう努めなければならないこととするとともに、結核に関する正しい知識の普及を図らなければならないこと等を明らかにすることとした。

・結核医療の費用の保険優先化

結核医療に要する費用について、その全部又は一部について公費により負担し、公費負担がなされない部分について社会保険各法等による医療給付として行う、いわゆる公費優先の仕組みを、社会保険各法等による医療給付の自己負担部分について公費により負担する、いわゆる保険優先の仕組みに改めることとした。

(8) 結核予防法の一部を改正する法律（平成十六年法律第百三十三号）

・国及び地方公共団体は、結核に関する正しい知識の普及等を図ること等を明らかにするとともに、国民及び医師等関係者の責務を明らかにした。

・国は結核の予防の総合的な推進を図るための基本指針を定め、都道府県は結核の予防のための施策の実施に関する予防計画を定めることとした。
・定期の健康診断の対象者を政令で定めるものとするとともに、定期外の健康診断について、都道府県知事は、特に必要があると認めるときは、結核にかかっていると疑うに足りる正当な理由のある者に対して健康診断を受けるべきことを勧告し、これに従わないときは、当該職員に健康診断を行わせることができることとした。
・予防接種の前に行われるツベルクリン反応検査を廃止することとした。
・結核患者に対する保健師等による家庭訪問指導及び医師の指示において、薬剤を確実に服用することを指導することを明確にすることとした。

(9)　感染症法等の一部を改正する法律（平成十八年法律第百六号）
・旧結核予防法を廃止することとした。
・結核を二類感染症に分類し、旧結核予防法に規定されていた従業禁止規定、命令入所規定等については、感染症法に規定されている就業制限規定や入院勧告、入院措置規定等の相当する規定において、同等ないしそれ以上の措置を引き続き講ずることとした。
・通院公費負担医療等旧結核予防法独自の規定で結核対策上必要な規定については、新たに結核の章を設けること等により、引き続き同等の措置を講ずることとした。
・旧結核予防法に基づき行われていた結核の予防のための予防接種については、同法廃止後においても実施することとし、予防接種に関する一般法である予防接種法において、一類疾病として予防接種の対象疾病に位置づけることとした。

第二編　逐条解説

前文

人類は、これまで、疾病、とりわけ感染症により、多大の苦難を経験してきた。ペスト、痘そう、コレラ等の感染症の流行は、時には文明を存亡の危機に追いやり、感染症を根絶することは、正に人類の悲願と言えるものである。

医学医療の進歩や衛生水準の著しい向上により、多くの感染症が克服されてきたが、新たな感染症の出現や既知の感染症の再興により、また、国際交流の進展等に伴い、感染症は、新たな形で、今なお人類に脅威を与えている。

一方、我が国においては、過去にハンセン病、後天性免疫不全症候群等の感染症の患者等に対するいわれのない差別や偏見が存在したという事実を重く受け止め、これを教訓として今後に生かすことが必要である。

このような感染症をめぐる状況の変化や感染症の患者等が置かれてきた状況を踏まえ、感染症の患者等の人権を尊重しつつ、これらの者に対する良質かつ適切な医療の提供を確保し、感染症に迅速かつ適確に対応することが求められている。

ここに、このような視点に立って、これまでの感染症の予防に関する施策を抜本的に見直し、感染症の予防及び感染症の患者に対する医療に関する総合的な施策の推進を図るため、この法律を制定する。

〔解　説〕

○　本法においては、感染症の予防のみならず、患者に対する良質かつ適切な医療の提供という観点が加わったことを端的に示し、法の基本理念を明らかにするため、題名を「感染症の予防及び感染症の患者に対する医療に関する法律」としている。

○　前文を設け、感染症対策の歴史的経緯や社会的背景を踏まえて感染症の予防及び感染症の患者に対する医療に関する総合的な施策を講ずるという制定の理念を宣明することとした。なお、前文は、本法の制定時に衆議院における修正により加えられた事項であり、政府及び関係者においては、特に基本的な理念として、本法の施行、施策の実施に当たって十分に留意することが重要である。

第一章　総　則

（目的）

第一条　この法律は、感染症の予防及び感染症の患者に対する医療に関し必要な措置を定めることにより、感染症の発生を予防し、及びそのまん延の防止を図り、もって公衆衛生の向上及び増進を図ることを目的とする。

〔**解　説**〕

○　第一条は本法の目的を規定した条文である。本条は、①その達成手段＋②直接の目的＋③究極的な目的という構造になっている。

○　本法は、①事前に感染症の発生及びまん延防止に対応できるよう予防に関する基本指針・予防計画を定めるとともに、②発生動向を的確に把握し、また、③感染症が発生した場合の措置を感染力と罹患した場合の重篤性等に応じた適切なもの（就業制限、入院等）とし、かつ、④感染症指定医療機関の指定を通じて、感染者に対して適切な医療を提供しようとするものである。

○　このような感染症の発生及びまん延の防止のための手段は、⑴予防措置（前記の①～③）と、⑵医療（④）に大別することができる。そこで、目的達成手段として⑴予防措置と⑵医療とを規定することとされている。また、この法律の直接的な目的は、「感染症の発生及びまん延を防止すること」であり、さらに、究極的な目的は、他の公衆衛生法規の多くと同じく「公衆衛生の向上及び増進を図ること」とされている。

〔参考〕 予防概念について

〔1〕「予防」とは、感染症の発生をあらかじめ防ぎ、及びそのまん延を防止することを意味する。

○　感染症の予防とは、感染症が発生し、特に社会的にまん延（感染症にかかった患者が増加していく状態）を防止すること、すなわち感染症による被害が拡大していくことを防止することを意味する。

○　感染症の予防に必要な措置とは、感染症の発生及びまん延を防ぐための事前措置（予防接種、健康診断、ねずみ族、昆虫等の駆除等）と、感染症が発生した場合にその被害の拡大（＝まん延）を防止するための措置（消毒措置、入院等）をその内容とする。

〔2〕「予防」は「医療」、「治療」を含まない。

○　「医療」、「治療」とは、いったん感染症にかかった患者を治すことを意味し、「予防」とは対概念を構成する。

（基本理念）

第二条　感染症の発生の予防及びそのまん延の防止を目的として国及び地方公共団体が講ずる施策は、これらを目的とする施策に関する国際的動向を踏まえつつ、保健医療を取り巻く環境の変化、国際交流の進展等に即応し、新感染症その他の感染症に迅速かつ適確に対応することができるよう、感染症の患者等が置かれている状況を深く認識し、これらの者の人権を尊重しつつ、総合的かつ計画的に推進されることを基本理念とする。

〔解　説〕

○　第二条は、感染症の予防及びそのまん延を防止するための施策を実施する際の基本的な理念について規定した条文である。本法では、従来の隔離中心の伝染病対策にとらわれることなく、感染症の患者等の人権を尊重するとともに、感染症の患者に適切な医療を提供して早期に治癒させることにより、個々の積み重ねとしての社会防衛という考え方に立っている。また、国際交流の活発化等を背景として、危機管理の観点から迅速な対応が行われることが不可欠であり、そのためには国と地方公共団体が密接に連携して感染症に対応することが必要である。このように、本法では、人権の尊重、適切な医療の提供、危機管理への対応といった観点から、従来の感染症対策を抜本的に改めることとしており、その基本的な考え方を基本理念として法文上に規定し、明確にする必要がある。

○　以上のことを受け、基本理念には、危機管理の観点から「新感染症その他の感染症に迅速かつ適確に対応すること」と、人権の観点から「感染症の患者等が置かれている状況を深く認識し、これらの者の人権を尊重」と入念的に規定されている。

○　また、感染症対策については、次の感染症危機に備えた諸外国の取組など、国際的な動向を踏まえながら施策、対策を推進することが必要である。病原体等の規制についても、Ｇ７各国において病原体の保管、使用等の基準、病原体等の保管施設に対する登録等の制度、法制が確立し、国際的なネットワークが形成され、病原体等の管理の充実と強化が国際的にも進められているところであり、このような国際的動向を踏まえて施策等を講ずる必要性が一層明確となってきている。このため、感染症の発生の予防及びそのまん延の防止を目的として国及び地方公共団体が講ずる施策は、これらを目的とする施策に関する国際的動向を踏まえつつ、推進されることを基本理念とする旨を明確にしている。

（国及び地方公共団体の責務）

第三条　国及び地方公共団体は、教育活動、広報活動等を通じた感染症に関する正しい知識の普及、感染症に関する情報の収集、整理、分析及び提供、感染症に関する研究の推進、病原体等の検査能力の向上並びに感染症の予防に係る人材の養成及び資質の向上を図るとともに、社会福祉等の関連施策との有機的な連携に配慮しつつ感染症の患者が良質かつ適切な医療を受けられるように必要な措置を講ずるよう努めなければならない。この場合において、国及び地方公共団体は、感染症の患者等の人権を尊重しなければならない。

2　国及び地方公共団体は、地域の特性に配慮しつつ、感染症の予防に関する施策が総合的かつ迅速に実施されるよう、相互に連携を図らなければならない。

3　国は、感染症及び病原体等に関する情報の収集及び研究並びに感染症に係る医療のための医薬品の研究開発の推進及び当該医薬品の安定供給の確保、病原体等の検査の実施等を図るための体制を整備し、国際的な連携を確保するよう努めるとともに、地方公共団体に対し前二項の責務が十分に果たされるように必要な技術的及び財政的援助を与えることに努めなければならない。

（国民の責務）

第四条　国民は、感染症に関する正しい知識を持ち、その予防に必要な注意を払うよう努めるとともに、感染症の患者等の人権が損なわれることがないようにしなければならない。

（医師等の責務）

第五条　医師その他の医療関係者は、感染症の予防に関し国及び地方公共団体が講ずる施策に協力し、その予防に寄与するよう努めるとともに、感染症の患者等が置かれている状況を深く認識し、良質かつ適切な医療を行うとともに、当該医療について適切な説明を行い、当該患者等の理解を得るよう努めなければならない。

2　病院、診療所、病原体等の検査を行っている機関、老人福祉施設等の施設の開設者及び管理者は、当該施設において感染症が発生し、又はまん延しないように必要な措置を講ずるよう努めなければならない。

（獣医師等の責務）

第五条の二　獣医師その他の獣医療関係者は、感染症の予防に関し国及び地方公共団体が講ずる施策に協力するとともに、その予防に寄与するよう努めなければならない。

2　動物等取扱業者（動物又はその死体の輸入、保管、貸出し、販売又は遊園地、動物園、博覧会の会場その他不特定かつ多数の者が入場する施設若しくは場所における展示を業として行う者をいう。）は、その輸入し、保管し、貸出しを行い、販売し、又は展示する動物又はその死体が感染症を人に感染させることがないように、感染症の予防に関する知識及び技術の習得、動物又はその死体の適切な管理その他の必要な措置を講ずるよう努めなければならない。

〔解　説〕

○　第三条から第五条の二までは、責務について規定した条文である。第三条で行政の責務を、第四条で国民の責務を、第五条で医師等の責務を、第五条の二で獣医師その他の獣医療関係者及び動物等取扱業者の責務を定めている。目的（第一条）、基本理念（第二条）で、新しい時代の感染症対策の基本的考え方について総体的に規定してきたが、この新しい考え方に基づいて国、地方公共団体、国民、医師、獣医師等、動物等取扱業者が果たすべき役割と責務について明らかにし、本法に基づく施策の中で各々の主体が何をなすべきかについて認識を新たにすることを促すために置かれた規定である。

《第三条関係》

○　国及び地方公共団体の責務は、以下の①～⑤を図るように努めること、⑥に係る措置を講ずるよう努めることであり、その際には、感染症の患者等の人権を尊重しなければならない。「人権を尊重」という表現は、感染症を予防するため、国等が必要な施策を実施するに当たり、患者等の権利に一定の制限を加えることになるため、「人権の尊重」の観点の明確化を図った表現である。⑥の「良質かつ適切な医療」という表現については、医療の提供についての一般法である医療法（昭和二十三年法律第二百五号）においても、医療提供の理念として規定されており（医療法第一条の二）、さらに、国及び地方公共団体は、国民に対し良質かつ適切な医療を効率的に提供する体制が確保されるよう努めなければならないこととされているが（医療法第一条の三）、本法においても、感染症の患者に対する医療を感染症対策の一つの柱として位置づけることから、医療法と同様の規定を置くこととされたものである。なお、④は法制定時に参議院の修正で追加されたものである。⑥は、平成十八年改正で修正されたものである。

①　感染症に関する正しい知識の普及

②　感染症に関する情報の収集、整理、分析及び提供

③　感染症に関する研究の推進

④　病原体等の検査能力の向上

⑤　感染症の予防に係る人材の養成及び資質の向上

⑥　社会福祉等の関連施策との有機的な連携に配慮しつつ感染症の患者が良質かつ適切な医療を受けられるように必要な措置を講ずる

○　国の責務は、以下の①、②を図るための体制の整備、③の確保、④を与えることに努めることである。②は本法制定時に参議院の修正で追加されたものである。①のうち、「当該医薬品の安定供給の確保」は令和四年改正で追加されたものである。

①　感染症及び病原体等に関する情報の収集及び研究並びに感染症に係る医療のための医薬品の研究開発の推進及び当該医薬品の安定供給の確保

②　病原体等の検査の実施等を図るための体制を整備

③　国際的な連携

④　地方公共団体に対し第三条第一項及び第二項の責務が十分に果たされるように必要な技術的及び財政的援助

○　「社会福祉等の関連施策との有機的な連携に配慮」とは、感染症のまん延を防止するため、権利制約の強い対人措置をはじめとする施策、措置を行うに当たっては、単に感染症の予防の観点から公衆衛生上の措置を講ずるだけでなく、社会福祉施策のサービス利用や他の医療保健制度、労働施策が同時に講じられる必要が高く、これらの関連施策との十分な連携が求められることから、その趣旨を明確にするために規定するものである。

○　「地域の特性への配慮」とは、結核対策を推進するに当たっては、地域の特性に配慮してその対策を実施する旨を明記することが適当であることを念頭に置いたものであり、地域の特性に応じた対策は、結核以外の感染症についても当てはまることから、地域の特性に配慮しつつ実施する旨を規定するものである。

《第四条関係》

○　国民の責務は、①、②に努めること及び③である。
①　感染症に関する正しい知識を持つこと
②　感染症の予防に必要な注意を払うこと
③　感染症の患者等の人権が損なわれることがないようにすること
①及び②については、社会的な感染症の予防は、個々人の予防の積み重ねであり、国民一人一人の感染症に対する正しい理解と予防がその出発点となることから盛り込まれているものであり、③については、感染症の患者等に対する差別や偏見は否定されるべきものであり、責務として明示的に規定されているものである。

《第五条関係》

○　医師その他の医療関係者の責務は①～⑤に努めることである。
①　感染症の予防に関し国及び地方公共団体が講ずる施策に協力すること
②　感染症の予防に寄与するよう努めなければならないこと
③　感染症の患者等が置かれている状況を深く認識すること
④　良質かつ適切な医療を行うよう努めなければならないこと
⑤　当該医療について適切な説明を行い、当該患者等の理解を得るよう努めなければならないこと
①については、本法に関する施策の実施には医師等の協力が必要であるから規定されているものであり、②については、医師は能動的な協力により感染症の予防を図れる立場にいることから規定されているものである。なお、③及び④はこの法律の制定時における衆議院の修正によるものである。⑤は、平成十八年改正で追加されたものである。

○　「当該医療について適切な説明を行い、当該患者等の理解を得るよう」とは、インフォームドコンセント（説明とこれに基づく同意）については、その必要性、重要性の高まりに鑑み、医療法においても基本的な規定が設けられているが、

感染症法における医師等の責務においては、特に感染症の患者に対するインフォームドコンセントに関して入念的に規定し、その重要性、必要性を明確にする要請が高いことから、規定されたものである。

○　病院、病原体等の検査を行っている機関、老人福祉施設等の開設者及び管理者の責務は、当該施設における、感染症の発生及びまん延の防止に努めることである。これらの施設等において、入所者、利用者、従業者等に対する施設感染の危険性が指摘されており、施設感染を防止するためには施設管理者等の配慮が必要であり、その旨を入念的に規定したものである。また、病原体等の検査を行っている機関において、病原体等を取り扱う者については、危険性の高い病原体等を取り扱うことに伴う責任、高度な注意義務を負うことから、当該病原体等に起因する生物テロや事故等による人為的な感染を未然に防止することが求められ、当該病原体等による感染症の発生及びまん延を防止するために所要の措置を講じる必要があることから、その旨を規定するものである。

《第五条の二関係》

○　獣医師その他の獣医療関係者の責務は、感染症の予防に関し、国及び地方公共団体が講ずる施策に協力するとともに、その予防に寄与するよう努めることである。動物に由来する感染症の発生及びまん延を防止するためには、当該感染症に関する専門的な知見及び技能を有する獣医師からの届出が迅速かつ的確に行われるなど、本法の施行、本法に基づく国、地方公共団体の施策に協力し、その役割を果たすことが重要であり、その旨を入念的に規定したものである。

○　「獣医師」とは、獣医師法に規定する獣医師であり、「獣医療関係者」とは、獣医師を含めた獣医療法に規定する獣医療に従事する者等の関係者をいう。

○　動物等取扱業者の責務は、その取り扱う動物又はその死体が感染症を人に感染させることがないように必要な措置を講ずるよう努めることである。動物に由来する感染症への対策には、いわゆる動物輸入業者、動物販売店、動物展示施設等の衛生管理が適切に行われることが不可欠であることから、このような動物を取り扱う者に相当の注意義務を果たすことを求めている。

○「動物」とは、全ての動物を観念上は指すが、これは努力義務規定であり、特定の動物に限定する必要はないためであるが、実質的には、感染症を人に感染させるおそれのある動物の意味であり、家畜伝染病予防法（昭和二十六年法律第百六十六号）等の他法令により適正な規制が行われている動物は除かれる。

○「死体」とは、動物の死体の全部又は一部であり、社会通念上、死体と評価される状態のものは全て含まれる。

○「動物等取扱業者」は、動物等の輸入、保管、貸出し、販売又は遊園地、動物園、博覧会の会場その他不特定かつ多数の者が入場する施設若しくは場所における展示を業とするものと定義されており、これは、感染症の発生の予防及びまん延の防止という法目的から、不特定多数の者に当該動物等が接触すること等が想定される行為を業としている者を列挙した。したがって、いわゆる畜産農業者や試験研究者は、含まれない。

（定義等）

第六条　この法律において「感染症」とは、一類感染症、二類感染症、三類感染症、四類感染症、五類感染症、新型インフルエンザ等感染症、指定感染症及び新感染症をいう。

2　この法律において「一類感染症」とは、次に掲げる感染性の疾病をいう。

一　エボラ出血熱

二　クリミア・コンゴ出血熱

三　痘そう

四　南米出血熱

五　ペスト

六　マールブルグ病
七　ラッサ熱
３　この法律において「二類感染症」とは、次に掲げる感染性の疾病をいう。
一　急性灰白髄炎
二　結核
三　ジフテリア
四　重症急性呼吸器症候群（病原体がベータコロナウイルス属ＳＡＲＳコロナウイルスであるものに限る。）
五　中東呼吸器症候群（病原体がベータコロナウイルス属ＭＥＲＳコロナウイルスであるものに限る。）
六　鳥インフルエンザ（病原体がインフルエンザウイルスＡ属インフルエンザＡウイルスであってその血清亜型が新型インフルエンザ等感染症（第七項第三号に掲げる新型コロナウイルス感染症及び同項第四号に掲げる再興型コロナウイルス感染症を除く。第六項第一号及び第二十五項第一号において同じ。）の病原体に変異するおそれが高いものの血清亜型として政令で定めるものであるものに限る。第五項第七号において「特定鳥インフルエンザ」という。）
４　この法律において「三類感染症」とは、次に掲げる感染性の疾病をいう。
一　コレラ
二　細菌性赤痢

三　腸管出血性大腸菌感染症
四　腸チフス
五　パラチフス
5　この法律において「四類感染症」とは、次に掲げる感染性の疾病をいう。
一　E型肝炎
二　A型肝炎
三　黄熱
四　Q熱
五　狂犬病
六　炭疽《そ》
七　鳥インフルエンザ（特定鳥インフルエンザを除く。）
八　ボツリヌス症
九　マラリア
十　野兎《と》病
十一　前各号に掲げるもののほか、既に知られている感染性の疾病であって、動物又はその死体、飲食物、衣類、寝具その他の物件を介して人に感染し、前各号に掲げるものと同程度に国民の健康に影響を与えるおそれがあるものとして政令で定めるもの
6　この法律において「五類感染症」とは、次に掲げる感染性の疾病をいう。

一　インフルエンザ（鳥インフルエンザ及び新型インフルエンザ等感染症を除く。）
二　ウイルス性肝炎（E型肝炎及びA型肝炎を除く。）
三　クリプトスポリジウム症
四　後天性免疫不全症候群
五　性器クラミジア感染症
六　梅毒
七　麻しん
八　メチシリン耐性黄色ブドウ球菌感染症
九　前各号に掲げるもののほか、既に知られている感染性の疾病（四類感染症を除く。）であって、前各号に掲げるものと同程度に国民の健康に影響を与えるおそれがあるものとして厚生労働省令で定めるもの

7　この法律において「新型インフルエンザ等感染症」とは、次に掲げる感染性の疾病をいう。
一　新型インフルエンザ（新たに人から人に伝染する能力を有することとなったウイルスを病原体とするインフルエンザであって、一般に国民が当該感染症に対する免疫を獲得していないことから、当該感染症の全国的かつ急速なまん延により国民の生命及び健康に重大な影響を与えるおそれがあると認められるものをいう。）
二　再興型インフルエンザ（かつて世界的規模で流行したインフルエンザであってその後流行することなく長期間が経過しているものとして厚生労働大臣が定めるものが再興したものであって、一般に現

在の国民の大部分が当該感染症に対する免疫を獲得していないことから、当該感染症の全国的かつ急速なまん延により国民の生命及び健康に重大な影響を与えるおそれがあると認められるものをいう。）

三　新型コロナウイルス感染症（新たに人から人に伝染する能力を有することとなったコロナウイルスを病原体とする感染症であって、一般に国民が当該感染症に対する免疫を獲得していないことから、当該感染症の全国的かつ急速なまん延により国民の生命及び健康に重大な影響を与えるおそれがあると認められるものをいう。）

四　再興型コロナウイルス感染症（かつて世界的規模で流行したコロナウイルスを病原体とする感染症であってその後流行することなく長期間が経過しているものとして厚生労働大臣が定めるものが再興したものであって、一般に現在の国民の大部分が当該感染症に対する免疫を獲得していないことから、当該感染症の全国的かつ急速なまん延により国民の生命及び健康に重大な影響を与えるおそれがあると認められるものをいう。）

8　この法律において「指定感染症」とは、既に知られている感染性の疾病（一類感染症、二類感染症、三類感染症及び新型インフルエンザ等感染症を除く。）であって、第三章から第七章までの規定の全部又は一部を準用しなければ、当該疾病のまん延により国民の生命及び健康に重大な影響を与えるおそれがあるものとして政令で定めるものをいう。

9　この法律において「新感染症」とは、人から人に伝染すると認められる疾病であって、既に知られている感染性の疾病とその病状又は治療の結果が明らかに異なるもので、当該疾病にかかった場合の病状の程度が重篤であり、かつ、当該疾病のまん延により国民の生命及び健康に重大な影響を与えるおそれがあると認められるものをいう。

10　この法律において「疑似症患者」とは、感染症の疑似症を呈している者をいう。

11　この法律において「無症状病原体保有者」とは、感染症の病原体を保有している者であって当該感染症の症状を呈していないものをいう。

12　この法律において「感染症指定医療機関」とは、特定感染症指定医療機関、第一種感染症指定医療機関、第二種感染症指定医療機関、第一種協定指定医療機関、第二種協定指定医療機関及び結核指定医療機関をいう。

13　この法律において「特定感染症指定医療機関」とは、新感染症の所見がある者又は一類感染症、二類感染症若しくは新型インフルエンザ等感染症の患者の入院を担当させる医療機関として厚生労働大臣が指定した病院をいう。

14　この法律において「第一種感染症指定医療機関」とは、一類感染症、二類感染症又は新型インフルエンザ等感染症の患者の入院を担当させる医療機関として都道府県知事が指定した病院をいう。

15　この法律において「第二種感染症指定医療機関」とは、二類感染症又は新型インフルエンザ等感染症の患者の入院を担当させる医療機関として都道府県知事が指定した病院をいう。

16　この法律において「第一種協定指定医療機関」とは、第三十六条の二第一項の規定による通知（同項第一号に掲げる措置をその内容に含むものに限る。）又は第三十六条の三第一項に規定する医療措置協定（同号に掲げる措置をその内容に含むものに限る。）に基づき、新型インフルエンザ等感染症若しくは指定感染症の患者又は新感染症の所見がある者を入院させ、必要な医療を提供する医療機関として都道府県知事が指定した病院又は診療所をいう。

17　この法律において「第二種協定指定医療機関」とは、第三十六条の二第一項の規定による通知（同項第二号又は第三号に掲げる措置をその内容に含むものに限る。）又は第三十六条の三第一項に規定する医療措置協定（第三十六条の二第一項第二号又は第三号に掲げる措置をその内容に含むものに限る。）に基づき、第四十四条の三の二第一項（第四十四条の九第一項の規定に基づく政令によって準用される場合を含む。）又は第五十条の三第一項の厚生労働省令で定める医療を提供する医療機関として都道府県知事が指定した病院若しくは診療所（これらに準ずるものとして政令で定めるものを含む。次項、第三十八条第二項、第四十二条第一項、第四十四条の三の三第一項及び第五十条の四第一項において同じ。）又は薬局をいう。

18　この法律において「結核指定医療機関」とは、結核患者に対する適正な医療を担当させる医療機関として都道府県知事が指定した病院若しくは診療所又は薬局をいう。

19　この法律において「病原体等」とは、感染症の病原体及び毒素をいう。

20　この法律において「毒素」とは、感染症の病原体によって産生される物質であって、人の生体内に入った場合に人を発病させ、又は死亡させるもの（人工的に合成された物質で、その構造式がいずれかの毒素の構造式と同一であるもの（以下「人工合成毒素」という。）を含む。）をいう。

21　この法律において「特定病原体等」とは、一種病原体等、二種病原体等、三種病原体等及び四種病原体等をいう。

22　この法律において「一種病原体等」とは、次に掲げる病原体等（医薬品、医療機器等の品質、有効性及び安全性の確保等に関する法律（昭和三十五年法律第百四十五号）第十四条第一項、第二十三条の二の五第一項若しくは第二十三条の二十五第一項の規定による承認又は同法第二十三条の二の二十三第一項の規定による認証を受けた医薬品又は再生医療等製品に含有されるものその他これに準ずる病原体等（以下「医薬品等」という。）であって、人を発病させるおそれがほとんどないものとして厚生労働大臣が指定するものを除く。）をいう。

一　アレナウイルス属ガナリトウイルス、サビアウイルス、フニンウイルス、マチュポウイルス及びラッサウイルス

二　エボラウイルス属アイボリーコーストエボラウイルス、ザイールウイルス、スーダンエボラウイルス及びレストンエボラウイルス

三　オルソポックスウイルス属バリオラウイルス（別名痘そうウイルス）

四　ナイロウイルス属クリミア・コンゴヘモラジックフィーバーウイルス（別名クリミア・コンゴ出血熱ウイルス）

五　マールブルグウイルス属レイクビクトリアマールブルグウイルス

六　前各号に掲げるもののほか、前各号に掲げるものと同程度に病原性を有し、国民の生命及び健康に極めて重大な影響を与えるおそれがある病原体等として政令で定めるもの

23　この法律において「二種病原体等」とは、次に掲げる病原体等（医薬品等であって、人を発病させるおそれがほとんどないものとして厚生労働大臣が指定するものを除く。）をいう。

一　エルシニア属ペスティス（別名ペスト菌）
二　クロストリジウム属ボツリヌム（別名ボツリヌス菌）
三　ベータコロナウイルス属ＳＡＲＳコロナウイルス
四　バシラス属アントラシス（別名炭疽菌）
五　フランシセラ属ツラレンシス種（別名野兎病菌）亜種ツラレンシス及びホルアークティカ
六　ボツリヌス毒素（人工合成毒素であって、その構造式がボツリヌス毒素の構造式と同一であるものを含む。）
七　前各号に掲げるもののほか、前各号に掲げるものと同程度に病原性を有し、国民の生命及び健康に重大な影響を与えるおそれがある病原体等として政令で定めるもの

24　この法律において「三種病原体等」とは、次に掲げる病原体等（医薬品等であって、人を発病させるおそれがほとんどないものとして厚生労働大臣が指定するものを除く。）をいう。
一　コクシエラ属バーネッティイ
二　マイコバクテリウム属ツベルクローシス（別名結核菌）（イソニコチン酸ヒドラジド、リファンピシンその他結核の治療に使用される薬剤として政令で定めるものに対し耐性を有するものに限る。）
三　リッサウイルス属レイビーズウイルス（別名狂犬病ウイルス）
四　前三号に掲げるもののほか、前三号に掲げるものと同程度に病原性を有し、国民の生命及び健康に影響を与えるおそれがある病原体等として政令で定めるもの

25　この法律において「四種病原体等」とは、次に掲げる病原体等（医薬品等であって、人を発病させる

おそれがほとんどないものとして厚生労働大臣が指定するものを除く。）をいう。
一　インフルエンザウイルスA属インフルエンザAウイルス（血清亜型が政令で定めるものであるもの（新型インフルエンザ等感染症の病原体を除く。）又は新型インフルエンザ等感染症の病原体に限る。）
二　エシェリヒア属コリー（別名大腸菌）（腸管出血性大腸菌に限る。）
三　エンテロウイルス属ポリオウイルス
四　クリプトスポリジウム属パルバム（遺伝子型が一型又は二型であるものに限る。）
五　サルモネラ属エンテリカ（血清亜型がタイフィ又はパラタイフィAであるものに限る。）
六　志賀毒素（人工合成毒素であって、その構造式が志賀毒素の構造式と同一であるものを含む。）
七　シゲラ属（別名赤痢菌）ソンネイ、デイゼンテリエ、フレキシネリー及びボイデイ
八　ビブリオ属コレラ（別名コレラ菌）（血清型がO一又はO一三九であるものに限る。）
九　フラビウイルス属イエローフィーバーウイルス（別名黄熱ウイルス）
十　マイコバクテリウム属ツベルクローシス（前項第二号に掲げる病原体を除く。）
十一　前各号に掲げるもののほか、前各号に掲げるものと同程度に病原性を有し、国民の健康に影響を与えるおそれがある病原体等として政令で定めるもの

26　厚生労働大臣は、第三項第六号の政令の制定又は改廃の立案をしようとするときは、あらかじめ、厚生科学審議会の意見を聴かなければならない。

〔解　説〕

○　第六条は、この法律で用いられる基本的な用語について定義した条文である。第一項から第九項で対象となる感染症を、第十項及び第十一項で患者と類似する者を、第十二項から第十八項で患者等の入院を担当する医療機関を、第十九項から第二十五項で対象となる病原体等を定義している。加えて、人権制約を伴う入院等の措置を講ずることができる二類感染症に位置づけるべき鳥インフルエンザの病原体の血清亜型の決定に当たっては、科学的根拠に基づいた透明性のある議論を行うことにより人権の尊重について担保することが適当であることから、第二十六項でこの血清亜型を定める政令の制定又は改廃を行うときは、厚生科学審議会の意見を聴かなければならないとしている。

《第一項関係》

○　第一項は、この法律における感染症について定義したものである。第一項は医学的な意味の感染症（細菌、ウイルス等の病原体が人体に入って引き起こされる疾病）一般を定義したものではなく、あくまでこの法律の対象となる感染症を定義したものである。したがって、この法律の対象とならない感染症も当然に存在する。医学的な意味の感染症については「感染性の疾病」という語を用いて峻別を図っている（第二項から第九項）。

○　「伝染病」は、医学的な意味の感染症のうち、インフルエンザや赤痢等のように人から人への感染がある疾病を意味するものであり、感染症であって伝染病でないものを非伝染性感染症という。過去には非伝染性感染症であるクリプトスポリジウム症の集団感染が発生するなど、非伝染性感染症対策も重要な課題の一つである。本法では、このような非伝染性感染症についても、発生状況等の把握を行うとともに、基本指針、予防計画、特定感染症予防指針の策定等を通じて総合的な対応を図ることとされている。このようなことから、本法の名称には「感染症」という語が用いられている。

《第二項～第六項関係》

○　第二項から第六項は、既知の感染症をその感染力及び罹患した場合の重篤性等から判断した危険性の程度に応じて一類感染症から五類感染症に分類し定義したものである。

①　一類感染症は、感染力及び罹患した場合の重篤性等に基づく総合的な観点からみた危険性が極めて高い感染症で、患者、疑似症患者及び無症状病原体保有者について入院等が必要な感染症である。

②　二類感染症は、感染力及び罹患した場合の重篤性等に基づく総合的な観点からみた危険性が高い感染症で、患者及び一部の疑似症患者について入院等が必要な感染症である。

③　三類感染症は、感染力及び罹患した場合の重篤性等に基づく総合的な観点からみた危険性は高くないが、特定の職業への就業によって感染症の集団発生を起こし得る感染症で、患者及び無症状病原体保有者について就業制限等が必要な感染症である。

④　四類感染症は、感染力及び罹患した場合の重篤性等に基づく総合的観点からみた危険性は高くないが、動物、飲食物等の物件を介してヒトに感染する感染症で、媒介動物に係る獣医師の届出、動物等の輸入規制、消毒、ねずみ等の駆除、物件の廃棄の措置を講ずることが必要な感染症である。

⑤　五類感染症は、感染力及び罹患した場合の重篤性等に基づく総合的な観点からみた危険性が高くないが、国が感染症発生動向調査を行い、その結果等に基づいて必要な情報を国民一般や医療関係者に提供・公開していくことによって、発生及びまん延を防止すべき感染症である。

一類感染症から三類感染症については行政による強権的な措置の対象となるので、感染症の名称が法律上規定されている。四類感染症については調査の実施、対物措置という比較的軽易な権限行使の対象であり、五類感染症については強権的な措置の対象とはならないので、四類感染症及び五類感染症に分類すべき代表的な感染症のみを例示し、その具体的な内容は政令及び厚生労働省令で定めることとしている。

《第七項関係》

○　第七項は、新型インフルエンザ等感染症について定義したものである。新型インフルエンザ等感染症とは、①新型インフルエンザ、②再興型インフルエンザ、③新型コロナウイルス感染症及び④再興型コロナウイルス感染症である。新型インフルエンザ等感染症に対する対策、措置については、第七章において詳解することとする。

○　新型インフルエンザとは、新たに人から人に伝染する能力を有することとなったウイルスを病原体とするインフルエンザであって、一般に国民が当該感染症に対する免疫を獲得していないことから、当該感染症の全国的かつ急速なまん延により国民の生命及び健康に重大な影響を与えるおそれがあると認められるものと定義されている（第一号）。

○　鳥から人に感染する事例が増えている鳥インフルエンザ（病原体がインフルエンザウイルスＡ属インフルエンザＡウイルスであってその血清亜型がＨ５Ｎ１又はＨ７Ｎ９であるものに限る。）が、人から人に感染する形に変異する新型インフルエンザは、強い感染力を持つと想定され、そのまん延防止のためには、既存の感染症対策を超えた対応が必要であり、現行の一類感染症から五類感染症までの感染症の類型に位置づけるだけでは十分ではないことから、感染症法上、新たに新型インフルエンザの類型を設けたものである。

○　再興型インフルエンザとは、かつて世界的規模で流行したインフルエンザであってその後流行することなく長期間が経過しているものとして厚生労働大臣が定めるものが再興したものであって、一般に現在の国民の大部分が当該感染症に対する免疫を獲得していないことから、当該感染症の全国的かつ急速なまん延により国民の生命及び健康に重大な影響を与えるおそれがあると認められるものと定義されている（第二号）。

○　かつて世界的に流行したが近年は発生せず、そのため、かつての流行以降に誕生した世代は対抗する免疫を獲得していないインフルエンザが再度発生した場合には、新型インフルエンザと同様の脅威となることから、感染症法上、こうしたインフルエンザを再興型インフルエンザと類型化したものである。

○　再興型インフルエンザについては、厚生労働大臣が血清亜型等について定めることとされており、迅速な対応が可能となっている。なお、厚生労働大臣が定めた場合には、告示により公示することとしている。

○　新型コロナウイルス感染症とは、新たに人から人に伝染する能力を有することとなったコロナウイルスを病原体とする感染症であって、一般に国民が当該感染症に対する免疫を獲得していないことから、当該感染症の全国的かつ急速なまん延により国民の生命及び健康に重大な影響を与えるおそれがあると認められるものと定義されている（第三号）。

○　コロナウイルスについても、人にまん延している風邪のウイルス四種類のほかに、近年重症肺炎を引き起こすものとして、ＳＡＲＳコロナウイルス（二類感染症である重症急性呼吸器症候群の病原体）やＭＥＲＳコロナウイルス（二類感染症である中東呼吸器症候群の病原体）が知られており、これらは国内で大規模な流行までは至らなかったものの、重症肺炎を引き起こすことが確認されたところ、さらに、今般、新型コロナウイルス感染症（COVID-19）が流行したことを踏まえ、コロナウイルスによる感染症を類型化することとされたものである。なお、重症急性呼吸器症候群（ＳＡＲＳ）及び中東呼吸器症候群（ＭＥＲＳ）については、今後、国内で大規模な流行をもたらす可能性は低いと考えられる一方で、重症肺炎を引き起こすことから、入院の措置等を講ずる必要があり、こうした性質に鑑み、引き続き、二類感染症に位置づけられている。

○　再興型コロナウイルス感染症とは、かつて世界的規模で流行したコロナウイルスを病原体とする感染症であってその後流行することなく長期間が経過しているものとして厚生労働大臣が定めるものが再興したものであって、一般に現在の国民の大部分が当該感染症に対する免疫を獲得していないことから、当該感染症の全国的かつ急速なまん延により国民の生命及び健康に重大な影響を与えるおそれがあると認められるものと定義されている（第四号）。

○　「当該感染症の全国的かつ急速なまん延により国民の生命及び健康に重大な影響を与えるおそれがあると認められるもの」とは、新型インフルエンザ等感染症については、病状の重篤性にかかわらず、その感染力の強さによる社会的影響が甚大であることから規定されたものである。

○　インフルエンザウイルス・コロナウイルス以外の他のウイルスや細菌等についても、同様の流行をもたらす可能性を否

分類の考え方	指定方法
・人から人に伝染する疾病であること ・その感染力と罹患した場合の病態の重篤性から危険性を判断	法律
・動物、物件を介して人に感染する疾病であること ・国民の健康に影響を与えるおそれあり	法律例示 ＋ 政令
・国民の健康に影響を与えるおそれあり	法律例示 ＋ 省令
①新型インフルエンザ（新たに人から人へ伝染する能力を有することとなったウイルスを病原体とするインフルエンザで、一般に国民には免疫がない） ②再興型インフルエンザ（かつて世界的規模で流行したインフルエンザであってその後流行することなく長期間が経過しているものとして厚生労働大臣が定めるものが再興したもので、一般に現在の国民の大部分には免疫がない） ③新型コロナウイルス感染症（新たに人から人に伝染する能力を有することとなったコロナウイルスを病原体とする感染症で、一般に国民に免疫がない） ④再興型コロナウイルス感染症（かつて世界的規模で流行したコロナウイルスを病原体とする感染症で、その後流行することなく長期間が経過しているものとして厚生労働大臣が定めるものが再興したもので、一般に現在の国民の大部分には免疫がない） このため、全国的かつ急速なまん延により国民の生命及び健康に重大な影響を与えるおそれがあるもの	法律 （②④は告示）
・既知の感染症であること ・一～三類感染症と同程度の危険性を有すること	政令
・人から人に伝染すると認められること ・既知の感染症でないこと ・伝染力と罹患した場合の重篤度から判断した危険性が極めて高いこと	当初は厚生労働大臣の指導・助言及び指示 ↓ 政令

○感染症予防法の対象となる疾病の概観

<table>
<tr><th colspan="2">分　類</th><th colspan="2">実施できる措置等</th></tr>
<tr><td colspan="2">一類感染症
［エボラ出血熱、ペスト等］
（疑似症患者、無症状病原体保有者も適用あり）</td><td colspan="2">・対人：原則入院
・対物：消毒等の措置
（例外的に、建物への措置、交通の制限等の措置もあり）</td></tr>
<tr><td colspan="2">二類感染症
［急性灰白髄炎、結核等］
（一部、疑似症患者も適用あり）</td><td colspan="2">・対人：状況に応じて入院
・対物：消毒等の措置</td></tr>
<tr><td colspan="2">三類感染症
［コレラ、細菌性赤痢、腸管出血性大腸菌感染症等］</td><td colspan="2">・対人：特定職種への就業制限
・対物：消毒等の措置</td></tr>
<tr><td colspan="2">四類感染症
［Ｅ型肝炎、Ａ型肝炎、黄熱、Ｑ熱等］</td><td colspan="2">・動物への措置を含む消毒等の措置</td></tr>
<tr><td colspan="2">五類感染症
［インフルエンザ、後天性免疫不全症候群等］</td><td colspan="2">・国民や医療関係者への情報提供によって発生・拡大を防止すべき感染症</td></tr>
<tr><td colspan="2">新型インフルエンザ等感染症</td><td colspan="2">・二類感染症相当の措置を実施するとともに、政令により一類感染症相当の措置も可能とする。また、発生及び実施する措置等に関する情報の公表、感染したおそれのある者に対する健康状況報告要請・外出自粛要請、都道府県知事からの経過の報告、検疫所長との連携強化を行う。
・医療措置協定、流行初期医療確保措置、厚生労働大臣の総合調整、外出自粛対象者の公費負担医療等も実施可能。</td></tr>
<tr><td colspan="2">指定感染症
（１年間に限定した指定）
（疑似症患者、無症状病原体保有者も適用あり）</td><td colspan="2">・既知の感染症のうち、一～三類に分類されない感染症について、一～三類感染症に準じた対人、対物措置を実施（適用する措置は政令で限定）
・かかった場合の病状の程度が重篤であり、かつ、全国的かつ急速なまん延のおそれがあるものについては、医療措置協定、流行初期医療確保措置、厚生労働大臣の総合調整、外出自粛対象者の公費負担医療等も実施可能。</td></tr>
<tr><td rowspan="2">新感染症</td><td>・当初：都道府県知事が厚生労働大臣の指導・助言を得て又は指示を受けて応急対応する感染症</td><td>厚生労働大臣が都道府県知事に対し、対応について個別に指導・助言を行う</td><td rowspan="2">医療措置協定、流行初期医療確保措置、厚生労働大臣の総合調整、外出自粛対象者の公費負担医療等も実施可能</td></tr>
<tr><td>・症状等の特定が可能となった段階：政令による指定を行い対応する感染症（要件は随時見直し）</td><td>一類感染症に準じた対応を行う</td></tr>
</table>

定することはできないが、そのような他のウイルスや細菌等による感染症の全国的かつ急速なまん延により国民の生命及び健康に重大な影響を与えるおそれが必ずしも認められない中で、包括的に感染症法の対象とすることは適切ではないと考えられる。このため、具体的な疾病が発生した時点ではまずは指定感染症に指定して対応し、当該指定の期間内にその後の対応を検討することとなる。

《第八項関係》

○　第八項は、指定感染症について定義したものである。指定感染症とは、現時点では法的な対応は必要ないと判断される感染症が集団発生する等、緊急に強権的な措置を講じなければならなくなった場合等に政令で指定される感染症である。指定感染症については第七章の二において詳解することとする。なお、新感染症の定義と同様に「当該疾病のまん延により」国民の生命及び健康に重大な影響を与えるおそれがあるものを指定感染症と定義することによって、指定感染症の指定に当たっては、発生した感染症が感染性が高いと認められる疾病であることが必要である旨を法律上明確にするものである。

○　四類感染症、五類感染症及び指定感染症の定義に「『既に知られている』感染性の疾病」という語があるが、「感染性の疾病」には未知のもの、すなわち、知られていない感染性の疾病はないが、このことを明らかにするため、また、新感染症の定義との均衡を図るために、法制定時に参議院において「既に知られている」の語が追加されたものである。いわば、感染性の疾病について入念的に規定しているものである。

○　一類感染症から五類感染症及び指定感染症は、病原体が明らかになっていることが前提とされる。それは、入院や退院、医師等の届出等の病原体の存在を前提にした規定の適用を受けることとされることから明らかである。他方、新感染症については病原体が判明していないことを前提としていることから、第十三項では患者という表現ではなく、「所見がある者」という表現を用いて峻別している。なお、一類感染症から五類感染症に分類されている個々の感染症の定義及び臨床的特徴については六七〇頁以下を参照。

《第九項関係》

○　第九項は、新感染症について定義したものである。新感染症とは、人類にとって未知の疾病であり、「人から人に伝染すると認められる」ものでなければならない（人から人への伝染の証明までは要求されない。）。このような疾病について原因が究明されるまで何らの施策を講じられないとすると、原因が究明されるまでの間に甚大な被害が生じるおそれがある。そこで、この法律では、このような疾病について「新感染症」として厳しい要件の下、強権的な措置を講じられることとしている。また、新感染症は罹患した場合の症状が重篤でなければならない。これは、新感染症が原因不明の疾病であるにもかかわらず、強権的な措置の対象となることからその範囲を限定すべきであり、また、症状が重篤でなければ、原因を究明した上で指定感染症として指定することで対応が可能であるからである。以上のことから、新感染症については、「当該疾病にかかった場合の病状の程度が重篤」という要件と、「当該疾病のまん延により国民の生命及び健康に重大な影響を与えるおそれがあると認められるもの」という要件が要求されるのである。

《第十項・第十一項関係》

○　第十項及び第十一項は、患者と類似する者について定義したものである。感染症の患者であるか否かを判断するメルクマールは二つある。一つは症状の有無、もう一つは病原体の保有の有無である。この法律ではこの二つのメルクマールを利用して、「疑似症患者」「無症状病原体保有者」を定義している。

なお、患者は「当該感染症の症状を呈している者であって、当該感染症の病原体を保有していることが確認された者」である。疑似症患者及び無症状病原体保有者の定義から患者の定義は必然的に導かれることから、患者について法律上定義を設けていないものである。

新感染症については、原因が究明されていないので、病原体の保有の有無というメルクマールを用いることができない。そこで、この法律においては新感染症の「所見がある者」という語を用いている。

《第十二項～第十八項関係》

○　第十二項から第十八項は、この法律の規定による感染症の患者の入院を担当させる病院について定義したものである。特定感染症指定医療機関は、感染症に関し最も高度な医療提供能力を有する医療機関であり、原因が究明されていない新感染症の所見がある者又は一類感染症、二類感染症若しくは新型インフルエンザ等感染症の患者の入院を担当する。第一種感染症指定医療機関は次に高度な医療提供能力を有する医療機関であり、一類感染症、二類感染症又は新型インフルエンザ等感染症の患者の入院を担当する。第二種感染症指定医療機関は、二類感染症又は新型インフルエンザ等感染症の患者の入院を担当する。第一種協定指定医療機関は、医療措置協定に基づき、新型インフルエンザ等感染症若しくは指定感染症（当該疾病にかかった場合の病状の程度が重篤であり、かつ、全国的かつ急速なまん延のおそれのあるものと厚生労働大臣が認めたものに限る。）の患者又は新感染症の所見がある者の入院を担当する。第二種協定指定医療機関は、医療措置協定に基づき、外来医療又は外出自粛対象者の医療（在宅医療）を担当する。結核指定医療機関は、結核患者の通院医療（適正医療）を担当する。

《第十九項・第二十項関係》

○　第十九項及び第二十項は、この法律における病原体等及び毒素について定義したものである。「病原体等」については、感染症の病原体及び毒素を総称する旨を定義する規定であり、ここにいう「感染症」とは、第一項に規定する感染症の定義によるものであり、「毒素」とは、第二十項の規定に従って定義されるものであり、一般用語とは異なる。本法の規制対象とすべき病原体及び毒素は、感染症の発生及びまん延を防止する法目的に照らして、感染症を発症させる生物及び物質であるから、「病原体等」とは感染症の病原体及び毒素と定義し、「毒素」とは感染症の病原体によって産生される物質であって、人の生体内に入った場合に人を発病させ、又は死亡させるもの（人工的に合成された物質で、その構造式がいずれかの毒素の構造式と同一であるものを含む。）と定義するものである。

○　病原体等の表記等については、規制の対象を特定する趣旨から、人に対し病原性を有する病原体のみを限定列挙する必要があることから、病原体名について属及び種で表記することとし、さらに細分化して限定する必要がある場合には、血清型、遺伝子型等まで規定するものである。また、規定の明確性、明解を確保するため、病原体等の中で、日本語名があるものについては、別名として併せて規定している。

○　病原体名の表記については、全ての生物の学名はラテン語で記載されており、（属名）＋（種名）で構成されている。病原体の表記については、細菌では国際原核生物分類命名委員会（International Committee on Systematic of Prokaryotes：ＩＣＳＰ）で、ウイルスでは国際ウイルス分類委員会（International Committee on Taxonomy of Viruses：ＩＣＴＶ）で行われており、これに基づく。日本語表記については、病原体を（属）＋（種）で表記することとし、その表記については日本細菌学会用語委員会が作成した「英和・和英　微生物学用語集（第５版）」に掲載されている片仮名表記に準拠し、掲載されていないものについては、原文を片仮名にして表記している。なお、同用語集において、日本語も併せて掲載されているものについては、「別名」として併せて規定している。

《第二十一項関係》

○　第二十一項は、一種病原体等、二種病原体等、三種病原体等及び四種病原体等を特定病原体等と総称するものである。

《第二十二項～第二十五項関係》

○　第二十二項から第二十五項は、病原体等を一種病原体等から四種病原体等に分類して定義したものである。病原体等の規制区分については、生物テロや事故等による感染症が発生及びまん延をし、国民の生命、健康に影響を及ぼす危険性を踏まえて、これらの四つの種類（原則禁止のもの、許可制のもの、届出制のもの、基準のみ適用のもの）に区分するものであり、国際的な動向、人為的な健康被害（テロ等）の可能性、病原体等の安全管理の必要性等（いわゆる実験室の基準であるバイオセーフティレベル）、病原体等が引き起こす感染症の重篤性等（治療方法があるか、死亡に至るようなものか、人から人に感染するか等）を総合的に勘案して区分している。バイオセーフティレベル（ＢＳＬ）とは、実験室で取り扱う病原体の安全管理レベルであり、ＢＳＬ１からＢＳＬ４までに区分され、レベルが高いほど病原体を取り扱うための安全管理が厳格に求められる。

○　病原体等の区分については、①世界的にも感染症対策の分野で権威があるとされている米国疾病管理センター（ＣＤＣ）危険度優先分類を中心に参考にしつつ、②米国連邦規則（ＣＦＲ）、③米国アレルギー・感染症疾病研究所（ＮＩＡＩＤ）、④世界保健機関（ＷＨＯ）、⑤危険物輸送に関する国連勧告（ＵＮ）等も参考に国際的動向の分析が行われている。

○　一種病原体等は、原則使用等を禁止すべきものであり、現在、我が国に存在していないものである。エボラウイルス等人から人に感染し国民の生命及び健康に極めて重大な影響を与えるおそれがあるものであり、原則、所持・輸入等を禁止するが、国又は政令で定める法人で厚生労働大臣が指定したものが、公益上必要な試験研究を行う場合に例外的に所持等を認める病原体等である。なお、痘そうウイルスについては、世界保健機関は研究目的の使用・保有も否定している。国際的にも規制する必要性が高いとされる（ＣＤＣの危険優先分類でＡである。）病原体等で、その病原性からＢＳＬ４で取り扱う必要がある病原体等である。一類感染症の原因である病原体等、新興感染症の病原体などであり、治療法が確立していないなどのため、国民の生命に極めて重大な影響を与えるものである。

○　二種病原体等は、許可制度により、検査・治療・試験研究の目的の所持・輸入を認めるものである。炭疽菌など、一種病原体等ほど病原性は強くないが、国民の生命及び健康に重大な影響を与えるものであり、許可制度により規制を行うべきものである。主に動物から感染する四類感染症の病原体等であって危険度が高いものが該当する。具体的には、①国際的にも規制する必要性が高いとされている（ＣＤＣの危険優先分類でＡである。）病原体等で、一種病原体等以外の病原体等（ペスト菌等）、②近年テロに実際に使用された病原体等をはじめとして、国際的にも規制する優先度が高い毒素を産生させる病原体等、新興感染症であることや地域特性等の留意事項を踏まえ我が国での対策が必要な病原体等（ボツリヌス菌、ボツリヌス毒素）である。

○　三種病原体等は、所持等の届出対象とする病原体等である。Q熱の原因となるコクシエラ属バーネッティイなど、二種病原体等ほどの病原性はなく（致死率は低いが死亡しないわけではない。）、病原体等の所持等は認められるが、場合により国民の生命・健康に影響を与えるため、人為的な感染症の発生を防止する観点から、病原体等の種類、使用目的、使用・保管施設等を常時把握する必要がある病原体等である。主に、人から人へ感染することのない、動物由来の感染症である四類感染症の病原体等であり、二種病原体等ほど危険でないが、場合により死亡に至る程度の病原体が該当する。具体的には、①国際的にも規制する必要性があるとされている（ＣＤＣの危険優先分類でＢである。）病原体等で、さらにその病原性からＢＳＬ３で取り扱う必要がある病原体等（コクシエラ属バーネッティイ）、②ＣＦＲ等において規制の必要性が指摘されている病原体等で、感染経路、病原性等から人為的な感染症を発症させる可能性が考えられ、さらにＢＳＬ３で取り扱う必要がある病原体等（多剤耐性結核菌）である。

○　四種病原体等は、保管等の基準を遵守する必要がある病原体等である。Ａ型インフルエンザウイルスなど、病原体の保管・所持は可能であるが、国民の健康に与える影響を勘案して、人為的な感染症の発生を防止するため、保管等の基準の遵守を行う必要がある病原体等（我が国の衛生水準では、通常は死亡に至ることは考えられない病原体）である。様々な病原体が該当するが、ＣＤＣの危険度評価も低く、ＢＳＬも２程度のものが多く該当する。具体的には、①国際的にも規制する必要性があるとされている（ＣＤＣの危険優先分類でＢである。）病原体等又は、ＣＦＲ等で規制の必要性が指摘されている病原体で、その病原性からＢＳＬ２で取り扱う必要がある病原体等（腸管出血性大腸菌等）、②国際的にも規制する必要性があるとされている（ＣＤＣの危険優先分類でＢ、ＣＦＲで規制の必要性が指摘されている。）病原体等で、その病原性からＢＳＬ３で取り扱う必要があるとされているが、疾病の重篤性、感染性等から、三種病原体等として取り扱う必要性が低い病原体等（サルモネラ属エンテリカ等）、③五類感染症で、本来であれば対人・対物措置の対象ではないが、ＣＤＣ、ＣＦＲ等において規制の必要性が指摘されている病原体等、その他、我が国の特別の事情から、四種病原体等として保管等の基準の遵守を行う必要がある病原体等（インフルエンザウイルスＡ属インフルエンザＡウイルス（血清亜型が政令で定めるもの、又は新型インフルエンザ等感染症の病原体に限る。）等）である。

○　一種病原体及び二種病原体等については、法制定当時において対象となっている病原体等については全て法律で規定するとともに、その感染症が法律事項で規定されている病原体等については法律事項で規定することとして整理した。施行後、一種病原体及び二種病原体等と同等の危険性を有する病原体等が発生した場合に、迅速な対応を可能とするよう、政令への委任規定を設けている。ただし、白紙委任を避ける趣旨からも、法律上、政令をしばる旨の規定として、どのような病原体等であるかについて、明確にしている。

○　三種病原体及び四種病原体等についても、その引き起こす感染症が法律事項で規定されている病原体等については法律事項で規定することとし、政省令で規定されている病原体等については政省令で規定することとして整理した。また、一種病原体及び二種病原体等と同様の趣旨により政令委任規定を設けている。

○　他の法令によってその安全性が別途担保されているものに含有されている病原体等について、例えば、二種病原体等の一つである「ボツリヌス毒素」については、顔面けいれんの抑制などに医学的効能があり、これを含有するボツリヌス毒素製剤（「ボトックス」）は国内においても医薬品、医療機器等の品質、有効性及び安全性の確保等に関する法律（昭和三十五年法律第百四十五号。以下「薬機法」という。）上の承認を受けた処方せん医薬品として広く使用されているところであるが、これらについて、他の病原体等と同様に一律に厳格な規制を機械的に設けることは、その社会的有用性、現在の使用状況に照らして合理的ではなく、その感染性や危険性について十分考慮した上で、今般の病原体等の規制の対象から外すことが適当である。このため、一種病原体等から四種病原体等までの定義規定において、薬機法第十四条第一項の規定による承認を受けた医薬品に含有されるものその他（臨床試験中のもの等）これに準ずる病原体等であって、人を発病させるおそれがほとんどないものとして厚生労働大臣が指定するものについては、特定病原体等の規制の対象外としている。

《第二十六項関係》

○　第二十六項は、第三項第六号の二類感染症である鳥インフルエンザの血清亜型を定める政令を制定又は改廃しようとするときは、あらかじめ、厚生科学審議会の意見を聴くことを義務づけたものである。

鳥インフルエンザは、異なる血清亜型のインフルエンザウイルスが混ざり合うことによって、変異が急激かつ頻繁に生じ、また、人での流行状況が流動的であり、二類感染症の鳥インフルエンザであっても入院等の措置を講ずる必要性が認められなくなることも想定される。当該鳥インフルエンザについては迅速に二類感染症から削除し、通常の鳥インフルエンザ（四類感染症）と同様の対応とすべきであり、その発生及びまん延の状況に応じて機動的な対応を行う必要があることから、二類感染症全般については法律で感染症名を規定する原則を維持しつつ、二類感染症に相当するものが発生した場合、政令改正により対応できるものとしている。

また、二類感染症については、人権制約を伴う入院等の措置を講ずることが可能であるため、二類感染症に位置づけるべき鳥インフルエンザの病原体の血清亜型の決定又は改廃に当たっては、厚生科学審議会の意見を聴き、科学的根拠に基づき透明性のある議論を行うことにより、人権の尊重について担保することが適当である。

なお、当該政令の改廃については、行政の不作為により、二類感染症相当の措置が不必要となった鳥インフルエンザが二類感染症に規定され続けることがないよう担保する必要があるところ、厚生科学審議会は、厚生労働省設置法（平成十一年法律第九十七号）第八条に基づき当該政令の改廃について建議することが可能である。

第七条　削除

〔**解　説**〕

○　第七条は、令和四年改正において削除され、第七章の二　指定感染症の第四十四条の九に移動された。

（疑似症患者及び無症状病原体保有者に対するこの法律の適用）

第八条　一類感染症の疑似症患者又は二類感染症のうち政令で定めるものの疑似症患者については、それぞれ一類感染症の患者又は二類感染症の患者とみなして、この法律の規定を適用する。

2　新型インフルエンザ等感染症の疑似症患者であって当該感染症にかかっていると疑うに足りる正当な理由のあるものについては、新型インフルエンザ等感染症の患者とみなして、この法律の規定を適用する。

3　一類感染症の無症状病原体保有者又は新型インフルエンザ等感染症の無症状病原体保有者については、それぞれ一類感染症の患者又は新型インフルエンザ等感染症の患者とみなして、この法律の規定を適用する。

〔**解　説**〕

○　第八条は、疑似症患者及び無症状病原体保有者に対する本法の適用について規定した条文である。

第８条　疑似症患者及び無症状病原体保有者に対するこの法律の適用

疑似症患者及び無症状病原体保有者については、罹患時の症状の重篤性や感染力の強さを考慮して危険性が高いと考えられるものについては、患者と確定される前の疑似症を呈している段階、ないしは無症状ではあるが病原体を保有している段階から、入院措置等を実施するなど、患者と同様の措置を講ずることによって、感染症の発生の予防及びまん延を防止することが必要であるからである（第一項、第三項）。

○　第一項に規定する二類感染症のうち政令で定めるものとしては、罹患時の症状の重篤性や感染力の強さに照らして疑似症を呈している段階で患者と同様の措置を講ずることが当該感染症の発生の予防及びまん延の防止の上で必要な疾病として、結核、重症急性呼吸器症候群（ＳＡＲＳ）、中東呼吸器症候群（ＭＥＲＳ）及び鳥インフルエンザ（Ｈ５Ｎ１、Ｈ７Ｎ９）が政令指定されている（令第四条）。

○　新型インフルエンザ等感染症は、罹患時の症状の重篤性に幅があり、入院措置等の対応が過剰になることのないよう、疑似症患者のうち、当該感染症にかかっていると疑うに足りる正当な理由のあるものに限って患者とみなすこととしている（第二項）。正当な理由とは、例えば、新型インフルエンザ等感染症の潜伏期間と想定される期間以内に発生地域への滞在歴を有する場合、患者と一定の接触をした場合などが挙げられるが、具体的な新型インフルエンザ等感染症のウイルスの性質（感染力等）や国内外の発生状況等の情報、知見等に応じ、個別に検討されるべきものである。

第二章　基本指針等

（基本指針）

第九条　厚生労働大臣は、感染症の予防の総合的な推進を図るための基本的な指針（以下「基本指針」という。）を定めなければならない。

2　基本指針は、次に掲げる事項について定めるものとする。

一　感染症の予防の推進の基本的な方向

二　感染症の発生の予防のための施策に関する事項

三　感染症のまん延の防止のための施策に関する事項

四　感染症及び病原体等に関する情報の収集、調査及び研究に関する事項

五　病原体等の検査の実施体制及び検査能力の向上に関する事項

六　感染症に係る医療を提供する体制の確保に関する事項

七　感染症の患者の移送のための体制の確保に関する事項

八　感染症に係る医療のための医薬品の研究開発の推進に関する事項

九　感染症に係る医療を提供する体制の確保その他感染症の発生を予防し、又はそのまん延を防止するための措置に必要なものとして厚生労働省令で定める体制の確保に係る目標に関する事項
十　第四十四条の三第二項又は第五十条の二第二項に規定する宿泊施設の確保に関する事項
十一　第四十四条の三の二第一項に規定する新型インフルエンザ等感染症外出自粛対象者又は第五十条の三第一項に規定する新感染症外出自粛対象者の療養生活の環境整備に関する事項
十二　第四十四条の五第一項（第四十四条の八において準用する場合を含む。）、第五十一条の四第一項若しくは第六十三条の三第一項の規定による総合調整又は第五十一条の五第一項、第六十三条の二若しくは第六十三条の四の規定による指示の方針に関する事項
十三　第五十三条の十六第一項に規定する感染症対策物資等の確保に関する事項
十四　感染症に関する啓発及び知識の普及並びに感染症の患者等の人権の尊重に関する事項
十五　感染症の予防に関する人材の養成及び資質の向上に関する事項
十六　感染症の予防に関する保健所の体制の確保に関する事項
十七　特定病原体等を適正に取り扱う体制の確保に関する事項
十八　緊急時における感染症の発生の予防及びまん延の防止、病原体等の検査の実施並びに医療の提供のための施策（国と地方公共団体及び地方公共団体相互間の連絡体制の確保を含む。）に関する事項
十九　その他感染症の予防の推進に関する重要事項

3　厚生労働大臣は、感染症の予防に関する施策の効果に関する評価を踏まえ、前項第五号、第六号、第十号、第十一号、第十三号、第十五号、第十六号及び第十八号に掲げる事項（以下この項において「特

定事項」という。）については少なくとも三年ごとに、特定事項以外の前項各号に掲げる事項については少なくとも六年ごとに、それぞれ再検討を加え、必要があると認めるときは、基本指針を変更するものとする。

４　厚生労働大臣は、基本指針を定め、又はこれを変更しようとするときは、あらかじめ、関係行政機関の長に協議するとともに、厚生科学審議会の意見を聴かなければならない。

５　厚生労働大臣は、基本指針を定め、又はこれを変更したときは、遅滞なく、これを公表しなければならない。

〔解　説〕

○　第九条は、感染症の予防の総合的な推進を図るための基本的な指針（基本指針）に関して規定した条文である。我が国における公衆衛生水準の向上、衛生に関する意識の変化等に鑑みると、感染症対策を講ずるに当たっては、単に発生時における強制的な措置の発動に依存するのではなく、あらかじめ、各地域の実情等を踏まえた計画の策定等を通じ、国民に情報を提供していくことにより、感染症予防の基盤整備を進めていくことが適当である。このような観点から、感染症対策に関し、緊急時の迅速かつ的確な対応や、平時の計画的な体制整備を図るため、国において一定の方向性を示した上で、それぞれの地域に応じた感染症対策を計画的に取り組むことが適当である。そこで、本法においては、厚生労働大臣が基本指針を作成し、都道府県及び保健所設置市・特別区が感染症の予防のための施策の実施に関する計画（予防計画）を作成することとした（第十条。保健所設置市・特別区については、令和四年改正により新設）。

○　基本指針に盛り込む内容は以下のとおりである。国及び地方公共団体の責務に規定されている事項（第三条）が盛り込まれている。なお、⑧はこの法律の制定時の衆議院における修正により、⑤の「病原体等の検査の実施体制及び検査能力

の向上」及び⑭の「感染症の患者等の人権の配慮」（平成十八年改正において「配慮」から「尊重」に改正）については
この法律の制定時の参議院における修正により加えられた事項である。⑱の「緊急時における感染症の発生の予防及びま
ん延の防止並びに医療の提供のための施策」は、平成十五年改正において、ＳＡＲＳ事例を踏まえ、緊急時における具体
的な対応の計画の策定について明確化する趣旨から規定されたものである。④及び⑰は、平成十八年改正において追加修
正されたものである。④の「情報の収集」、⑦、⑨から⑯まで、及び⑱の「病原体の検査の実施」については、令和四年
改正において、新型コロナウイルス感染症（COVID–19）の流行の際に明らかになった課題を踏まえ、次の感染症危機に
備える趣旨から規定されたものである。

①　感染症の予防の推進の基本的な方向
②　感染症の発生の予防のための施策に関する事項
③　感染症のまん延の防止のための施策に関する事項
④　感染症及び病原体等に関する情報の収集、調査及び研究に関する事項
⑤　病原体等の検査の実施体制及び検査能力の向上に関する事項
⑥　感染症に係る医療を提供する体制の確保に関する事項
⑦　感染症の患者の移送のための体制の確保に関する事項
⑧　感染症に係る医療のための医薬品の研究開発の推進に関する事項
⑨　感染症に係る医療を提供する体制の確保その他感染症の発生を予防し、又はそのまん延を防止するための措置に必要なものとして厚生労働省令で定める体制の確保に係る目標に関する事項
⑩　第四十四条の三第二項又は第五十条の二第二項に規定する宿泊施設の確保に関する事項
⑪　第四十四条の三の二第一項に規定する新型インフルエンザ等感染症外出自粛対象者又は第五十条の三第一項に規定する新感染症外出自粛対象者の療養生活の環境整備に関する事項

⑫　第四十四条の五第一項（第四十四条の八において準用する場合を含む。）、第五十一条の四第一項若しくは第六十三条の三第一項の規定による総合調整又は第五十一条の五第一項、第六十三条の二若しくは第六十三条の四の規定による指示の方針に関する事項
⑬　第五十三条の十六第一項に規定する感染症対策物資等の確保に関する事項
⑭　感染症に関する啓発及び知識の普及並びに感染症の患者等の人権の尊重に関する事項
⑮　感染症の予防に関する人材の養成及び資質の向上に関する事項
⑯　感染症の予防に関する保健所の体制の確保に関する事項
⑰　特定病原体等を適正に取り扱う体制の確保に関する事項
⑱　緊急時における感染症の発生の予防及びまん延の防止、病原体等の検査の実施並びに医療の提供のための施策（国と地方公共団体及び地方公共団体相互間の連絡体制の確保を含む。）に関する事項
⑲　その他感染症の予防の推進に関する重要事項

○　感染症対策は時代に沿ったものとするべきであり、基本指針については、医学医術の進歩の推移、国際交流の進展等を勘案しつつ、⑤、⑥、⑩、⑪、⑬、⑮、⑯及び⑱に掲げる事項については、少なくとも三年ごとに、それ以外の事項については少なくとも六年ごとに再検討を加え、必要がある場合には、変更するものとする。その際には、施策の効果に関する評価を踏まえて行うこととしており、より適切な検討がされるようにしている。医療計画における在宅医療・外来医療・医師確保に関する項目について三年の見直し規定を置いていることを踏まえ、令和四年改正において、一般医療と連携が必要な項目その他状況の変化に応じて柔軟に見直す必要がある項目について、少なくとも三年ごとの見直し規定をおいている。

○　基本指針には、学校保健や動物由来感染症対策、感染症に関する研究等専門的な内容を含むものであり、基本指針を定め、又はこれを変更しようとするときは、あらかじめ厚生科学審議会の意見を聴かなければならず、また、厚生労働省以

外の省庁が行う施策との連携や整合性の確保等も必要とされることから、関係行政機関の長と協議することとされている（第四項）。

○　基本指針は、⑴感染症発生に備えての平時の環境整備という側面と、⑵感染症発生及びまん延時並びに緊急時の事前想定という側面を持っており、これをあらかじめ国民に周知しておく必要があるため、基本指針は公表しなければならないとされている（第五項）。

〔主要告示・通知等〕

・感染症の予防の総合的な推進を図るための基本的な指針（平成十一年厚生省告示第百十五号）

（予防計画）

第十条　都道府県は、基本指針に即して、感染症の予防のための施策の実施に関する計画（以下この条及び次条第二項において「予防計画」という。）を定めなければならない。

2　前項の予防計画は、当該都道府県における次に掲げる事項について定めるものとする。

一　地域の実情に即した感染症の発生の予防及びまん延の防止のための施策に関する事項

二　感染症及び病原体等に関する情報の収集、調査及び研究に関する事項

三　病原体等の検査の実施体制及び検査能力の向上に関する事項

四　感染症に係る医療を提供する体制の確保に関する事項

五　感染症の患者の移送のための体制の確保に関する事項

六　感染症に係る医療を提供する体制の確保その他感染症の発生を予防し、又はそのまん延を防止する

ための措置に必要なものとして厚生労働省令で定める体制の確保に係る目標に関する事項
七　第四十四条の三第二項又は第五十条の二第二項に規定する宿泊施設の確保に関する事項
八　第四十四条の三の二第一項に規定する新型インフルエンザ等感染症外出自粛対象者又は第五十条の三第一項に規定する新感染症外出自粛対象者の療養生活の環境整備に関する事項
九　第六十三条の三第一項の規定による総合調整又は第六十三条の四の規定による指示の方針に関する事項
十　感染症の予防に関する人材の養成及び資質の向上に関する事項
十一　感染症の予防に関する保健所の体制の確保に関する事項
十二　緊急時における感染症の発生の予防及びまん延の防止、病原体等の検査の実施並びに医療の提供のための施策（国との連携及び地方公共団体相互間の連絡体制の確保を含む。）に関する事項
3　第一項の予防計画においては、前項各号に掲げる事項のほか、当該都道府県における感染症に関する知識の普及に関する事項について定めるよう努めるものとする。
4　都道府県は、基本指針が変更された場合には、当該都道府県が定める予防計画に再検討を加え、必要があると認めるときは、これを変更するものとする。都道府県が予防計画の実施状況に関する調査、分析及び評価を行い、必要があると認めるときも、同様とする。
5　厚生労働大臣は、予防計画の作成の手法その他予防計画の作成上重要な技術的事項について、都道府県に対し、必要な助言をすることができる。
6　都道府県は、予防計画を定め、又はこれを変更しようとするときは、その区域内の感染症の予防に関

する施策の整合性の確保及び専門的知見の活用を図るため、あらかじめ、次条第一項に規定する都道府県連携協議会において協議しなければならない。

7　都道府県は、予防計画を定め、又はこれを変更しようとするときは、あらかじめ、市町村（保健所を設置する市及び特別区（以下「保健所設置市等」という。）を除く。）の意見を聴かなければならない。

8　都道府県は、予防計画を定め、又はこれを変更するに当たっては、医療法（昭和二十三年法律第二百五号）第三十条の四第一項に規定する医療計画及び新型インフルエンザ等対策特別措置法（平成二十四年法律第三十一号）第七条第一項に規定する都道府県行動計画との整合性の確保を図らなければならない。

9　都道府県は、予防計画を定め、又はこれを変更したときは、遅滞なく、これを厚生労働大臣に提出しなければならない。

10　厚生労働大臣は、都道府県に対し、前項の規定により提出を受けた予防計画について、必要があると認めるときは、助言、勧告又は援助をすることができる。

11　都道府県は、厚生労働大臣に対し、第二項第六号に掲げる事項の達成の状況を、毎年度、厚生労働省令で定めるところにより、報告しなければならない。

12　厚生労働大臣は、前項の規定による報告を受けたときは、必要に応じ、厚生労働省令で定めるところにより、その内容を公表するものとする。

13　第十項の規定は、第十一項の規定により受けた報告について準用する。

14　保健所設置市等は、基本指針及び当該保健所設置市等の区域を管轄する都道府県が定める予防計画に即して、予防計画を定めなければならない。

15　前項の予防計画は、当該保健所設置市等における次に掲げる事項について定めるものとする。

一　第二項第一号、第三号、第五号、第八号及び第十号から第十二号までに掲げる事項

二　病原体等の検査の実施体制の確保その他感染症の発生を予防し、又はそのまん延を防止するための措置に必要なものとして厚生労働省令で定める体制の確保に係る目標に関する事項

16　第十四項の予防計画においては、前項各号に掲げる事項のほか、当該保健所設置市等における第二項第二号及び第七号に掲げる事項並びに感染症に関する知識の普及に関する事項について定めるよう努めるものとする。

17　保健所設置市等は、予防計画を定め、又はこれを変更するに当たっては、新型インフルエンザ等対策特別措置法第八条第一項に規定する市町村行動計画との整合性の確保を図らなければならない。

18　第四項から第六項まで及び第九項から第十三項までの規定は、保健所設置市等が定める予防計画について準用する。この場合において、第四項中「基本指針」とあるのは「基本指針又は当該保健所設置市等の区域を管轄する都道府県が定める予防計画」と、第九項中「厚生労働大臣」とあるのは「都道府県に提出しなければならない。この場合において、当該提出を受けた都道府県は、遅滞なく、これを厚生労働大臣」と、第十項及び第十一項中「厚生労働大臣」とあるのは「都道府県」と、同項中「第二項第六号」とあるのは「第十五項第二号」と、「ならない」とあるのは「ならない。この場合において、当該報告を受けた都道府県は、速やかに、当該報告の内容を厚生労働大臣に報告しなければならない」と、第十二項中「前項」とあるのは「第十八項において読み替えて準用する前項後段」と読み替えるも

のとする。
19　医療機関、病原体等の検査を行っている機関及び宿泊施設の管理者は、第一項及び第十四項の予防計画の達成の推進に資するため、地域における必要な体制の確保のために必要な協力をするよう努めなければならない。

〔解　説〕

○　第十条は、感染症の予防のための施策の実施に関する計画（予防計画）に関して規定した条文である。感染症対策においては、権力的な手法のみでなく、非権力的な手法による感染症対策も重要であり、「計画」という手法が採用されたものである。

○　令和四年改正において、それまでの予防計画は都道府県のみが策定するものであったが、感染症発生及びまん延時には、地域の実情に応じて保健所設置市・特別区においても主体的・機動的に感染症対策に取り組む必要があるため、保健所設置市・特別区にも一部の事項について予防計画の策定を義務づけることとされた。

○　都道府県が策定する予防計画に盛り込む内容は以下のとおりである。令和四年改正において、新型コロナウイルス感染症（COVID-19）の流行の際に明らかになった課題を踏まえ、次の感染症危機に備える趣旨から、基本指針と同様に②、③、⑤から⑪及び⑫の「病原体の検査の実施」について新たに規定された。保健所設置市・特別区が定める事項は★、定めるよう努める事項は☆を付した。

①　地域の実情に即した感染症の発生の予防及びまん延の防止のための施策に関する事項（★）
②　感染症及び病原体等に関する情報の収集、調査及び研究に関する事項（☆）
③　病原体等の検査の実施体制及び検査能力の向上に関する事項（★）

④　感染症に係る医療を提供する体制の確保に関する事項
⑤　感染症の患者の移送のための体制の確保に関する事項（★）
⑥　感染症に係る医療を提供する体制の確保その他感染症の発生を予防し、又はそのまん延を防止するための措置に必要なものとして厚生労働省令で定める体制の確保に係る目標に関する事項
（保健所設置市・特別区の場合は、病原体等の検査の実施体制の確保その他感染症の発生を予防し、又はそのまん延を防止するための措置に必要なものとして厚生労働省令で定める体制の確保に係る目標に関する事項（★））
⑦　第四十四条の三第二項又は第五十条の二第二項に規定する宿泊施設の確保に関する事項（☆）
⑧　第四十四条の三の二第一項に規定する新型インフルエンザ等感染症外出自粛対象者又は第五十条の三第一項に規定する新感染症外出自粛対象者の療養生活の環境整備に関する事項（★）
⑨　第六十三条の三第一項の規定による総合調整又は第六十三条の四の規定による指示の方針に関する事項
⑩　感染症の予防に関する人材の養成及び資質の向上に関する事項（★）
⑪　感染症の予防に関する保健所の体制の確保に関する事項（★）
⑫　緊急時における感染症の発生の予防及びまん延の防止、病原体等の検査の実施並びに医療の提供のための施策（国との連携及び地方公共団体相互間の連絡体制の確保を含む。）に関する事項（★）

○　都道府県及び保健所設置市・特別区の予防計画において、感染症に関する知識の普及については各地域の実情に即し、任意で策定するものとしている（第三項及び第十六項）。

○　予防計画は、基本指針に即して策定されることから、基本指針が変更された際は当然予防計画に再検討が加えられ、必要に応じてこれを変更することとなる。このほか、より適切な予防計画とするため、計画の実施状況に関する調査・分析及び評価を行い、必要があると認めるときも、変更を行う途を設けている（第四項）。令和四年改正において、適切な予防計画の策定のため、厚生労働大臣は、予防計画の作成の手法その他予防計画の作成上重要な技術的事項について、都道

府県に対し、必要な助言をすることができることとした（第五項）。加えて、予防計画の作成主体として保健所設置市・特別区が追加されたことや、協定に基づく平時からの備え等も予防計画の新たな必須記載事項になることから、予防計画を都道府県等が作成・変更する際に必ず連携協議会（第十条の二）に協議することとされた（第六項）。予防計画には地方公共団体相互間の連絡体制の確保、医療提供体制の確保に関する事項も盛り込まれることから、市町村の意見を聴かなければならない（第七項）。

○　令和四年改正において都道府県が定める予防計画と医療計画、新型インフルエンザ等対策特別措置法（平成二十四年法律第三十一号。以下「特措法」という。）第七条第一項に規定する都道府県行動計画について、また保健所設置市・特別区が定める予防計画と特措法第八条第一項に規定する市町村行動計画については、それぞれ整合性の確保をはからなければならないことが規定された（第八項及び第十七項）。

○　また、都道府県は、予防計画を定め、又はこれを変更したときは、遅滞なく、これを厚生労働大臣に提出しなければならず（第九項）、令和四年改正において、都道府県は、厚生労働大臣に対し、⑥の達成の状況を、毎年度報告しなければならないとされ（第十一項）、厚生労働大臣は、都道府県に対し、その提出を受けた予防計画及び⑥の報告について、必要があると認めるときは、助言、勧告又は援助をすることができることとされた（第十項・第十三項）。また、⑥の報告を受けたときは、必要に応じ、その内容を公表するものとされた（第十二項）。

○　保健所設置市・特別区が定める予防計画についても、都道府県が策定する予防計画と同様の策定手順が規定された。

〔参考〕第十条第十八項の規定による読替後の同条第四項から第六項まで及び第九項から第十三項まで

（波線部分は当然読替部分、傍線部分は読替部分）

（予防計画）

第十条　（適用せず）

２・３　（適用せず）
４　保健所設置市等は、基本指針又は当該保健所設置市等の区域を管轄する都道府県が定める予防計画が変更された場合には、当該保健所設置市等が定める予防計画に再検討を加え、必要があると認めるときは、これを変更するものとする。保健所設置市等が予防計画の実施状況に関する調査、分析及び評価を行い、必要があると認めるときも、同様とする。
５　厚生労働大臣は、予防計画の作成の手法その他予防計画の作成上重要な技術的事項について、保健所設置市等に対し、必要な助言をすることができる。
６　保健所設置市等は、予防計画を定め、又はこれを変更しようとするときは、その区域内の感染症の予防に関する施策の整合性の確保及び専門的知見の活用を図るため、あらかじめ、次条第一項に規定する都道府県連携協議会において協議しなければならない。
７・８　（適用せず）
９　保健所設置市等は、予防計画を定め、又はこれを変更したときは、遅滞なく、これを都道府県に提出しなければならない。この場合において、当該提出を受けた都道府県は、遅滞なく、これを厚生労働大臣に提出しなければならない。
10　都道府県は、保健所設置市等に対し、前項の規定により提出を受けた予防計画について、必要があると認めるときは、助言、勧告又は援助をすることができる。
11　保健所設置市等は、都道府県に対し、第十五項第二号に掲げる事項の達成の状況を、毎年度、厚生労働省令で定めるところにより、報告しなければならない。この場合において、当該報告を受けた都道府県は、速やかに、当該報告の内容を厚生労働大臣に報告しなければならない。
12　厚生労働大臣は、第十八項において読み替えて準用する前項後段の規定による報告を受けたときは、必要に応じ、厚生労働省令で定めるところにより、その内容を公表するものとする。
13　第十項の規定は、第十一項の規定により受けた報告について準用する。

14～19　（略）

○　また、令和四年改正において、医療機関、病原体等の検査を行っている機関及び宿泊施設の管理者は、都道府県及び保健所設置市・特別区が策定した予防計画の達成の推進に資するため、地域における必要な体制の確保のために必要な協力をするよう努めなければならないこととされた（第十九項）。

○　都道府県が定める予防計画と医療計画の関係については、予防計画に必要な要件（第二項の内容を含んでいること、市町村及び診療に関する学識経験者の団体の意見を聴くこと）を充足していれば、医療計画の一部をもって予防計画とすることは可能である。

第10条の2　都道府県連携協議会

（都道府県連携協議会）

第十条の二　都道府県は、感染症の発生の予防及びまん延の防止のための施策の実施に当たっての連携協力体制の整備を図るため、都道府県、保健所設置市等、感染症指定医療機関、診療に関する学識経験者の団体及び消防機関（消防組織法（昭和二十二年法律第二百二十六号）第九条各号に掲げる機関をいう。）その他の関係機関により構成される協議会（以下この条において「都道府県連携協議会」という。）を組織するものとする。

2　都道府県連携協議会は、その構成員が相互の連絡を図ることにより、都道府県及び保健所設置市等が定めた予防計画の実施状況及びその実施に有用な情報を共有し、その構成員の連携の緊密化を図るものとする。

3　都道府県は、第十六条第二項に規定する新型インフルエンザ等感染症等に係る発生等の公表が行われたときは、都道府県連携協議会を開催し、当該感染症の発生の予防及びそのまん延を防止するために必要な対策の実施について協議を行うよう努めるものとする。
4　都道府県連携協議会において協議が調った事項については、その構成員は、その協議の結果を尊重しなければならない。
5　前各項に規定するもののほか、都道府県連携協議会に関し必要な事項は、都道府県連携協議会が定める。

〔解　説〕
○　感染症法上、感染症患者に対する医療の提供は、都道府県知事が感染症の類型に応じて指定した感染症指定医療機関において行うとともに、緊急時には、感染症指定医療機関以外の病院等での入院を勧告することにより対応しているが、今般の新型コロナウイルス感染症（COVID-19）の流行に際しては、必ずしも迅速かつ適確に医療提供体制を確保できたわけではなかった。
○　具体的には、自治体に対する国の問題意識や取組の共有、病床確保や入院調整を巡る自治体間での広域的な調整、都道府県と保健所設置市・特別区の間の折衝等が思うように進まない事例が見られた。
【参考】都道府県と保健所設置市の間の関係悪化により調整が難航した例
①　A県とB市との関係性が悪く、積極的疫学調査・病床確保・宿泊療養施設の確保運用について、体制の確立や調整が難航し情報共有が行われなかった。

② Ｃ県の調整が難航し、入院調整・検査体制について、Ｃ県とＤ市の協力体制がうまく構築できず、最終的に国が介入して調整した。

③ 入院調整・病床確保についてＦ市内の県立病院等に対する調整権限やＦ市外の患者の市内病院で受け入れの役割分担が曖昧だったため、Ｅ県とＦ市が対立し、調整が難航した。

○ これらの事例を踏まえ、令和四年改正において、主に都道府県と保健所設置市・特別区の連携強化を目的として、都道府県に管内の保健所設置市や特別区、感染症指定医療機関、消防機関その他関係機関からなる都道府県連携協議会を組織することとした。

○ 主な役割は、①予防計画の作成・見直しの際の協議（第十条第六項）並びに②感染症発生及びまん延時に備えての連絡調整である。②に関し、都道府県連携協議会は、その構成員が相互の連絡を図ることにより、都道府県及び保健所設置市・特別区が定めた予防計画の実施状況及びその実施に有用な情報を共有し、その構成員の連携の緊密化を図るものとされ（第二項）、都道府県は、第十六条第二項に規定する新型インフルエンザ等感染症等に係る発生等の公表が行われたときは、都道府県連携協議会を開催し、当該感染症の発生の予防及びそのまん延を防止するために必要な対策の実施について協議を行うよう努めるものとされた（第三項）。

○ また、都道府県連携協議会において協議が調った事項については、その構成員は、その協議の結果を尊重しなければならない（第四項）とされ、必要な事項は、都道府県連携協議会が定める、とされた（第五項）。

〔主要告示・通知等〕

・都道府県連携協議会の運営規則等の考え方について（令和五年三月十七日付健感発〇三一七第一号）

（特定感染症予防指針）

第十一条　厚生労働大臣は、感染症のうち、特に総合的に予防のための施策を推進する必要があるものとして厚生労働省令で定めるものについて、当該感染症に係る原因の究明、発生の予防及びまん延の防止、医療の提供、研究開発の推進、国際的な連携その他当該感染症に応じた予防の総合的な推進を図るための指針（次項において「特定感染症予防指針」という。）を作成し、公表するものとする。

２　厚生労働大臣は、特定感染症予防指針を作成し、又はこれを変更しようとするときは、あらかじめ、厚生科学審議会の意見を聴かなければならない。

〔解　説〕

○　第十一条は、特定感染症予防指針に関して規定した条文である。本法の制定により、個別の感染症対策の法律は、結核を除き一本化された（平成十八年改正時に結核予防法についても統合）。本法においては、感染症を一類感染症から五類感染症、指定感染症及び新感染症に分類しているが、この分類とは別に、特定の感染症について特に政策的に対応すべき場合が想定される。特に五類感染症については、法的には、発生状況の把握を行い、基本指針及び予防計画によって一般的な対応を定めるのみであり、個別の対策が法律上規定されていない。このような感染症について策定される指針が特定感染症予防指針である。

○　特定感染症予防指針は、あらかじめ、特定の感染症に対して講じるべき方策をまとめたものであり、感染症対策の一般的な方向を示す基本指針を補完するという性質を持っている。感染症に関する正確な知識の普及を図ることにより、社会全体として感染症に対する防御力を高めておくことも重要であることから、特定感染症予防指針は公表するものとされている（第一項）。

○　特定感染症予防指針を策定する感染症としては、インフルエンザ、ウエストナイル熱等の蚊媒介感染症、結核、後天性免疫不全症候群、性器クラミジア感染症等の性感染症、風しん及び麻しんが厚生労働省令で定められている（規則第二条）。

○　特定感染症予防指針は、非常に専門的な内容であるので、特定感染症予防指針を作成し又は変更する場合には、あらかじめ、厚生科学審議会の意見を聴かなければならない。

〔主要告示・通知等〕

・インフルエンザに関する特定感染症予防指針（平成十一年厚生省告示第二百四十七号）
・性感染症に関する特定感染症予防指針（平成十二年厚生省告示第十五号）
・結核に関する特定感染症予防指針（平成十九年厚生労働省告示第七十二号）
・麻しんに関する特定感染症予防指針（平成十九年厚生労働省告示第四百四十二号）
・風しんに関する特定感染症予防指針（平成二十六年厚生労働省告示第百二十二号）
・蚊媒介感染症に関する特定感染症予防指針（平成二十七年厚生労働省告示第二百六十号）
・後天性免疫不全症候群に関する特定感染症予防指針（平成三十年厚生労働省告示第九号）

第三章　感染症に関する情報の収集及び公表

（医師の届出）

第十二条　医師は、次に掲げる者を診断したときは、厚生労働省令で定める場合を除き、第一号に掲げる者については直ちにその者の氏名、年齢、性別その他厚生労働省令で定める事項を、第二号に掲げる者については七日以内にその者の年齢、性別その他厚生労働省令で定める事項を最寄りの保健所長を経由して都道府県知事（保健所設置市等にあっては、その長。以下この章（次項及び第三項、次条第三項及び第四項、第十四条第一項及び第六項、第十四条の二第一項及び第七項、第十五条第十三項並びに第十六条第二項及び第三項を除く。）において同じ。）に届け出なければならない。

一　一類感染症の患者、二類感染症、三類感染症又は四類感染症の患者又は無症状病原体保有者、厚生労働省令で定める五類感染症又は新型インフルエンザ等感染症の患者及び新感染症にかかっていると疑われる者

二　厚生労働省令で定める五類感染症の患者（厚生労働省令で定める五類感染症の無症状病原体保有者を含む。）

２　前項の規定による届出を受けた都道府県知事は、同項第一号に掲げる者に係るものについては直ち

に、同項第二号に掲げる者に係るものについては厚生労働省令で定める期間内に、当該届出の内容を、電磁的方法（電子情報処理組織を使用する方法その他の情報通信の技術を利用する方法であって厚生労働省令で定めるものをいう。第十五条第十三項及び第十四項、第三十六条の五第四項から第六項まで、第三十六条の八第三項、第四十四条の三の五第四項並びに第五十条の六第四項を除き、以下同じ。）により厚生労働大臣に報告しなければならない。

3　都道府県知事は、次の各号に掲げる者について第一項の規定による届出を受けたときは、当該届出の内容を、電磁的方法により当該各号に定める者に通報しなければならない。

一　その管轄する区域外に居住する者　当該者の居住地を管轄する都道府県知事（その居住地が保健所設置市等の区域内にある場合にあっては、その居住地を管轄する保健所設置市等の長及び都道府県知事）

二　その管轄する区域内における保健所設置市等の長が管轄する区域内に居住する者　当該者の居住地を管轄する保健所設置市等の長

4　前二項の規定は、保健所設置市等の長が第一項の規定による届出を受けた場合について準用する。この場合において、第二項中「厚生労働大臣」とあるのは「厚生労働大臣及び当該保健所設置市等の区域を管轄する都道府県知事（次項各号において「管轄都道府県知事」という。）」と、前項第一号及び第二号中「その管轄する」とあるのは「管轄都道府県知事の管轄する」と、同号中「保健所設置市等の長が」とあるのは「当該保健所設置市等以外の保健所設置市等の長が」と読み替えるものとする。

5　第一項の規定による届出をすべき医師（厚生労働省令で定める感染症指定医療機関の医師に限る。）

は、電磁的方法であって、当該届出の内容を第二項又は第三項（これらの規定を前項において準用する場合を含む。）の規定による報告又は通報（以下この条において「報告等」という。）をすべき者及び当該報告等を受けるべき者が閲覧することができるものにより当該届出を行わなければならない。

6　第一項の規定による届出をすべき医師（前項の厚生労働省令で定める感染症指定医療機関の医師を除く。）は、電磁的方法であって、当該届出の内容を報告等をすべき者及び当該報告等を受けるべき者が閲覧することができるものにより当該届出を行うよう努めなければならない。

7　第一項の規定による届出が前二項に規定する方法により行われたときは、報告等をすべき者は、当該報告等を行ったものとみなす。

8　厚生労働省令で定める慢性の感染症の患者を治療する医師は、毎年度、厚生労働省令で定めるところにより、その患者の年齢、性別その他厚生労働省令で定める事項を最寄りの保健所長を経由して都道府県知事に届け出なければならない。

9　第二項から第七項までの規定は、前項の規定による届出について準用する。この場合において、第二項中「同項第一号に掲げる者に係るものについては直ちに、同項第二号に掲げる者に係るものについては厚生労働省令で定める期間内」とあるのは、「厚生労働省令で定める期間内」と読み替えるものとする。

10　第一項から第七項までの規定は、医師が第一項各号に規定する感染症により死亡した者（当該感染症により死亡したと疑われる者を含む。）の死体を検案した場合について準用する。

〔解　説〕

○　第十二条は、医師の届出に関して規定した条文である。第一項で医師の届出義務を、第二項及び第三項で都道府県知事が当該届出を受けた場合の電磁的方法による報告及び通報義務を、第四項で保健所設置市・特別区の長が当該届出を受けた場合の電磁的方法による報告及び通報義務を、第五項から第七項で特定の電磁的方法による届出の努力義務等を、第八項及び第九項で慢性の感染症の患者に係る届出を、第十項で感染症により死亡した者に係る届出について規定している。感染症対策において、感染症の発生動向の調査は基本的なものである。感染症の発生状況を迅速に把握及び分析し、その結果を公開及び提供していくことが、公的施策の推進となるとともに、国民や医療関係者の感染症の予防の支援、感染症の発生をあらかじめ予防することにつながるためである。

○　届出の対象者は、以下のとおり。

一類感染症については疑似症患者、無症状病原体保有者について患者とみなされるため（第八条）、法文上は患者としか規定されていない。

感染症に関する情報の収集の方法として実際に診断した医師からの届出があるが、これには、大きく患者の全数を届出させる必要があるものと、定点で診断された患者のみを届出させることで足りるものとがある。全数把握が必要な場合は、⑴周囲への感染拡大防止を図ることが必要な場合と、⑵発生数が希少な感染症のため、定点方式での正確な傾向把握が不可能な場合である。定点把握が必要な場合は、発生動向の把握が必要なもののうち、患者数が多数で、全数を把握する必要はない場合である。

一類から四類感染症及び新型インフルエンザ等感染症は全て本条の対象となるが、五類感染症については、本条の届出の対象となるものと、第十四条の届出の対象となるものがあり、前記の考え方に従って分類されている。

①　一類感染症の患者、疑似症患者及び無症状病原体保有者

②　二類感染症の患者、政令で定められた疑似症患者及び無症状病原体保有者

③　三類感染症の患者及び無症状病原体保有者
④　四類感染症の患者及び無症状病原体保有者
⑤　新型インフルエンザ等感染症の患者、疑似症患者（当該感染症にかかっていると疑うに足りる正当な理由のあるもの）及び無症状病原体保有者
⑥　第一項第一号の厚生労働省令で定める五類感染症の患者（厚生労働省令で定める五類感染症の無症状病原体保有者を含む。）
⑦　第一項第二号の厚生労働省令で定める五類感染症の患者（厚生労働省令で定める五類感染症の無症状病原体保有者を含む。）

○　前記の①～⑥に係る届出事項は、氏名、年齢、性別その他厚生労働省令で定める事項、⑦に係る届出事項は、年齢、性別その他厚生労働省令で定める事項である（第一項）。①～⑥については個別の措置の対象となるので、氏名といった個人が特定される情報が届出事項となるが、⑦については個別の措置の対象とならないため、人権尊重の観点から個人が特定される情報は必要最小限とすべきであり届出事項とされていない。

○　届出は、前記①～⑥に係るものについては直ちに、⑦に係るものについては七日以内に最寄りの保健所長を経由して都道府県知事（保健所設置市の長、特別区の長が行う場合は、それぞれ保健所設置市長及び特別区長とする。以下同じ（第六十四条参照）。）に届けなければならない（第一項）。「直ちに」とは「遅滞なく」よりも迅速な対応を要求するものである。保健所を経由することとしたのは、実際の消毒等は保健所を中心に行われることが想定され、初動体制に迅速かつ万全を期すためである。

○　都道府県知事が届出を受けた場合、前記①～⑥に係るものについては直ちに、⑦に係るものについては厚生労働省令で定める期間内に、当該届出の内容を電磁的方法により（後述）、厚生労働大臣に報告しなければならない（第二項）。「届出の内容」とは、届出そのものを報告するものではないことから用いられた表現であり、厚生労働省令で定める期間とは、届出を受けた後七日である（規則第四条第八項）。厚生労働大臣へ報告することとしたのは、国として感染症の情報

を収集し、分析、公表することにより（第十六条）、感染症の予防を図ることとしているためである。

○　また、都道府県知事は、その管轄する区域外に居住する者について届出を受けたときは、当該者の居住地を管轄する都道府県知事（その居住地が保健所設置市・特別区の区域内にある場合にあっては、その居住地を管轄する保健所設置市・特別区の長及び都道府県知事）に、その管轄する区域内における保健所設置市・特別区の長が管轄する区域内に居住する者について届出を受けたときは、電磁的方法により、当該者の居住地を管轄する保健所設置市・特別区の長に通報しなければならない（第三項）。これは、前記①～⑥に係るものについては、居住地でも感染症の予防のため何らかの対策をとる必要がある可能性があるためであり、⑦に係るものについては、他にも患者が発生している可能性があり、必要に応じて積極的な調査（第十五条）を行う必要があるためである。

○　保健所設置市・特別区の長が届出を受けた場合については、第二項及び第三項の規定を準用することとされている（第四項）。これらの規定の準用に当たっては、届出の内容について、厚生労働大臣に加え、当該保健所設置市・特別区の区域を管轄する都道府県知事に対しても報告することとする等の所要の読替えがなされている。これは、例えば入院等の総合調整（第六十三条の三）など、医療の提供をはじめ、都道府県知事が広域的な調整機能を果たすことが必要であり、このために、都道府県知事が必要な情報を得ることを可能にする必要があるからである。

○　感染症対策において、感染拡大防止のためには、感染症の発生状況を迅速に把握し、関係者で共有されることが重要である。この点、新型コロナウイルス感染症（COVID-19）対策においては、当該感染症の患者の増加に伴い、保健所等における患者対応や把握した情報の国への報告等に係る負担が大きくなったことから、保健所等の業務負担軽減及び情報共有・把握の迅速化を図るため、新型コロナウイルス感染者等情報把握・管理システム（ＨＥＲ―ＳＹＳ：Health Center Real-time information-sharing System on COVID-19）が導入されたところ、第五項及び第六項はこうした電磁的方法による届出等の推進を図るため新設されたものである。

○　第一項から第六項までの規定による届出制度は、診断確定時に報告が行われており、対象となる疾患の多くは急性感染症であるため、当該感染症に対する迅速な対人措置、対物措置を講ずることによって、対策は一定期間で終了する。しかしながら、感染拡大のおそれがある期間が長く、完治等までの経過が長いため、初回届出のみでは、予防から治療までの一貫した総合的な予防対策を実施することが困難である慢性の感染症も存在することから、医療機関からの初回の届出だけでなく、定期的な報告が得られる制度として、慢性の感染症の患者を治療する医師が毎年度患者の年齢等を届け出なければならないとしている（第八項）。届出の対象となる慢性の感染症については、厚生労働省令で定めることとされており、このような届出制度を法律上は設けているが、その対象を厚生労働省令に委任した趣旨からは、政策的必要性及び合理性を慎重に検討の上、関係者の意見等を十分に参酌して判断することが適当である。

○　一類感染症から四類感染症、新型インフルエンザ等感染症又は五類感染症のうち本条の対象になるものにより死亡した者を検案した場合も、感染症の予防のため何らかの対策をとる必要や、また、他に患者が発生している可能性があるため必要に応じて調査を実施する必要があるため、本条第一項第一号に規定する感染症に係るものについては前記①～⑥と同様に、同項第二号に規定する感染症に係るものについては⑦と同様に扱うこととし、また、当該感染症により死亡したと疑われる者についても同様の扱いとしている（第十項）。

○　当該届出に違反した医師には、五十万円以下の罰金が科せられる（第七十七条第一項第一号）。

○　保健所長への届出を患者に告知するか否かについて、法律上は何らの規定を設けていない。これは、保健所長への届出を告知することが原則であると考えられるが、感染症の発生及びまん延防止の観点を踏まえつつ、告知自体は患者の心理状態等に配慮しながら、主治医の裁量で行うことが適当と考え、法律上一律に義務づけるのは不適当と判断したためである。

〔主要告示・通知等〕

・感染症の予防及び感染症の患者に対する医療に関する法律の施行に伴う感染症発生動向調査事業の実施について（平成十一年三月十九日健医発第四五八号）

・感染症の予防及び感染症の患者に対する医療に関する法律第十二条第一項及び第十四条第二項に基づく届出の基準等について（平成十八年三月八日健感発第〇三〇八〇〇一号）

（獣医師の届出）

第十三条　獣医師は、一類感染症、二類感染症、三類感染症、四類感染症又は新型インフルエンザ等感染症のうちエボラ出血熱、マールブルグ病その他の政令で定める感染症ごとに当該感染症を人に感染させるおそれが高いものとして政令で定めるサルその他の動物について、当該動物が当該感染症にかかり、又はかかっている疑いがあると診断したときは、直ちに、当該動物の所有者（所有者以外の者が管理する場合においては、その者。以下この条において同じ。）の氏名その他厚生労働省令で定める事項を最寄りの保健所長を経由して都道府県知事に届け出なければならない。ただし、当該動物が実験のために当該感染症に感染させられている場合は、この限りでない。

2　前項の政令で定める動物の所有者は、獣医師の診断を受けない場合において、当該動物が同項の政令で定める感染症にかかり、又はかかっている疑いがあると認めたときは、同項の規定による届出を行わなければならない。ただし、当該動物が実験のために当該感染症に感染させられている場合は、この限りでない。

3　前二項の規定による届出を受けた都道府県知事は、直ちに、当該届出の内容を、電磁的方法により厚生労働大臣に報告しなければならない。

4　都道府県知事は、次の各号に掲げる動物について第一項又は第二項の規定による届出を受けたときは、当該届出の内容を、電磁的方法により当該各号に定める者に通報しなければならない。

一　その管轄する区域外において飼育されていた動物　当該動物が飼育されていた場所を管轄する都道

府県知事（その場所が保健所設置市等の区域内にある場合にあっては、その場所を管轄する保健所設置市等の長及び都道府県知事）

二　その管轄する区域内における保健所設置市等の長が管轄する区域内において飼育されていた動物当該動物が飼育されていた場所を管轄する保健所設置市等の長

5　前二項の規定は、保健所設置市等の長が第一項又は第二項の規定による届出を受けた場合について準用する。この場合において、第三項中「厚生労働大臣」とあるのは「厚生労働大臣及び当該保健所設置市等の区域を管轄する都道府県知事（次項各号において「管轄都道府県知事」という。）」と、前項第一号及び第二号中「その管轄する」とあるのは「管轄都道府県知事の管轄する」と、同号中「保健所設置市等の長が」とあるのは「当該保健所設置市等以外の保健所設置市等の長が」と読み替えるものとする。

6　前条第六項の規定は第一項の規定による届出をすべき獣医師について、同条第七項の規定は第三項又は第四項（これらの規定を前項において準用する場合を含む。）の規定による報告又は通報をすべき者について、それぞれ準用する。この場合において、同条第六項中「内容を報告等」とあるのは「内容を次条第三項又は第四項（これらの規定を同条第五項において準用する場合を含む。）の規定による報告又は通報（以下この条において「報告等」という。）」と、同条第七項中「第一項」とあるのは「次条第一項」と、「前二項」とあるのは「同条第六項において読み替えて準用する前項」と読み替えるものとする。

7　第一項及び第三項から前項までの規定は獣医師が第一項の政令で定める動物の死体について当該動物

が同項の政令で定める感染症にかかり、又はかかっていた疑いがあると検案した場合について、第二項から前項までの規定は所有者が第一項の政令で定める動物の死体について当該動物が同項の政令で定める感染症にかかり、又はかかっていた疑いがあると認めた場合について準用する。

〔解　説〕

○　第十三条は、獣医師の届出に関して規定した条文である。第一項で獣医師の届出義務を、第二項で動物の所有者の届出義務を、第三項及び第四項で都道府県知事が当該届出を受けた場合の電磁的方法による報告及び通報義務を、第五項で保健所設置市・特別区の長が当該届出を受けた場合の電磁的方法による報告及び通報義務を、第六項で特定の電磁的方法による届出の努力義務等を、第七項で感染症により死亡した動物に係る届出について規定している。

○　エボラ出血熱、マールブルグ病などサルを感染源とした感染症が諸外国で発生しており、人や動物の国際的な移動の増大等に伴い、これらの感染症が我が国に侵入するおそれが生じている。従来、動物由来の感染症の対策は、狂犬病予防法（昭和二十五年法律第二百四十七号）における犬の検疫等の実施による狂犬病対策を中心に行われてきたが、サル等の動物を感染源とするエボラ出血熱等の国外からの侵入の脅威に的確に対応し、これらの感染症の被害を未然に防止するため、狂犬病以外の動物由来感染症についても必要な措置、具体的には、本条による届出、一定範囲の動物について輸入検疫及び輸入届出（第十章）を講じることとしている。

○　届出の対象は、一類感染症から四類感染症のうち政令で定める感染症ごとに、当該感染症にかかり、又はかかっている疑いがある動物のうち政令で定められるもので、具体的には、エボラ出血熱、マールブルグ病、細菌性赤痢又は結核にかかったサル、ペストにかかったプレーリードッグ、重症急性呼吸器症候群（病原体がＳＡＲＳコロナウイルスであるものに限る。）にかかったイタチアナグマ、タヌキ及びハクビシン、ウエストナイル熱、鳥インフルエンザ（病原体がインフルエンザウイルスＡ属インフルエンザＡウイルスであってその血清亜型がＨ５Ｎ１又はＨ７Ｎ９であるものに限る。）又は新型インフルエンザ等感染症（法第六条第七項第三号に掲げる新型コロナウイルス感染症及び再興型コロナウイルス感染症を除く。）にかかった鳥類に属する動物、エキノコックス症にかかった犬並びに中東呼吸器症候群（病原体がＭＥＲＳコロナウイルスであるものに限る。）にかかったヒトコブラクダである（令第五条）。

○　なお、動物由来感染症の発生動向を正確に把握するため、人為的に実験により動物に届出対象の感染症に感染させた場合については第十三条第一項及び第二項に基づく獣医師等の届出の対象から除外することとする。

○　届出事項は、当該動物の所有者（所有者以外の者が管理する場合においては、当該者）の氏名その他厚生労働省令で定める事項である（第一項）。厚生労働省令で定める事項としては、動物の種類、動物の所有者の住所、感染症の名称、動物の出生地、動物の所在地、感染原因等である（規則第五条第一項）。

○　届出は、直ちに、最寄りの保健所長を経由して都道府県知事に届けなければならず（第一項）、届出を受けた都道府県知事は、直ちに、当該届出の内容を、電磁的方法により厚生労働大臣に報告しなければならない（第三項）。また、都道府県知事は、その管轄する区域外において飼育されていた動物について届出を受けたときは、当該動物が飼育されていた場所を管轄する都道府県知事（その場所が保健所設置市・特別区の区域内にある場合にあっては、その場所を管轄する保健所設置市・特別区の長及び都道府県知事）に、その管轄する区域内における保健所設置市・特別区の長が管轄する区域内において飼育されていた動物について届出を受けたときは、当該動物が飼育されていた場所を管轄する保健所設置市・特別区の長に当該届出の内容を通報しなければならない（第四項）。

保健所設置市・特別区の長が届出を受けた場合については、第三項及び第四項の規定を準用することとされている。これらの規定の準用に当たっては、届出の内容について、厚生労働大臣に加え、当該保健所設置市・特別区の区域を管轄する都道府県知事に対しても報告することとする等の所要の読替えがなされている（第五項）。

さらに、本条の届出の対象となる感染症で死亡し、又は死亡した疑いがある動物の死体を検案したときは、感染症にかかっている動物を診断した場合と同様の扱いとしている（第七項）。

これらの規定は第十二条と同様の趣旨から設けられたものである。

○　本条の届出の対象となる動物の所有者が、獣医師の診断を受けない場合において、当該動物が本条の対象となる感染症にかかっており、又は、かかっている疑いがあると認めたときも、最寄りの保健所を経由して都道府県知事に届け出なければならない。これは、獣医師以外の者であっても、飼育動物の症状等から判断できる場合があり得るからである。

○　本条の届出義務に違反した獣医師には、五十万円以下の罰金が科せられる（第七十七条第一項第二号）。しかし、獣医師以外の者については、届け出るべき状況にあったかを判断する能力がない場合等、届出義務の不履行を刑罰で臨むことが不合理な場合があることから、届出をしなかったとしても罰則は科せられないこととしている。

〔主要告示・通知等〕

・感染症の予防及び感染症の患者に対する医療に関する法律第十三条第一項の規定に基づく届出の基準について（平成十七年六月二十日健感発第〇六二〇〇〇二号）〔獣医師の届出基準〕

（感染症の発生の状況及び動向の把握）

第十四条　都道府県知事は、厚生労働省令で定めるところにより、開設者の同意を得て、五類感染症のうち厚生労働省令で定めるもの又は二類感染症、三類感染症、四類感染症若しくは五類感染症の疑似症のうち厚生労働省令で定めるものの発生の状況の届出を担当させる病院又は診療所を指定する。

2　前項の規定による指定を受けた病院又は診療所（以下この条において「指定届出機関」という。）の管理者は、当該指定届出機関の医師が前項の厚生労働省令で定める五類感染症の患者（厚生労働省令で定める五類感染症の無症状病原体保有者を含む。以下この項において同じ。）若しくは前項の二類感染症、三類感染症、四類感染症若しくは五類感染症の疑似症のうち厚生労働省令で定めるものの患者を診断し、又は同項の厚生労働省令で定める五類感染症により死亡した者の死体を検案したときは、厚生労働省令で定めるところにより、当該患者又は当該死亡した者の年齢、性別その他厚生労働省令で定める事項を当該指定届出機関の所在地を管轄する都道府県知事に届け出なければならない。

3　前項の規定による届出を受けた都道府県知事は、厚生労働省令で定めるところにより、当該届出の内容を、電磁的方法により厚生労働大臣に報告しなければならない。

4　第十二条第五項及び第六項の規定は第二項の規定による届出について、同条第七項の規定は前項の規定による報告について、それぞれ準用する。この場合において、同条第五項及び第六項中「すべき医師」とあるのは「すべき指定届出機関の管理者」と、同条第五項中「第二項又は第三項（これらの規定を前項において準用する場合を含む。）の規定による報告又は通報（以下この条において「報告等」と）あるのは「第十四条第三項の規定による報告（以下この条において単に「報告」と、「当該報告等」とあるのは「当該報告」と、同条第六項及び第七項中「報告等」とあるのは「報告」と、同項中「第一項」とあるのは「第十四条第二項」と読み替えるものとする。

5　指定届出機関は、三十日以上の予告期間を設けて、第一項の規定による指定を辞退することができる。

6　都道府県知事は、指定届出機関の管理者が第二項の規定に違反したとき、又は指定届出機関が同項の規定による届出を担当するについて不適当であると認められるに至ったときは、第一項の規定による指定を取り消すことができる。

7　厚生労働大臣は、二類感染症、三類感染症、四類感染症又は五類感染症の疑似症のうち第一項の厚生労働省令で定めるものであって当該感染症にかかった場合の病状の程度が重篤であるものが発生し、又は発生するおそれがあると認めたときは、その旨を都道府県知事に通知するものとする。

8　前項の規定による通知を受けた都道府県知事は、当該都道府県知事が管轄する区域内に所在する指定届出機関以外の病院又は診療所の医師に対し、当該感染症の患者を診断し、又は当該感染症により死亡した者の死体を検案したときは、厚生労働省令で定めるところにより、当該患者又は当該死亡した者の年齢、性別その他厚生労働省令で定める事項を届け出ることを求めることができる。この場合において、当該届出を求められた医師は、正当な理由がない限り、これを拒んではならない。

9　第三項の規定は、前項の規定による届出を受けた都道府県知事について準用する。

10　第十二条第五項及び第六項の規定は第八項の規定による届出について、同条第七項の規定は前項において準用する第三項の規定による報告について、それぞれ準用する。この場合において、同条第五項及び第六項中「すべき医師」とあるのは「すべき指定届出機関以外の病院又は診療所の医師」と、同条第五項中「第二項又は第三項（これらの規定を前項において準用する場合を含む。）の規定による報告又は通報（以下この条において「報告等」とあるのは「第十四条第九項において準用する同条第三項の規定による報告（以下この条において単に「報告」と、「当該報告等」とあるのは「当該報告」と、同条第六項及び第七項中「報告等」とあるのは「報告」と、同項中「第一項」とあるのは「第十四条第八項」と読み替えるものとする。

〔解　説〕

○　第十四条は、いわゆる定点調査に関して規定した条文である。第一項で指定届出機関の指定を、第二項で指定届出機関の管理者の届出義務を、第三項で当該届出を受けた都道府県知事の報告義務を、第四項で特定の電磁的方法による届出の努力義務等を、第五項で指定届出機関の辞退を、第六項で指定届出機関の指定の取消を、第七項から第十項で厚生労働大臣が必要と認め、都道府県知事にその旨を通知した場合における指定届出機関以外の病院又は診療所の医師の届出について規定している。

○　都道府県知事が、開設者の同意を得て、指定届出機関を指定することとされているが、本条が広域的な感染症の発生状況及び動向の把握を目的としていることから、当該事務は保健所設置市の長等には位置づけられてはいない（第一項（第十二条第一項及び第六十四条第一項参照））。指定届出機関は三十日以上の予告期間を設けて指定を辞退することができる（第五項）。三十日とは、次の指定届出機関の指定に要する期間等を考慮して定められたものである。

○　届出の対象は、①五類感染症のうち厚生労働省令で定められるものの患者（無症状病原体保有者を含む。）、②二類感染症、三類感染症、四類感染症又は五類感染症の疑似症のうち厚生労働省令で定められるものの患者、③当該五類感染症により死亡した者である。本条の対象となる感染症は、発生数の比較的多い感染症であり、厚生労働省令で列挙されている（規則第六条）。

○　届出事項は、年齢、性別その他厚生労働省令で定める事項であり、厚生労働省令では病原体の名称等が規定されている（規則第七条第二項）。

○　届出は、直接、都道府県知事に届けなければならない。届出義務は指定届出機関の医師ではなく、管理者に課せられている（第二項）。また、当該届出を受けた都道府県知事は、厚生労働省令で定めるところにより、当該届出の内容を、電磁的方法により厚生労働大臣に報告することとされている（第三項）。厚生労働省令では、五類感染症指定区分の感染症の患者又はこれらにより死亡した者に係るものについては当該届出を受けた後七日以内に、疑似症の患者に係るものについては直ちに報告を行うことが規定されている（規則第七条第三項）。

○法第12条及び第14条に基づく情報の基本的流れ

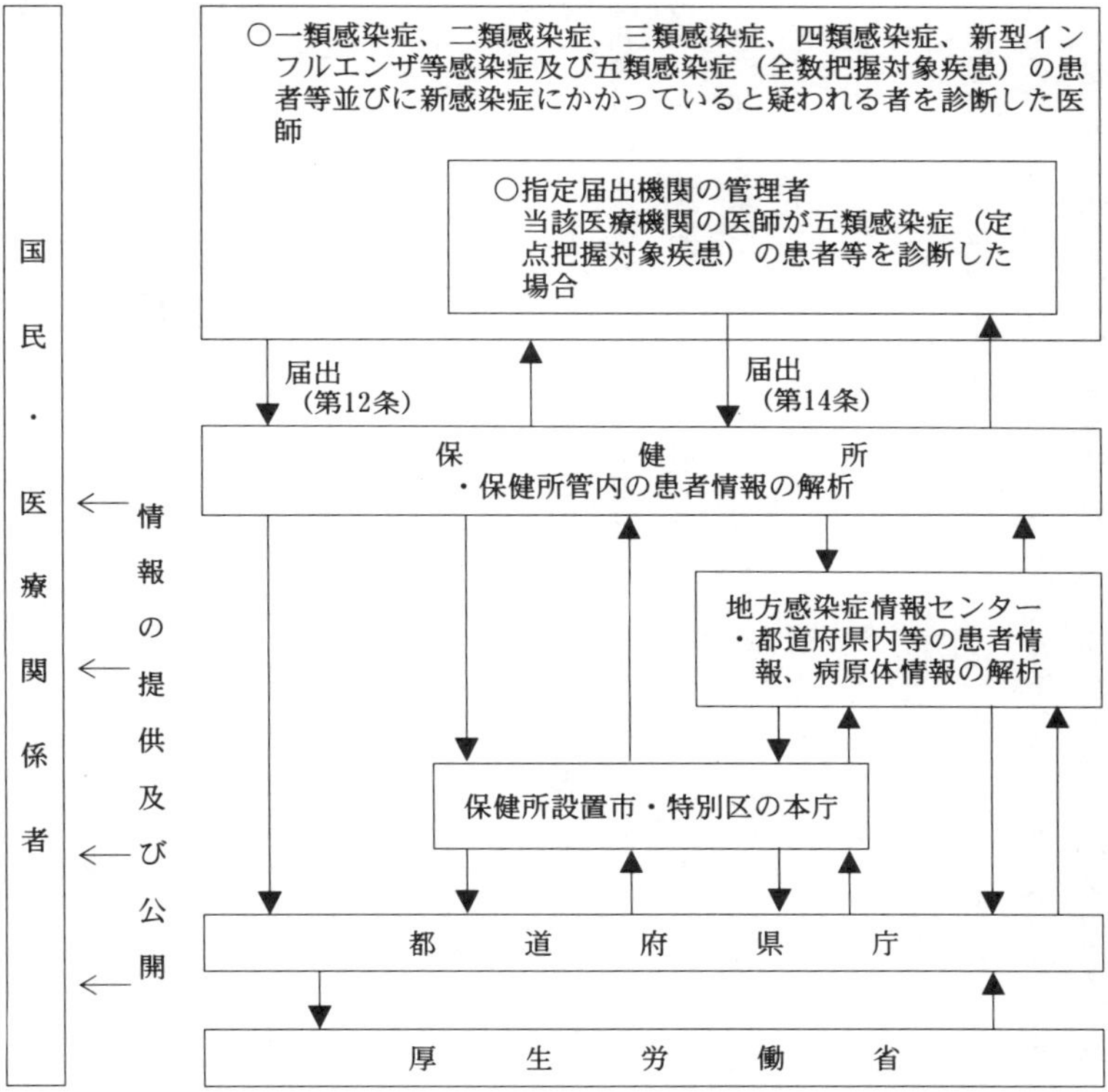

○　いわゆる定点調査は、本法制定以前は、「感染症発生動向調査事業」という予算事業として実施されてきたものである。感染症発生動向調査事業は二十八の感染性の疾病を対象として行われてきた。しかし、当該事業では、定点の設置については定点基準数の不足や、個別の報告については、報告の時期・内容等において不正確な報告があること、情報の還元についても一部において遅れを生じている場合があった。このような問題点も踏まえ、より的確な情報の収集のために、本法においては指定届出機関制度を設け、定点調査についても一定期間内における報告義務を課すこととしたものである。

○　一類感染症の疑似症患者又は二類感染症のうち政令で定めるものの疑似症患者については第十二条により

全ての医師から、二類感染症、三類感染症、四類感染症又は五類感染症の疑似症のうち厚生労働省令で定められるものの患者については第十四条第二項により指定届出機関から届出されることとなっている。しかし、欧州で増加し、国内でも発生が確認されていた、原因となるウイルスが不明な小児の急性肝炎のように、発生数が少なく、指定届出機関からの届出では、全国にどの程度存在しているのか、正確に把握することが困難な感染症については、より情報収集の実効性を確保するため、指定届出機関以外の病院・診療所の医師に対しても、届出を求める必要がある。

※　疾病の原因が特定されていない状況では、第六条第八項の指定感染症に指定できず、同条第九項の新感染症（人から人に伝染すると認められる疾病であって、既に知られている感染性の疾病とその病状又は治療の結果が明らかに異なるもので、当該疾病にかかった場合の病状の程度が重篤であり、かつ、当該疾病のまん延により国民の生命及び健康に重大な影響を与えるおそれがあると認められるもの。）の定義にも該当しないため、第十二条第一項の医師の届出の対象にならない。

○　このため、令和四年改正により追加した第十四条第七項及び第八項では、二類感染症、三類感染症、四類感染症若しくは五類感染症の疑似症のうち厚生労働省令で定めるものであって当該感染症にかかった場合の病状の程度が重篤であるものが発生し、又は発生するおそれがあると厚生労働大臣が認めたときは、指定届出機関以外の病院・診療所の医師に対しても、届出を求めることができることとしている（当該医師は、正当な理由がない限り、求めに応じなければならないこととしている。）。なお、電磁的方法による報告の取扱いについては、第十二条と同様である（第九項及び第十項）。

○　第十二条第一項の医師の届出を行わなかった場合には、第七十七条第一項第一号の規定に基づき、五十万円以下の罰金に処することとされているが、本条の届出義務に違反した場合であっても、罰則は科せられない。これは、指定届出機関は開設者の同意を得て指定されることから、公法上の契約に類似した関係に立つ者として一定の法令遵守が期待されるべきものであり、罰則で担保しなくとも届出がなされると考えられるからである。

○　なお、令和四年改正により追加した第七項及び第八項の指定届出機関以外の病院・診療所の医師からの届出については、開設者の同意を得ていないため、罰則により実効性を担保することも考えられるが、発生動向を監視することが目的であること、緊急的な対応を求めるものであることから、罰則を設けていない。

〔主要告示・通知等〕

・感染症の予防及び感染症の患者に対する医療に関する法律の施行に伴う感染症発生動向調査事業の実施について（平成十一年三月十九日健医発第四五八号）
・感染症の予防及び感染症の患者に対する医療に関する法律第十二条第一項及び第十四条第二項に基づく届出の基準等について（平成十八年三月八日健感発第〇三〇八〇〇一号）

第十四条の二　都道府県知事は、厚生労働省令で定めるところにより、開設者の同意を得て、厚生労働省令で定める五類感染症の患者の検体又は当該感染症の病原体の提出を担当させる病院若しくは診療所又は衛生検査所を指定する。

2　前項の規定による指定を受けた病院若しくは診療所又は衛生検査所（以下この条において「指定提出機関」という。）の管理者は、当該指定提出機関（病院又は診療所に限る。）の医師が同項の厚生労働省令で定める五類感染症の患者を診断したとき、又は当該指定提出機関（衛生検査所に限る。）の職員が当該患者の検体若しくは当該感染症の病原体について検査を実施したときは、厚生労働省令で定めるところにより、当該患者の検体又は当該感染症の病原体の一部を同項の規定により当該指定提出機関を指定した都道府県知事に提出しなければならない。

3　都道府県知事は、厚生労働省令で定めるところにより、前項の規定により提出を受けた検体又は感染症の病原体について検査を実施しなければならない。

4　都道府県知事は、厚生労働省令で定めるところにより、前項の検査の結果その他厚生労働省令で定める事項を、電磁的方法により厚生労働大臣に報告しなければならない。
５　厚生労働大臣は、自ら検査を実施する必要があると認めるときは、都道府県知事に対し、第二項の規定により提出を受けた検体又は感染症の病原体の一部の提出を求めることができる。
６　指定提出機関は、三十日以上の予告期間を設けて、第一項の規定による指定を辞退することができる。
７　都道府県知事は、指定提出機関の管理者が第二項の規定に違反したとき、又は指定提出機関が同項の規定による提出を担当するについて不適当であると認められるに至ったときは、第一項の規定による指定を取り消すことができる。

〔解　説〕

○　第十四条の二は、五類感染症のうち、遺伝子型、血清型などの病原体情報の解析が特に重要となるものの検体又は病原体（以下「検体等」という。）について、より的確な情報の収集のために、感染症の患者情報の定点調査の規定（第十四条）を参考として、都道府県知事が指定する医療機関又は衛生検査所から、都道府県知事に対して検体等が提出される制度を規定した条文である。

○　近年、病原体の遺伝子解析技術等の飛躍的な進歩に伴い、感染症対策を立案するに当たって、遺伝子情報、薬剤耐性等の収集・解析が必要不可欠となっている。特に、季節性インフルエンザについては、病原体の遺伝子情報等を収集・解析することにより、病原体の性状の変化の監視、薬剤耐性のある株の発生状況の把握、ワクチン株選定の妥当性の評価、新たな感染症との比較などを行うことが可能となるため、厚生労働省令で定める五類感染症としている（規則第七条の三）。

○　都道府県知事は、開設者の同意を得て、厚生労働省令で定める五類感染症の患者の検体等の提出を担当させる病院若しくは診療所又は衛生検査所（以下「指定提出機関」という。）を指定することとしている（第一項）。衛生検査所は、病院や診療所との委託契約により、患者の検体を検査している場合があるため、指定提出機関として指定することを可能としている。なお、衛生検査所とは、臨床検査技師等に関する法律（昭和三十三年法律第七十六号）第二十条の三に規定する衛生検査所をいう。

○　指定提出機関は、厚生労働省令で定める五類感染症の患者の検体等の一部の都道府県知事への提出が義務づけられている（第二項）。

○　都道府県知事に対し、厚生労働省令で定めるところにより、提出された検体等の検査の実施を義務づけ（第三項）、また、全国的に一定の検査水準を確保するために、検査の体制等を定めている（規則第七条の四）。検査結果については、厚生労働省令で定めるところにより、電磁的方法により厚生労働大臣への報告を義務づけている（第四項）。

○　国立感染症研究所において、病原体の遺伝子型や薬剤耐性の確認等の必要がある場合があるため、厚生労働大臣は、自ら検査を実施するため特に必要があると認めるときは、都道府県知事に対し検体等の一部の提出を求めることができる（第五項）。

○　第十四条の規定による患者情報の定点調査と同様、次のとおり指定の辞退や取消しを可能としている（第六項・第七項）。

・　指定提出機関は、三十日以上の予告期間を設けて、指定を辞退できる。

・　都道府県知事は、指定提出機関が検体等の提出の義務を怠った場合、又は検体等の提出を担当させるのに不適当であると判断した場合に、指定の取消しができる。

○　第十四条と同様に、本条の提出義務の違反に対する罰則は設けられていない。

〔主要告示・通知等〕

・検査施設における病原体検査の業務管理要領の策定について（平成二十七年十一月十七日健感発一一一七第二号）

（感染症の発生の状況、動向及び原因の調査）
第十五条　都道府県知事は、感染症の発生を予防し、又は感染症の発生の状況、動向及び原因を明らかにするため必要があると認めるときは、当該職員に一類感染症、二類感染症、三類感染症、四類感染症、五類感染症若しくは新型インフルエンザ等感染症の患者、疑似症患者若しくは無症状病原体保有者、新感染症の所見がある者又は感染症を人に感染させるおそれがある動物若しくはその死体の所有者若しくは管理者その他の関係者に質問させ、又は必要な調査をさせることができる。
2　厚生労働大臣は、感染症の発生を予防し、又はそのまん延を防止するため緊急の必要があると認めるときは、当該職員に一類感染症、二類感染症、三類感染症、四類感染症、五類感染症若しくは新型インフルエンザ等感染症の患者、疑似症患者若しくは無症状病原体保有者、新感染症の所見がある者又は感染症を人に感染させるおそれがある動物若しくはその死体の所有者若しくは管理者その他の関係者に質問させ、又は必要な調査をさせることができる。
3　都道府県知事は、必要があると認めるときは、第一項の規定による必要な調査として当該職員に次の各号に掲げる者に対し当該各号に定める検体若しくは感染症の病原体を提出し、若しくは当該職員による当該検体の採取に応じるべきことを求めさせ、又は第一号から第三号までに掲げる者の保護者（親権を行う者又は後見人をいう。以下同じ。）に対し当該各号に定める検体を提出し、若しくは当該各号に掲げる者に当該職員による当該検体の採取に応じさせるべきことを求めさせることができる。

一　一類感染症、二類感染症若しくは新型インフルエンザ等感染症の患者、疑似症患者若しくは無症状病原体保有者又は当該感染症にかかっていると疑うに足りる正当な理由のある者　当該者の検体
二　三類感染症、四類感染症若しくは五類感染症の患者、疑似症患者若しくは無症状病原体保有者又は当該感染症にかかっていると疑うに足りる正当な理由のある者　当該者の検体
三　新感染症の所見がある者又は新感染症にかかっていると疑うに足りる正当な理由のある者　当該者の検体
四　一類感染症、二類感染症若しくは新型インフルエンザ等感染症を人に感染させるおそれがある動物又はその死体の所有者又は管理者　当該動物又はその死体の検体
五　三類感染症、四類感染症若しくは五類感染症を人に感染させるおそれがある動物又はその死体の所有者又は管理者　当該動物又はその死体の検体
六　新感染症を人に感染させるおそれがある動物又はその死体の所有者又は管理者　当該動物又はその死体の検体
七　第一号に定める検体又は当該検体から分離された同号に規定する感染症の病原体を所持している者　当該検体又は当該感染症の病原体
八　第二号に定める検体又は当該検体から分離された同号に規定する感染症の病原体を所持している者　当該検体又は当該感染症の病原体
九　第三号に定める検体又は当該検体から分離された新感染症の病原体を所持している者　当該検体又は当該感染症の病原体

十　第四号に定める検体又は当該検体から分離された同号に規定する感染症の病原体を所持している者　当該検体又は当該感染症の病原体
十一　第五号に定める検体又は当該検体から分離された同号に規定する感染症の病原体を所持している者　当該検体又は当該感染症の病原体
十二　第六号に定める検体又は当該検体から分離された新感染症の病原体を所持している者　当該検体又は当該感染症の病原体

4　都道府県知事は、感染症の患者を迅速に発見することにより、感染症の発生を予防し、又はそのまん延を防止するため、感染症の性質、当該都道府県知事の管轄する区域内における感染症の患者の病状又は数、感染症が発生している施設又は業務の種類並びに当該種類ごとの感染症の発生及びまん延の状況並びに感染症を公衆にまん延させるおそれその他の事情を考慮して、前項の規定による求めを行うものとする。

5　都道府県知事は、厚生労働省令で定めるところにより、第三項の規定により提出を受けた検体若しくは感染症の病原体又は当該職員が採取した検体について検査を実施しなければならない。

6　第三項の規定は、第二項の規定による必要な調査について準用する。

7　第一項又は第二項の規定により質問を受け、又は必要な調査を求められた者（次項に規定する特定患者等を除く。）は、当該質問又は必要な調査に協力するよう努めなければならない。

8　都道府県知事又は厚生労働大臣は、一類感染症、二類感染症若しくは新型インフルエンザ等感染症の患者又は新感染症の所見がある者（以下この項において「特定患者等」という。）が第一項又は第二項の規定による当該職員の質問又は必要な調査に対して正当な理由がなく協力しない場合において、感染症の発生を予防し、又はそのまん延を防止するため必要があると認めるときは、その特定患者等に対し、当該質問又は必要な調査（第三項（第六項において準用される場合、第四十四条の九第一項の規定に基づく政令によって準用される場合（同条第二項の政令により、同条第一項の政令の期間が延長される場合を含む。）及び第五十三条第一項の規定に基づく政令によって適用される場合（同条第二項の政令により、同条第一項の政令の期間が延長される場合を含む。）を含む。）の規定による求めを除く。）に応ずべきことを命ずることができる。

9　前項の命令は、感染症を公衆にまん延させるおそれ、感染症にかかった場合の病状の程度その他の事情に照らして、感染症の発生を予防し、又はそのまん延を防止するため必要な最小限度のものでなければならない。

10　都道府県知事又は厚生労働大臣は、第八項の命令をする場合には、同時に、当該命令を受ける者に対し、当該命令をする理由その他の厚生労働省令で定める事項を書面により通知しなければならない。ただし、当該事項を書面により通知しないで命令をすべき差し迫った必要がある場合は、この限りでない。

11　都道府県知事又は厚生労働大臣は、前項ただし書の場合においては、第八項の命令の後相当の期間内に、当該命令を受けた者に対し、前項の理由その他の厚生労働省令で定める事項を記載した書面を交付しなければならない。

12　第一項及び第二項の職員は、その身分を示す証明書を携帯し、かつ、関係者の請求があるときは、これを提示しなければならない。

13　都道府県知事及び保健所設置市等の長（以下「都道府県知事等」という。）は、厚生労働省令で定めるところにより、第一項の規定により実施された質問又は必要な調査の結果を、電磁的方法（電子情報処理組織を使用する方法その他の情報通信の技術を利用する方法であって厚生労働省令で定めるものをいう。次項、第四十四条の三の五第四項及び第五十条の六第四項において同じ。）により厚生労働大臣（保健所設置市等の長にあっては、厚生労働大臣及び当該保健所設置市等の区域を管轄する都道府県知事）に報告しなければならない。

14　都道府県知事等は、他の都道府県知事等が管轄する区域における感染症のまん延を防止するため必要があると認められる場合として厚生労働省令で定める場合にあっては、厚生労働省令で定めるところにより、第一項の規定により実施された質問又は必要な調査の結果を、電磁的方法により当該他の都道府県知事等に通報しなければならない。

15　厚生労働大臣は、第四十四条の三の五第一項又は第五十条の六第一項の規定に基づく要請による場合を除き、自ら検査を実施する必要があると認めるときは、都道府県知事に対し、第三項の規定により提出を受けた検体若しくは感染症の病原体又は当該職員が採取した検体の一部の提出を求めることができる。

16　都道府県知事は、第一項の規定による質問又は必要な調査を実施するため特に必要があると認めるときは、他の都道府県知事又は厚生労働大臣に対し、感染症の治療の方法の研究、病原体等の検査その他の感染症に関する試験研究又は検査を行う機関（以下「感染症試験研究等機関」という。）の職員の派遣その他の必要な協力を求めることができる。
17　第十二項の規定は、前項の規定により派遣された職員について準用する。
18　第十二項の証明書に関し必要な事項は、厚生労働省令で定める。

〔解　説〕

○　第十五条は、いわゆる積極的疫学調査に関して規定した条文である。感染症対策においては、医師、獣医師等からの届出と並んで、感染症対策に従事する職員が、患者、動物の所有者、管理者と関係者に質問又は必要な調査を行い、情報収集を進めていくことにより、感染症の発生の状況及び動向、その原因を明らかにすることが、各般の施策を講じる上で大変重要である。また、感染症が発生した場合、その原因が分からない段階では患者への適切な医療提供、動物の所有者等への措置、まん延防止施策を講じることが困難であり、人から人への感染経路が多様である場合や動物からの感染があり得る場合には、水面下での感染拡大のおそれがある。こうした事態に的確に対応していくため、都道府県知事（保健所設置市等の長を含む。）に検体等の提出の求めを含めた積極的疫学調査を行う権限があることを明確にし、また、関係者の協力義務を規定することが必要である。このほか、入手した検体等の検査、検査結果の厚生労働大臣への報告などについて規定している。

《第一項・第二項関係》

○　積極的疫学調査が行われる場合としては、①一類感染症、二類感染症、三類感染症、四類感染症又は新型インフルエンザ等感染症が発生した場合、②五類感染症等に係る感染症発生動向調査において通常と異なる傾向が認められる場合等が考えられるが、個別の事例に応じ、通常は第一義的に都道府県知事において適切に判断されるべきものである。

○　積極的疫学調査の対象者は、患者又は動物の所有者、管理者を中心とすべきことから、一類感染症、二類感染症、三類感染症、四類感染症、五類感染症若しくは新型インフルエンザ等感染症の患者、疑似症患者若しくは無症状病原体保有者又は新感染症の所見がある者その他の関係者とされている（第一項）。その他の関係者とは、患者の家族等に限定されず、広く、医療関係者等が含まれるものである。

○　一方、国内で感染症の広域的な発生が予想されたり、都道府県の区域を越えてまん延が拡大するおそれがある事態等において国が都道府県よりも先に情報を入手する場合には、緊急時の適切な対応として、国が速やかに都道府県に対し、必要な調査を指示するほか（第六十三条の二第一項）、緊急時の的確な初動対応を確保するため、緊急事態において国が必要と判断した場合には、都道府県の報告や要請を待たずに、自ら感染症の発生状況の調査を行うことができることとしたものである（第十五条第二項）。

《第三項～第六項関係》

○　法に規定する全ての感染症について、任意の調査として、都道府県知事（緊急時は厚生労働大臣）による感染症の患者等又はその保護者、感染症を人に感染させるおそれのある動物又はその死体の所有者、検体等の所持者に対する検体等の提出の求め（検体の採取に応じる旨の求めを含む。）ができる（第三項）。なお、検体等の求めについては、強制的な措置ではないため、対象とする感染症が限定されていない。

○　「検体等」とは、検体及び当該検体から分離された感染症の病原体であり、「検体」とは、血液、咽頭ぬぐい液、尿、便などである。

○　本人が未成年の場合や意思能力に欠ける場合には、本人の人権が不当に損なわれることを回避するため、その保護者に対して提出を求める。

○　「感染症にかかっていると疑うに足りる正当な理由のある者」とは、感染症の患者と一定の接触をした者などのことであるが、感染症の性質（感染力等）や国内外の発生状況等の情報、知見等に応じ、個別に検討されることとなる。

○　「検体等の所持者」としては、医療関係者などが想定される。

○　第三項の規定による求めを行うに当たって、都道府県知事は、無症状者を含む患者の迅速な発見のため、感染症の性質、地域の感染状況、感染症が発生している施設・業務等を考慮することとされている（第四項）。例えば、新型コロナウイルス感染症（COVID-19）については、無症状でも感染させるリスクがあること等のその特性に鑑み、現に感染症が発生した施設等に限らず、特に医療機関、高齢者施設等を中心に、地域の関係者を幅広く対象に、検査を実施していたため、本項はこういったことを踏まえた訓示的な規定として設けられたものである。

○　入手した検体等については、検査の精度について一定水準を確保するため、都道府県知事に対し、厚生労働省令で定めるところにより、検査を実施することを義務づけている（第五項）。

《第七項～第十一項関係》

○　積極的疫学調査の対象者は、質問や調査に協力するよう努めなければならない（第七項）。これは、関係者の協力がなければ感染症の発生の状況及び動向、その原因を明らかにすることが困難なためである。しかし、積極的疫学調査はその対象者が広いことから、一律に質問や調査等に応じる義務を課すことは適当でなく、第八項に規定する特定患者等を除き、努力義務として規定されている。

○　他方で、新型コロナウイルス感染症対策においては、患者に対し、感染源の推定や当該感染症にかかっていると疑うに足りる正当な理由のある者の把握等のための聞き取り等を行った際に、これを拒否され、円滑かつ確実な調査ができなかった事例があったとの指摘を踏まえ、積極的疫学調査の実効性の確保のため、

①　一類感染症、二類感染症若しくは新型インフルエンザ等感染症の患者又は新感染症の所見がある者（以下「特定患者等」という。）が

② 積極的疫学調査として行われる当該職員の質問又は必要な調査に対して正当な理由がなく協力しない場合において、感染症の発生を予防し、又はそのまん延を防止するため必要があると認めるときは、その特定患者等に対し、積極的疫学調査に応ずべきことを命ずることができ（第八項）、

③ 命令を受けた者が、当該職員の質問に対して正当な理由がなく答弁をせず、若しくは虚偽の答弁をし、又は正当な理由がなくこれらの規定による当該職員の調査（第三項の規定による求めを除く。）を拒み、妨げ若しくは忌避したときは、三十万円以下の過料に処する（第八十一条）

こととされている。

○ ①は、前述のとおり積極的疫学調査は関係者に幅広く行えるが、命令・罰則の対象とするに当たっては、私権の制約になることに鑑み、感染拡大防止を確実に行うために必要最小限の範囲とする観点から、入院措置の対象者と同様の範囲に限ることとしたものである。なお、第八条の規定により、一類感染症の疑似症患者・無症状病原体保有者は患者とみなすこと等とされていることから、具体的な範囲は、次のとおりとなる。

・ 一類感染症の患者、疑似症患者、無症状病原体保有者

・ 二類感染症の患者、二類感染症のうち政令で定めるものの疑似症患者

・ 新型インフルエンザ等感染症の患者、疑似症患者であって当該感染症にかかっていると疑うに足りる正当な理由のあるもの、無症状病原体保有者

・ 新感染症の所見がある者

○ ②・③は、令和三年改正の政府案においては、特定患者等が、質問に対して正当な理由がなく答弁をせず、若しくは虚偽の答弁をし、又は正当な理由がなく調査を拒み、妨げ若しくは忌避した場合に罰金（刑事罰）を科する案であったが、衆議院での修正により、命令を前置し、過料に修正されたものである。③については、第八十一条の解説において詳述する。

○　また、命令を前置するに当たり、当該命令が必要な最小限度のものでなければならないことを入念的に規定し（第九項）、手続保障のため、書面による通知が規定された（第十項）。これにより、基本的人権の尊重をベースとしつつ、一定の抑止効果が働く必要最低限の罰則であることを明確化している（なお、最小限度の措置については第二十二条の二、書面による通知については第十六条の三第五項・第六項及び第二十三条も参照）。

《第十二項関係》

○　正当な権限を有している職員が調査を行っていることを示すため、及び人権に対する配慮から、積極的疫学調査を実施する職員は身分を示す証明書を携帯し、関係者からの請求に応じてこれを提示しなければならない（第十二項）。

《第十三項・第十四項関係》

○　都道府県が積極的疫学調査で得た情報は、電磁的方法により厚生労働大臣に報告しなければならない（第十三項）。保健所設置市・特別区の長にあっては、厚生労働大臣と併せて、その区域を管轄する都道府県知事にも報告することとされている。なお、制定当時、発生届等で用いられる電磁的方法と異なるシステム等についても用いられることが予定されていたものについては、別途定義を置いている。

○　また、他の都道府県知事が管轄する区域における感染症のまん延を防止するため必要があると認められる場合、積極的疫学調査で得た情報を、電磁的方法により当該他の都道府県知事に通報しなければならない（第十四項）。例えば、居住地と勤務先が異なる自治体の管轄下にあり、居住地のある自治体で積極的疫学調査を行った結果として勤務先が感染源であるおそれが高いと判明した場合に、勤務先のある自治体に必要な情報を提供する場合などが考えられる。同項に基づく通報先等については厚生労働省令で定めている（規則第九条の二）。

《第十五項～第十八項関係》

○　国立感染症研究所において、遺伝子型の確認等の必要がある場合があるため、厚生労働大臣は、自ら検査を実施するため必要があると認めるときは、都道府県知事に対し、第三項の措置により入手した検体等の一部の提出を求めることができる（第十五項）。なお、令和四年改正において、第四十四条の三の五第一項又は第五十条の六第一項の規定に基づく要請による場合との重複を避ける規定が置かれている。

○　都道府県知事は、積極的疫学調査を実施するため特に必要があると認める場合は、他の都道府県知事又は厚生労働大臣に感染症試験研究等機関の職員の派遣その他の必要な協力を求めることができる（第十六項）。新感染症や一類感染症について、より専門的な調査が必要な場合も想定できることから、このような規定が置かれたものである。

〔主要告示・通知等〕

・積極的疫学調査の実施等について（平成十一年三月三十日健医感発第四七号）

（検疫所長との連携）

第十五条の二　都道府県知事は、検疫法（昭和二十六年法律第二百一号）第十八条第三項（同法第三十四条第一項の規定に基づく政令によって準用される場合を含む。）の規定により検疫所長から健康状態に異状を生じた者に対し指示した事項その他の厚生労働省令で定める事項の通知（同法第三十四条の二第三項の規定により実施される場合を含む。）を受けたときは、当該都道府県の職員に、当該健康状態に異状を生じた者その他の関係者に質問させ、又は必要な調査をさせることができる。

2　都道府県知事は、厚生労働省令で定めるところにより、前項の規定により実施された質問又は必要な調査の結果を厚生労働大臣に報告しなければならない。
3　前条第十二項の規定は、都道府県知事が当該職員に第一項に規定する措置を実施させる場合について準用する。

〔解　説〕

○　第十五条の二は、都道府県知事と検疫所長との連携に関する規定である。
○　海外からの病原体の侵入に対し万全の対応を講ずるためには、重篤な感染症に感染しているおそれがあるが、検疫法による停留がされない者に対し、入国後、潜伏期間を考慮して、一定の期間、検疫の一環として健康状態の把握を行うとともに、その結果健康状態に異状を生じた者を確認した場合には、国内の感染症対策において必要な措置を講ずることが必要である。
○　検疫と国内対策の連携を図るため、検疫法においては、検疫所長は仮検疫済証を交付した場合に、検疫感染症の病原体に感染したおそれのある者で停留されないものに対し、旅券の提示及び入国後の居所等の報告を求めるとともに、当該者の入国後、一定期間、体温その他の健康状態の報告を求め、質問を行うことができる。その結果、検疫所長は健康状態に異状を生じた者を確認したときは、保健所その他の医療機関の診察を受けるべき旨等の指示をするとともに、指示した旨を指示した者の居所の所在地を管轄する都道府県知事に通知しなければならない。
○　検疫所長の通知を受けた都道府県知事は、当該健康状態に異状を生じた者に対し、質問及び調査を行うことができることとされ（第一項）、都道府県知事は、質問及び調査の結果を厚生労働大臣に報告することとされる（第二項）。
○　これらの措置により、都道府県知事が必要と判断した場合は、本法に基づき、検疫感染症に感染したおそれがある者に対する健康診断等の対応が講じられることとなり、検疫と国内対策の連携が確保される。

○　第一項の規定による当該職員の質問に対して答弁せず、若しくは虚偽の答弁をし、又は当該職員の調査を拒否、忌避した者は、五十万円以下の罰金に処せられる（第七十七条第一項第三号）。

第十五条の三　都道府県知事は、検疫法第十八条第五項（同法第三十四条第一項の規定に基づく政令によって準用される場合を含む。）の規定により検疫所長から同法第十八条第四項に規定する者について同項の規定により報告された事項の通知（同法第三十四条の二第三項の規定により実施される場合を含む。）を受けたときは、当該者に対し、同法第十八条第一項の規定により検疫所長が定めた期間内において当該者の体温その他の健康状態について報告を求め、又は当該都道府県の職員に質問させることができる。

2　都道府県知事は、前項の規定による報告又は質問の結果、健康状態に異状を生じた者を確認したときは、厚生労働省令で定めるところにより、直ちにその旨を厚生労働大臣に報告するとともに、当該職員に当該者その他の関係者に質問させ、又は必要な調査をさせることができる。

3　都道府県知事は、厚生労働省令で定めるところにより、前項の規定により実施された質問又は必要な調査の結果を厚生労働大臣に報告しなければならない。

4　第十五条第十二項の規定は、都道府県知事が当該職員に第一項及び第二項に規定する措置を実施させる場合について準用する。

5　厚生労働大臣は、都道府県知事から要請があり、かつ、この法律又はこの法律に基づく政令の規定により当該都道府県知事が処理することとされている事務の実施体制その他の地域の実情を勘案して、当該都道府県又は保健所設置市等における検疫法第二条第二号に掲げる感染症、同法第三十四条第一項の政令で指定する感染症（当該政令で当該感染症について同法第十八条第五項の規定を準用するものに限る。）又は同法第三十四条の二第一項に規定する新感染症（同条第三項の規定により同法第十八条第五項に規定する事務が実施されるものに限る。）のまん延を防止するため必要があると認めるときは、当該都道府県知事に代わって自ら第一項に規定する措置を実施するものとする。

6　厚生労働大臣は、前項の規定により第一項に規定する都道府県知事の事務を代行するときは、その対象となる者にその旨を通知するものとする。

7　第五項の規定により厚生労働大臣が第一項に規定する都道府県知事の事務を代行する場合における第二項及び第四項の規定の適用については、第二項中「都道府県知事」とあるのは「厚生労働大臣」と、「厚生労働大臣に報告するとともに、当該職員に当該者」とあるのは「当該者の居所の所在地を管轄する都道府県知事に通知するものとする。この場合において、当該通知を受けた都道府県知事は、当該職員に当該通知に係る者」と、第四項中「都道府県知事」とあるのは「厚生労働大臣」と、「第一項及び第二項」とあるのは「第一項」と、「場合」とあるのは「場合及び都道府県知事が当該職員に第二項に規定する措置を実施させる場合」とする。

8　前二項に定めるもののほか、第五項の規定による厚生労働大臣の代行に関し必要な事項は、政令で定める。

〔解　説〕

○　第十五条の三は、新型インフルエンザ等感染症（検疫法第三十四条第一項の政令で指定する感染症、新感染症において準用する場合を含む。以下同じ。）に係る都道府県知事と検疫所長との連携に関する規定である。

○　新型インフルエンザ等感染症については、感染力が強いと想定されていることから、患者の発生時には、その周囲の者の調査をできる限り早期に開始する必要がある。このため、迅速な対応が可能となるよう、検疫所長は、検疫法第十八条に基づき、感染した疑いのある者に関する情報を入国の段階で都道府県へ通知することとし、感染症法に基づき当該通知を受けた都道府県知事が本条に基づく健康状態の報告の義務づけや質問等を行い、国内での対応を行うものである。

○　検疫所長から、新型インフルエンザ等感染症の病原体に感染したおそれのある者で停留されない者についての通知を受けた都道府県知事は、①当該通知に係る者について、健康状態の報告を求め、又は当該都道府県の職員に質問を行わせることができるものとし（第一項）、②①により、健康状態の異状を生じた者を確認したときは、その旨を厚生労働大臣に報告するとともに、当該者その他関係者について、当該職員に質問及び調査させることができ（第二項）、③②の結果を厚生労働大臣に報告しなければならないとされている（第三項）。

○　当該通知の対象となる者は、航空機等の輸送機関を利用して海外から帰国した者であり、当該者と同程度の感染のリスクのある者は、全国に移動して同様に報告等を要請されていると想定される。これらの者から新型インフルエンザ等感染症を発症した場合には、同程度のリスクのある者から新たに患者が発生する可能性は格段に高くなることから、健康状態に異状を生じた者を確認した段階において、都道府県知事は厚生労働大臣にその旨を報告することによって、報告を受けた厚生労働大臣が同条件の者の存する他の都道府県知事に対して必要な注意喚起等を行うことが可能となる。

○　新型インフルエンザ等感染症の患者であるか否かが確定したときは、都道府県知事は当該結果を厚生労働大臣に報告しなければならないことから、国内対策を適切に実施するとともに、検疫法に基づく仮検疫済証の失効等の必要な措置を講ずることが可能となる。

○　身分証明書の提示は、法的根拠に基づく権限を有する者が適正に本条第一項及び第二項の規定する措置を執行することを示すことにより、守秘義務等の義務のある者であることを認識させ、正しく必要な情報の提示を求める趣旨から、第十五条第十二項の規定を準用している（第四項）。

○　他方で、先述のとおり、新型インフルエンザ等感染症に感染したおそれのある入国者の健康監視は、原則的には、その感染力の強さに鑑み都道府県において実施することが望ましいと考えられるものの、国内において新型インフルエンザ等感染症の患者が増加し都道府県の業務がひっ迫する場面においては、国において健康状態の確認等を行うことを可能とする必要があるため、第一項において都道府県知事が行うこととされている新型インフルエンザ等感染症の感染のおそれがある者で停留されないものの健康状態に関して、厚生労働大臣による事務の代行が規定されている。これは、新型コロナウイルス感染症への対応において変異株の出現等によって、国内の感染状況が悪化し、都道府県の業務がひっ迫する中で、都道府県が入国者の健康監視を適切に行うことが困難となり、全国知事会からの提言において、国による業務の代行が要望されたこと等を踏まえ、都道府県の業務負担軽減の観点から、令和三年三月より、厚生労働省に「入国者健康確認センター」を設置し、入国者個々人の同意をとった上で、入国者に対する健康フォローアップ業務を行っていた経緯を踏まえた規定である。地方自治の観点からすれば、国が都道府県の事務を代行するということは、特異的な性質を有していると言える。このため、代行の発動条件として、都道府県知事から厚生労働大臣に対して要請があること及び厚生労働大臣が、感染症法又は感染症法に基づく政令の規定により当該都道府県知事が処理することとされている事務の実施体制その他の地域の実情を勘案して、当該都道府県又は保健所設置市・特別区における新型インフルエンザ等感染症のまん延を防止するために必要があると認めることを代行の発動条件としている（第五項）。

○　第一項の措置については、報告徴収や質問に応じない場合等は罰則が科されるものであり、対象者にとっては一定の不利益を被る可能性のある措置であることから、厚生労働大臣が当該権限を代行する場合には、その旨を、厚生労働大臣が代行する健康監視の対象者に知らしめる必要性があると考えられるため、厚生労働大臣は、第一項の都道府県知事の事務を代行するときは、その対象となる者にその旨を通知するものとしている（第六項）。

○ また、厚生労働大臣が、第一項の報告徴収及び質問を行った結果、健康状態に異状を生じた者を確認したときは、その後の必要な感染症法上の措置等に繋げられるよう、その結果を都道府県知事に知らせる必要があることから、第二項において都道府県知事から厚生労働大臣に報告するとされている規定について、厚生労働大臣が健康監視の事務を代行する場合には、当該者の居所の所在地を管轄する都道府県知事に通知することとされている（第七項に基づく第二項の読替え）。

○ このほか、第十五条第十二項に規定される積極的疫学調査時における職員の身分証明書の携帯等について、厚生労働大臣が代行する場合において、これを準用する必要があることから、本条第四項の規定について、「都道府県知事」とあるところを「厚生労働大臣及び都道府県知事」と読み替えて適用することとしている（第七項に基づく第四項の読替え）

○ また、第五十八条において、都道府県の支弁すべき費用として、同条第一号において、本条の規定により実施される事務に要する費用が規定されているが、当該事務のうち、同条第五項の規定に基づき厚生労働大臣が代行するものを、都道府県が支弁すべき費用の対象から除いている（第五十八条第一項）。

○ 第一項に基づく報告及び質問によって知り得た人の秘密を漏らした場合については、第七十三条第二項において、一年以下の懲役又は百万円以下の罰金が科されることとされており、厚生労働大臣が本条第五項の規定に基づき第一項の措置を代行する場合において、厚生労働大臣又はその職員が健康監視の業務によって知り得た人の秘密を漏らした場合についても、同様に罰則が適用される（第七十三条第二項）。

○ また、第二項に基づく質問及び調査によって知り得た人の秘密を漏らした場合についても第七十三条第二項において同一の罰則が科されているところ、厚生労働大臣が第一項の措置を代行し、第二項について第七項に基づき読み替えて適用される場合についても同様に罰則が適用される（第七十三条第二項）。

○ 第一項の規定による報告をせず、若しくは虚偽の報告をし、又は当該職員の質問に対して答弁をせず、若しくは虚偽の答弁をした者は、六月以下の懲役又は五十万円以下の罰金に処せられることとされており、第五項に基づいて第一項に規定される都道府県知事の事務を厚生労働大臣が代行する場合においても同様に罰則が適用される（第七十四条第二項）。

○　第二項の規定による当該職員の質問に対して答弁せず、若しくは虚偽の答弁をし、又は当該職員の調査を拒否、忌避した者は、五十万円以下の罰金に処せられることとされており、第五項に基づいて、第一項に規定される都道府県知事の事務を厚生労働大臣が代行する場合においても同様に罰則が適用される（第七十七条第一項第三号）。

（関係条文）

◉検疫法（抄）〔昭和二十六年六月六日 法律第二百一号〕

注　令和四年一二月九日法律第九六号改正現在

（仮検疫済証の交付）

第十八条　検疫所長は、検疫済証を交付することができない場合においても、当該船舶等を介して検疫感染症の病原体が国内に侵入するおそれがほとんどないと認めたときは、当該船舶等の長に対して、一定の期間を定めて、仮検疫済証を交付することができる。

２　前項の場合において、検疫所長は、検疫感染症（第二条第二号に掲げる感染症を除く。）の病原体に感染したおそれのある者で停留されないものに対し、出入国管理及び難民認定法（昭和二十六年政令第三百十九号）第二条第五号に規定する旅券の提示を求め、当該者の国内における居所、連絡先及び氏名並びに旅行の日程その他の厚生労働省令で定める事項について報告を求め、同項の規定により定めた期間内において当該者の体温その他の健康状態について報告を求め、若しくは質問を行い、又は検疫官をしてこれらを行わせることができる。

３　検疫所長は、前項の規定による報告又は質問の結果、健康状態に異状を生じた者を確認したときは、当該者に対し、保健所その他の医療機関において診察を受けるべき旨その他検疫感染症の予防上必要な事項を指示するとともに、当該者の居所の所在地を管轄する都道府県知事（保健所を設置する市又は特別区にあつては、市長又は区長とする。第五項及び第二十六条の三において同じ。）に当該指示した事項その他の厚生労働省令で定める事項を通知しなければならない。

４　第一項の場合において、検疫所長は、第二条第二号に掲げる感染症の病原体に感染したおそれのある者で停留されないものに対し、第二項に規定する旅券の提示を求め、若しくは当該者の国内における居所、連絡先及び氏名並びに旅行の日程その他の厚生労働省令で定める事項について報告を求め、又は検疫官をしてこれらを求めさせることができる。

５　検疫所長は、前項の規定により報告された事項を同項に規定する者の居所の所在地を管轄する都道府県知事に通知しなければならない。

（情報の公表等）

第十六条　厚生労働大臣及び都道府県知事は、第十二条から前条までの規定により収集した感染症に関する情報について分析を行い、感染症の発生の状況、動向及び原因に関する情報並びに当該感染症の予防及び治療に必要な情報を新聞、放送、インターネットその他適切な方法により積極的に公表しなければならない。

２　都道府県知事は、第四十四条の二第一項、第四十四条の七第一項又は第四十四条の十第一項の規定による公表（以下「新型インフルエンザ等感染症等に係る発生等の公表」という。）が行われたときから、第四十四条の二第三項若しくは第四十四条の七第三項の規定による公表又は第五十三条第一項の政令の廃止（第三十六条の二第一項及び第六十三条の四において「新型インフルエンザ等感染症等と認められなくなった旨の公表等」という。）が行われるまでの間、新型インフルエンザ等感染症等に係る発生等の公表が行われた感染症の発生の状況、動向及び原因に関する情報に対する住民の理解の増進に資するため必要があると認めるときは、市町村長に対し、必要な協力を求めることができる。
3　都道府県知事は、前項の規定による協力の求めに関し必要があると認めるときは、当該市町村長に対し、新型インフルエンザ等感染症若しくは指定感染症の患者又は新感染症の所見がある者（当該都道府県の区域内に居住地を有する者に限る。）の数、当該者の居住する市町村の名称、当該者がこれらの感染症の患者又は所見がある者であることが判明した日時その他厚生労働省令で定める情報を提供することができる。
4　第一項の規定による情報の公表又は前項の規定による情報の提供を行うに当たっては、個人情報の保護に留意しなければならない。

〔解　説〕

○　第十六条は、情報の公表に関して規定した条文である。感染症対策においては、感染症が発生した後の強権的な措置により感染症のまん延を防止するといった手法だけでなく、感染症に関する情報を積極的に収集、分析し、感染症の予防のための情報を積極的に公表することにより、感染症の予防を図る、すなわち感染症が発生する以前からの対応が重要である。また、感染症に関する情報を積極的に提供することにより、感染症に関する正しい知識の普及を行い、感染症の患者等が差別・偏見の対象にならないようにする必要がある。

感染症が発生した場合においては、国民の間で当該感染症について誤った情報が広まることによって混乱が生じ、適切な対策の実施に支障を生ずるほか、当該感染症の患者等に対する根拠のない差別や偏見等が生じるおそれがあることから、厚生労働大臣及び都道府県知事は、当該感染症に係る発生の状況、動向及び原因に関する情報並びに当該感染症の予防及び治療に必要な情報を新聞、放送、インターネットその他の適切な方法により、積極的に公表しなければならない旨を明記するものである（第一項）。

○　第二項及び第三項は令和四年改正によって新設された規定である。新型コロナウイルス感染症（COVID−19）への対応においては、都道府県において、通常、市町村ごとの感染状況等に関する情報を整理・保有しているにもかかわらず、当該情報を公表していない場合があり、十分な情報公表や注意喚起を行えていない事例が見られた。

○　市町村ごとの感染状況等に関する情報を公表していない都道府県内の市町村においては、住民から当該都道府県内のどの地域で感染者が発生したかについての問い合わせがあった場合に、当該市町村では当該情報を保有していない（※）ため、都道府県の窓口を紹介せざるを得ない状況となっていた。

※　保健所設置市・特別区は、当該保健所設置市・特別区内の感染状況等は把握しているが、近隣の市町村の感染状況等を把握することはできない。

○　しかしながら、新型コロナウイルス感染症（COVID−19）のように、急激に感染が拡大している場合には、都道府県内のどの市町村で感染者やクラスターが発生しているのかなど、近隣の市町村を含めた地域の感染状況等を、市町村の住民に対して公表することの重要性がより高まると考えられることから、より住民に近い市町村においてきめ細かい情報公表を行い、地域住民からの問い合わせ等にも適切に対応することが求められる。

○　また、都道府県の業務が逼迫している状況においては、都道府県が自らきめ細かい情報公表を行うことは困難であるが、市町村であれば、災害対応用のメーリングリストやＳＮＳ等を活用した個々の住民への情報提供も可能であり、より効率的・効果的な情報提供が可能となる。

○　これを踏まえ、都道府県知事は、新型インフルエンザ等感染症等に係る発生等の公表が行われたときから、新型インフルエンザ等感染症等と認められなくなった旨の公表等が行われるまでの間、市町村長に対し情報の公表に関する必要な協力を求めることができることとし（第二項）、都道府県知事は、当該協力の求めに関し必要があると認めるときは、当該市町村長に対して新型インフルエンザ等感染症若しくは指定感染症の患者又は新感染症の所見がある者（当該都道府県の区域内に居住地を有する者に限る。）の数、当該者の居住する市町村の名称、当該者がこれらの感染症の患者又は所見がある者であることが判明した日時その他都道府県知事が必要と認める情報を提供することができることとした（第三項）。

○　また、感染症に関する情報を公表する際、感染者に対して不当な差別・偏見が生じないように留意すべきことは当然であるが、国及び地方公共団体の責務として、感染症に関する正しい知識の普及を図るとともに、患者等の人権を尊重しなければならない旨の規定があることから（第三条第一項）、第四項で、不当な差別・偏見が生じないように、個人情報の保護に留意しなければならないという表現を用いている。

（協力の要請等）

第十六条の二　厚生労働大臣及び都道府県知事は、感染症の発生を予防し、又はそのまん延を防止するため緊急の必要があると認めるときは、感染症の患者の病状、数その他感染症の発生及びまん延の状況並びに病原体等の検査の状況を勘案して、当該感染症の発生を予防し、又はそのまん延を防止するために必要な措置を定め、医師、医療機関、診療に関する学識経験者の団体その他の医療関係者又は病原体等の検査その他の感染症に関する検査を行う民間事業者その他の感染症試験研究等機関に対し、当該措置の実施に対する必要な協力を求めることができる。

２　厚生労働大臣及び都道府県知事は、前項の規定による協力の求めを行った場合において、当該協力を求められた者が、正当な理由がなく当該協力の求めに応じなかったときは、同項に定める措置の実施に協力するよう勧告することができる。

３　厚生労働大臣及び都道府県知事は、前項の規定による勧告をした場合において、当該勧告を受けた者が、正当な理由がなくその勧告に従わなかったときは、その旨を公表することができる。

〔解　説〕

○　第十六条の二は、医療関係者や民間検査機関等に対する協力の要請について規定した条文である。

《第一項関係》

○　感染症が発生し、若しくはまん延し、又はその懸念がある場合においては、本法に基づき、対人・対物措置等必要な措置が講じられることとなる。第一項は、大規模な感染症や新興感染症の発生の場合などにおいて、まん延を防止するため緊急の必要があると認めるときに、厚生労働大臣及び都道府県知事は、医療関係者や民間検査機関等に対し、必要な協力を求めることができるものとするものである。

○　民間検査機関については、

・　新型コロナウイルス感染症（COVID-19）の流行当初においては、検査体制の拡充に当たって、大学や民間検査機関の活用が進まず、検査件数が伸び悩んだという課題があったこと

・　また、いわゆる行政検査の枠外の自費検査として、郵送検査等の多様な検査を実施する民間検査機関が出てきている中で、検査の精度管理や医療機関との連携、陽性者への説明等が十分でない場合があるとの指摘があること

を踏まえ、第二項・第三項の新設とあわせ、令和三年改正において追加されたものである。

協力の要請としては、例えば、

・　大学等の研究機関に対して、検査の需要の急激な増大にその供給が追いついていない場面において、検査の実施を要請すること

・　医師のいない民間検査機関に対して、提携医療機関の決定や受診勧奨を求めること

などが想定される。

○　また、医療関係者については、例えば、感染症の予防活動に関する技術的な助言を求めることや、緊急に病床の確保が必要なときであって、他に代替手段がない場合において病床の確保を要請することなどが想定される。

具体的な協力要請の内容は、地域の実情に応じ、各都道府県等において判断することとなるが、病床の確保においては、まずは法律に基づく要請を行う前に、救命救急医療や他の一般診療への影響などに十分に配慮するとともに、地域の医療機関等の関係者間での話し合いに基づく調整を行うことが求められる。

なお、令和三年改正において、医療関係者に医療機関が含まれることを明確化する観点から、「医師その他の医療関係者」とあったのが「医師、医療機関その他の医療関係者」とするよう、衆議院による修正がなされている。

また、令和四年改正において、「医師、医療機関」に「診療に関する学識経験者の団体」を追加している。これは、新型コロナウイルス感染症対応において、宿泊・自宅療養者に対する健康観察が不十分となった場合があったことを踏まえ、健康観察について地域の医師会等に協力を求めることを想定して規定されたものである。

《第二項・第三項関係》

○　第二項は、第一項の規定による協力の求めを行った場合において、当該協力を求められた者が、正当な理由がなく当該協力の求めに応じなかったときに、勧告することができることとするものである。第三項は、当該勧告をした場合において、当該勧告を受けた者が、正当な理由がなくその勧告に従わなかったときは、その旨を公表することができることとしている。

○　「正当な理由」がある場合については、例えば、

・　協力要請を受けた医療機関において医師・看護師や必要な設備・物資が不足し、かつ、都道府県側でも必要な人材派遣や迅速な施設整備・物資の供給を行うことができず、当該医療機関で患者を受け入れても必要な医療を提供すること

が困難な場合

・当該医療機関において、協力要請に応じるためには、新型コロナウイルス感染症（COVID-19）の回復患者やそれ以外の患者の転院が必要となるが、転院先が確保できない場合

・当該医療機関において、協力要請に応じると、地域における救命救急医療や他の一般診療の提供に支障が生じ得る場合

・研究機関において、協力要請に応じることにより、緊急性を要する研究の実施等に支障が生じるおそれがある場合

・自費検査を実施する機関が、都道府県等が定める自費検査の適正実施のための措置を講ずるために一定の準備期間を要し、当該準備期間が合理的であると判断される場合

などが想定される。

○　その上で、実際に勧告・公表すべきか否かは、

・当該協力要請に応じないことによる患者の生命・健康等への影響

・当該協力要請に代えて実施し得る他の手段の有無

といったことを総合的に考慮して判断されるべきものである（例えば、病床確保の協力要請を受けている一部の医療機関において、新たな病床の確保に係る医師等の医療従事者の確保や必要な設備等の整備が十分になされているにもかかわらず、当該要請に応じず、そのことによって地域全体として必要な病床を確保できないなど、地域における患者の生命・健康等に影響が及ぶと考えられる場合には、当該要請に応じるよう勧告し、さらに当該勧告に意図的に応じない場合には、その事実を公表することなどが考えられる。）。

○　なお、勧告・公表の是非を判断するに当たっては、医療機関等の事情も考慮し、慎重に行うこととし、例えば、協力要請事項について都道府県医療審議会等の関係者の会議体により、事前に（緊急時でやむを得ない場合は事後に）、勧告・公表に係る対応について当該会議体から意見を聴取するなど、手続きの透明性を確保することが必要である。

第四章　就業制限その他の措置

（検体の採取等）

第十六条の三　都道府県知事は、一類感染症、二類感染症又は新型インフルエンザ等感染症のまん延を防止するため必要があると認めるときは、第十五条第三項第一号に掲げる者に対し同号に定める検体を提出し、若しくは当該職員による当該検体の採取に応じるべきことを勧告し、又はその保護者に対し当該検体を提出し、若しくは同号に掲げる者に当該職員による当該検体の採取に応じさせるべきことを勧告することができる。ただし、都道府県知事がその行おうとする勧告に係る当該検体（その行おうとする勧告に係る当該検体から分離された同号に規定する感染症の病原体を含む。以下この項において同じ。）を所持している者からその行おうとする勧告に係る当該検体を入手することができると認められる場合においては、この限りでない。

２　厚生労働大臣は、一類感染症、二類感染症又は新型インフルエンザ等感染症のまん延を防止するため緊急の必要があると認めるときは、第十五条第三項第一号に掲げる者に対し同号に定める検体を提出し、若しくは当該職員による当該検体の採取に応じるべきことを勧告し、又はその保護者に対し当該検体を提出し、若しくは同号に掲げる者に当該職員による当該検体の採取に応じさせるべきことを勧告することができる。ただし、厚生労働大臣がその行おうとする勧告に係る当該検体（その行おうとする勧告に係る当該検体から分離された同号に規定する感染症の病原体を含む。以下この項において同じ。）を所持している者からその行おうとする勧告に係る当該検体を入手することができると認められる場合においては、この限りでない。

3　都道府県知事は、第一項の規定による勧告を受けた者が当該勧告に従わないときは、当該職員に当該勧告に係る第十五条第三項第一号に掲げる者から検査のため必要な最小限度において、同号に定める検体を採取させることができる。

4　厚生労働大臣は、第二項の規定による勧告を受けた者が当該勧告に従わないときは、当該職員に当該勧告に係る第十五条第三項第一号に掲げる者から検査のため必要な最小限度において、同号に定める検体を採取させることができる。

5　都道府県知事は、第一項の規定による検体の提出若しくは採取の勧告をし、又は第三項の規定による検体の採取の措置を実施する場合には、同時に、当該勧告を受け、又は当該措置を実施される者に対し、当該勧告をし、又は当該措置を実施する理由その他の厚生労働省令で定める事項を書面により通知しなければならない。ただし、当該事項を書面により通知しないで検体の提出若しくは採取の勧告をし、又は検体の採取の措置を実施すべき差し迫った必要がある場合は、この限りでない。

6　都道府県知事は、前項ただし書の場合においては、当該検体の提出若しくは採取の勧告又は検体の採取の措置の後相当の期間内に、当該勧告を受け、又は当該措置を実施された者に対し、同項の理由その他の厚生労働省令で定める事項を記載した書面を交付しなければならない。

7　都道府県知事は、厚生労働省令で定めるところにより、第一項の規定により提出を受け、若しくは当該職員が採取した検体又は第三項の規定により当該職員に採取させた検体について検査を実施しなければならない。

8　都道府県知事は、厚生労働省令で定めるところにより、前項の検査の結果その他厚生労働省令で定める事項を厚生労働大臣に報告しなければならない。

9　厚生労働大臣は、自ら検査を実施する必要があると認めるときは、都道府県知事に対し、第一項の規定により提出を受け、若しくは当該職員が採取した検体又は第三項の規定により当該職員に採取させた検体の一部の提出を求めることができる。

10　都道府県知事は、第一項の規定により検体の提出若しくは採取の勧告をし、第三項の規定により当該職員に検体の採取の措置を実施させ、又は第七項の規定により検体の検査を実施するため特に必要があると認めるときは、他の都道府県知事又は厚生労働大臣に対し、感染症試験研究等機関の職員の派遣その他の必要な協力を求めることができる。

11　第五項及び第六項の規定は、厚生労働大臣が第二項の規定により検体の提出若しくは採取の勧告をし、又は第四項の規定により当該職員に検体の採取の措置を実施させる場合について準用する。

〔解　説〕

○　第十六条の三は、国内で発生した場合に迅速な危機管理体制の構築が必要な感染症については、患者等又はその保護者への検体提出・検体採取に応じる旨の勧告を前置した上で、当該勧告を受けた者がその勧告に応じない場合、都道府県知事（緊急時は厚生労働大臣）が患者等から検体を採取できることを定めた条文である。

○　一類感染症、二類感染症又は新型インフルエンザ等感染症の患者等又はその保護者に対し、検体提出等を勧告することができ（第一項）、当該者が当該勧告に応じない場合には、即時強制により、都道府県知事（緊急時は厚生労働大臣（第二項、第四項））が当該感染症の患者等から強制的に検体を採取できる（第三項）。

○　検体の採取等若しくは第十七条に定める健康診断の勧告又は措置を実施する際には、本人又はその保護者に対して、理由その他の厚生労働省令で定める事項を記載した書面により通知しなければならない。ただし、書面により通知せず勧告又は措置を実施するべき差し迫った場合は事後に書面を交付すれば足りる。保護者に対して勧告をすることとしているのは、本人が未成年者や意思能力に欠ける場合に、当該本人の権利を保護すべきこととされている者によるチェックを通じ、本人の人権が不当に損なわれることを回避しようとするものである。

　検体の採取等及び健康診断の勧告は強制的な措置ではないことから、また、措置は行政手続法の不利益処分から除外されていることから（行政手続法第二条第四号イ）、行政手続法の不利益処分の規定の適用を受けない。したがって、行政手続法による理由の提示は行われないものである。しかし、検体の採取等及び健康診断は身体の自由という人権を制約する行為であることから、人権尊重の観点から、本法において理由の提示を行うこととしたものである。なお、勧告は行政手続法に規定する行政指導に該当するが、行政指導についても書面による理由の提示は求められていないものである（行政手続法第二条第六号、第三十五条）。

　また、検体の採取等及び健康診断の勧告は強制的な措置ではないことから、行政不服審査法（平成二十六年法律第六十八号）又は行政事件訴訟法（昭和三十七年法律第百三十九号）の規定による不服申立又は訴訟の対象とはならないものであるが、その措置については一方的に特定の国民の具体的な権利義務を形成するものであり、行政不服審査法における不服申立等の対象といえる。

○　最終的に、強制的な履行が担保されているため、検体の採取等の勧告に従わなかった者の検体の採取措置を受けるべき旨の義務規定及び検体の採取措置を拒否した者に対しての罰則は、法制上不要であり、設けられていない。

○　本措置により都道府県が入手した検体については、第十五条の規定により入手した検体と同様、検体の検査（第七項）、検査結果の厚生労働大臣への報告（第八項）、厚生労働大臣による検体の一部の提出の求め（第九項）などが規定されている。

○　なお、新感染症についても、第四十四条の十一において、同様の内容を定めている。

〔主要告示・通知等〕

・感染症の予防及び感染症の患者に対する医療に関する法律における検体採取、健康診断、就業制限及び入院の取扱いについて（平成十一年三月十九日健医発第四五四号）

（健康診断）

第十七条　都道府県知事は、一類感染症、二類感染症、三類感染症又は新型インフルエンザ等感染症のまん延を防止するため必要があると認めるときは、当該感染症にかかっていると疑うに足りる正当な理由のある者に対し当該感染症にかかっているかどうかに関する医師の健康診断を受け、又はその保護者に対し当該感染症にかかっていると疑うに足りる正当な理由のある者に健康診断を受けさせるべきことを勧告することができる。

２　都道府県知事は、前項の規定による勧告を受けた者が当該勧告に従わないときは、当該勧告に係る感染症にかかっていると疑うに足りる正当な理由のある者について、当該職員に健康診断を行わせることができる。

○類似の制度

法律名	強制的健康診断の有無	手　続
精神保健及び精神障害者福祉に関する法律	あり（第27条）	措置（指定医による診察）
麻薬及び向精神薬取締法	あり（第58条の６第１項）	措置（指定医による診察）

＊事前の手続保障について、健康診断受診命令については、行政手続法上理由の提示が要求される。

〔解　説〕

○　第十七条は、健康診断について規定した条文である。健康診断は就業制限及び入院の前提となるものであり、感染症のまん延の防止のための基本的な施策の一つである。本条に基づく健康診断の要件は、以下の二点である。

①　一類感染症、二類感染症、三類感染症又は新型インフルエンザ等感染症のまん延防止のために必要と認められること

②　本人又はその保護者に対する勧告

○　本条に基づく健康診断の対象者は、一類感染症、二類感染症、三類感染症又は新型インフルエンザ等感染症にかかっていると疑うに足りる正当な理由のある者である。正当な理由のある者とは、感染症の患者と一定の接触をした者等、当該感染症に罹患したことを疑わせる合理的な理由がある者のことであり、感染症の性質（感染力等）や国内外の発生状況等の情報、最新の知見等に応じ、検討されることとなる。

○　就業制限及び入院の勧告・措置を行うためには、就業制限及び入院の勧告・措置を行おうとする者が当該感染症の患者等であることを確認できるようにしておく必要があることから、強制的に健康診断を行う権限を都道府県知事に与えている（第二項）。しか

し、強権の発動は必要最小限にとどめるべきことは当然の要請であること、また、強制的な手段を用いなくとも、自ら健康診断を受診する場合がほとんどであると考えられることから勧告に基づく健康診断を原則としている（第一項）。

（就業制限）

第十八条　都道府県知事は、一類感染症の患者及び二類感染症、三類感染症又は新型インフルエンザ等感染症の患者又は無症状病原体保有者に係る第十二条第一項の規定による届出を受けた場合において、当該感染症のまん延を防止するため必要があると認めるときは、当該者又はその保護者に対し、当該届出の内容その他の厚生労働省令で定める事項を書面により通知することができる。

2　前項に規定する患者及び無症状病原体保有者は、当該者又はその保護者が同項の規定による通知を受けた場合には、感染症を公衆にまん延させるおそれがある業務として感染症ごとに厚生労働省令で定める業務に、そのおそれがなくなるまでの期間として感染症ごとに厚生労働省令で定める期間従事してはならない。

3　前項の規定の適用を受けている者又はその保護者は、都道府県知事に対し、同項の規定の適用を受けている者について、同項の対象者ではなくなったことの確認を求めることができる。

4　都道府県知事は、前項の規定による確認の求めがあったときは、当該請求に係る第二項の規定の適用を受けている者について、同項の規定の適用に係る感染症の患者若しくは無症状病原体保有者でないかどうか、又は同項に規定する期間を経過しているかどうかの確認をしなければならない。

５　都道府県知事は、第一項の規定による通知をしようとするときは、あらかじめ、当該患者又は無症状病原体保有者の居住地を管轄する保健所について置かれた第二十四条第一項に規定する感染症診査協議会の意見を聴かなければならない。ただし、緊急を要する場合で、あらかじめ、当該感染症診査協議会の意見を聴くいとまがないときは、この限りでない。

６　前項ただし書に規定する場合において、都道府県知事は、速やかに、その通知をした内容について当該感染症診査協議会に報告しなければならない。

〔解　説〕

○　第十八条は、就業制限について規定した条文である。一定の職業に従事することで感染症をまん延させるおそれがあるため当該職業への就業を制限することとなる。

○　就業制限の対象者は、一類感染症の患者及び二類感染症、三類感染症又は新型インフルエンザ等感染症の患者又は無症状病原体保有者である。

○　就業制限義務は、都道府県知事の就業制限命令により生ずるものである。無症状病原体保有者については、病原体は保有しているが排菌はしておらず、他者への感染の危険がなく、就業制限を適用する必要がないものが存在することから（例：下痢症状のないコレラ患者、結核の保菌者）、これらの者を一律に就業制限の対象とするのではなく、必要最小限の人権制約措置の原則に鑑み、都道府県知事は、感染症のまん延を防止するため必要があると認めるときに、就業制限に係る通知をすることができることとするものである（第一項）。

○　当該通知を受けた者は、就業制限がかかることが規定されている（第二項）。なお、当該就業制限義務に違反した者は、五十万円以下の罰金に処せられる（第七十七条第一項第四号）。

就業制限の対象となる者に対しては、医師からの届出の内容その他の厚生労働省令で定める内容を書面により通知するることとしているが、この通知は、一定の職業への就業が制限されることをお知らせするものであり、具体的には、感染症にかかっていると診断された日時、一定の職業への就業が制限されること、その期間、違反した場合に罰則が科せられること等を通知内容としている（規則第十一条第一項）。

就業制限義務の効力発生時は通知を受けたときである。

○　前述のように、就業制限は行政庁の行為によって課せられるものであり、就業制限そのものを行政不服審査法で争うこともできる。しかし、就業制限も職業選択の自由を制約するものであるので、人権尊重の観点から、この法律では、特に就業制限義務を課せられている者及びその保護者に、当該就業制限義務を課せられている者について就業制限義務のないことの確認を求める権利を付与している（第三項）。

○　就業制限の対象となる具体的な職種及び期間については、厚生労働省令で定めることとされており、職種については調理の業務等が、期間については病原体を保有しなくなるまでの期間（又はその症状が消失するまでの期間）である（規則第十一条第二項及び第三項）。

○　都道府県知事は、一類感染症、二類感染症、三類感染症又は新型インフルエンザ等感染症の無症状病原体保有者について、就業制限の必要性を判断する必要があり、当該判断について医学的判断及び人権制約の合理性を確保することが適当であることから、都道府県知事は、就業制限措置の必要性の判断について、あらかじめ、感染症の診査に関する協議会（感染症診査協議会）に意見を聴かなければならないこととするものである（第五項）。ただし、当該患者の疾病の感染力が強いなど、公衆衛生上、さらに就業制限を行う必要がある場合も想定し、意見聴取については、当該就業制限が緊急を要する場合は、事後報告とするものである（第六項）。

（就業制限の範囲）

公衆に感染症をまん延させるおそれのある業務として感染症ごとに、厚生労働省令で定める業務（規則第十一条第二項）。

○**類似の制度**

法律名	内　容	手　続
食品衛生法	営業の禁止・停止	禁止・停止命令（第61条）
各種医療関係資格法	資格のはく奪（相対的欠格事由）	行政手続法による聴聞

（具体的内容）

①　エボラ出血熱、クリミア・コンゴ出血熱、南米出血熱、マールブルグ病及びラッサ熱にあっては、飲食物の製造、販売、調製又は取扱いの際に飲食物に直接接触する業務及び他者の身体に直接接触する業務

②　結核にあっては、接客業その他の多数の者に接触する業務

③　ジフテリア、重症急性呼吸器症候群（ＳＡＲＳ）、新型インフルエンザ等感染症、中東呼吸器症候群（ＭＥＲＳ）、痘そう、鳥インフルエンザ（Ｈ５Ｎ１、Ｈ７Ｎ９）及びペストにあっては、飲食物の製造、販売、調製又は取扱いの際に飲食物に直接接触する業務及び接客業その他の多数の者に接触する業務

④　一類感染症から三類感染症までの感染症のうち、①から③までに掲げる以外のものにあっては、飲食物の製造、販売、調製又は取扱いの際に飲食物に直接接触する業務

〔主要告示・通知等〕

・感染症の予防及び感染症の患者に対する医療に関する法律における健康診断、就業制限及び入院の取扱いについて（平成二十八年四月一日健発〇四〇一第三号）

・感染症の病原体を保有していないことの確認方法について（平成十一年三月三十日健医感発第四三号）

（入院）

第十九条　都道府県知事は、一類感染症のまん延を防止するため必要があると認めるときは、当該感染症の患者に対し特定感染症指定医療機関若しくは第一種感染症指定医療機関に入院し、又はその保護者に対し当該患者を入院させるべきことを勧告することができる。ただし、緊急その他やむを得ない理由があるときは、特定感染症指定医療機関若しくは第一種感染症指定医療機関以外の病院若しくは診療所であって当該都道府県知事が適当と認めるものに入院し、又は当該患者を入院させるべきことを勧告することができる。

2　都道府県知事は、前項の規定による勧告をする場合には、当該勧告に係る患者又はその保護者に対し適切な説明を行い、その理解を得るよう努めなければならない。

3　都道府県知事は、第一項の規定による勧告を受けた者が当該勧告に従わないときは、当該勧告に係る患者を特定感染症指定医療機関又は第一種感染症指定医療機関（同項ただし書の規定による勧告に従わないときは、特定感染症指定医療機関若しくは第一種感染症指定医療機関以外の病院又は診療所であって当該都道府県知事が適当と認めるもの）に入院させることができる。

4　第一項及び前項の規定に係る入院の期間は、七十二時間を超えてはならない。

5　都道府県知事は、緊急その他やむを得ない理由があるときは、第一項又は第三項の規定により入院している患者を、当該患者が入院している病院又は診療所以外の病院又は診療所であって当該都道府県知事が適当と認めるものに入院させることができる。

6　第一項又は第三項の規定に係る入院の期間と前項の規定に係る入院の期間とを合算した期間は、七十二時間を超えてはならない。

７　都道府県知事は、第一項の規定による勧告又は第三項の規定による入院の措置をしたときは、遅滞なく、当該患者が入院している病院又は診療所の所在地を管轄する保健所について置かれた第二十四条第一項に規定する感染症診査協議会に報告しなければならない。

第二十条　都道府県知事は、一類感染症のまん延を防止するため必要があると認めるときは、当該感染症の患者であって前条の規定により入院しているものに対し十日以内の期間を定めて特定感染症指定医療機関若しくは第一種感染症指定医療機関に入院し、又はその保護者に対し当該入院に係る患者を入院させるべきことを勧告することができる。ただし、緊急その他やむを得ない理由があるときは、十日以内の期間を定めて、特定感染症指定医療機関若しくは第一種感染症指定医療機関以外の病院若しくは診療所であって当該都道府県知事が適当と認めるものに入院し、又は当該患者を入院させるべきことを勧告することができる。

２　都道府県知事は、前項の規定による勧告を受けた者が当該勧告に従わないときは、十日以内の期間を定めて、当該勧告に係る患者を特定感染症指定医療機関又は第一種感染症指定医療機関（同項ただし書の規定による勧告に従わないときは、特定感染症指定医療機関若しくは第一種感染症指定医療機関以外の病院又は診療所であって当該都道府県知事が適当と認めるもの）に入院させることができる。

３　都道府県知事は、緊急その他やむを得ない理由があるときは、前二項の規定により入院している患者を、前二項の規定により入院したときから起算して十日以内の期間を定めて、当該患者が入院している病院又は診療所以外の病院又は診療所であって当該都道府県知事が適当と認めるものに入院させることができる。

4　都道府県知事は、前三項の規定に係る入院の期間の経過後、当該入院に係る患者について入院を継続する必要があると認めるときは、十日以内の期間を定めて、入院の期間を延長することができる。当該延長に係る入院の期間の経過後、これを更に延長しようとするときも、同様とする。

5　都道府県知事は、第一項の規定による勧告又は前項の規定による入院の期間を延長しようとするときは、あらかじめ、当該患者が入院している病院又は診療所の所在地を管轄する保健所について置かれた第二十四条第一項に規定する感染症診査協議会の意見を聴かなければならない。

6　都道府県知事は、第一項の規定による勧告をしようとする場合には、当該患者又はその保護者に、適切な説明を行い、その理解を得るよう努めるとともに、都道府県知事が指定する職員に対して意見を述べる機会を与えなければならない。この場合においては、当該患者又はその保護者に対し、あらかじめ、意見を述べるべき日時、場所及びその勧告の原因となる事実を通知しなければならない。

7　前項の規定による通知を受けた当該患者又はその保護者は、代理人を出頭させ、かつ、自己に有利な証拠を提出することができる。

8　第六項の規定による意見を聴取した者は、聴取書を作成し、これを都道府県知事に提出しなければならない。

〔解　説〕

○　第十九条及び第二十条は、入院について規定した条文である。一類感染症、二類感染症及び新型インフルエンザ等感染症は他の感染症と異なり、通院医療では対応できない感染症である。旧伝染病予防法においては医療の提供という概念はなく、感染症の患者を「隔離」することにより伝染病のまん延の防止を図っていたものである。しかし、この法律では、人権尊重の観点から、これらの感染症の患者に対し、感染症指定医療機関において良質かつ適切な医療を提供することにより早期に社会復帰させ、もって感染症のまん延の防止を図ることとしている。なお、二類感染症及び新型インフルエンザ等感染症は、第二十六条の規定に基づき第十九条等の規定を準用している。

○　感染症患者の人権の尊重の観点から、入院に係る手続保障をできる限り手厚く実施すべきであるが、一方で、感染症のまん延の防止に支障を来してはならない。このため、感染症の拡大の防止と人権の尊重との調和を図る必要があり、具体的には、以下のような調整を図っている。

〔1〕　人権尊重の観点からの要請

①　入院勧告の前置（第十九条第一項、第二十条第一項）

入院の必要のある感染症患者については、強制的な手段を講じなくても、説明と同意に基づいた本人の判断による入院が期待できる。したがって、入院に際しては、まず、強制的な手段でない入院勧告の理由を付した書面を行使して実施することとする。

②　適切な説明の努力義務（第十九条第二項、第二十条第六項）

応急入院、入院の勧告に際しては、人権尊重の観点から、可能な限り、当該患者に対し適切な説明を行い、その理解を得るように努め、これが奏功しない場合に限って、強制措置が講じられることが適当である。このため、応急入院・入院の際に、都道府県知事は、当該勧告に係る患者又はその保護者に対し適切な説明を行い、その理解を得るよう努めなければならないとするものである。

③　時限的な入院（第十九条、第二十条）

最初の入院については七十二時間までの措置とし、引き続き入院が必要な場合は、感染症の診査に関する協議会（感染症診査協議会）の意見を聴き、十日以内の期間を定めて入院の勧告等を行うこととする。なお、さらに入院が必要な場合は、感染症診査協議会の意見を聴いて十日以内の期間を定めて入院期間を延長することができることとする。

④　応急入院勧告等の事後報告（第十九条第七項）

応急入院勧告及び措置を行うに当たっては、感染症診査協議会への事前の意見聴取は不要であるが、勧告等の適正を確保する観点から、感染症の診査に関する協議会への事後報告を義務づけることとする。

⑤　入院延長に関する意見聴取手続（第二十条第六項から第八項）

入院延長の勧告を行うに当たっては、入院期間延長に係る適法性、相当性及び人権の尊重に資するため、都道府県知事は、当該患者又はその保護者に対し、意見聴取の機会を与え、その意見を聴取した者が提出する聴取書に記載された内容を参酌した上で、当該勧告を行うこととする。

⑥　感染症診査協議会の設置（第二十四条）

都道府県知事が、入院期間の延長等を行うに際しては、その必要性を客観的に確認するために、感染症患者の医療に関して学識経験を有する者、法律に関し学識経験を有する者等で構成する感染症の診査に関する協議会の意見を聴くこととする。また、都道府県知事が、就業制限並びに応急入院勧告及び措置を行った場合には、感染症の審査に関する協議会に事後報告し、これに関し、協議会は、意見を述べることとする。

⑦　退院請求等（第二十二条、第二十五条）

退院要件を法律上明示し、入院患者からの退院請求に対して迅速な対応を図る。

⑧　最小限度の措置の原則（第二十二条の二）

検体の採取等、健康診断、就業制限、入院措置といった感染症に係る対人措置については、人権を直接侵害し、制約するものであり、当該措置を行うに当たっては、その対象となる者の任意の協力を求め、それが奏功しない場合に限って、強制措置を行い、当該措置については必要な最小限度のものとする必要がある。このため、これらの措置を実施するに当たっては、感染症を公衆にまん延させるおそれ、感染症にかかった場合の病状の程度その他の事情に照らして、感染症の発生を予防し、又はそのまん延を防止するため必要な最小限度のものでなければならないとする。

⑨　苦情の申出制度（第二十四条の二）

感染症の患者の要望に幅広く対応し、人権の尊重を確保しつつ、良質かつ適切な医療を提供し、ひいては感染症のまん延を防止するという法目的の達成に資するため、入院勧告・措置によって入院している感染症の患者は、自己が受けた処遇について、口頭又は書面で、都道府県知事に対し、苦情の申出をすることができることとし、都道府県知事は、苦情の申出を受けたときは、これを誠実に処理し、処理の結果を苦情の申出をした者に通知しなければならないこととする。

〔2〕　感染症のまん延の防止からの要請

①　入院措置（第十九条第二項、第二十条第二項）

感染症の拡大の防止の必要性から、感染症の患者が入院勧告に従わない場合は、強制的な入院措置をとる。

②　入院勧告から入院措置への移行（第十九条第三項、第二十条第二項）

感染症患者が、入院勧告に従わない場合、それに続いて、入院命令を行う方法も考えられるが、こうした方法は感染症のまん延の防止の観点から迂遠であることから、入院勧告に従わない者に対しては、入院命令を経ずに、強制的な入院措置を講ずることとする。

○　一類感染症、二類感染症及び新型インフルエンザ等感染症は通院医療では対応できない感染症であり、感染症法上の入院については、

①　感染症患者に医療を提供し、当該者を重症化させないこと等により、病状を早期に回復させるとともに、病状の回復により感染力を早期に減弱・消失させるものであり

②　感染力及び罹患した場合の病態の重篤度から判断した危険性が高い疾病に罹患した者を入院させることそのものが感

染の拡大防止に資するという側面も有するものである。

そこで、これらの感染症については、強制的に入院させる権限を都道府県知事に与えている。条文上「入院させることができる」とされているが（第十九条第三項、第二十条第二項）、これは当該権限が都道府県知事にあるということを意味するものである。また、感染症指定医療機関に入院している者が入院に係る感染症以外の感染症に罹患した場合等非常に稀ではあるが、新たに入院勧告等をする必要がない場合も想定できることや、権限規定の一般的法制の用例から、「入院させなければならない」という表現にはなっていないものである。であるからといって、裁量と義務は表裏一体の関係にあり、①・②の趣旨が没却してしまうような裁量権の不行使は許されない。

（参考）なお、新型コロナウイルス感染症（COVID-19）については、当初指定感染症として対策を行っており、感染症法に基づく私権の制限を合理的なものとし、また、感染症医療に係る資源をより必要な範囲に集中する観点から、

・　重症化リスクのある者に当たらず、医師が症状や病床の状況等から必ずしも入院が必要ではないと判断した者であり（①の点）

・　当該者が感染防止にかかる留意点（外出しないこと、健康報告を行うこと等）を遵守できる（②の点）場合には、感染症法上の入院の対象としないことに合理性があるものと解し、いわゆる「宿泊療養」・「自宅療養」を実施していたところ、こういった取扱いを踏まえ、令和三年改正により、新型コロナウイルス感染症を新型インフルエンザ等感染症に位置づけるのとあわせ、新型インフルエンザ等感染症のうち厚生労働省令で定めるものにおいて入院の勧告・措置の対象を限定することの明示（第二十六条第二項）、宿泊療養・自宅療養の法的根拠の整備（第四十四条の三）がなされた。

《第十九条関係》

○　第十九条に基づく入院の要件は、以下の二点である。

①　一類感染症、二類感染症又は新型インフルエンザ等感染症のまん延を防止するため必要があると認めるとき

②　本人又はその保護者に対する勧告

健康診断同様、まず、入院の勧告を行い、当該勧告に従わない場合について入院の措置を講ずることとしている。強権的な措置をできるだけ避けるという観点から、勧告に続いて入院の命令をし、当該命令に従わない者についてのみ措置するという方法も考えられるが、それでは感染症のまん延の防止の観点から迂遠なので勧告に従わない者については措置をすることとしているものである。

○　入院の勧告をする場合には、患者又はその保護者に対し適切な説明を行い、その理解を得るよう努めなければならない（第十九条第二項）。なお、同項の規定は、いわゆる訓示規定であり、入院の勧告の適法性の要件ではない。

○　入院先については、次のとおりである。ただし、緊急その他やむを得ない理由があるときは適当と認める病院又は診療所に入院を勧告し、又は入院させることができる。緊急その他やむを得ない理由があるときとは、感染症が集団発生して感染症指定医療機関が満床の場合やもともと重篤な合併症等を発症しており、感染症指定医療機関へ移送することが不適当と認められる場合等である。また、入院している患者についても緊急その他やむを得ない理由があるときは、適当と認める病院又は診療所に入院させることができる。この場合の緊急その他やむを得ない理由があるときとは、合併症により他の医療機関での治療が必要になった場合や、より重篤な感染症の患者の入院が必要になった場合を想定しているものである。なお、この場合には、勧告の手続きは不要である。これは、一度入院している者の入院場所を変更するという行為であって、新たな行政行為でないと整理できるためである。

一類感染症：特定感染症指定医療機関又は第一種感染症指定医療機関

二類感染症及び新型インフルエンザ等感染症：特定感染症指定医療機関、第一種感染症指定医療機関又は第二種感染症指定医療機関

○　入院の期間は七十二時間以内である。これは、一類感染症、二類感染症及び新型インフルエンザ等感染症の患者の病原

体の検査に一般的に要する時間や、感染症診査協議会における診査までに必要な時間、他の法律における同様の規定においても七十二時間を限度としていること等を総合的に勘案したものである。

○　入院の勧告又は入院の措置をする際には、その理由その他厚生労働省令で定める事項を書面により通知しなければならない（第二十三条）。具体的な内容は、厚生労働省令で定めることとされており、退院請求や審査請求の特例等を通知することとされている（規則第十三条）。

○　入院の勧告又は入院の措置をしたときは、遅滞なく、当該患者の入院している病院又は診療所の所在地を管轄する保健所について置かれた感染症診査協議会に報告しなければならない（第十九条第七項）。

《第二十条関係》

○　第二十条に基づく入院の要件は、以下の五点である。

①　第十九条の規定により入院している患者であること

②　一類感染症、二類感染症又は新型インフルエンザ等感染症のまん延を防止するため必要があると認めるとき

③　本人又はその保護者に対する勧告

④　感染症の診査に関する協議会に対する意見聴取

⑤　本人又はその保護者に対する意見陳述の機会の付与

健康診断同様、まず、入院の勧告を行い、当該勧告に従わない場合について入院の措置を講ずることとしている。強権的な措置をできるだけ避けるという観点から、勧告に続いて入院の命令をし、当該命令に従わない者についてのみ措置するという方法も考えられるが、それでは感染症のまん延の防止の観点から迂遠なので勧告に従わない者については措置をすることとしているものである。第十九条で既に入院している者に係る入院であるが、第十九条による入院勧告（措置）と、第二十条による入院勧告（措置）は別の勧告（措置）であることから、改めて勧告等の手続を踏むこととしている。

入院先については、第十九条と同様である。

○　入院延長の勧告をする場合には、患者又はその保護者に対し適切な説明を行い、その理解を得るよう努めなければならない（第二十条第六項）。なお、同項の規定のうち当該部分については、いわゆる訓示規定であり、入院の勧告の適法性の要件ではない。

○　また、入院延長の勧告は、行政指導であるとはいえ、当該勧告に従わないときは、都道府県知事は即時強制である入院措置を行うことができることから、患者にとっては、実質的には強制的な要素を含むとの心情を有することも通常予想される。したがって、当該勧告の際に、当該患者から入院期間の延長について意見を聴取することは、入院期間延長に係る適法性、相当性及び人権の尊重に資するものである。このため、都道府県知事は、当該勧告をしようとする場合には、当該患者又はその保護者に対し、感染症法に基づいた独自の意見聴取の機会を与え、その意見を聴取した者は、聴取書を都道府県知事に提出しなければならないこととし、都道府県知事は聴取書に記載された内容を参酌した上で、当該入院期間の延長の勧告を行うこととするものである（第二十条第六項から第八項）。これらの規定による意見陳述の機会の付与は、勧告の事前手続であり、これを欠く勧告は、違法となる。

○　入院の期間は十日以内であるが、必要に応じて何度でも延長することが可能である。十日というのは患者の平均入院日数等を勘案したものである。入院期間の更なる延長については勧告を行う必要はない。これは、入院期間の更なる延長が新しい勧告等の行政行為ではないとの考え方からである。

○　入院の勧告、又は入院期間の延長を行う際にはあらかじめ、感染症診査協議会の意見を聴かなければならない。入院措置を行う際には協議会の意見を聴く必要はない。これは、入院勧告の是非が判断されている以上、措置に際して改めて意見を聴く必要がないと判断されるためである。

○　入院の勧告、入院の措置又は入院期間の延長をする際には、その理由その他厚生労働省令で定める事項を書面により通知しなければならない（第二十三条）。具体的な内容は、厚生労働省令で定めることとされており、退院請求や審査請求

第19条・第20条　入院

一類感染症、二類感染症及び新型インフルエンザ等感染症の患者等の入院に係る手続

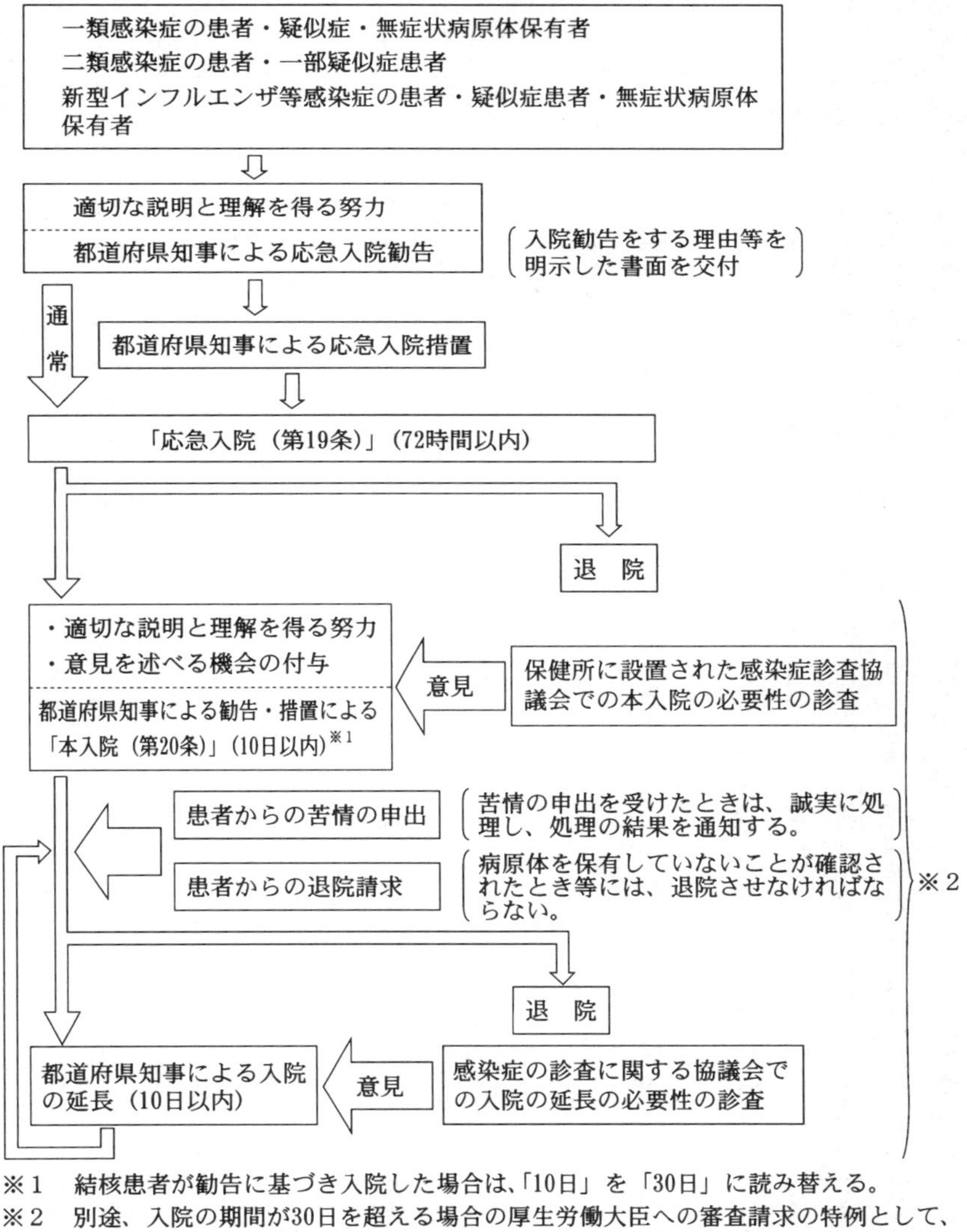

※1　結核患者が勧告に基づき入院した場合は、「10日」を「30日」に読み替える。

※2　別途、入院の期間が30日を超える場合の厚生労働大臣への審査請求の特例として、疾病・障害認定審査会の意見を聴いて、５日以内に裁決しなければならないようにする。

の特例等を通知することとされている（規則第十三条）。

○　正当な理由がなく入院措置に応じない場合又は入院先から逃げた場合については、五十万円以下の過料に処することとされている（第八十条）。詳細については、同条の解説を参照。

〔主要告示・通知等〕

・感染症の予防及び感染症の患者に対する医療に関する法律における検体採取、健康診断、就業制限及び入院の取扱いについて（平成十一年三月十九日健医発第四五四号）

（移送）

第二十一条　都道府県知事は、厚生労働省令で定めるところにより、前二条の規定により入院する患者を、当該入院に係る病院又は診療所に移送しなければならない。

〔解　説〕

○　第二十一条は、感染症の患者の移送について規定した条文である。

○　対象は、第十九条第一項又は第二十条第一項による入院勧告を受けた患者、第十九条第三項又は第二十条第二項による入院措置をされる患者、第十九条第五項又は第二十条第三項による転院をする患者である。これは、本法に基づく入院措置が必要ない患者については、感染力と感染した場合の重篤度等から総合的に判断した危険性が高くないと考えられるため、特別の対応は必要なく、患者自ら病院に行くか、あるいは救急用の車両により搬送することが適当と考えられる。

○　具体的な移送方法は、厚生労働省令で定めることとされている（規則第十二条）。なお、旧伝染病予防法の下では、患者の移送は市町村業務とされていたものの、救急用の車両は感染症患者を搬送しないこととされていた。また、本法においても感染症指定医療機関までの搬送については、消防関係者ではなく、都道府県の業務、実際には保健所の業務として位置づけている。しかしながら、地域における感染症患者の搬送については、現場においては、消防関係者の協力を仰ぐ実態もあることが想定される。このため、感染症指定医療機関、保健所、消防署、消防団等の間で迅速な情報連絡体制の整備や、安全な搬送方法についての知識の共有等を通して緊密な連携が望まれるところである。

〔主要告示・通知等〕

・感染症の患者の移送の手引きについて（平成十六年三月三十一日健感発第〇三三一〇〇一号）

（退院）

第二十二条　都道府県知事は、第十九条又は第二十条の規定により入院している患者について、当該入院に係る一類感染症の病原体を保有していないことが確認されたときは、当該入院している患者を退院させなければならない。

2　病院又は診療所の管理者は、第十九条又は第二十条の規定により入院している患者について、当該入院に係る一類感染症の病原体を保有していないことを確認したときは、都道府県知事に、その旨を通知しなければならない。

3　第十九条若しくは第二十条の規定により入院している患者又はその保護者は、都道府県知事に対し、当該患者の退院を求めることができる。

4　都道府県知事は、前項の規定による退院の求めがあったときは、当該患者について、当該入院に係る一類感染症の病原体を保有しているかどうかの確認をしなければならない。

〔解　説〕

○　第二十二条は、感染症の患者の退院について規定した条文である。退院の要件は、一類感染症及び新型インフルエンザ等感染症の患者については、当該入院に係る病原体を保有していないことが確認されたとき、二類感染症の患者については、当該入院に係る病原体を保有していないことが確認されたとき又は当該感染症の症状が消失したときである（第二十六条）。

○　入院は、身体を拘束するものであることから、その期間は必要最小限のものでなければならない（第二十二条の二）。そこで、入院患者が退院できる状態になった場合、速やかに退院させるための手続きの整備が必要である。

行政側からの手続きとしては、①七十二時間以内の入院をしている者についての入院の必要性の診査（第二十条第一項）、②十日ごとの入院の延長の必要性の診査（第二十条第四項）を、感染症の診査に関する協議会（感染症診査協議会）の意見を聴取の上実施することとしている（第二十条第五項）。また、③病院又は診療所の管理者から当該入院患者について退院の要件を充足した旨の連絡（第二十二条第二項）を受けたとき等にも、速やかに当該患者を退院させることとしている（第二十二条第一項）。

入院患者からの手続きとしては、入院の原因となった病原体の保有の有無（二類感染症の患者については病原体の保有又は症状の有無）に関して都道府県知事に対して確認を求めることができるようにしているほか（第二十二条第三項、第四項）、入院が長期にわたる場合については、措置権者である都道府県知事ではなく、疾病・障害認定審査会の判断を仰いだ上での厚生労働大臣の裁決という審査請求の特例を設けている（第二十五条）。

○　入院に対して不服がある者は、通常の行政不服審査法及び行政事件訴訟法による救済を求めることが可能である。しかし、病原体の有無という客観的な事実の確認は、措置を行った者の方がより迅速に行うことが可能であり、そのことが、患者の救済に資するものである。退院請求はこのような趣旨の下設けられたものである。したがって、退院請求は不服申立てとは異なることから、退院請求をしていることは、行政不服審査及び行政事件訴訟による救済を妨げるものではない。

○　退院請求を受けた都道府県知事は、当該患者について病原体の有無（二類感染症の患者については病原体又は症状の有無。以下同じ。）を確認しなければならない。当該確認を怠った場合は、不作為についての審査請求（行政不服審査法第三条）、不作為の違法確認の訴え又は義務づけの訴え（行政事件訴訟法第三条第五項、第六項）等の対象となるが、都道府県知事の確認そのものについては、行政不服審査法及び行政事件訴訟法の対象にはならない。これは、行政不服審査法及び行政事件訴訟法の対象が「その行為により直接国民の権利義務を形成し又はその範囲を確定することが法律上認められているもの」であるのに対して、都道府県知事の確認行為は、病原体の有無を確認するにとどまり、当該行為自体が退院できないという効果を持つものではないからである。

○　なお、精神保健及び精神障害者福祉に関する法律（昭和二十五年法律第百二十三号。以下、精神保健福祉法）における退院請求（精神保健福祉法第三十八条の四）については、精神医療審査会の意見を受け、退院等の必要性を判断することとされている（精神保健福祉法第三十八条の五）が、感染症法においては感染症診査協議会の意見を聴く必要はない。これは、感染症法においては、確認の内容が病原体の有無という客観的な事実のみを確認するにとどまるものであるからである。

〔主要告示・通知等〕

・感染症の病原体を保有していないことの確認方法について（平成十一年三月三十日健医感発第四三号）

刑事訴訟法による現行犯逮捕	感染症法による応急入院	感染症法による応急入院後の入院
何人	都道府県知事（保健所設置市の長、特別区の長）	都道府県知事（保健所設置市の長、特別区の長）
○　現に罪を行い、又は罪を行い終わった者 注　犯人として追呼されているとき、身体又は被服に犯罪の顕著な証跡があるとき等は上記の者とみなす。	○　一類感染症又は新型インフルエンザ等感染症の患者・疑似症患者・無症状病原体保有者、二類感染症の患者・疑似症患者（政令で定める疾病に係るものに限る。）	①　応急入院した者 ②　一類感染症又は新型インフルエンザ等感染症の患者・疑似症患者・無症状病原体保有者、二類感染症の患者・疑似症患者（政令で定める疾病に係るものに限る。）
	①　入院の勧告 ②　文書による理由等の告知	①　入院の勧告 ②　患者等の意見陳述 ③　文書による理由等の告知 ④　感染症診査協議会の意見の聴取
○　逮捕後の手続きについては次の欄を参照		
①　保釈請求 ②　検察官の意見を聴いた上での、裁判所による保釈の決定又は却下	①　入院すべき者であるかの確認請求 ②　行政不服審査法又は行政事件訴訟法による救済	①　入院すべき者であるかの確認請求 ②　行政不服審査法又は行政事件訴訟法による救済
	○　72時間以内	①　10日以内 ②　①以上の入院が必要な場合は感染症診査協議会への諮問を経た上で10日以内の期間を定めて延長可能 （10.5日）

○各法における入院・身体の拘束について

	精神保健福祉法による入院措置	精神保健福祉法による緊急入院措置	麻薬取締法による入院措置
処分権者	都道府県知事 （指定都市の長）	都道府県知事 （指定都市の長）	都道府県知事
要件	①　精神障害者 ②　自傷他害のおそれあり	①　入院措置の手続を採るいとまがない ②　精神障害者 ③　直ちに入院させなければ自傷他害のおそれあり	①　麻薬中毒患者 ②　入院させなければ麻薬等の施用を繰り返すおそれが著しい者
事前手続	①　２名以上の指定医の診察 ②　退院等の請求ができることについての書面での通知	①　指定医の診察 ②　退院等の請求ができることについて書面での通知	○　指定医の診察
入院後の手続		○　速やかに、入院措置を採るかどうかを決定	①　指定医が決定した入院の期間を超える入院の必要性についての医療施設の管理者の判断 ②　期間を超える入院が必要な場合は都道府県知事に通知 ③　知事から麻薬中毒審査会への諮問
退院	①　精神病院の管理者からの６か月毎の報告に基づく精神医療審査会の審査 ②　退院請求に基づく、精神医療審査会の審査 ③　行政不服審査法又は行政事件訴訟法による救済	①　退院請求に基づく、精神医療審査会の審査 ②　行政不服審査法又は行政事件訴訟法による救済	○　行政不服審査法又は行政事件訴訟法による救済
入院の期間 カッコ内は精神病床、結核病床、感染症病床の在院日数（令和４年病院報告より）	○　特段の規定なし （276.7日）	○　72時間以内	①　指定医は30日以内の期間を決定 ②　①以上の入院が必要な場合は麻薬中毒審査会の意見に従い知事が決定 ③　②の期間は麻薬中毒審査会の意見に従い６か月を超えない範囲内で毎回２か月を限度として延長可能

注）感染症の予防及び感染症の患者に対する医療に関する法律の規定に基づく入院については、上記のほか、厚生労働大臣の技術的指導及び助言又は指示を得て実施される新感染症の所見のある者の入院がある。

（最小限度の措置）

第二十二条の二　第十六条の三から第二十一条までの規定により実施される措置は、感染症を公衆にまん延させるおそれ、感染症にかかった場合の病状の程度その他の事情に照らして、感染症の発生を予防し、又はそのまん延を防止するため必要な最小限度のものでなければならない。

〔解　説〕

○　第二十二条の二は、第十六条の三から第二十一条までの措置の程度について規定した条文である。第十六条の三から第二十一条までに規定されている措置は、いわゆる警察規制であるので、警察比例の原則から措置の程度は当然必要最小限度であるべきものである。第二十二条の二はこのことを確認的に規定したものである。

○　検体の採取等、健康診断、就業制限、入院措置及び移送といった感染症に係る対人措置については、人権を直接侵害し、制約するものであり、当該措置を行うに当たっては、その対象となる者の任意の協力を求め、それが奏功しない場合に限って、強制措置を行い、当該措置については必要な最小限度のものとする必要がある。このため、これらの対人措置を実施するに当たっては、感染症を公衆にまん延させるおそれ、感染症にかかった場合の病状の程度その他の事情に照らして、感染症の発生を予防し、又はそのまん延を防止するため必要な最小限度のものでなければならない旨を入念的に規定するものである。本条の原則に反し、必要な最小限度を超える措置は、違法となる余地がある。

（書面による通知）

第二十三条　第十六条の三第五項及び第六項の規定は、都道府県知事が第十七条第一項の規定による健康診断の勧告、同条第二項の規定による健康診断の措置、第十九条第一項及び第二十条第一項の規定による入院の勧告、第十九条第三項及び第五項並びに第二十条第二項及び第三項の規定による入院の措置並びに同条第四項の規定による入院の期間の延長をする場合について準用する。

〔解　説〕

○　第二十三条は、健康診断の対象者及び入院に係る患者又はそれらの保護者に対する書面による通知について規定した条文である。

○　健康診断及び入院は身体の拘束を伴う行為であり、人権尊重の観点から手厚い手続保障を設けたものである。

○　健康診断及び入院勧告は処分には該当しないこと（行政手続法第二条第二号）、健康診断及び入院措置については不利益処分に該当しないこと（行政手続法第二条第四号イ）から行政手続法の対象とならないため、行政手続法による理由の提示は要求されない。

○　具体的な通知の内容は、厚生労働省令で定めている（規則第十三条）。

（感染症の診査に関する協議会）

第二十四条　各保健所に感染症の診査に関する協議会（以下この条において「感染症診査協議会」という。）を置く。

2　前項の規定にかかわらず、二以上の保健所を設置する都道府県において、特に必要があると認めるときは、二以上の保健所について一の感染症診査協議会を置くことができる。

3　感染症診査協議会は、次に掲げる事務をつかさどる。
一　都道府県知事の諮問に応じ、第十八条第一項の規定による通知、第二十条第一項（第二十六条において準用する場合を含む。）の規定による勧告及び第二十条第四項（第二十六条において準用する場合を含む。）の規定による入院の期間の延長並びに第三十七条の二第一項の規定による申請に基づく費用の負担に関し必要な事項を審議すること。
二　第十八条第六項及び第十九条第七項（第二十六条において準用する場合を含む。）の規定による報告に関し、意見を述べること。
4　感染症診査協議会は、委員三人以上で組織する。
5　委員は、感染症指定医療機関の医師、感染症の患者の医療に関し学識経験を有する者（感染症指定医療機関の医師を除く。）、法律に関し学識経験を有する者並びに医療及び法律以外の学識経験を有する者のうちから、都道府県知事が任命する。ただし、その過半数は、医師のうちから任命しなければならない。
6　この法律に規定するもののほか、感染症診査協議会に関し必要な事項は、条例で定める。

〔解　説〕

○　第二十四条は、感染症診査協議会に係る条文である。
○　入院は、身体を拘束する行為であり、人権尊重の観点から、かかる行為は必要最小限で行われるべきものであり（第二十二条の二）、入院の必要性及びその期間を判断する際には、行政の独断に陥ることを避けるべきとの要請がある。そのような要請を受け、行政行為・措置による入院について規定している各法（精神保健福祉法、麻薬及び向精神薬取締法

（昭和二十八年法律第十四号。以下、「麻薬取締法」という。）では、第三者的な機関を設け、その機関に諮問を行わせることによって行政の独断を排除することとし、本法においても、入院の必要性及びその期間の判断について、行政の独断を排除し、その妥当性を担保するため、第三者的な機関を設けることとした。

○　感染症診査協議会は、症状が急性で、迅速かつ的確な対応が必要とされる一類感染症、二類感染症等の患者の入院の必要性等について、学問的、専門的及び法律的観点（人権尊重の確保と適法性の担保等）から診査する機関であり、その役割は、第十九条により七十二時間以内の入院をした者の入院についての意見、入院した者を引き続き入院させるべきかの判断、及びその入院の期間（延長を含む。）の判断をすることである。

○　実際の入院措置が保健所長により行われることが想定されるため、感染症診査協議会は、各保健所に置くことが原則である。ただし、二以上の保健所を有する都道府県等について、特に必要と認めるときは一つの協議会を置くことも可能である。特に必要と認めるときとは、地理的、社会的条件に照らして合理的である場合のほか、感染症診査協議会の委員となるべき者の不足等が想定される。

○　委員は、三名以上で組織され、感染症指定医療機関の医師、感染症の患者の医療に関し学識経験を有する者（感染症指定医療機関の医師を除く。）、法律に関し学識経験を有する者並びに医療及び法律以外の学識経験を有する者のうちから、都道府県知事が任命することとし、委員の過半数は、医師のうちから任命することとしている。過半数を医師とした理由は、感染症診査協議会が、入院の必要性等について、主に学問的、専門的に診査する機関であるためである。なお、実際の委員の任命については、地域の実情に応じて、都道府県知事が裁量により判断するものと考えられる。

○　精神保健福祉法の精神医療審査会は、三者構成で事案の審査をすることとされているが（精神保健福祉法第十四条）、感染症診査協議会についてはその診査方法は条例で定めることとされており（第二十四条第六項）、法律上三者構成は要求されていない。これは、この協議会は、症状が急性で、迅速かつ的確な対応が必要とされる感染症の患者の入院の必要性等について、学問的、専門的及び法律的観点から診査する機関であることから、精神医療審査会とはその性質を異にするものであるからである。

○各法における第三者的機関について

	精神保健福祉法	麻薬取締法	感染症法
第三者的機関	精神医療審査会	麻薬中毒審査会	感染症診査協議会
業　務	①病院管理者からの定期の報告に基づく入院の必要性の事後審査 ②入院患者等からの退院請求に基づく入院の必要性の審査	①麻薬中毒者の入院の必要性・入院期間の審査 ②入院期間の延長についての事前審査	①感染症患者の本入院についての事前審議 ②入院期間の延長についての事前審議
委　員	５人 ①～③を含む委員で構成 ①精神保健指定医 ②法律に関し学識経験を有する者 ③精神障害者の保健又は福祉に関し学識経験を有する者	５人 ①・②を含む委員で構成 ①法律に関し学識経験を有する者 ②麻薬中毒者の医療に関し学識経験を有する者	３人以上 ①～④を含む委員で構成 ①感染症指定医療機関の医師 ②感染症患者の医療に関し学識経験を有する者 ③法律に関し学識経験を有する者 ④医療及び法律以外の学識経験を有する者
単　位	都道府県ごとに設置	都道府県ごとに設置	保健所ごとに設置 ただし、２以上の保健所を設置する都道府県については２以上の保健所について１つ設置すれば足りる

（都道府県知事に対する苦情の申出）

第二十四条の二　第十九条若しくは第二十条の規定により入院している患者又はその保護者は、当該患者が受けた処遇について、文書又は口頭により、都道府県知事に対し、苦情の申出をすることができる。

２　前項に規定する患者又はその保護者が口頭で同項の苦情の申出をしようとするときは、都道府県知事は、その指定する職員にその内容を聴取させることができる。

３　都道府県知事は、苦情の申出を受けたときは、これを誠実に処理し、処理の結果を苦情の申出をした者に通知しなければならない。

〔解　説〕

○　第二十四条の二は、本法の規定により入院している患者や又はその保護者からの苦情の申出について規定した条文である。

○　入院の勧告・措置によって入院し、又は入院期間を延長した感染症の患者においては、入院が患者の生活の場となることや、入院先が都道府県知事の措置により決定されるなど、個人の事情に的確に対応できない処遇や人権上問題のある処遇等が行われることも否定できないことから、入院に係る医療機関における処遇について簡易迅速な苦情の申出を可能とすることによって、感染症の患者等の要望に幅広く対応し、人権の尊重を確保しつつ、良質かつ適切な医療を提供し、ひいては感染症のまん延を防止するという本法の目的達成に資するものである。

○　入院の勧告・措置によって入院している感染症の患者又はその保護者は、当該患者が受けた処遇について、文書又は口頭で、都道府県知事に対し、苦情の申出をすることができることとし（第一項）、都道府県知事は、苦情の申出を受けたときは、これを誠実に処理し、処理の結果を苦情の申出をした者に通知しなければならないものである（第三項）。なお、口頭による苦情の申出については、適正な苦情の内容の把握を行うため、都道府県知事の指定する職員がその内容を聴取することができる（第二項）。

（審査請求の特例）

第二十五条　第二十条第二項若しくは第三項の規定により入院している患者であって当該入院の期間が三十日を超えるもの又はその保護者は、同条第二項又は第三項に規定する入院の措置について文書又は口頭により、厚生労働大臣に審査請求（再審査請求及び再々審査請求を含む。以下この条において同じ。）をすることができる。

2　厚生労働大臣は、前項の審査請求があったときは、当該審査請求があった日から起算して五日以内に、当該審査請求に対する裁決をしなければならない。

3　第二十条第二項若しくは第三項の規定により入院している患者であって当該入院の期間が三十日を超えないもの又はその保護者が、厚生労働大臣に審査請求をしたときは、厚生労働大臣は、当該審査請求に係る入院している患者が同条第二項又は第三項の規定により入院した日から起算して三十五日以内に、当該審査請求に対する裁決をしなければならない。

4　第二十条第二項若しくは第三項の規定により入院している患者であって当該入院の期間が三十日を超えないもの又はその保護者が、都道府県知事に審査請求をし、かつ、当該入院している患者の入院の期間が三十日を超えたときは、都道府県知事は、直ちに、事件を厚生労働大臣に移送し、かつ、その旨を審査請求人に通知しなければならない。

5　前項の規定により事件が移送されたときは、はじめから、厚生労働大臣に審査請求があったものとみなして、第三項の規定を適用する。
6　厚生労働大臣は、第二項の裁決又は第三項の裁決（入院の期間が三十日を超える患者に係るものに限る。）をしようとするときは、あらかじめ、審議会等（国家行政組織法（昭和二十三年法律第百二十号）第八条に規定する機関をいう。）で政令で定めるものの意見を聴かなければならない。
7　第十九条第三項又は第五項の規定による入院の措置に係る審査請求については、行政不服審査法（平成二十六年法律第六十八号）第二章第四節の規定は、適用しない。

〔解　説〕

○　第二十五条は、審査請求の特例について規定した条文である。
○　入院は身体の拘束を伴う行為であり、人権尊重の観点から係る不利益処分は必要最小限とすべきである（第二十二条の二）。このため、感染症の診査に関する協議会や退院請求等の手続きを設けているところである。しかしながら、入院期間が長期化した場合には、処分庁以外の者によるチェックが必要不可欠である。このための仕組みとして、一般的には行政不服審査法による審査請求が用意されているが、入院患者の権利保障を充分に図るため、審査請求の特例が設けられたものである。
○　特例の対象者は、第二十条第二項又は第三項の規定により三十日以上入院している者である。第二十条第一項は入院勧告（行政指導）であるため、そもそも不服申立の対象とならないものである。
○　行政不服審査法の特例となる点は以下の五点である。
　①　裁決までの期間の法定化（行政不服審査法にはない事項を規定）
　・行政不服審査法には不服申立を請求してから裁決までの期間が法定されていないが、本法では不服申立から裁決までの期間（審査請求から五日以内（第二項）又は入院から三十五日以内（第三項））を法定し、迅速な救済を図ることとしている。なお、本期間は訓示規定であり、期間を経過した裁決が当然に違法となるものではない。

○行政不服審査法の特例事項

	行政不服審査法	感染症法
①裁決までの期間	特段の規定なし	５日以内又は35日以内
②第三者性の担保	行政不服審査会への諮問	疾病・障害認定審査会への諮問
③請求の方法	書面が原則	口頭での請求も可能
④審査庁	直近上級行政庁（地方自治法第255条の２）	厚生労働大臣又は知事
⑤事案の移送	特段の規定なし	厚生労働大臣への移送

②　疾病・障害認定審査会の審議（行政不服審査法第四十三条第一項第一号の特例）

・厚生労働大臣に審査請求がなされたときは、感染症に関する専門的知見を有する者の意見を参酌して裁決に至ることが第三者性を担保し、より合理的であるため、疾病・障害認定審査会に意見を聴くこととしており、行政不服審査会等への諮問は不要とされている（第六項、第七項）。

③　口頭での申請を法定化（行政不服審査法第十九条の特例）

・行政不服審査法は、書面主義を原則としているため（行政不服審査法第十九条）、口頭での申請を法定化し、迅速かつ簡便な手続き保障を図る。

④　厚生労働大臣への審査請求（行政不服審査法第四条の特例）

・第二十条第二項及び第三項による入院措置については法定受託事務であり、例えば保健所設置市長が行った処分については地方自治法第二百五十五条の二第二号の規定により審査請求の提起先は都道府県知事になるところ、感染症対策には高度な専門性を要求される場合があり、このような観点から例えば保健所長が行った処分についても直接厚生労働大臣に審査請求を提起できることとしている。

⑤　事件（事案）の厚生労働大臣への移送（行政不服審査法にはない事項を規定）

・都道府県知事に対してなされた不服審査であって、入院期間が一定の期間を超えるものについては、入院期間が三十日を超える者が直接厚生労働大臣に審査請求を提起できることとしたこととの均衡から、都道府県知事から事件（事案）を厚生労働大臣に移送することとし（第四項）、これについて厚生労働大臣が裁決をすることとしている。

（準用）

第二十六条　第十九条から第二十三条まで、第二十四条の二及び前条の規定は、二類感染症の患者について準用する。この場合において、第十九条第一項及び第三項並びに第二十条第一項及び第二項中「特定感染症指定医療機関若しくは第一種感染症指定医療機関」とあるのは「特定感染症指定医療機関、第一種感染症指定医療機関若しくは第二種感染症指定医療機関」と、第十九条第三項及び第二十条第二項中「特定感染症指定医療機関又は第一種感染症指定医療機関」とあるのは「特定感染症指定医療機関、第一種感染症指定医療機関又は第二種感染症指定医療機関」と、第二十一条中「移送しなければならない」とあるのは「移送することができる」と、第二十二条第一項及び第二項中「一類感染症の病原体を保有していないこと」とあるのは「二類感染症の病原体を保有していないこと又は当該感染症の症状が消失したこと」と、同条第四項中「一類感染症の病原体を保有しているかどうか」とあるのは「二類感染症の病原体を保有しているかどうか又は当該感染症の症状が消失したかどうか」と読み替えるほか、これらの規定に関し必要な技術的読替えは、政令で定める。

2　第十九条から第二十三条まで、第二十四条の二及び前条の規定は、新型インフルエンザ等感染症の患者について準用する。この場合において、第十九条第一項中「患者に」とあるのは「患者（新型インフルエンザ等感染症（病状の程度を勘案して厚生労働省令で定めるものに限る。）の患者にあっては、当該感染症の病状又は当該感染症にかかった場合の病状の程度が重篤化するおそれを勘案して厚生労働省令で定める者及び当該者以外の者であって第四十四条の三第二項の規定による協力の求めに応じないものに限る。）に」と、同項及び同条第三項並びに第二十条第一項及び第二項中「特定感染症指定医療機関若しくは第一種感染症指定医療機関」とあるのは「特定感染症指定医療機関、第一種感染症指定医療機関、第二種感染症指定医療機関若しくは第一種協定指定医療機関」と、第十九条第三項及び第二十条第二項中「特定感染症指定医療機関又は第一種感染症指定医療機関」とあるのは「特定感染症指定医療機関、第一種感染症指定医療機関、第二種感染症指定医療機関又は第一種協定指定医療機関」と、第二十一条中「移送しなければならない」とあるのは「移送することができる」と読み替えるほか、これらの規定に関し必要な技術的読替えは、政令で定める。

〔解　説〕

○　第二十六条は、二類感染症及び新型インフルエンザ等感染症の患者に係る準用について規定した条文である。

○　一類感染症と二類感染症及び新型インフルエンザ等感染症の患者で異なる点は、まず、以下の五点である。

①　疑似症患者の扱い（第八条）
・一類感染症：患者と同様
・二類感染症：政令で定められた者については患者と同様
・新型インフルエンザ等感染症：正当な理由のある者については患者と同様

②　無症状病原体保有者の扱い（第八条）
・一類感染症及び新型インフルエンザ等感染症：患者と同様
・二類感染症：患者とはみなされない

③　入院すべき医療機関（第十九条、第二十条、第二十六条）
・一類感染症：特定感染症指定医療機関又は第一種感染症指定医療機関

・二類感染症及び新型インフルエンザ等感染症：特定感染症指定医療機関又は第一種感染症指定医療機関若しくは第二種感染症指定医療機関

④　移送（第二十一条）
・一類感染症：都道府県知事に移送義務
・二類感染症及び新型インフルエンザ等感染症：都道府県知事に移送権限

⑤　退院要件（第二十二条、第二十六条）
・一類感染症及び新型インフルエンザ等感染症：病原体の消失
・二類感染症：病原体又は症状の消失

○　加えて、第二項の規定により、新型インフルエンザ等感染症については、入院勧告・措置の対象を、①病状が重い者・重篤化するおそれのある者等や②宿泊療養等の協力の求めに応じない者に限定することを明示している。

○　新型コロナウイルス感染症（COVID–19）については、全国的な感染が見られており、病床のひっ迫のおそれが指摘されたことや、当該感染症の性質を踏まえ、重症者を優先する医療体制へ移行し、入院の勧告・措置の対象とならない者は、いわゆる「宿泊療養」及び「自宅療養」を行うこととした。また、新型インフルエンザ等感染症対策においても、重症者を優先する医療体制への移行が想定されている（いわゆる「宿泊療養」及び「自宅療養」については、第四十四条の三の解説において詳述）。

○　新型コロナウイルス感染症対策を踏まえ、感染症法に基づく私権の制限を合理的なものとするため、また、感染症医療に係る資源をより必要な範囲に集中するため、法律上も、新型インフルエンザ等感染症については、①病状が重い者・重篤化するおそれのある者等や②宿泊療養等の協力の求めに応じない者に限って入院の対象とされている。

○　また、令和四年改正により、新型インフルエンザ等感染症の患者の入院を受け入れる医療機関として医療措置協定を締結した「第一種協定指定医療機関」を追加している。

〔参考〕第二十六条第二項の規定による読替え後の第十九条第一項及び第三項

（波線部分は当然読替え部分、傍線部分は読替え部分）

（入院）

第十九条　都道府県知事は、新型インフルエンザ等感染症のまん延を防止するため必要があると認めるときは、当該感染症の患者（新型インフルエンザ等感染症（病状の程度を勘案して厚生労働省令で定めるものに限る。）の患者にあっては、当該感染症の病状又は当該感染症にかかった場合の病状の程度が重篤化するおそれを勘案して厚生労働省令で定める者及び当該者以外の者であって第四十四条の三第二項の規定による協力の求めに応じないものに限る。）に対し特定感染症指定医療機関、第一種感染症指定医療機関、第二種感染症指定医療機関若しくは第一種協定指定医療機関に入院し、又はその保護者に対し当該患者を入院させるべきことを勧告することができる。ただし、緊急その他やむを得ない理由があるときは、特定感染症指定医療機関、第一種感染症指定医療機関、第二種感染症指定医療機関若しくは第一種協定指定医療機関以外の病院若しくは診療所であって当該都道府県知事が適当と認めるものに入院し、又は当該患者を入院させるべきことを勧告することができる。

２　（略）

３　都道府県知事は、第一項の規定による勧告を受けた者が当該勧告に従わないときは、当該勧告に係る患者を特定感染症指定医療機関、第一種感染症指定医療機関、第二種感染症指定医療機関又は第一種協定指定医療機関（同項ただし書の規定による勧告に従わないときは、特定感染症指定医療機関、第一種感染症指定医療機関、第二種感染症指定医療機関若しくは第一種協定指定医療機関以外の病院又は診療所であって当該都道府県知事が適当と認めるもの）に入院させることができる。

４～７　（略）

（結核患者に係る入院に関する特例）

第二十六条の二　結核患者に対する前条第一項において読み替えて準用する第十九条及び第二十条の規定の適用については、第十九条第七項中「当該患者が入院している病院又は診療所の所在地」とあるのは「当該患者の居住地」と、第二十条第一項本文中「十日以内」とあるのは「三十日以内」と、同条第四項中「十日以内」とあるのは「十日以内（第一項本文の規定に係る入院にあっては、三十日以内）」と、同条第五項中「当該患者が入院している病院又は診療所の所在地」とあるのは「当該患者の居住地」とする。

〔解　説〕

○　第二十六条の二は、結核患者に係る入院に関する特例について規定した条文である。入院に関する規定である第十九条及び第二十条については、結核患者に対して、二類感染症として読み替えて準用される（第二十六条第一項）が、結核については、特にその疾病の性格に鑑み、他の二類感染症と異なる取扱いをすることが発生及びまん延の防止に資することから、旧結核予防法の規定及び結核対策における施策上の実務等を参酌して、特例規定を設ける趣旨である。

○　二類感染症（結核を除く。）と結核の患者で異なる点は、以下の三点である。

①　入院の勧告・措置について報告をすべき感染症診査協議会（第十九条第七項）

・二類感染症：入院先の病院等の所在地を管轄する協議会

・結核：患者の居住地を管轄する協議会

②　入院の延長（第二十条第一項本文、同条第四項）

・二類感染症：十日以内

・結核：三十日以内

③　入院の期間の延長について意見聴取をすべき感染症診査協議会（第二十条第五項）

・二類感染症：入院先の病院等の所在地を管轄する協議会

・結核：患者の居住地を管轄する協議会

第五章　消毒その他の措置

（検体の収去等）

第二十六条の三　都道府県知事は、一類感染症、二類感染症又は新型インフルエンザ等感染症の発生を予防し、又はそのまん延を防止するため必要があると認めるときは、第十五条第三項第七号又は第十号に掲げる者に対し、当該各号に定める検体又は感染症の病原体を提出すべきことを命ずることができる。

2　厚生労働大臣は、一類感染症、二類感染症又は新型インフルエンザ等感染症の発生を予防し、又はそのまん延を防止するため緊急の必要があると認めるときは、第十五条第三項第七号又は第十号に掲げる者に対し、当該各号に定める検体又は感染症の病原体を提出すべきことを命ずることができる。

3　都道府県知事は、第一項の規定による命令を受けた者が当該命令に従わないときは、当該職員に当該命令に係る第十五条第三項第七号又は第十号に掲げる者から検査のため必要な最小限度において、当該各号に定める検体又は感染症の病原体を無償で収去させることができる。

4　厚生労働大臣は、第二項の規定による命令を受けた者が当該命令に従わないときは、当該職員に当該命令に係る第十五条第三項第七号又は第十号に掲げる者から検査のため必要な最小限度において、当該各号に定める検体又は感染症の病原体を無償で収去させることができる。

5　都道府県知事は、厚生労働省令で定めるところにより、第一項の規定により提出を受けた検体若しくは感染症の病原体又は第三項の規定により当該職員に収去させた検体若しくは感染症の病原体について検査を実施しなければならない。

6　都道府県知事は、厚生労働省令で定めるところにより、前項の検査の結果その他厚生労働省令で定める事項を厚生労働大臣に報告しなければならない。

7　厚生労働大臣は、自ら検査を実施する必要があると認めるときは、都道府県知事に対し、第一項の規定により提出を受けた検体若しくは感染症の病原体又は第三項の規定により当該職員に収去させた検体若しくは感染症の病原体の一部の提出を求めることができる。

8　都道府県知事は、第一項の規定により検体若しくは感染症の病原体の提出の命令をし、第三項の規定により当該職員に検体若しくは感染症の病原体の収去の措置を実施させ、又は第五項の規定により検体若しくは感染症の病原体の検査を実施するため特に必要があると認めるときは、他の都道府県知事又は厚生労働大臣に対し、感染症試験研究等機関の職員の派遣その他の必要な協力を求めることができる。

（検体の採取等）

第二十六条の四　都道府県知事は、一類感染症、二類感染症又は新型インフルエンザ等感染症の発生を予防し、又はそのまん延を防止するため必要があると認めるときは、第十五条第三項第四号に掲げる者に対し、同号に定める検体を提出し、又は当該職員による当該検体の採取に応ずべきことを命ずることができる。

２　厚生労働大臣は、一類感染症、二類感染症又は新型インフルエンザ等感染症の発生を予防し、又はそのまん延を防止するため緊急の必要があると認めるときは、第十五条第三項第四号に掲げる者に対し、同号に定める検体を提出し、又は当該職員による当該検体の採取に応ずべきことを命ずることができる。

３　都道府県知事は、第一項の規定による命令を受けた者が当該命令に従わないときは、当該職員に当該命令に係る第十五条第三項第四号に規定する動物又はその死体から検査のため必要な最小限度において、同号に定める検体を採取させることができる。

４　厚生労働大臣は、第二項の規定による命令を受けた者が当該命令に従わないときは、当該職員に当該命令に係る第十五条第三項第四号に規定する動物又はその死体から検査のため必要な最小限度において、同号に定める検体を採取させることができる。

５　都道府県知事は、厚生労働省令で定めるところにより、第一項の規定により提出を受け、若しくは当該職員が採取した検体又は第三項の規定により当該職員に採取させた検体について検査を実施しなければならない。

６　都道府県知事は、厚生労働省令で定めるところにより、前項の検査の結果その他厚生労働省令で定める事項を厚生労働大臣に報告しなければならない。

７　厚生労働大臣は、自ら検査を実施する必要があると認めるときは、都道府県知事に対し、第一項の規定により提出を受け、若しくは当該職員が採取した検体又は第三項の規定により当該職員に採取させた検体の一部の提出を求めることができる。

８　都道府県知事は、第一項の規定により検体の提出若しくは採取の命令をし、第三項の規定により当該職員に検体の採取の措置を実施させ、又は第五項の規定により検体の検査を実施するため特に必要があると認めるときは、他の都道府県知事又は厚生労働大臣に対し、感染症試験研究等機関の職員の派遣その他の必要な協力を求めることができる。

〔解　説〕

○　第二十六条の三及び第二十六条の四は、国内で発生した場合に迅速な危機管理体制の構築が必要な一類感染症、二類感染症、新型インフルエンザ等感染症及び新感染症（第五十条第一～三項）について、都道府県知事（緊急時には厚生労働大臣）が、当該感染症に係る人や動物の検体等を既に所持している者又は当該感染症を人に感染させるおそれがある動物若しくはその死体を所持している者に対し、検体提出等の命令を前置（第二十六条の三第一項、第二項、第二十六条の四第一項、第二項）した上で、当該命令を受けた者がその命令に応じない場合、強制的に検体等を収去（採取）できること（第二十六条の三第三項、第四項、第二十六条の四第三項、第四項）を定めた規定である。

○　都道府県知事が入手した検体等については、第十五条の規定により入手した検体と同様、検体の検査（第二十六条の三第五項、第二十六条の四第五項）、検査結果の厚生労働大臣への報告（第二十六条の三第六項、第二十六条の四第六項）、厚生労働大臣による検体の一部の提出の求め（第二十六条の三第七項、第二十六条の四第七項）などが規定されている。

○　検体等の提出命令及び収去等の措置については、ともに対象者の具体的な権利義務を形成する行為であり、行政不服審査法及び行政事件訴訟法の規定による不服申立て及び訴訟の対象となる。

（感染症の病原体に汚染された場所の消毒）

第二十七条　都道府県知事は、一類感染症、二類感染症、三類感染症、四類感染症又は新型インフルエンザ等感染症の発生を予防し、又はそのまん延を防止するため必要があると認めるときは、厚生労働省令で定めるところにより、当該感染症の患者がいる場所又はいた場所、当該感染症により死亡した者の死体がある場所又はあった場所その他当該感染症の病原体に汚染された場所又は汚染された疑いがある場所について、当該患者若しくはその保護者又はその場所の管理をする者若しくはその代理をする者に対し、消毒すべきことを命ずることができる。

2　都道府県知事は、前項に規定する命令によっては一類感染症、二類感染症、三類感染症、四類感染症又は新型インフルエンザ等感染症の発生を予防し、又はそのまん延を防止することが困難であると認めるときは、厚生労働省令で定めるところにより、当該感染症の患者がいる場所又はいた場所、当該感染症により死亡した者の死体がある場所又はあった場所その他当該感染症の病原体に汚染された場所又は汚染された疑いがある場所について、市町村に消毒するよう指示し、又は当該都道府県の職員に消毒させることができる。

〔解　説〕

○　第二十七条は、場所の消毒について規定した条文である。本条に基づく消毒は、平時の消毒ではなく、まさに感染症が発生し、まん延しようとしている場合の消毒である。平時の消毒については、基本指針（第九条）や予防計画（第十条）の中に規定していくこととなる。

○　消毒の要件は、一類感染症から四類感染症又は新型インフルエンザ等感染症の発生の予防及びまん延を防止するために必要があると認めるときである。ここにいう感染症の発生とは感染症患者の発生を意味し、まん延とは感染症患者の増加を意味する。

○　消毒の対象は、感染症の患者がいる場所又はいた場所、感染症により死亡した者の死体がある場所又はあった場所、その他感染症の病原体に汚染された場所又は汚染された疑いがある場所である。

○　実施主体は、当該患者若しくはその保護者又はその場所を管理する者若しくはその代理をする者を原則としている（第一項）。これは、場所の消毒の責任は、当該場所を管理する者にあると考えられるためである。当該場所を管理する者とは、民家における世帯主等である。

当該場所を管理する者に消毒の能力がない場合や消毒を拒んだ場合など、当該場所を管理する者に消毒させることが適当でない場合には、都道府県知事は市町村に消毒をするよう指示し、又はその都道府県の職員に消毒させることができる（第二項）。消毒については通常の行政サービスとして身近な市町村が行っていることを想定して、都道府県の職員がするほか、実施主体を市町村としたものである。

○　市町村長又は都道府県知事は、第二項の規定により消毒を行った場合は、その実費を当該場所を管理する者から徴収することができる（第六十三条第一項、第四項）。

○　第一項の命令に従わなかった者については、五十万円以下の罰金が科せられる（第七十七条第一項第五号）。

○　消毒を命じる場合、市町村の職員又は都道府県の職員が消毒を実施する場合には原則として書面による通知が要求される（第三十六条第一項、第二項、第五項）。

○　消毒方法については厚生労働省令で定めている（規則第十四条）。

〔主要告示・通知等〕

・感染症法に基づく消毒・滅菌の手引きについて（令和四年三月十一日健感発〇三一一第八号）

（ねずみ族、昆虫等の駆除）

第二十八条　都道府県知事は、一類感染症、二類感染症、三類感染症又は四類感染症の発生を予防し、又はそのまん延を防止するため必要があると認めるときは、厚生労働省令で定めるところにより、当該感染症の病原体に汚染され、又は汚染された疑いがあるねずみ族、昆虫等が存在する区域を指定し、当該区域の管理をする者又はその代理をする者に対し、当該ねずみ族、昆虫等を駆除すべきことを命ずることができる。

2　都道府県知事は、前項に規定する命令によっては一類感染症、二類感染症、三類感染症又は四類感染症の発生を予防し、又はそのまん延を防止することが困難であると認めるときは、厚生労働省令で定めるところにより、当該感染症の病原体に汚染され、又は汚染された疑いがあるねずみ族、昆虫等が存在する区域を指定し、当該区域を管轄する市町村に当該ねずみ族、昆虫等を駆除するよう指示し、又は当該都道府県の職員に当該ねずみ族、昆虫等を駆除させることができる。

〔解　説〕

○　第二十八条は、ねずみ族、昆虫等の駆除について規定した条文である。本条に基づく駆除は、平時の駆除ではなく、まさに感染症が発生し、まん延しようとしている場合の駆除である。

平時の駆除について、旧伝染病予防法は市町村にねずみ族、昆虫等の駆除計画を策定させていたが、本法の下では、基本指針（第九条）や予防計画（第十条）の中でねずみ族、昆虫等の駆除に関し必要な事項を規定している。

○　ねずみ族、昆虫等の駆除の要件は、一類感染症から四類感染症の発生の予防及びまん延を防止するために必要があると認めるときである。ここにいう感染症の発生とは感染症患者の発生を意味し、まん延とは感染症患者の増加を意味する。

○　駆除の対象地域は、感染症の病原体に汚染され、又は汚染された疑いがあるねずみ族、昆虫等が存在する区域である。この区域は都道府県知事が指定する。駆除の主体は、当該区域の管理をする者又はその代理をする者を原則とする（第一項）。これは、ねずみ族、昆虫等の駆除の責任は、当該場所を管理する者にあると考えられるためである。当該場所を管理する者とは、民家における世帯主等である。

当該場所を管理する者にねずみ族、昆虫等の駆除の能力がない場合や駆除を拒んだ場合など、当該場所を管理する者にねずみ族、昆虫等を駆除させることが適当でない場合には、都道府県知事は市町村にねずみ族、昆虫等の駆除をするよう指示し、又はその都道府県の職員に駆除させることができる（第二項）。ねずみ族、昆虫等の駆除については通常の行政サービスとして身近な市町村が行っていることを想定して、都道府県の職員がするほか、実施主体を市町村としたものである。

○　市町村長又は都道府県知事は、第二項の規定によりねずみ族、昆虫等の駆除を行った場合は、その実費を当該場所を管理する者から徴収することができる（第六十三条第二項、第四項）。

○　第一項の命令に従わなかった者については、五十万円以下の罰金が科せられる（第七十七条第一項第五号）。

○　ねずみ族、昆虫等の駆除を命じる場合、市町村の職員又は都道府県の職員が駆除を実施する場合には、原則として書面による通知が要求される（第三十六条第一項、第二項、第五項）。

○　ねずみ族、昆虫等の駆除方法については厚生労働省令で定めている（規則第十五条）。

（物件に係る措置）

第二十九条　都道府県知事は、一類感染症、二類感染症、三類感染症、四類感染症又は新型インフルエンザ等感染症の発生を予防し、又はそのまん延を防止するため必要があると認めるときは、厚生労働省令で定めるところにより、当該感染症の病原体に汚染され、又は汚染された疑いがある飲食物、衣類、寝具その他の物件について、その所持者に対し、当該物件の移動を制限し、若しくは禁止し、消毒、廃棄その他当該感染症の発生を予防し、又はそのまん延を防止するために必要な措置をとるべきことを命ずることができる。

2　都道府県知事は、前項に規定する命令によっては一類感染症、二類感染症、三類感染症、四類感染症又は新型インフルエンザ等感染症の発生を予防し、又はそのまん延を防止することが困難であると認めるときは、厚生労働省令で定めるところにより、当該感染症の病原体に汚染され、又は汚染された疑いがある飲食物、衣類、寝具その他の物件について、市町村に消毒するよう指示し、又は当該都道府県の職員に消毒、廃棄その他当該感染症の発生を予防し、若しくはそのまん延を防止するために必要な措置をとらせることができる。

〔解　説〕

○　第二十九条は、物件に係る措置について規定した条文である。措置の要件は、一類感染症から四類感染症又は新型インフルエンザ等感染症の発生の予防及びまん延を防止するために必要があると認めるときである。ここにいう感染症の発生とは感染症患者の発生を意味し、まん延とは感染症患者の増加を意味する。

○　措置の主体は、当該物件の所持者を原則とする（第一項）。これは、物件に係る措置の責任は、当該物件を所持する者にあると考えられるためである。ここにいう所持者とは、所有者と同一であることを要しない。すなわち、実際に当該物件を所持し管理下に置いている者が必要な措置をとるべきであると整理されているのである。当該物件の所持者に物件を措置する能力がない場合や措置を拒んだ場合など、当該物件の所持者に措置させることが適当でない場合には、都道府県知事は市町村に当該物件の消毒をするよう指示することができ、このほか、都道府県職員に当該物件の消毒、廃棄その他必要な措置をとらせることができる（第二項）。消毒についてのみ市町村の業務としているのは、通常の行政サービスとして身近な市町村が消毒を行っていると考えられるためである。また、当該物件の移動の制限・禁止については、不作為義務であり、当該物件の所持者に能力がないということが想定できないため、第二項に規定する地方公共団体の職員の行う業務から除外されている。

○　市町村長又は都道府県知事は、第二項の規定により消毒を行った場合は、その実費を当該物件の所持者から徴収することができる（第六十三条第三項、第四項）。しかし、都道府県知事が廃棄等をさせた場合には、実費を徴収することはできない。これは、消毒やねずみ族の駆除と異なり、どの程度の費用がかかるか不明であること、物件を廃棄された上にその費用まで徴収することは適当でないと判断されたためである。

○　措置の対象は、感染症の病原体に汚染され、又は汚染された疑いがある物件である。当該物件の中には、動物、植物などあらゆる有体物を含むものである。また、措置の内容は、移動の制限、禁止、消毒、廃棄その他感染症の発生を予防し、又はそのまん延を防止するために必要な措置である。ここにいう必要な措置とは、使用の禁止、焼却、没収、動物の殺害等である。なお、売買等単に所有権を移転するにとどまり、実際に物が移動しない行為については禁止されない。

○　第一項の命令に従わなかった者については、五十万円以下の罰金が科せられる（第七十七条第一項第五号）。

○　都道府県知事が物件に係る措置を命じる場合、市町村職員が消毒を行う場合には原則として書面による通知が要求される（第三十六条第一項、第二項、第五項）。

○　実際の消毒方法等については、厚生労働省令で定めている（規則第十六条）。

〔主要告示・通知等〕

・感染症法に基づく消毒・滅菌の手引きについて（令和四年三月十一日健感発〇三一一第八号）

（死体の移動制限等）

第三十条　都道府県知事は、一類感染症、二類感染症、三類感染症又は新型インフルエンザ等感染症の発生を予防し、又はそのまん延を防止するため必要があると認めるときは、当該感染症の病原体に汚染され、又は汚染された疑いがある死体の移動を制限し、又は禁止することができる。

2　一類感染症、二類感染症、三類感染症又は新型インフルエンザ等感染症の病原体に汚染され、又は汚染された疑いがある死体は、火葬しなければならない。ただし、十分な消毒を行い、都道府県知事の許可を受けたときは、埋葬することができる。

3　一類感染症、二類感染症、三類感染症又は新型インフルエンザ等感染症の病原体に汚染され、又は汚染された疑いがある死体は、二十四時間以内に火葬し、又は埋葬することができる。

〔解　説〕

○　第三十条は、死体の移動制限等に係る措置について規定した条文である。本条では、第一項で、死体の移動制限を、第二項で火葬を原則とすること、第三項で二十四時間以内の火葬・埋葬を規定している。

○　第一項に規定する措置の要件は、一類感染症から三類感染症又は新型インフルエンザ等感染症の発生の予防及びまん延を防止するために必要があると認めるときである。ここにいう感染症の発生とは感染症患者の発生を意味し、まん延とは感染症患者の増加を意味する。措置の主体は、都道府県知事であり、都道府県知事は、必要があると認めるときに一類感染症から三類感染症又は新型インフルエンザ等感染症の病原体に汚染され、又は汚染された疑いがある死体の移動を制限し、又は禁止することができる。旧伝染病予防法の下では、伝染病患者の死体は原則移動禁止であったが（旧伝染病予防法第九条）、現在の医学的な知見から、必要な場合についてのみ移動を制限すれば足りるとされた。移動の制限とは、一定の場所への移動のみを認め、又は、一定の者が一定の方法で移動させることのみを認めるといったものである。

○　一類感染症から三類感染症又は新型インフルエンザ等感染症の病原体に汚染され、又は汚染された疑いがある死体は火葬を原則とする。ただし、都道府県知事の許可を受けた場合は埋葬することも可能である。ここでいう埋葬とは、墓地、埋葬等に関する法律（昭和二十三年法律第四十八号。以下「墓地埋葬法」という。）における埋葬であり、「死体を土中に葬ること」（いわゆる土葬）である（墓地埋葬法第二条第一項）。

○　墓地埋葬法では、二十四時間以内の火葬・埋葬が禁止されている（墓地埋葬法第三条）。しかし、一類感染症から三類感染症又は新型インフルエンザ等感染症の病原体に汚染し又は汚染された疑いがある死体については、感染症のまん延を防止する観点から二十四時間以内に火葬し、又は埋葬することができることとした（第三項）。なお、死体を火葬、埋葬する際には墓地埋葬法による市町村長の許可が要求されることから（墓地埋葬法第五条）、本条では改めて許可を要求しないこととした。ただし、二十四時間以内の埋葬については、本条第二項の許可と墓地埋葬法第五条の許可が必要になる。

○　旧伝染病予防法の下では、改葬についても保健所長の許可が要求されていたが（旧伝染病予防法第十二条）、最初に火葬・埋葬した時点で感染症のまん延のおそれがないと判断されることから本法では改葬について特段の規定を設けていない。

（生活の用に供される水の使用制限等）

第三十一条　都道府県知事は、一類感染症、二類感染症又は三類感染症の発生を予防し、又はそのまん延を防止するため必要があると認めるときは、当該感染症の病原体に汚染され、又は汚染された疑いがある生活の用に供される水について、その管理者に対し、期間を定めて、その使用又は給水を制限し、又は禁止すべきことを命ずることができる。

2　市町村は、都道府県知事が前項の規定により生活の用に供される水の使用又は給水を制限し、又は禁止すべきことを命じたときは、同項に規定する期間中、都道府県知事の指示に従い、当該生活の用に供される水の使用者に対し、生活の用に供される水を供給しなければならない。

〔解　説〕

○　第三十一条は、生活の用に供される水の使用制限等について規定した条文である。第一項で使用制限・禁止を、第二項で使用が制限等された場合の供給について規定している。

○　第一項に規定する措置の要件は、一類感染症から三類感染症の発生を予防し、又はまん延を防止するために必要があると認めるときである。ここにいう感染症の発生とは感染症患者の発生を意味し、まん延とは感染症患者の増加を意味する。措置の主体は、都道府県知事であり、都道府県知事は、必要があると認めるときに一類感染症から三類感染症の病原体に汚染され、又は汚染された疑いがある生活の用に供される水について、その管理者に対し、使用又は給水を制限し、又は禁止すべきことを命ずることができる。「生活の用に供される水」とは、飲料水に限られず、洗濯用水や炊事のための水など、一般生活に必要な水である。

○　生活の用に供される水の使用又は給水が制限又は禁止された場合は、市町村が生活の用に供される水の使用者に対して、生活の用に供される水を供給しなければならない。供給先は実際に生活の用に水を使用する者であって、第一項の規定により制限を受ける生活の用に供される水を管理する者ではない。これは、感染症のまん延防止の観点からは生活の用に供される水の供給源を断つことが重要なのに対し、そのことにより実際に不利益を被るのは当該生活の用に供される水の使用者であるからである。また、生活の用に供される水の供給主体は市町村とされているが、これは、現在、水道事業は基本的に市町村が行うこととされているためである（水道法（昭和三十二年法律第百七十七号）第六条第二項）。なお、特別区の存在する区域においては水道事業を都が行っていることから（水道法第四十九条）、第二項による生活の用に供される水の供給主体は特別区ではなく都である（第六十四条第二項）。

○　水道法においても、その供給する水が人の健康を害するおそれがあることを知ったときは、直ちに給水を停止すべき義務を水道事業者に課している（水道法第二十三条）。この規定により、給水が停止された場合は、第一項の規定を発動する必要はない。ただし、水道法では規制できない水（井戸水等）については、もっぱら本条によって感染症のまん延の防止を図ることとなる。

（建物に係る措置）

第三十二条　都道府県知事は、一類感染症の病原体に汚染され、又は汚染された疑いがある建物について、当該感染症のまん延を防止するため必要があると認める場合であって、消毒により難いときは、厚生労働省令で定めるところにより、期間を定めて、当該建物への立入りを制限し、又は禁止することができる。

２　都道府県知事は、前項に規定する措置によっても一類感染症のまん延を防止できない場合であって、緊急の必要があると認められるときに限り、政令で定める基準に従い、当該感染症の病原体に汚染され、又は汚染された疑いがある建物について封鎖その他当該感染症のまん延の防止のために必要な措置を講ずることができる。

〔解　説〕

○　第三十二条は建物に係る措置について規定した条文である。第一項で立入りの制限・禁止を、第二項で封鎖その他必要な措置について規定している。

○　第一項の要件は、以下の三点である。

①　一類感染症のまん延を防止するため必要があると認められること

②　一類感染症の病原体に汚染され、又は汚染された疑いがある建物であること

③　消毒により難いこと

建物に係る措置は、建物に係る措置が消毒等に比して非常に強権的な措置であるため、第二十七条から第三十一条までの措置とは要件を異にしている点がある。一点目は対象感染症が一類感染症に限定されていること。二点目は、「感染症の発生を予防し」という要件は除外されていること。これは、感染症の患者が発生するまでは非権力的な手法すなわち情報提供で建物への立入りを自粛していくべきであるからである。

○　第一項では立入りを禁止・制限しているのみであるので、当該建物から出ていくことは可能である。ただし、当該建物から出てくる者は、一類感染症に罹患している可能性が高いため、健康診断の対象になる。また、第一項の立入制限はあくまで命令であり、強制的に建物を封鎖することはできない。建物の封鎖が必要な場合は第二項を根拠とすることになる。第一項の命令に違反した場合は五十万円以下の罰金を科せられる（第七十七条第一項第五号）。

○　第二項の要件は、以下の二点である。

①　第一項に規定する措置では一類感染症のまん延を防止することができないこと

②　緊急の必要があると認められること

第二項に規定する措置は、建物の封鎖その他必要な措置であるが、必要な措置とは、建物の焼却等が想定されている。措置は政令で定める基準（令第八条）に従って行われることとなる。

○　立入制限は、交通遮断（第三十三条）と異なり、期間の制限がない。これは、交通遮断と比べると人権侵害が相対的に低い措置であるからである。

○　第三十二条に規定する措置を実施する場合には、適当な場所に当該措置を実施する旨及びその理由その他厚生労働省令で定める事項を掲示しなければならない（第三十六条第四項）。厚生労働省令で定める事項としては、措置の期間等である（規則第十九条第三項）。

（交通の制限又は遮断）

第三十三条　都道府県知事は、一類感染症のまん延を防止するため緊急の必要があると認める場合であって、消毒により難いときは、政令で定める基準に従い、七十二時間以内の期間を定めて、当該感染症の患者がいる場所その他当該感染症の病原体に汚染され、又は汚染された疑いがある場所の交通を制限し、又は遮断することができる。

〔解　説〕

○　第三十三条は、交通の制限又は遮断について規定した条文である。交通の制限とは、例えば救急用の自動車や保健所の職員のみの交通の自由を認めるなど一定の者の交通は制限しないことを意味し、交通の遮断とは交通の完全な遮断を意味する。

○　交通を制限・遮断している間に、集中的な消毒や健康診断を実施し、感染症のまん延を防止するものである。制限・遮断の期間は七十二時間以内とされているが、これは、消毒や健康診断に要する期間を考慮したものである。

○　交通の制限・遮断の要件は、以下の二点である。

①　一類感染症のまん延を防止するため緊急の必要があると認められること

②　消毒により難いこと

交通の制限・遮断に係る措置は、他の措置と比して非常に強権的な措置であるため、第二十七条から第三十一条までの措置とは要件を異にしている点がある。一点目は対象感染症が一類感染症に限定されていること。二点目は、「感染症の発生を予防し」という要件は除外されていること。これは、感染症の患者が発生するまでは非権力的な手法すなわち情報提供で自由な移動を自粛していくべきであるからである。

○　建物への立入制限（第三十二条第一項）と異なり、交通の制限・遮断については、交通が制限・遮断された地域から外に出ることが認められない場合もある。また、交通の制限・遮断の方法は命令に限られず、強権的な措置も想定されている。第七十七条第一項第五号から命令ができることは明らかであり、措置についても、法文上の表現（「制限し、又は遮断することができる」）からも、また、第三十二条と異なり二項構成をとっていないことからも明らかである。

○　交通制限・遮断命令に違反した者には、五十万円以下の罰金が科せられる（第七十七条第一項第五号）。

○　交通制限・遮断を実施する場合には、適当な場所に当該措置を実施する旨及びその理由その他厚生労働省令で定める事項を掲示しなければならない（第三十六条第四項）。厚生労働省令で定める事項としては、措置の期間等である（規則第十九条第三項）。

○　なお、交通の制限・遮断については、公衆衛生審議会伝染病予防部会基本問題検討小委員会が平成九年十二月八日にまとめた「新しい時代の感染症対策について　報告書」では、「市街村落の交通遮断・人民隔離は、極めて大規模の感染症の集団発生等があった場合を想定した措置である。このような状況は、自然発生的な感染拡大において、現代の公衆衛生水準を考慮すると想定し難く、…基本的に廃止する方向で整理を行う」とされているところであるが、その後、公衆衛生審議会が平成九年十二月二十四日にまとめた「新しい時代の感染症対策について（意見）」では、「的確かつ迅速に感染症の拡大防止を図ることが国民が健康で安心して生活するために必要であるとの視点に立って、種々の措置の内容についてさらに検討を続けられたい。」とされ、これを受け検討した結果、ノミやねずみによって媒介されるペスト等の患者が一定地域において短期間に多数発生した場合など、病原体の外部への流出を確実に防止しなければならない事態を想定し得ることから、要件を限定し、実施期間を七十二時間にするなどの配慮を行った上で当該規定が設けられたものである。

○　なお、新型コロナウイルス感染症（COVID-19）対応においては、一部の国において、いわゆる「ロックダウン」政策が採られた。ロックダウンについては、確立した定義があるものではないが、「数週間の間、都市を封鎖したり、強制的な外出禁止の措置や生活必需品以外の店舗封鎖などを行う」措置については、法及び第三十三条の趣旨・目的を踏まえれば、同条の規定により当該措置を行うことはできないものと解される。

（参考）「新型コロナウイルス感染症対策の状況分析・提言」（令和二年三月十九日新型コロナウイルス感染症対策専門家会議）

・　既にいくつもの先進国・地域で見られているように、一定期間の不要不急の外出自粛や移動の制限（いわゆるロックダウンに類する措置）に追い込まれることになります。

・　爆発的患者急増が起きたイタリアやスペイン、フランスといった国々では、数週間の間、都市を封鎖したり、強制的な外出禁止の措置や生活必需品以外の店舗閉鎖などを行う、いわゆる「ロックダウン」と呼ばれる強硬な措置を採らざるを得なくなる事態となっています。

（必要な最小限度の措置）

第三十四条　第二十六条の三から前条までの規定により実施される措置は、感染症の発生を予防し、又はそのまん延を防止するため必要な最小限度のものでなければならない。

〔解　説〕

○　第三十四条は、第二十六条の三から第三十三条までの措置の程度について規定した条文である。第二十六条の三から第三十三条までに規定されている措置は、いわゆる警察規制であるので、警察比例の原則から措置の程度は当然必要最小限度であるべきものである。第三十四条はこのことを確認的に規定したものである。

○　感染症法は、感染症患者の人権を尊重した法律であり、その精神が本条においても具体化されているものである。

（質問及び調査）

第三十五条　都道府県知事は、第二十六条の三から第三十三条までに規定する措置を実施するため必要があると認めるときは、当該職員に一類感染症、二類感染症、三類感染症、四類感染症若しくは新型インフルエンザ等感染症の患者がいる場所若しくはいた場所、当該感染症により死亡した者の死体がある場所若しくはあった場所、当該感染症を人に感染させるおそれがある動物がいる場所若しくはいた場所、当該感染症により死亡した動物の死体がある場所若しくはあった場所その他当該感染症の病原体に汚染された場所若しくは汚染された疑いがある場所に立ち入り、一類感染症、二類感染症、三類感染症、四類感染症若しくは新型インフルエンザ等感染症の患者、疑似症患者若しくは無症状病原体保有者若しくは当該感染症を人に感染させるおそれがある動物若しくはその死体の所有者若しくは管理者その他の関係者に質問させ、又は必要な調査をさせることができる。

2　前項の職員は、その身分を示す証明書を携帯し、かつ、関係者の請求があるときは、これを提示しなければならない。

3　第一項の規定は、犯罪捜査のために認められたものと解釈してはならない。
4　前三項の規定は、厚生労働大臣が第二十六条の三第二項若しくは第四項又は第二十六条の四第二項若しくは第四項に規定する措置を実施し、又は当該職員に実施させるため必要があると認める場合について準用する。この場合において、第一項中「、三類感染症、四類感染症若しくは」とあるのは、「若しくは」と読み替えるものとする。
5　第一項から第三項までの規定は、市町村長が第二十七条第二項、第二十八条第二項、第二十九条第二項又は第三十一条第二項に規定する措置を実施するため必要があると認める場合について準用する。
6　第二項の証明書に関し必要な事項は、厚生労働省令で定める。

〔解　説〕

○　第三十五条は、質問及び調査について規定した条文である。第一項で都道府県知事が措置を行うに際して必要な場合の質問及び調査を、第五項で市町村長が措置を行うに際して必要な場合の質問及び調査について規定している。
○　都道府県職員の質問及び調査はその後の措置（具体的には、第二十六条の三から第三十三条）を実施するために必要な限度において認められ、その他の目的で行われることは認められない。市町村職員による質問及び調査は、都道府県知事から消毒等の指示を受け（第二十七条第二項、第二十八条第二項、第二十九条第二項、第三十一条第二項）、その実施に当たり必要と認められるときに限られている。また、質問及び調査の対象者は一類感染症から四類感染症又は新型インフルエンザ等感染症の患者・疑似症患者・無症状病原体保有者・動物の所有者・管理者その他の関係者である。本条は第二十六条の三から第三十三条を実施するための質問及び調査の規定なので、入院の対象とならない者についても対象となるのである。

○ 調査には、病原体の有無等の検査が含まれるため、調査を行うため必要最小限の物件を収去することは可能である。

○ 本条に基づき実施される質問及び調査は、犯罪捜査のために認められたものと解釈してはならない（第三項）。犯罪捜査の場合には権限を有する司法官憲が発する令状が必要とされる（憲法第三十五条）。この憲法の規定の精神は、犯罪捜査以外の国家権力の行使の場合にも尊重されるべきであるが、本条の立入調査等は、公共の福祉のため、感染症の発生の予防及びまん延の防止のためやむを得ない範囲で行うものであり、罰則による間接強制のみを認めている（直接の実力行使は認められない。行政調査に関し、調査への協力拒否について罰則が設けられている場合、当該調査の実効は罰則により間接的に担保されているものであり、直接強制等の実力行使は認められないとするのが通説的な立場であり、本法でも同様の立場である。）ことから、本条に基づき実施される質問及び調査に際して司法官憲の発する令状は不要である。

○ 質問及び調査を行う職員は身分を示す証明書を携帯し、関係者の求めに応じてこれを提示しなければならない。この証明書の様式等については厚生労働省令で定めている（第六項、規則第十八条、別記様式第二）。

○ 質問に対して答弁をせず、若しくは虚偽の答弁をし、又は調査を拒み、妨げ、若しくは忌避した者は五十万円以下の罰金が科せられる（第七十七条第一項第七号）。

（書面による通知）

第三十六条　都道府県知事は、第二十六条の三第一項若しくは第三項、第二十六条の四第一項若しくは第三項、第二十七条第一項若しくは第二項、第二十八条第一項若しくは第二項、第二十九条第一項若しくは第二項、第三十条第一項又は第三十一条第一項に規定する措置を実施し、又は当該職員に実施させる場合には、その名あて人又はその保護者に対し、当該措置を実施する旨及びその理由その他厚生労働省令で定める事項を書面により通知しなければならない。ただし、当該事項を書面により通知しないで措置を実施すべき差し迫った必要がある場合は、この限りでない。
2　都道府県知事は、前項ただし書の場合においては、当該措置を実施した後相当の期間内に、当該措置を実施した旨及びその理由その他同項の厚生労働省令で定める事項を記載した書面を当該措置の名あて人又はその保護者に交付しなければならない。
3　前二項の規定は、厚生労働大臣が第二十六条の三第二項若しくは第四項又は第二十六条の四第二項若しくは第四項に規定する措置を実施し、又は当該職員に実施させる場合について準用する。
4　都道府県知事は、第三十二条又は第三十三条に規定する措置を実施し、又は当該職員に実施させる場合には、適当な場所に当該措置を実施する旨及びその理由その他厚生労働省令で定める事項を掲示しなければならない。
5　第一項及び第二項の規定は、市町村長が当該職員に第二十七条第二項、第二十八条第二項又は第二十九条第二項に規定する措置を実施させる場合について準用する。

〔解　説〕

○　第三十六条は、書面による通知等について定めた条文である。第一項、第二項、第四項で個別の命令等に係る手続きを、第三項で衆人に周知すべき措置に係る手続きについて規定している。
○　感染症の発生の予防及びまん延の防止のための措置は、強権的なものであり、人権を尊重する観点から特別の手続きを定めたものである。これらの措置の中には行政手続法上は不利益処分に該当するもの（第二十六条の三第一項、第二十六条の四第一項、第二十七条第一項、第二十八条第一項、第二十九条第一項、第三十条第一項、第三十一条第一項、第三十二条第一項、第三十三条）（行政手続法第二条第四号）と、不利益処分に該当しないものがある（第二十六条の三第三項、第二十六条の四第三項、第二十七条第二項、第二十八条第二項、第二十九条第二項、第三十二条第二項、第三十三条）（行政手続法第二条第四号イ）が、不利益処分に該当するものであっても、公益上緊急に実施する必要がある不利益処分であることから弁明の機会の付与は不要である（行政手続法第十三条第二項第一号）。しかし、死体の埋葬許可（第三十条第二項）は行政手続法上にいう申請に対する処分であるので（行政手続法第二条第二号、第三号）、不許可処分をする際には理由の提示が必要となる（行政手続法第八条）。

○　行政手続法上、不利益処分を行う際には理由の提示が要求される（行政手続法第十四条）。しかし、行政手続法上は書面で不利益処分を行う場合以外は、書面による理由の提示までは要求されていない。しかし、本条では、不利益処分を書面で行わない場合にも書面での理由の提示を求めている点で行政手続法より手厚い手続き保障がなされている。なお、本条による理由の提示は、同時に行政手続法による理由の提示になる。

○　書面で理由を通知しないで、処分を行う緊急の必要性がある場合には、措置を実施した後相当の期間内に措置の理由等を記した書面を交付しなければならない。「相当の期間内」については、処分の原因となる事実の複雑さ等により決まることとなり、画一的に示すことは困難であるが、通知をできる状態になり次第速やかに対応されるべきものである。

感染症法における損失補償について

○　感染症法においては、都道府県知事が感染症の発生を予防し、又はまん延を防止するため物件の廃棄その他必要な処分等をする権限を与えている一方（第二十九条第一項）、それによって生じた損失については、補償規定を設けていない。

○　損失補償が認められるには、次の要件を充足する必要がある。

①　財産権に加えられた制限が、社会生活において一般に要求されている受認の限度を超えるほどの本質的な制約であること。

②　当該制約が、平等原則に反する個別的な負担であること。すなわち、財産権の制限が一般的ではなく、個別的であること。

ただし、次のような場合には、補償は不要と解されている。

① 財産権の制限の程度が絶対的に弱く、対する公益の利益の確保が大きい場合（試験用の食品の収去……食品衛生法（昭和二十二年法律第二百三十三号）第二十八条第一項）

② 財産権の側に規制を受ける原因がある場合（火災が発生せんとし、又は発生した消防対象物……消防法（昭和二十三年法律第百八十六号）第二十九条第一項）

③ 財産権が財産的価値を失っている場合（延焼のおそれがある消防対象物……消防法第二十九条第二項）

以上のことから判断するに、感染症の病原体に汚染された物件は、財産的な価値がないことから、憲法上損失補償は要求されないものである。

○ 公共目的を達成するため、特定の者の財産を制限し、剥奪した場合については、憲法第二十九条第三項に基づき損失補償が行われ、その対象が類型化されていれば、個別法に入念的に補償規定が設けられる（狂犬病予防法等）。

しかしながら、本法に基づき消毒等がなされるのは、感染症の病原体に汚染され、又は汚染された疑いがある物件等であり、必ずしも憲法第二十九条第三項の対象となるものばかりではない。また、感染症の患者の物的損害についても、さまざまな形態が考えられる。

以上のことから、本法においては、損失補償規定は設けられず、必要な場合には、法形式上は、直接憲法第二十九条第三項に基づき補償が行われることとなると解されるが、実際には想定される事例は極めて稀であろう。

第36条　書面による通知

○諸法律における損失補償

法　律　名	措置の対象物件	補償規定の有無
旧伝染病予防法（明治30年法律第36号）	病毒伝播のおそれのある物件（第19条第１項第４号）	なし
	伝染病毒に汚染した建物（第19条の２）	あり（第19条の２）
食品衛生法（昭和22年法律第233号）	人の健康を害するおそれのある食品（第59条）	なし
消防法（昭和23年法律第186号）	火災が発生せんとし、又は発生した消防対象物（第29条第１項）	なし
	延焼のおそれがある消防対象物（第29条第２項）	なし
	その他の物（延焼の防止等のための措置）（第29条第３項）	あり（第29条第３項）
狂犬病予防法（昭和25年法律第247号）	抑留した犬の処分（第６条第９項）	あり（第６条第10項）
	狂犬病にかかった犬の殺害（解剖目的）（第14条）	あり（第14条第２項）
	一定区域内の犬の殺害（第18条の２）	なし
検疫法（昭和26年法律第201号）	検疫感染症の病原体に汚染し、又は汚染したおそれのある物件（第14条）	なし
旧結核予防法（昭和26年法律第96号）	結核菌に汚染し、又は汚染した疑いがある物件（第31条）	あり（第31条第２項）
災害対策基本法（昭和36年法律第223号）	応急措置を実施するために行う物件の使用（第64条第１項）	あり（第82条第１項）
	現場の災害を受けた工作物又は物件で応急措置の実施の支障となるものの除去（第64条第２項）	なし
成田国際空港の安全確保に関する緊急措置法（昭和53年法律第42号）	規制区域内にある工作物（第３条第８項）	あり（第４条第１項）
食鳥処理の事業の規制及び食鳥検査に関する法律（平成２年法律第70号）	食鳥検査に合格しなかった食鳥等の廃棄（食鳥業者が廃棄）（第19条）	なし
	食鳥検査に合格しなかった食鳥等であってとさつ等によって病原体が伝染するおそれのある場合（第20条）	なし
暴力団員による不当な行為の防止等に関する法律（平成３年法律第77号）	対立抗争時の事務所の使用制限（第15条第１項）	なし
化学兵器の禁止及び特定物質の規制等に関する法律（平成７年法律第65号）	特定物質の廃棄（使用許可を取り消された場合等）（第18条）	なし
サリン等による人身被害の防止に関する法律（平成７年法律第78条）	サリン等を含む物品その他その被害に係る物品の廃棄（第４条第１項）	警察法、警察官職務執行法、道路交通法、海上保安庁法、消防法の規定による
塩事業法（平成８年法律第39号）	分析のために必要最小限度の分量の塩の収去（第30条第２項）	なし

第六章　医　療

第一節　医療措置協定等

○　第六章第一節は、医療措置協定等に関する規定であり、令和四年改正により新設された。

○　感染症法上、感染症患者に対する医療の提供は、都道府県知事が感染症の類型に応じて指定した感染症指定医療機関において行うとともに、緊急時には、感染症指定医療機関以外の病院等での入院を勧告することにより対応する（第十九条第一項）。また、厚生労働大臣及び都道府県知事は、緊急時に医療関係者等に必要な措置を実施するよう協力を求め、これに応じなかった場合は勧告を、勧告に従わなかった場合は公表をすることができる（第十六条の二）。

○　しかしながら、新型コロナウイルス感染症（COVID-19）の対応においては、必ずしも迅速かつ適確に医療提供体制を確保できたわけではない。特に病床確保については、民間医療機関の経営面で大きなリスクがある中で、感染症発生及びまん延時における一般医療の制限を伴う感染症医療提供体制の構築に向けた医療機関間の役割分担についての認識共有や感染症患者の受け入れ体制の確保に関する事前準備が十分でなかったこと、施設及び人員・物資の確保についても事前準備が十分でなかったことにより、時間を要した。

○　また、新型コロナウイルス感染症（COVID-19）の国内の感染状況の分析に欠かせない検査についても、保健所の業務増加等により相談、検体輸送、報告等に目詰まりが発生したこと、検体採取を担う医療関係者が不足したこと、検査機関のキャパシティが不足していたが、そもそもキャパシティの網羅的な把握ができていなかったことにより、初動が遅れ、感染拡大に対応できる体制を即座に確保できなかった。

○　さらに、患者数の急増に伴い、医療提供体制がひっ迫したことを踏まえ、入院治療については、重症者を優先し、軽症者等は、宿泊施設等での療養としたが、宿泊療養施設の確保が難しく、やむを得ず自宅での療養とする事態が発生した上で、自宅での健康観察においても手が回らない事例が発生する等、宿泊療養・自宅療養においても、感染拡大に対応できる体制を即座に確保できなかった。

○　そのため、これらを踏まえ、今後類似の事例が発生した場合に、より迅速な対応を行う観点から、予め医療・検査・宿泊療養につき、事前からの準備を万全に行い、感染症発生及びまん延時における体制を即座に確保する手法として、国や都道府県が事前に医療機関等と協定を締結すること等により、感染症発生及びまん延時に備えた体制整備を行うことを規定した。

（公的医療機関等並びに地域医療支援病院及び特定機能病院の医療の提供の義務等）

第三十六条の二　都道府県知事は、新型インフルエンザ等感染症等に係る発生等の公表が行われたときから新型インフルエンザ等感染症等と認められなくなった旨の公表等が行われるまでの間（以下この項、次条第一項及び第三十六条の六第一項において「新型インフルエンザ等感染症等発生等公表期間」という。）に新型インフルエンザ等感染症、指定感染症又は新感染症に係る医療を提供する体制の確保に必要な措置を迅速かつ適確に講ずるため、厚生労働省令で定めるところにより、当該都道府県知事が管轄する区域内にある医療法第七条の二第一項各号に掲げる者が開設する医療機関、独立行政法人国立病院機構、独立行政法人労働者健康安全機構及び国その他の法人が開設する医療機関であって厚生労働省令で定めるもの（以下「公的医療機関等」という。）並びに地域医療支援病院（同法第四条第一項の地域医療支援病院をいう。以下同じ。）及び特定機能病院（同法第四条の二第一項の特定機能病院をいう。以下同じ。）の管理者に対し、次に掲げる措置のうち新型インフルエンザ等感染症等発生等公表期間において当該医療機関が講ずべきもの（第一号から第五号までに掲げる措置にあっては、新型インフルエンザ等感染症、指定感染症又は新感染症に係る医療を提供する体制の確保に必要な措置を迅速かつ適確に講ずるものとして、厚生労働省令で定めるものに限る。）及び当該措置に要する費用の負担の方法その他の厚生労働省令で定める事項について、通知するものとする。

一　新型インフルエンザ等感染症若しくは指定感染症の患者又は新感染症の所見がある者を入院させ、必要な医療を提供すること。

二　新型インフルエンザ等感染症若しくは指定感染症の疑似症患者若しくは当該感染症にかかっていると疑うに足りる正当な理由のある者又は新感染症にかかっていると疑われる者若しくは当該新感染症にかかっていると疑うに足りる正当な理由のある者の診療を行うこと。

三　第四十四条の三の二第一項（第四十四条の九第一項の規定に基づく政令によって準用される場合を含む。）又は第五十条の三第一項の厚生労働省令で定める医療を提供すること及び第四十四条の三第二項（第四十四条の九第一項の規定に基づく政令によって準用される場合を含む。）又は第五十条の二第二項の規定により新型インフルエンザ等感染症若しくは指定感染症の患者又は新感染症の所見がある者の体温その他の健康状態の報告を求めること。

四　前三号に掲げる措置を講ずる医療機関に代わって新型インフルエンザ等感染症若しくは指定感染症の患者又は新感染症の所見がある者以外の患者に対し、医療を提供すること。

五　第四十四条の四の二第一項に規定する新型インフルエンザ等感染症医療担当従事者、同項に規定する新型インフルエンザ等感染症予防等業務関係者、第四十四条の八において読み替えて準用する同項に規定する指定感染症医療担当従事者、同条において読み替えて準用する同項に規定する指定感染症予防等業務関係者、第五十一条の二第一項に規定する新感染症医療担当従事者又は同項に規定する新感染症予防等業務関係者を確保し、医療機関その他の機関に派遣すること。

六　その他厚生労働省令で定める措置を実施すること。

2　公的医療機関等並びに地域医療支援病院及び特定機能病院の管理者は、前項の規定による通知を受けたときは、当該通知に基づく措置を講じなければならない。

3　都道府県知事は、第一項の規定による通知をしたときは、厚生労働省令で定めるところにより、当該通知の内容を公表するものとする。

（医療機関の協定の締結等）

第三十六条の三　都道府県知事は、新型インフルエンザ等感染症等発生等公表期間に新型インフルエンザ等感染症、指定感染症又は新感染症に係る医療を提供する体制の確保に必要な措置を迅速かつ適確に講ずるため、当該都道府県知事が管轄する区域内にある医療機関の管理者と協議し、合意が成立したときは、厚生労働省令で定めるところにより、次に掲げる事項をその内容に含む協定（以下「医療措置協定」という。）を締結するものとする。

一　前条第一項各号に掲げる措置のうち新型インフルエンザ等感染症等発生等公表期間において当該医療機関が講ずべきもの

二　第五十三条の十六第一項に規定する個人防護具の備蓄の実施について定める場合にあっては、その内容
三　前二号の措置に要する費用の負担の方法
四　医療措置協定の有効期間
五　医療措置協定に違反した場合の措置
六　その他医療措置協定の実施に関し必要な事項として厚生労働省令で定めるもの

2　前項の規定による協議を求められた医療機関の管理者は、その求めに応じなければならない。

3　都道府県知事は、医療機関の管理者と医療措置協定を締結することについて第一項の規定による協議が調わないときは、医療法第七十二条第一項に規定する都道府県医療審議会の意見を聴くことができる。

4　都道府県知事及び医療機関の管理者は、前項の規定による都道府県医療審議会の意見を尊重しなければならない。

5　都道府県知事は、医療措置協定を締結したときは、厚生労働省令で定めるところにより、当該医療措置協定の内容を公表するものとする。

6　前各項に定めるもののほか、医療措置協定の締結に関し必要な事項は、厚生労働省令で定める。

（都道府県知事の指示等）

第三十六条の四　都道府県知事は、公的医療機関等の管理者が、正当な理由がなく、次に掲げる措置を講じていないと認めるときは、当該管理者に対し、当該措置をとるべきことを指示することができる。

一　第三十六条の二第一項の規定による通知に基づく措置
二　当該公的医療機関等が医療措置協定を締結している場合にあっては、当該医療措置協定に基づく措置
2　都道府県知事は、医療機関（公的医療機関等を除く。以下この条において同じ。）の管理者が、正当な理由がなく、次に掲げる措置を講じていないと認めるときは、当該管理者に対し、当該措置をとるべきことを勧告することができる。
一　第三十六条の二第一項の規定による通知に基づく措置
二　当該医療機関が医療措置協定を締結している場合にあっては、当該医療措置協定に基づく措置
3　都道府県知事は、医療機関の管理者が、正当な理由がなく、前項の規定による勧告に従わない場合において必要があると認めるときは、当該管理者に対し、必要な指示をすることができる。
4　都道府県知事は、第一項又は前項の規定による指示をした場合において、これらの指示を受けた公的医療機関等又は医療機関の管理者が、正当な理由がなく、これに従わなかったときは、その旨を公表することができる。

（医療措置協定に基づく措置の実施の状況の報告等）

第三十六条の五　都道府県知事は、必要があると認めるときは、厚生労働省令で定めるところにより、公的医療機関等又は地域医療支援病院若しくは特定機能病院の管理者に対し、次に掲げる事項について報告を求めることができる。
一　第三十六条の二第一項の規定による通知に基づく措置の実施の状況及び当該措置に係る当該医療機

関の運営の状況その他の事項

二　当該医療機関が医療措置協定を締結している場合にあっては、当該医療措置協定に基づく措置の実施の状況及び当該措置に係る当該医療機関の運営の状況その他の事項

2　都道府県知事は、必要があると認めるときは、厚生労働省令で定めるところにより、医療措置協定を締結した医療機関（前項に規定する医療機関を除く。）の管理者に対し、当該医療措置協定に基づく措置の実施の状況及び当該措置に係る当該医療機関の運営の状況その他の事項について報告を求めることができる。

3　医療機関の管理者は、前二項の規定による都道府県知事からの報告の求めがあったときは、正当な理由がある場合を除き、速やかに、第一項各号に掲げる事項又は前項に規定する事項を報告しなければならない。

4　前項の規定による報告を受けた都道府県知事は、当該報告の内容を、電磁的方法（電子情報処理組織を使用する方法その他の情報通信の技術を利用する方法であって厚生労働省令で定めるものをいう。次項及び第六項において同じ。）により厚生労働大臣に報告するとともに、公表しなければならない。

5　第三項の規定による報告をすべき医療機関（厚生労働省令で定める感染症指定医療機関に限る。）の管理者は、電磁的方法であって、当該報告の内容を前項の規定による報告をすべき者及び当該報告を受けるべき者が閲覧することができるものにより当該報告を行わなければならない。

6　第三項の規定による報告をすべき医療機関（前項の厚生労働省令で定める感染症指定医療機関を除く。）の管理者は、電磁的方法であって、当該報告の内容を第四項の規定による報告をすべき者及び当

該報告を受けるべき者が閲覧することができるものにより当該報告を行うよう努めなければならない。

7　第三項の規定による報告をすべき医療機関の管理者が、前二項に規定する方法により報告を行ったときは、当該報告を受けた都道府県知事は、第四項の規定による報告を行ったものとみなす。

8　厚生労働大臣は、第四項の規定による報告（前項の規定により報告を行ったものとみなされた場合を含む。次項、第四十四条の四の二第四項及び第五十一条の二第四項において同じ。）を受けた第一項各号に掲げる事項又は第二項に規定する事項について、必要があると認めるときは、当該都道府県知事に対し、必要な助言又は援助をすることができる。

9　厚生労働大臣は、第四項の規定による報告を受けたとき、又は前項の規定による助言若しくは援助をしたときは、必要に応じ、厚生労働省令で定めるところにより、その内容を公表するものとする。

〔解　説〕

《公的医療機関等並びに特定機能病院及び地域医療支援病院への医療提供義務について》

○　都道府県知事は、当該都道府県知事が管轄する区域内にある公的医療機関等並びに特定機能病院及び地域医療支援病院（以下「提供義務医療機関」という。）に対し、感染症発生及びまん延時において次に掲げる措置のうち当該医療機関が講ずべきもの（新型インフルエンザ等感染症、指定感染症又は新感染症に係る医療を提供する体制の確保に必要な措置を迅速かつ適確に講ずるものとして厚生労働省令で定めるものに限る。）（※）等について、通知することとしている（第三十六条の二第一項）。

※　措置の内容としては、感染症患者の入院に対応する病床の確保（感染症疑い患者の受入病床の確保を含む。）、発熱外来、自宅療養者等（高齢者施設等への入所者を含む。）への医療の提供、感染症対応医療機関の医療機関に代わって感

染症患者以外の患者の受け入れ（回復患者の転院受け入れ又は病床の確保の協定を締結している医療機関に代わっての一般患者の受け入れを想定。）や医療人材の派遣のうち都道府県の区域内の各地域における感染症の患者に対する医療の状況を勘案して当該地域に所在する医療機関の機能等に応じ講ずる必要があるものとして都道府県知事が認めるもの（感染症の予防及び感染症の患者に対する医療に関する法律等の一部を改正する法律の施行に伴う厚生労働省関係省令の整備等に関する省令（令和五年厚生労働省令第七十九号）による、改正後の感染症の予防及び感染症の患者に対する医療に関する法律施行規則（「令和五年改正省令」という。）第十九条の二第三項）である。また、今後新たな感染症が発生した際などにおいて、これ以外の内容の措置を講ずる必要がある場合には、厚生労働省令で定める措置を規定することも可能である。

○　提供義務医療機関は、都道府県知事から通知を受けたときは、当該通知に基づく措置を講じなければならないこととする（第三十六条の二第二項）。また、都道府県知事は、医療措置協定の内容の公表と併せて、通知の内容をインターネット等により公表する（同条第三項並びに令和五年改正省令第十九条の二第五項及び第六項）。

○　都道府県知事は、公的医療機関等の管理者が、正当な理由がなく、通知に基づく措置を講じていないと認める時は、当該措置を講ずるよう指示できる（第三十六条の四第一項第一号）。

○　都道府県知事は、特定機能病院又は地域医療支援病院の管理者が、正当な理由がなく、通知に基づく措置を講じていないと認める時は、当該措置を講ずるよう勧告できるものとし、これに従わない場合は指示できる（同条第二項第一号、第三項）。

○　都道府県知事は、これらの指示を受けた提供義務医療機関が当該指示に従わない場合、その旨を公表することができる（同条第四項）。

《協定の締結について》

○　都道府県知事は、当該都道府県知事の管轄する区域内における医療機関の管理者と協議し、合意が成立したときは、厚生労働省令で定めるところにより、次の内容を含む医療措置協定を締結する（第三十六条の三第一項）。

（協定の内容）

・　感染症法第三十六条の二第一項各号に掲げる措置のうち感染症発生及びまん延時において当該医療機関が講ずべきもの

・　個人防護具の備蓄の実施について定める場合にあっては、その内容

・　措置に要する費用の負担の方法

・　医療措置協定の有効期間

・　医療措置協定に違反した場合の措置　等（※）

※　令和五年厚生労働省令第七十九号による改正により、新型インフルエンザ等感染症等発生等公表期間以外の期間において実施する措置の必要な準備に関する事項、医療措置協定の変更に関する事項及びその他都道府県知事が必要と認める事項を規定（令和五年改正省令第十九条の三第二項）。

○　医療機関には、都道府県知事からの協議の求めに応じる義務を課している（第三十六条の三第二項）。

○　協定に関する協議が調わない場合、以下のとおりとなる。

・　都道府県知事は都道府県医療審議会（以下「医療審議会」という。）の意見を聴くことができる（※）（同条第三項）。

※　まずは内容に合意できない理由を記載した書面の提出を求め、その理由が十分でないと認めるときに、医療審議会に出席し、説明を求めることができるなど、具体的な手続きについては令和五年改正省令により規定している。

・　都道府県知事及び医療機関の管理者は、当該意見を尊重しなければならない（同条第四項）。

○　協議が調い、協定が締結された場合には、都道府県知事は、必要に応じ通知の内容の公表と併せて、その内容について

インターネット等により公表する（同条第五項並びに令和五年改正省令第十九条の三第三項及び第四項）。

《協定の履行確保措置について》

○　都道府県知事は、公的医療機関等の管理者が、正当な理由がなく、協定に基づく措置を講じていないと認めるときは、当該措置を講ずるよう指示及び公表することができる（第三十六条の四第一項第二号及び第四項）。

○　都道府県知事は、特定機能病院又は地域医療支援病院の管理者が、正当な理由がなく、協定に基づく措置を講じていないと認めるときは、当該措置を講ずるよう勧告でき、これに従わない場合は指示をすることができ、この指示に従わない場合は公表することができる（同条第二項第二号、第三項及び第四項）。

※　特定機能病院・地域医療支援病院については、当該指示に従わない場合は、これらの承認を取り消すことができる（医療法第二十九条第三項第九号及び第四項第九号）。

○　都道府県知事は、医療機関（提供義務医療機関を除く。）の管理者が、正当な理由がなく、協定に基づく措置を講じていないと認めるときは、当該措置を講ずるよう勧告でき、これに従わない場合は指示をすることができ、この指示に従わない場合は公表することができる（第三十六条の四第二項第二号、第三項及び第四項）。

《提供義務医療機関及び協定締結医療機関の協定に基づく措置の実施状況について》

○　都道府県知事は、提供義務医療機関及び協定を締結した医療機関に対し、通知又は協定に基づく措置の実施状況（協定に基づき確保した病床の稼働状況等）及び当該医療機関の通知又は協定に係る運営の状況（平時における設備の整備状況、医療人材に係る訓練状況等）の報告を求めることができ（第三十六条の五第一項及び第二項）、当該報告の求めがあったときは、医療機関の管理者は、正当な理由がある場合を除き、速やかに報告をしなければならないこととした（同条第三項）。また、都道府県知事は、当該医療機関から報告を受けた内容について、電磁的方法により厚生労働大臣に報告するとともに、公表しなければならない（同条第四項）。

○　協定を締結した医療機関のうち一定の感染症指定医療機関は、感染症発生及びまん延時において、都道府県や国に対し、通知又は医療措置協定に基づく措置の実施状況（協定に基づき確保した病床の稼働状況等）及び当該医療機関の通知又は医療措置協定に係る運営の状況（平時における設備の整備状況、医療人材に係る訓練状況等）（※）について、電磁的方法（具体的には、医療機関等情報支援システム（G－MIS））により報告することを義務づけ（同条第五項）、一定の感染症指定医療機関以外の協定を締結した医療機関については、電磁的方法による報告は努力義務となる。

※　医療機関の運営の状況を広く求めることは、当該医療機関が民間機関であること等を踏まえると適当ではないため、報告を求める範囲については、「当該措置に係る運営状況」として、限定する。

○　都道府県知事は、通知又は医療措置協定に基づく措置の実施状況及び医療機関の通知又は医療措置協定に係る運営の状況を厚生労働大臣に報告し、厚生労働大臣は、必要な助言又は援助を行う（第三十六条の五第八項）とともに、報告内容並びに助言及び援助をした場合にはその内容を公表する（同条第九項）。

○　加えて、病床の確保及び発熱外来の実施について、感染症発生初期から特に対応を行う医療機関に対しては、一定の経済的支援として流行初期医療確保措置を実施する（第六章第二節）。

（病原体等の検査を行っている機関等の協定の締結等）

第三十六条の六　都道府県知事等は、新型インフルエンザ等感染症等発生等公表期間に新型インフルエンザ等感染症、指定感染症又は新感染症に係る検査を提供する体制の確保、宿泊施設の確保その他の必要な措置を迅速かつ適確に講ずるため、病原体等の検査を行っている機関、宿泊施設その他厚生労働省令で定める機関又は施設（以下「病原体等の検査を行っている機関等」という。）の管理者と協議し、合意が成立したときは、厚生労働省令で定めるところにより、次に掲げる事項をその内容に含む協定（以下「検査等措置協定」という。）を締結するものとする。
一　次のイからハまでに掲げる病原体等の検査を行っている機関等の区分に応じ、当該病原体等の検査を行っている機関等が新型インフルエンザ等感染症等発生等公表期間において講ずべき措置として、当該イからハまでに定めるもの
イ　病原体等の検査を行っている機関　新型インフルエンザ等感染症若しくは指定感染症の疑似症患者若しくは当該感染症にかかっていると疑うに足りる正当な理由のある者若しくは新感染症にかかっていると疑われる者若しくは当該新感染症にかかっていると疑うに足りる正当な理由のある者の検体を採取すること又は当該検体について検査を実施すること。
ロ　宿泊施設　第四十四条の三第二項又は第五十条の二第二項に規定する宿泊施設を確保すること。
ハ　イ及びロに掲げるもの以外の機関又は施設　厚生労働省令で定める措置を実施すること。
二　第五十三条の十六第一項に規定する個人防護具の備蓄の実施について定める場合にあっては、その内容
三　前二号の措置に要する費用の負担の方法
四　検査等措置協定の有効期間
五　検査等措置協定に違反した場合の措置
六　その他検査等措置協定の実施に関し必要な事項として厚生労働省令で定めるもの
2　都道府県知事等は、検査等措置協定を締結したときは、厚生労働省令で定めるところにより、当該検

査等措置協定の内容を公表するものとする。

3　前二項に定めるもののほか、検査等措置協定の締結に関し必要な事項は、厚生労働省令で定める。

（都道府県知事等の指示等）

第三十六条の七　都道府県知事等は、検査等措置協定を締結した病原体等の検査を行っている機関等の管理者が、正当な理由がなく、当該検査等措置協定に基づく措置を講じていないと認めるときは、当該管理者に対し、当該措置をとるべきことを勧告することができる。

2　都道府県知事等は、病原体等の検査を行っている機関等の管理者が、正当な理由がなく、前項の規定による勧告に従わない場合において必要があると認めるときは、当該管理者に対し、必要な指示をすることができる。

3　都道府県知事等は、前項の規定による指示をした場合において、当該指示を受けた病原体等の検査を行っている機関等の管理者が、正当な理由がなく、これに従わなかったときは、その旨を公表することができる。

（検査等措置協定に基づく措置の実施の状況の報告等）

第三十六条の八　都道府県知事等は、必要があると認めるときは、厚生労働省令で定めるところにより、検査等措置協定を締結した病原体等の検査を行っている機関等の管理者に対し、当該検査等措置協定に基づく措置の実施の状況及び当該措置に係る当該病原体等の検査を行っている機関等の運営の状況その他の事項について報告を求めることができる。

2　病原体等の検査を行っている機関等の管理者は、前項の規定による都道府県知事等からの報告の求めがあったときは、正当な理由がある場合を除き、速やかに、同項に規定する事項を報告しなければならない。

３　前項の規定による報告を受けた都道府県知事は厚生労働大臣に対し、当該報告を受けた保健所設置市等の長は都道府県知事に対し、当該報告の内容を、それぞれ電磁的方法（電子情報処理組織を使用する方法その他の情報通信の技術を利用する方法であって厚生労働省令で定めるものをいう。）により報告するとともに、公表しなければならない。この場合において、当該報告を受けた都道府県知事は、速やかに、当該報告の内容を厚生労働大臣に報告しなければならない。

４　厚生労働大臣は都道府県知事に対し、都道府県知事は保健所設置市等の長に対し、それぞれ前項の規定による報告を受けた第一項に規定する事項について、必要があると認めるときは、必要な助言又は援助をすることができる。

５　厚生労働大臣は、第三項の規定による報告を受けたとき、又は前項の規定による助言若しくは援助をしたときは、必要に応じ、厚生労働省令で定めるところにより、その内容を公表するものとする。

〔解　説〕

《協定の締結について》

○　都道府県知事は、病原体等の検査を行っている機関、宿泊施設その他厚生労働省令で定める機関又は施設（※１）の管理者と協議し、その合意が成立したときは、感染症発生及びまん延時において講ずべき措置（※２）や個人防護具の備蓄について定める場合にあってはその内容、当該措置に係る費用負担、協定に違反した場合の措置等について定めた協定を締結する（第三十六条の六第一項）。

※１　都道府県知事と協定を結ぶ主体は民間検査機関等、宿泊施設等を想定。

※２　措置の内容としては、検体の採取や検査の実施、宿泊施設の確保を想定。また、今後新たな感染症が発生した場合に、これ以外の内容が必要となる場合が想定されることから、その他厚生労働省令で定める措置を実施することも可能である。

○　また、都道府県知事等は協定を締結したときは、当該協定の内容を公表する（同条第二項）。

《協定の履行確保措置について》

○　都道府県知事は、病原体等の検査を行っている機関等の管理者が、正当な理由がなく、協定に基づく措置を講じていないと認めるときは、当該措置を講ずるよう勧告でき（第三十六条の七第一項）、これに従わない場合は指示（同条第二項）、公表することができる（同条第三項）。

《病原体等の検査を行っている機関等の協定に基づく措置の実施状況について》

○　都道府県知事は、病原体等の検査を行っている機関等に対し、協定に基づく措置の実施状況及び当該病原体等の検査を行っている機関等の協定に係る運営の状況の報告を求めることができる（第三十六条の八第一項）。また、都道府県知事は当該病原体等の検査を行っている機関等から報告を受けた内容について、厚生労働大臣に報告しなければならない（同条第二項）。

○　都道府県知事（※１）は、協定に基づく措置の実施状況及び病原体等の検査を行っている機関等の協定に係る運営の状況を電磁的方法により厚生労働大臣に報告（同条第三項）し、厚生労働大臣は、必要な助言又は援助を行うことができる（同条第四項）とともに、その内容を公表（※２）することとする（同条第五項）。

※１　保健所設置市・特別区の長である場合は、都道府県知事に報告し、都道府県知事は厚生労働大臣にその内容を報告することとした。その上で、都道府県知事は必要な助言又は援助を行う。

※２　病原体等の検査を行っている機関等の運営の状況を広く求めることは、当該病原体等の検査を行っている機関等が民間機関であること等を踏まえると適当ではないため、報告を求める範囲については、「当該措置に係る当該病原体等の検査を行っている機関等の運営状況」として、限定する。

第二節　流行初期医療確保措置等

○　第六章第二節は流行初期医療確保措置等に関する規定であり、令和四年改正により新設された。

○　感染症の特性が明らかでなく、財政支援も十分に整備されていない感染症発生及びまん延時の初期段階において、地域において基幹的に当該感染症の対応にあたる医療機関については、

・　当該医療機関の病床や人材等の医療資源を、当該感染症の対応に集中的に投入することにより、当該感染症に係る医療以外の医療の提供を一定程度制限せざるを得ないこと

・　当該医療機関において、多くの感染症患者を受け入れることにより、感染を恐れた地域住民が当該医療機関の受診を控えること

等の理由により、当該医療機関の収入が一定程度落ち込むことが想定される。

○　これらの医療機関が経営上の不安を抱えることなく、継続して医療を提供し、感染症発生及びまん延時の初期段階から基幹的な役割を果たすことができるよう、流行初期医療確保措置として、当該医療機関が協定に基づき、患者の入院及び外来の対応を行ったことにより、当該対応を行った期間の診療報酬による収入が感染症まん延前の診療報酬による収入よりも下回った場合、その差額を支払うこととした。

○　具体的には、都道府県知事は、感染症の特性が明らかでない感染症発生及びまん延時の初期段階において、患者の入院等の対応（厚生労働大臣が定める基準を満たすものとする。）を行うことを内容とする協定等を締結した対象医療機関が、当該協定等に基づき感染症発生及びまん延時の初期段階の対応を行った場合であって、当該月の診療報酬による収入が感染症発生及びまん延時の前年同月の診療報酬による収入を下回ったときは、当該対象医療機関に対して、流行初期医療確保措置を行う。併せて、流行初期医療確保措置に係る事務は、社会保険診療報酬支払基金（以下「支払基金」という。）又は国民健康保険団体連合会（以下「国保連合会」という。）に委託することができることとした。

※　流行初期医療の確保に要する費用の額は、感染症発生及びまん延時の初期段階において、当該対象医療機関が当該協定等を講じた月の診療報酬による収入と、感染症発生及びまん延時の前年の同月の診療報酬による収入との差額に、自己負担及び公費負担医療に相当分を上乗せした割合（十分の八）を乗じた額について当該対象医療機関に支払う。

○　なお、流行初期医療確保措置は、補助金や診療報酬の上乗せ等による十分な財政支援が整備されるまでの感染症発生及びまん延時の初期段階に行うことを想定している。

○　また、流行初期医療確保措置に係る費用には、公費（国及び都道府県）及び公的医療保険の各保険者からの拠出金を充てる。感染症に対して必要な公衆衛生・医療提供体制を構築するための感染症法上の仕組みに対し、医療保険制度の保険者から費用を拠出させるのは、

・　被保険者でもある感染症患者が適切な医療提供（保険給付）を受ける前提となり、

・　感染症患者への適切な医療の提供は、経済活動の制限等の感染症対策を必要最小限に止めることで、適切な社会・経済活動の維持につながり、公的医療保険の適切な運営に資する上に、

・　他の疾患の被保険者を含めた公的医療保険の給付枠組みが維持される効果があることから、保険者にも受益があり、一部の費用を負担することに一定の合理性があるためである。

（流行初期医療確保措置）

第三十六条の九　都道府県知事は、新型インフルエンザ等感染症等に係る発生等の公表が行われた日の属する月から政令で定める期間が経過する日の属する月までの期間において、当該都道府県の区域内にある医療機関が第三十六条の二第一項第一号又は第二号に掲げる措置であって、新型インフルエンザ等感染症、指定感染症又は新感染症の発生後の初期の段階から当該感染症に係る医療を提供する体制を迅速かつ適確に構築するための措置として厚生労働省令で定める基準を満たすもの（以下この項及び次条において「医療協定等措置」という。）を講じたと認められる場合であって、当該医療機関（以下「対象医療機関」という。）が医療協定等措置を講じたと認められる日の属する月における当該対象医療機関の診療報酬の額として政令で定めるところにより算定した額が、新型インフルエンザ等感染症等に係る発生等の公表前の政令で定める月における当該対象医療機関の診療報酬の額として政令で定めるところにより算定した額を下回った場合には、当該対象医療機関に対し、当該感染症の流行初期における医療の確保に要する費用（以下「流行初期医療の確保に要する費用」という。）を支給する措置（以下「流行初期医療確保措置」という。）を行うものとする。

2　都道府県知事は、前項の規定による流行初期医療確保措置に係る事務を社会保険診療報酬支払基金（以下「支払基金」という。）又は国民健康保険団体連合会（以下「国保連合会」という。）に委託することができる。

〔解　説〕

○　第三十六条の九は、流行初期医療確保措置の要件、実施主体、対象医療機関、実施期間など、措置の内容に係る基本的な事項について規定した条文である。

○　都道府県知事は、新型インフルエンザ等感染症等に係る発生等の公表が行われた日の属する月から政令で定める期間が経過する日の属する月までの期間（※１）において、当該都道府県の区域内にある医療機関が、協定による措置のうち、入院に係る対応及び外来の診察に係る対応の措置であって、新型インフルエンザ等感染症、指定感染症又は新感染症の発生後の初期の段階から当該感染症に係る医療を提供する体制を迅速かつ適確に講ずるための措置として厚生労働省令で定める基準（※２）を満たすもの（以下「医療協定等措置」という。）を講じたと認められる場合、対象医療機関に対し、流行初期医療確保措置を行う（第三十六条の九第一項）。

※１　感染症法の規定による新型インフルエンザ等感染症等に係る発生等の公表が行われた日の属する月から、厚生労働大臣が全国一律で定める流行初期医療確保措置の実施期間が経過する日の属する月までの期間をいう。

※２　入院に係る措置については、病床を一定数以上確保し、その全てを流行初期から継続して対応する旨を内容とする協定その他これに相当する水準で都道府県知事が適当と認める内容の協定を締結していること等、また、外来診療に係る措置については、流行初期から、一定数以上、発熱患者を診察する旨を内容とする協定その他これに相当する水準で都道府県知事が適当と認める内容の協定を締結していること等（規則第十九条の七）。

○　詳細は後述するが、流行初期医療の確保に要する費用の額は医療機関の診療報酬を元に算定するため、支払額の決定及び医療機関への支払いは、審査支払機関（支払基金及び国保連合会をいう。以下同じ。）が行うことが効率的である。このため、都道府県知事は、流行初期医療確保措置に係る事務を審査支払機関に委託することができる（同条第二項）。

（流行初期医療の確保に要する費用の額）

第三十六条の十　流行初期医療の確保に要する費用の額は、新型インフルエンザ等感染症等に係る発生等の公表が行われた日の属する月から前条第一項の政令で定める期間が経過する日の属する月までの期間において、対象医療機関が医療協定等措置を講じたと認められる日の属する月における当該対象医療機関の診療報酬の額として同項の政令で定めるところにより算定した額と同項の政令で定める月における当該対象医療機関の診療報酬の額として同項の政令で定めるところにより算定した額との差額として政令で定めるところにより算定した額とする。

〔解　説〕

○　第三十六条の十は、流行初期医療の確保に要する費用の額について規定した条文である。流行初期医療の確保に要する費用の額は、流行初期医療確保措置の実施期間において、①対象医療機関が医療協定等措置を講じたと認められる日の属する月における当該医療機関の診療報酬の額として第三十六条の九第一項の政令で定めるところにより算定した額が、②同項の政令で定める月における当該医療機関の診療報酬の額として同項の政令で定めるところにより算定した額を下回った場合、その差額として政令で定めるところにより算定した額とする。

○　具体的には以下のとおりである。

（費用の支弁）

第三十六条の十一　都道府県は、流行初期医療確保措置に要する費用及び流行初期医療確保措置に関する事務の執行に要する費用を支弁する。

（国の交付金）

第三十六条の十二　国は、政令で定めるところにより、都道府県に対し、流行初期医療確保措置に要する

③流行初期医療の確保に要する費用の額

＝｛②流行前の同月の医療機関の診療報酬の収入額（自己負担分及び公費負担医療に係る部分を除いた医療保険としての給付部分に限る。以下同じ。）－①医療協定等措置を行った月の医療機関の診療報酬の収入額｝×自己負担分と公費負担医療分を補填するための係数（$\frac{10}{8}$（※））

※　自己負担分と公費負担医療分を補てんするための係数を$\frac{10}{8}$とする理由

・　医療機関の行った保険診療に対する報酬としては、大きく以下の収入に分けられる。

①　保険給付（被用者保険、国民健康保険、後期高齢者医療）

②　患者の自己負担（年齢、収入等に応じて、１～３割）

③　保険優先の公費負担医療（難病の医療費助成、障害の自立支援医療など）

④　公費優先の公費負担医療（生活保護、精神の措置入院など）

・　令和元年度のマクロでの国民医療費の実績ベースでは、

①　保険給付　80.5％

②　患者の自己負担　12.3％

③及び④　公費負担医療　7.3％

という比率になっているため、80.5％に$\frac{10}{8}$を乗じる（1.25倍）とおおむね100％になることから、当該係数は$\frac{10}{8}$としている。

費用の八分の三に相当する額を交付する。

（流行初期医療確保交付金）

第三十六条の十三　都道府県が第三十六条の十一の規定により支弁する流行初期医療確保措置に要する費用の二分の一に相当する額については、政令で定めるところにより、支払基金が当該都道府県に対して交付する流行初期医療確保交付金をもって充てる。

２　前項の流行初期医療確保交付金は、次条第一項の規定により支払基金が徴収する流行初期医療確保拠出金をもって充てる。

〔解　説〕

○　第三十六条の十一から十三までは、流行初期医療確保措置等の費用負担について規定した条文である。

○　流行初期医療確保措置を実施する都道府県は、「流行初期医療確保措置に要する費用」及び「流行初期医療確保措置に関する事務の執行に要する費用」（※）を支弁する（第三十六条の十一）。

※　「流行初期医療確保措置に関する事務の執行に要する費用」については、感染症法第三十六条の九第二項に基づいて、都道府県知事が審査支払機関に対して流行初期医療確保措置に係る事務を委託した場合における委託費を想定。

○　都道府県の負担を軽減するため、国は、政令で定めるところにより、都道府県に対し、流行初期医療確保措置に要する費用の八分の三に相当する額を交付する（第三十六条の十二）。

○　都道府県が支弁する流行初期医療確保措置に要する費用の二分の一に相当する額については、政令で定めるところにより、支払基金が当該都道府県に対して交付する流行初期医療確保交付金をもって充てる。流行初期医療確保交付金は、支払基金が徴収する流行初期医療確保拠出金をもって充てる（第三十六条の十三）。

（流行初期医療確保拠出金等の徴収及び納付義務）

第三十六条の十四　支払基金は、第三十六条の二十五第一項各号（第三号及び第四号を除く。）に掲げる業務に要する費用に充てるため、新型インフルエンザ等感染症等に係る発生等の公表が行われた日の属する月から第三十六条の九第一項の政令で定める期間が経過する日の属する月までの期間において、流行初期医療確保措置が実施された月ごとに、高齢者の医療の確保に関する法律（昭和五十七年法律第八十号）第七条第二項に規定する保険者（国民健康保険法（昭和三十三年法律第百九十二号）の定めるところにより都道府県が当該都道府県内の市町村とともに行う国民健康保険にあっては、都道府県）及び高齢者の医療の確保に関する法律第四十八条に規定する後期高齢者医療広域連合（以下「保険者等」という。）から流行初期医療確保拠出金を徴収する。

2　支払基金は、第三十六条の二十五第一項各号（第三号及び第四号を除く。）に掲げる業務に関する事務の処理に要する費用に充てるため、年度ごとに、保険者等から流行初期医療確保関係事務費拠出金を徴収する。

3　保険者等は、流行初期医療確保拠出金及び流行初期医療確保関係事務費拠出金（以下「流行初期医療確保拠出金等」という。）を納付する義務を負う。

（流行初期医療確保拠出金の額）

第三十六条の十五　前条第一項の規定により保険者等から徴収する流行初期医療確保拠出金の額は、新型インフルエンザ等感染症等に係る発生等の公表が行われた日の属する月から第三十六条の九第一項の政令で定める期間が経過する日の属する月までの期間において、流行初期医療確保措置が実施された月における流行初期医療確保措置に要する費用の二分の一に相当する額を基礎として、厚生労働省令で定めるところにより算定した保険者等に係る対象医療機関に対する診療報酬の支払額の割合に応じ、厚生労働省令で定めるところにより算定した額とする。

（流行初期医療確保関係事務費拠出金の額）

第三十六条の十六　第三十六条の十四第二項の規定により保険者等から徴収する流行初期医療確保関係事務費拠出金の額は、毎年度における第三十六条の二十五第一項各号（第三号及び第四号を除く。）に掲げる業務に関する事務の処理に要する費用の見込額を基礎として、厚生労働省令で定めるところにより算定した当該年度における保険者等に係る高齢者の医療の確保に関する法律第七条第四項に規定する加入者及び同法第五十条に規定する後期高齢者医療の被保険者の見込数に応じ、厚生労働省令で定めるところにより算定した額とする。

（保険者の合併等の場合における流行初期医療確保拠出金等の額の特例）

第三十六条の十七　合併又は分割により成立した保険者（高齢者の医療の確保に関する法律第七条第二項に規定する保険者をいう。以下この条において同じ。）、合併又は分割後存続する保険者及び解散をした保険者の権利義務を承継した保険者に係る流行初期医療確保拠出金等の額の算定の特例については、政令で定める。

〔解　説〕

○　第三十六条の十四から十七までは、流行初期医療確保交付金等に充てる費用として、保険者等から拠出される流行初期医療確保拠出金等について規定した条文である。

○　支払基金は、

・　第三十六条の二十五第一項各号（第三号及び第四号を除く。）に掲げる業務に要する費用に充てるため、新型インフルエンザ等感染症等に係る発生等の公表が行われた日の属する月から第三十六条の九第一項の政令で定める期間が経過する日の属する月までの期間において、流行初期医療確保措置が実施された月ごとに、保険者等（高齢者の医療の確保に関する法律第七条第二項に規定する保険者（国民健康保険法の定めるところにより都道府県が当該都道府県内の市町村とともに行う国民健康保険にあっては、都道府県）及び高齢者の医療の確保に関する法律第四十八条に規定する後期高齢者医療広域連合）から、流行初期医療確保拠出金を徴収する（第三十六条の十四第一項）。

・　第三十六条の二十五第一項各号（第三号及び第四号を除く。）に掲げる業務に関する事務の処理に要する費用に充てるため、年度ごとに、保険者等から流行初期医療確保関係事務費拠出金を徴収する（第三十六条の十四第二項）。

○　保険者等から徴収する流行初期医療確保拠出金の額は、新型インフルエンザ等感染症等に係る発生等の公表が行われた日の属する月から第三十六条の九第一項の政令で定める期間が経過する日の属する月までの期間において、流行初期医療確保措置が実施された月における流行初期医療確保措置に要する費用の二分の一に相当する額を基礎として、厚生労働省令で定めるところにより算定した保険者等に係る対象医療機関に対する診療報酬の支払額の割合に応じ、厚生労働省令で定めるところにより算定した額とする（第三十六条の十五）。

○　保険者等から徴収する流行初期医療確保関係事務費拠出金の額は、毎年度における第三十六条の二十五第一項各号（第三号及び第四号を除く。）に掲げる業務に関する事務の処理に要する費用の見込額を基礎として、厚生労働省令で定めるところにより算定した当該年度における保険者等に係る高齢者の医療の確保に関する法律第七条第四項に規定する加入者及び同法第五十条に規定する後期高齢者医療の被保険者の見込数に応じ、厚生労働省令で定めるところにより算定した額となる（第三十六条の十六）。

○　合併又は分割により成立した保険者（高齢者の医療の確保に関する法律第七条第二項に規定する保険者をいう。以下第三十六条の十七において同じ。）、合併又は分割後存続する保険者及び解散をした保険者の権利義務を承継した保険者に係る流行初期医療確保拠出金等の額の算定の特例については、政令で定める（第三十六条の十七）。

（流行初期医療確保拠出金等の決定、通知等）

第三十六条の十八　支払基金は、新型インフルエンザ等感染症等に係る発生等の公表が行われた日の属する月から第三十六条の九第一項の政令で定める期間が経過する日の属する月までの期間において、流行初期医療確保措置が実施された月ごとに、保険者等が納付すべき流行初期医療確保拠出金の額を決定し、当該保険者等に対し、当該保険者等が納付すべき流行初期医療確保拠出金の額、納付の方法及び納付すべき期限その他必要な事項を通知しなければならない。

２　支払基金は、年度ごとに、保険者等が納付すべき流行初期医療確保関係事務費拠出金の額を決定し、当該保険者等に対し、当該保険者等が納付すべき流行初期医療確保関係事務費拠出金の額、納付の方法及び納付すべき期限その他必要な事項を通知しなければならない。

３　前二項の規定により流行初期医療確保拠出金等の額が定められた後、流行初期医療確保拠出金等の額を変更する必要が生じたときは、支払基金は、当該保険者等が納付すべき流行初期医療確保拠出金等の額を変更し、当該保険者等に対し、変更後の流行初期医療確保拠出金等の額を通知しなければならない。

4　支払基金は、保険者等が納付した流行初期医療確保拠出金等の額（以下この項において「納付した額」という。）が前項の規定による変更後の流行初期医療確保拠出金等の額（以下この項において「変更後の額」という。）に満たない場合には、その不足する額について、前項の規定による通知とともに納付の方法及び納付すべき期限その他必要な事項を通知し、納付した額が変更後の額を超える場合には、その超える額について、未納の流行初期医療確保拠出金等があるときはこれに充当し、なお残余があれば還付し、未納の流行初期医療確保拠出金等がないときはこれを還付しなければならない。

〔解　説〕

○　第三十六条の十八は、流行初期医療確保拠出金等の決定、通知等の手続きについて規定した条文である。

○　支払基金は、

・　新型インフルエンザ等感染症等に係る発生等の公表が行われた日の属する月から第三十六条の九第一項の政令で定める期間が経過する日の属する月までの期間において、流行初期医療確保措置が実施された月ごとに、当該保険者等が納付すべき流行初期医療確保拠出金の額を決定し、当該保険者等に対し、その者が納付すべき流行初期医療確保拠出金の額、納付の方法及び納付すべき期限その他必要な事項を通知しなければならない（第一項）。

・　年度ごとに、保険者等が納付すべき流行初期医療確保関係事務費拠出金の額を決定し、当該保険者等に対し、当該保険者等が納付すべき流行初期医療確保関係事務費拠出金の額、納付の方法及び納付すべき期限その他必要な事項を通知しなければならない（第二項）。

○　流行初期医療確保拠出金等の額が定められた後、当該額を変更する必要が生じたときは、支払基金は、当該保険者等が納付すべき流行初期医療確保拠出金等の額を変更し、当該保険者等に対し、変更後の流行初期医療確保拠出金等を通知しなければならない（第三項）。

○　支払基金は、保険者等が納付した流行初期医療確保拠出金等の額が、

・　変更後の流行初期医療確保拠出金等の額（以下「変更後の額」という。）に満たない場合には、その不足する額について、変更後の額の通知とともに、納付の方法及び納付すべき期限その他必要な事項を通知し、

・　変更後の額を超える場合には、その超える額について、未納の流行初期医療確保拠出金等があるときはこれに充当し、なお残余があれば還付し、未納がないときはこれを還付しなければならない（第四項）。

（督促及び滞納処分）

第三十六条の十九　支払基金は、保険者等が、納付すべき期限までに流行初期医療確保拠出金等を納付しないときは、期限を指定してこれを督促しなければならない。

２　支払基金は、前項の規定により督促をするときは、当該保険者等に対し、督促状を発する。この場合において、督促状により指定すべき期限は、督促状を発する日から起算して十日以上経過した日でなければならない。

３　支払基金は、第一項の規定による督促を受けた保険者等がその指定期限までにその督促に係る流行初期医療確保拠出金等及び次条の規定による延滞金を完納しないときは、政令で定めるところにより、その徴収を、厚生労働大臣又は都道府県知事に請求するものとする。

４　前項の規定による徴収の請求を受けたときは、厚生労働大臣又は都道府県知事は、国税滞納処分の例

により処分することができる。

（延滞金）

第三十六条の二十　前条第一項の規定により流行初期医療確保拠出金等の納付を督促したときは、支払基金は、その督促に係る流行初期医療確保拠出金等の額につき年十四・五パーセントの割合で、納付期日の翌日からその完納又は財産差押えの日の前日までの日数により計算した延滞金を徴収する。ただし、その督促に係る流行初期医療確保拠出金等の額が千円未満であるときは、この限りでない。

2　前項の場合において、流行初期医療確保拠出金等の額の一部につき納付があったときは、その納付の日以降の期間に係る延滞金の額の計算の基礎となる流行初期医療確保拠出金等の額は、その納付のあった流行初期医療確保拠出金等の額を控除した額とする。

3　延滞金の計算において、前二項の流行初期医療確保拠出金等の額に千円未満の端数があるときは、その端数は、切り捨てる。

4　前三項の規定によって計算した延滞金の額に百円未満の端数があるときは、その端数は、切り捨てる。

5　延滞金は、次の各号のいずれかに該当する場合には、徴収しない。ただし、第三号の場合には、その執行を停止し、又は猶予した期間に対応する部分の金額に限る。

一　督促状に指定した期限までに流行初期医療確保拠出金等を完納したとき。

二　延滞金の額が百円未満であるとき。

三　流行初期医療確保拠出金等について滞納処分の執行を停止し、又は猶予したとき。

四　流行初期医療確保拠出金等を納付しないことについてやむを得ない理由があると認められるとき。

（納付の猶予）

第三十六条の二十一　支払基金は、やむを得ない事情により、保険者等が流行初期医療確保拠出金等を納付することが著しく困難であると認められるときは、厚生労働省令で定めるところにより、当該保険者等の申請に基づき、厚生労働大臣の承認を受けて、その納付すべき期限から一年以内の期間を限り、その一部の納付を猶予することができる。

２　支払基金は、前項の規定による猶予をしたときは、その旨、その猶予に係る流行初期医療確保拠出金等の額、猶予期間その他必要な事項を保険者等に通知しなければならない。

３　支払基金は、第一項の規定による猶予をしたときは、その猶予期間内は、その猶予に係る流行初期医療確保拠出金等につき新たに第三十六条の十九第一項の規定による督促及び同条第三項の規定による徴収の請求をすることができない。

〔解　説〕

○　第三十六条の十九から第三十六条の二十一は、流行初期医療確保拠出金等の支払を滞納した場合の履行確保措置等について規定した条文である。

《督促及び滞納処分（第三十六条の十九）》

○　支払基金は、保険者等が、納付すべき期限までに流行初期医療確保拠出金等を納付しないときは、期限を指定してこれを督促しなければならない（第一項）。

○　支払基金は、前記の督促をするときは、当該保険者等に対し、督促状を発する。この場合において、督促状により指定すべき期限は、督促状を発する日から起算して十日以上経過した日でなければならない（第二項）。

○　支払基金は、前記の督促を受けた保険者等がその指定期限までに、その督促に係る流行初期医療確保拠出金等及び次に説明する延滞金を完納しないときは、政令で定めるところにより、その徴収を、厚生労働大臣又は都道府県知事に請求する（第三項）。

○　前記の徴収の請求を受けたときは、厚生労働大臣又は都道府県知事は、国税滞納処分の例により処分することができる（第四項）。

《延滞金（第三十六条の二十）》

○　流行初期医療確保拠出金等の納付を督促したときは、支払基金は、その督促に係る流行初期医療確保拠出金等の額につき年一四・五％の割合（※）で、納付期日の翌日からその完納又は財産差押えの日の前日までの日数により計算した延滞金を徴収する。その督促に係る流行初期医療確保拠出金等の額が千円未満であるときは、この限りでない（第一項）。

※　当分の間、各年の延滞税特例基準割合（租税特別措置法（昭和三十二年法律第二十六号）第九十四条第一項に規定する延滞税特例基準割合をいう。）が年七・二パーセントの割合に満たない場合には、その年中においては、当該延滞税特例基準割合に年七・三パーセントの割合を加算した割合とする（附則第十五条）。

○　延滞金を徴収する場合において、流行初期医療確保拠出金等の額の一部につき納付があったときは、その納付の日以降の期間に係る延滞金の額の計算の基礎となる流行初期医療確保拠出金等の額は、その納付のあった流行初期医療確保拠出金等の額を控除した額とする（第二項）。

○　延滞金の計算において、流行初期医療確保拠出金等の額に千円未満の端数があるときは、その端数は、切り捨て（第三項）、延滞金の額に百円未満の端数があるときは、その端数は、切り捨てる（第四項）。

○　延滞金は、次のいずれかに該当する場合には、徴収しない。ただし、③の場合には、その執行を停止し、又は猶予した期間に対応する部分の金額に限る（第五項）。

①　督促状に指定した期限までに流行初期医療確保拠出金等を完納したとき。

②　延滞金の額が百円未満であるとき。

③　流行初期医療確保拠出金等について滞納処分の執行を停止し、又は猶予したとき。

④　流行初期医療確保拠出金等を納付しないことについてやむを得ない理由があると認められるとき。

《納付の猶予（第三十六条の二十一）》

○　支払基金は、やむを得ない事情により、保険者等が流行初期医療確保拠出金等を納付することが著しく困難であると認められるときは、厚生労働省令で定めるところにより、当該保険者等の申請に基づき、厚生労働大臣の承認を受けて、その納付すべき期限から一年以内の期間を限り、その一部の納付を猶予することができる（第一項）。

○　支払基金は、流行初期医療確保拠出金等の納付の猶予をしたときは、その旨、その猶予に係る流行初期医療確保拠出金等の額、猶予期間その他必要な事項を保険者等に通知しなければならない（第二項）。

○　支払基金は、流行初期医療確保拠出金等の納付の猶予をしたときは、その猶予期間内は、その猶予に係る流行初期医療確保拠出金等につき新たに督促及び徴収の請求をすることができない（第三項）。

（報告の徴収等）

第三十六条の二十二　厚生労働大臣又は都道府県知事は、保険者等に対し、流行初期医療確保拠出金等の額の算定に関して必要があると認めるときは、その業務に関する報告を徴し、又は当該職員に実地にその状況を検査させることができる。

2　第三十五条第二項及び第三項の規定は、前項の規定による検査について準用する。

〔解　説〕

○　第三十六条の二十二は、流行初期医療確保拠出金等に係る報告の徴収等について規定した条文である。

○　厚生労働大臣又は都道府県知事は、保険者等に対し、流行初期医療確保拠出金等の額の算定に関して必要があると認めるときは、その業務に関する報告を徴し、又は当該職員に実地にその状況を検査させることができる（第一項）。

○　当該報告の徴収又は立入検査を行う場合においては、当該職員は、その身分を示す証明書を携帯し、かつ、関係人の請求があるときは、これを提示しなければならない。

○　当該報告の徴収及び立入検査の権限は、犯罪捜査のために認められたものと解釈してはならない（第二項）。

（流行初期医療の確保に要する費用の返納）

第三十六条の二十三　対象医療機関は、新型インフルエンザ等感染症等に係る発生等の公表が行われた日の属する月から第三十六条の九第一項の政令で定める期間が経過する日の属する月までの期間において、流行初期医療確保措置が実施された月における当該対象医療機関の診療報酬及び流行初期医療の確保に要する費用に係る収入その他政令で定める収入の合計額が、同項の政令で定める月における当該対象医療機関の診療報酬の額として同項の政令で定めるところにより算定した額を上回った場合には、その差額として政令で定める額（以下この条及び第三十六条の二十五第一項第四号において「返納金」という。）を都道府県に返納しなければならない。
２　前項の規定により返納金が返納された場合には、都道府県は、当該返納金の合計の八分の三に相当する額を国に返還するとともに、当該返納金の合計の二分の一に相当する額を第三十六条の十四第一項の規定により保険者等から徴収した流行初期医療確保拠出金の額に応じて保険者等に還付しなければならない。
３　都道府県は、第一項の規定による返納金の返納に係る事務及び前項の規定による保険者等への還付に係る事務を支払基金又は国保連合会に委託することができる。
４　第三十六条の十九から前条までの規定は、第一項に規定する流行初期医療の確保に要する費用の返納について準用する。この場合において、必要な技術的読替えは、政令で定める。

〔解　説〕

○　第三十六条の二十三は、対象医療機関が、流行初期医療確保措置に係る感染症と同じ感染症に関して補助金を受けた場合の、流行初期医療の確保に要する費用の返納について規定した条文である。

○　対象医療機関は、新型インフルエンザ等感染症等に係る発生等の公表が行われた日の属する月から第三十六条の九第一項の政令で定める期間が経過する日の属する月までの期間において、流行初期医療確保措置が実施された月における対象医療機関の診療報酬及び流行初期医療の確保に要する費用に係る収入と、補助金等その他政令で定める収入の合計額が、同項の政令で定める月における当該医療機関の診療報酬の額として同項の政令で定めるところにより算定した額を上回った場合には、その差額として政令で定める額（以下「返納金」という。）を都道府県に返納しなければならない（第一項）。

○　返納金が返納された場合には、都道府県は、当該返納金の合計の八分の三に相当する額を国に返還するとともに、当該返納金の合計の二分の一に相当する額を流行初期医療確保拠出金の額に応じて保険者等に還付しなければならない（第二項）。

○　都道府県は、返納金の返納に係る事務及び保険者等への還付に係る事務を審査支払機関に委託することができる（第三項）。

○　流行初期医療確保拠出金等に係る督促、滞納処分、延滞金、納付の猶予及び報告の徴収等に関する規定を、流行初期医療の確保に要する費用の返納について準用する（第四項）。

（流行初期医療の確保に要する費用の返還）

第三十六条の二十四　都道府県知事は、第三十六条の四第一項又は第三項の規定による指示をした場合において、これらの指示を受けた対象医療機関の管理者が、正当な理由がなく、これに従わなかったときは、当該対象医療機関に対し、既に交付した流行初期医療の確保に要する費用の全部又は一部の返還を命ずることができる。

2　第三十六条の十九から第三十六条の二十二まで並びに前条第二項及び第三項の規定は、前項に規定する流行初期医療の確保に要する費用の返還について準用する。この場合において、必要な技術的読替えは、政令で定める。

〔解　説〕

○　第三十六条の二十四は、流行初期医療の確保に要する費用の返還について規定した条文である。

○　都道府県知事は、対象医療機関の管理者に対して当該措置をとるべきことを指示した場合において、当該指示を受けた当該対象医療機関の管理者が、正当な理由なく、これに従わなかったときは、当該対象医療機関に対し、既に交付した流行初期医療の確保に要する費用の全部又は一部の返還を命ずることができる（第一項）。

○　流行初期医療確保拠出金等に係る督促、滞納処分、延滞金、納付の猶予及び報告の徴収等並びに流行初期医療の確保に要する費用の返納（第三十六条の二十三第二項及び第三項に係る部分に限る。）に関する規定を、流行初期医療の確保に要する費用の返還について準用する（第二項）。

（支払基金の業務）

第三十六条の二十五　支払基金は、社会保険診療報酬支払基金法（昭和二十三年法律第百二十九号）第十五条に規定する業務のほか、第一条に規定する目的を達成するため、次に掲げる業務（以下「流行初期医療確保措置関係業務」という。）を行う。

一　保険者等から流行初期医療確保拠出金等を徴収すること。

二　都道府県に対し、流行初期医療確保交付金を交付すること。

三　第三十六条の九第二項の規定により都道府県知事から委託された流行初期医療確保措置に係る事務を行うこと。

四　第三十六条の二十三第三項（前条第二項において準用する場合を含む。）の規定により都道府県から委託された返納金の返納に係る事務及び保険者等への還付に係る事務並びに流行初期医療の確保に要する費用の返還に係る事務を行うこと。

五　前各号に掲げる業務に附帯する業務を行うこと。

2　支払基金は、厚生労働大臣の認可を受けて、流行初期医療確保措置関係業務の一部を国保連合会その他厚生労働省令で定める者に委託することができる。

（業務方法書）

第三十六条の二十六　支払基金は、流行初期医療確保措置関係業務に関し、当該業務の開始前に、業務方法書を作成し、厚生労働大臣の認可を受けなければならない。これを変更するときも、同様とする。

2　前項の業務方法書に記載すべき事項は、厚生労働省令で定める。

（報告等）

第三十六条の二十七　支払基金は、保険者等に対し、毎年度、加入者数その他の厚生労働省令で定める事項に関する報告を求めるほか、第三十六条の二十五第一項第一号に掲げる業務に関し必要があると認めるときは、文書その他の物件の提出を求めることができる。

（区分経理）

第三十六条の二十八　支払基金は、流行初期医療確保措置関係業務に係る経理については、その他の業務に係る経理と区分して、特別の会計を設けて行わなければならない。

（予算等の認可）

第三十六条の二十九　支払基金は、流行初期医療確保措置関係業務に関し、毎事業年度、予算、事業計画

及び資金計画を作成し、当該事業年度の開始前に、厚生労働大臣の認可を受けなければならない。これを変更するときも、同様とする。

（財務諸表等）

第三十六条の三十　支払基金は、流行初期医療確保措置関係業務に関し、毎事業年度、財産目録、貸借対照表及び損益計算書（以下「財務諸表」という。）を作成し、当該事業年度の終了後三月以内に厚生労働大臣に提出し、その承認を受けなければならない。

２　支払基金は、前項の規定により財務諸表を厚生労働大臣に提出するときは、厚生労働省令で定めるところにより、これに当該事業年度の事業報告書及び予算の区分に従い作成した決算報告書並びに財務諸表及び決算報告書に関する監事の意見書を添付しなければならない。

３　支払基金は、第一項の規定による厚生労働大臣の承認を受けたときは、遅滞なく、財務諸表又はその要旨を官報に公告し、かつ、財務諸表及び附属明細書並びに前項の事業報告書、決算報告書及び監事の意見書を、主たる事務所に備えて置き、厚生労働省令で定める期間、一般の閲覧に供しなければならない。

（利益及び損失の処理）

第三十六条の三十一　支払基金は、流行初期医療確保措置関係業務に関し、毎事業年度、損益計算において利益を生じたときは、前事業年度から繰り越した損失を埋め、なお残余があるときは、その残余の額は、積立金として整理しなければならない。

２　支払基金は、流行初期医療確保措置関係業務に関し、毎事業年度、損益計算において損失を生じたときは、前項の規定による積立金を減額して整理し、なお不足があるときは、その不足額は繰越欠損金として整理しなければならない。
3　支払基金は、予算をもって定める金額に限り、第一項の規定による積立金を第三十六条の二十五第一項第二号から第四号までに掲げる業務に要する費用に充てることができる。

（借入金及び債券）

第三十六条の三十二　支払基金は、流行初期医療確保措置関係業務に関し、厚生労働大臣の認可を受けて、長期借入金若しくは短期借入金をし、又は債券を発行することができる。
2　前項の規定による長期借入金及び債券は、二年以内に償還しなければならない。
3　第一項の規定による短期借入金は、当該事業年度内に償還しなければならない。ただし、資金の不足のため償還することができないときは、その償還することができない金額に限り、厚生労働大臣の認可を受けて、これを借り換えることができる。
4　前項ただし書の規定により借り換えた短期借入金は、一年以内に償還しなければならない。
5　支払基金は、第一項の規定による債券を発行する場合においては、割引の方法によることができる。
6　第一項の規定による債券の債権者は、支払基金の財産について他の債権者に先立って自己の債権の弁済を受ける権利を有する。
7　前項の先取特権の順位は、民法（明治二十九年法律第八十九号）の規定による一般の先取特権に次ぐものとする。
8　支払基金は、厚生労働大臣の認可を受けて、第一項の規定による債券の発行に関する事務の全部又は一部を銀行又は信託会社に委託することができる。

9　会社法（平成十七年法律第八十六号）第七百五条第一項及び第二項並びに第七百九条の規定は、前項の規定により委託を受けた銀行又は信託会社について準用する。

10　第一項、第二項及び第五項から前項までに定めるもののほか、第一項の債券に関し必要な事項は、政令で定める。

（政府保証）

第三十六条の三十三　政府は、法人に対する政府の財政援助の制限に関する法律（昭和二十一年法律第二十四号）第三条の規定にかかわらず、国会の議決を経た金額の範囲内で、支払基金による流行初期医療確保交付金の円滑な交付及び第三十六条の二十五第一項第三号に掲げる事務の実施のために必要があると認めるときは、前条の規定による支払基金の長期借入金、短期借入金又は債券に係る債務について、必要と認められる期間の範囲において、保証することができる。

（余裕金の運用）

第三十六条の三十四　支払基金は、次の方法によるほか、流行初期医療確保措置関係業務に係る業務上の余裕金を運用してはならない。

一　国債その他厚生労働大臣が指定する有価証券の保有

二　銀行その他厚生労働大臣が指定する金融機関への預金

三　信託業務を営む金融機関（金融機関の信託業務の兼営等に関する法律（昭和十八年法律第四十三号）第一条第一項の認可を受けた金融機関をいう。）への金銭信託

（協議）
第三十六条の三十五　厚生労働大臣は、次の場合には、あらかじめ、財務大臣に協議しなければならない。
一　第三十六条の三十二第一項、第三項ただし書又は第八項の認可をしようとするとき。
二　前条第一号又は第二号の規定による指定をしようとするとき。

（厚生労働省令への委任）
第三十六条の三十六　この節に定めるもののほか、流行初期医療確保措置関係業務に係る支払基金の財務及び会計に関し必要な事項は、厚生労働省令で定める。

（報告の徴収等）
第三十六条の三十七　厚生労働大臣又は都道府県知事は、支払基金又は第三十六条の二十五第二項の規定による委託を受けた者（以下この項及び第七十七条第二項において「受託者」という。）について、流行初期医療確保措置関係業務に関し必要があると認めるときは、その業務又は財産の状況に関する報告を徴し、又は当該職員に実地にその状況を検査させることができる。ただし、受託者に対しては、当該受託業務の範囲内に限る。
2　第三十五条第二項及び第三項の規定は、前項の規定による検査について準用する。
3　都道府県知事は、支払基金につき流行初期医療確保措置関係業務に関し社会保険診療報酬支払基金法第二十九条の規定による処分が行われる必要があると認めるとき、又は支払基金の理事長、理事若しくは監事につき流行初期医療確保措置関係業務に関し同法第十一条第二項若しくは第三項の規定による処分が行われる必要があると認めるときは、理由を付して、その旨を厚生労働大臣に通知しなければならない。

（社会保険診療報酬支払基金法の適用の特例）

第三十六条の三十八　流行初期医療確保措置関係業務は、社会保険診療報酬支払基金法第三十二条第二項の規定の適用については、同法第十五条に規定する業務とみなす。

（審査請求）

第三十六条の三十九　この法律に基づく支払基金の処分又はその不作為に不服のある者は、厚生労働大臣に対し、審査請求をすることができる。この場合において、厚生労働大臣は、行政不服審査法第二十五条第二項及び第三項、第四十六条第一項及び第二項、第四十七条並びに第四十九条第三項の規定の適用については、支払基金の上級行政庁とみなす。

〔解　説〕

○　第三十六条の二十五から第三十六条の三十九は、流行初期医療確保措置に係る支払基金の業務及びそれに付随する手続き等について規定した条文である。

《支払基金の業務（第三十六条の二十五）》

○　支払基金は、社会保険診療報酬支払基金法（以下「支払基金法」という。）第十五条に規定する業務のほか、次に掲げる業務（以下「流行初期医療確保措置関係業務」という。）を行うものとする（第一項）。

① 保険者等から流行初期医療確保拠出金等を徴収する。
② 都道府県に対し、流行初期医療確保交付金を交付する。
③ 第三十六条の九第二項の規定により都道府県知事から委託された流行初期医療確保措置に係る事務を行う。
④ 第三十六条の二十三第三項（第三十六条の二十四第二項において準用する場合を含む。）の規定により都道府県から委託された返納金の返納に係る事務及び保険者等への還付に係る事務並びに流行初期医療の確保に要する費用の返還に係る事務を行う。
⑤ ①から④に掲げる業務に附帯する業務を行う。

○ また、支払基金は、厚生労働大臣の認可を受けて、流行初期医療確保措置関係業務の一部を国保連合会や公益社団法人国民健康保険中央会に委託することができる（第二項）。

《業務方法書（第三十六条の二十六）》

○ 支払基金は、流行初期医療確保措置関係業務に関し、当該業務の開始前に、業務方法書を作成し、厚生労働大臣の認可を受けなければならず、これを変更するときも、同様とし、業務方法書に記載すべき事項は、厚生労働省令で定める。

《報告等（第三十六条の二十七）》

○ 支払基金は、保険者等に対し、毎年度、加入者数その他の厚生労働省令で定める事項に関する報告を求めるほか、保険者等から流行初期医療確保拠出金等を徴収する業務に関し必要があると認めるときは、文書その他の物件の提出を求めることができる。

《区分経理（第三十六条の二十八）》

○　支払基金は、流行初期医療確保措置関係業務に係る経理については、その他の業務に係る経理と区分して、特別の会計を設けて行わなければならない。

《予算等の認可（第三十六条の二十九）》

○　支払基金は、流行初期医療確保措置関係業務に関し、毎事業年度、予算、事業計画及び資金計画を作成し、当該事業年度の開始前に、厚生労働大臣の認可を受けなければならず、これを変更するときも、同様とする。

《財務諸表等（第三十六条の三十）》

○　支払基金は、流行初期医療確保措置関係業務に関し、毎事業年度、財産目録、貸借対照表及び損益計算書（以下「財務諸表」という。）を作成し、当該事業年度の終了後三か月以内に厚生労働大臣に提出し、その承認を受けなければならない（第一項）。

○　支払基金は、財務諸表を厚生労働大臣に提出するときは、厚生労働省令で定めるところにより、これに当該事業年度の事業報告書及び予算の区分に従い作成した決算報告書並びに財務諸表及び決算報告書に関する監事の意見書を添付しなければならない（第二項）。

○　支払基金は、財務諸表に係る厚生労働大臣の承認を受けたときは、遅滞なく、財務諸表又はその要旨を官報に公告し、かつ、財務諸表及び附属明細書並びに前記の事業報告書、決算報告書及び監事の意見書を、主たる事務所に備えて置き、厚生労働省令で定める期間、一般の閲覧に供しなければならない（第三項）。

《利益及び損失の処理（第三十六条の三十一）》

○　支払基金は、流行初期医療確保措置関係業務に関し、毎事業年度、損益計算において利益を生じたときは、前事業年度から繰り越した損失を埋め、なお残余があるときは、その残余の額は、積立金として整理しなければならない（第一項）。

○　支払基金は、流行初期医療確保措置関係業務に関し、毎事業年度、損益計算において損失を生じたときは、積立金を減額して整理し、なお不足があるときは、その不足額は繰越欠損金として整理しなければならない（第二項）。

○　支払基金は、予算をもって定める金額に限り、積立金を以下の業務に要する費用に充てることができる（第三項）。

・　都道府県に対し、流行初期医療確保交付金を交付すること。

・　第三十六条の九第二項の規定により都道府県知事から委託された流行初期医療確保措置に係る事務を行うこと。

・　第三十六条の二十三第三項（第三十六条の二十四第二項において準用する場合を含む。）の規定により都道府県から委託された返納金の返納に係る事務及び保険者等への還付に係る事務並びに流行初期医療の確保に要する費用の返還に係る事務を行うこと。

《借入金及び債券（第三十六条の三十二）》

○　支払基金は、流行初期医療確保措置関係業務に関し、厚生労働大臣の認可を受けて、長期借入金若しくは短期借入金をし、又は債券を発行することができる（第一項）。

○　長期借入金及び債券は、二年以内に償還しなければならない（第二項）。

○　短期借入金は、当該事業年度内に償還しなければならず、資金の不足のため償還することができないときは、その償還することができない金額に限り、厚生労働大臣の認可を受けて、これを借り換えることができる（第三項）。

○　前記の借り換えた短期借入金は、一年以内に償還しなければならない（第四項）。

○　支払基金は、債券を発行する場合においては、割引の方法によることができる（第五項）。

○　債券の債権者は、支払基金の財産について他の債権者に先立って自己の債権の弁済を受ける権利を有する（第六項）。

○　前記の先取特権の順位は、民法（明治二十九年法律第八十九号）の規定による一般の先取特権に次ぐものとする（第七項）。

○　支払基金は、厚生労働大臣の認可を受けて、債券の発行に関する事務の全部又は一部を銀行又は信託会社に委託することができる（第八項）。

○　会社法（平成十七年法律第八十六号）第七百五条第一項及び第二項並びに第七百九条の規定は、支払基金より債券の発行に関する事務の全部又は一部について委託を受けた銀行又は信託会社について準用する（第九項）。

○　第三十六条の三十二第一項、第二項及び第五項から第九項までに定めるもののほか、債券に関し必要な事項は、政令で定める（第十項）。

《政府保証（第三十六条の三十三）》

○　政府は、法人に対する政府の財政援助の制限に関する法律（昭和二十一年法律第二十四号）の規定にかかわらず、国会の議決を経た金額の範囲内で、支払基金による流行初期医療確保交付金の円滑な交付及び第三十六条の二十五第一項第三号に掲げる事務（第三十六条の九第二項の規定により都道府県知事から委託された流行初期医療確保措置に係る事務）の実施のために必要があると認めるときは、流行初期医療確保措置関係業務に係る支払基金の長期借入金、短期借入金又は債券に係る債務について、必要と認められる期間の範囲において、保証することができる。

《余裕金の運用（第三十六条の三十四）》

○　支払基金は、以下の方法によるほか、流行初期医療確保措置関係業務に係る業務上の余裕金を運用してはならない。

①　国債その他厚生労働大臣が指定する有価証券の保有

②　銀行その他厚生労働大臣が指定する金融機関への預金

③　信託業務を営む金融機関（金融機関の信託業務の兼営等に関する法律（昭和十八年法律第四十三号）第一条第一項の認可を受けた金融機関をいう。）への金銭信託

《協議（第三十六条の三十五）》

○　厚生労働大臣は、次の場合には、あらかじめ、財務大臣に協議しなければならない。

①　第三十六条の三十二第一項（長期借入金若しくは短期借入金の実施又は債券の発行）、第三項ただし書（短期借入金の借り換え）又は第八項（債券の発行に関する事務の全部又は一部に係る銀行又は信託会社への委託）の認可をしようとするとき。

②　第三十六条の三十四第一号又は第二号（国債その他厚生労働大臣が指定する有価証券の保有又は銀行その他厚生労働大臣が指定する金融機関への預金）の規定による指定をしようとするとき。

《厚生労働省令への委任（第三十六条の三十六）》

○　感染症法第六章第二節に定めるもののほか、流行初期医療確保措置関係業務に係る支払基金の財務及び会計に関し必要な事項は、厚生労働省令で定める。

《報告の徴収等（第三十六条の三十七）》

○　厚生労働大臣又は都道府県知事は、支払基金又は第三十六条の二十五第二項の規定による委託を受けた者（以下「受託者」という。）について、流行初期医療確保措置関係業務に関し必要があると認めるときは、その業務又は財産の状況に関する報告を徴し、又は当該職員に実地にその状況を検査させることができることとした。ただし、受託者に対しては、当該受託業務の範囲内に限る（第一項）。

○　当該報告の徴収又は立入検査を行う場合においては、当該職員は、その身分を示す証明書を携帯し、かつ、関係人の請求があるときは、これを提示しなければならないこととし、当該報告の徴収及び立入検査の権限は、犯罪捜査のために認められたものと解釈してはならない（第二項）。

○　都道府県知事は、支払基金につき流行初期医療確保措置関係業務に関し支払基金法第二十九条の規定による処分が行われる必要があると認めるとき、又は支払基金の理事長、理事若しくは監事につき流行初期医療確保措置関係業務に関し支払基金法第十一条第二項若しくは第三項の規定による処分が行われる必要があると認めるときは、理由を付して、その旨を厚生労働大臣に通知しなければならない（第三項）。

《社会保険診療報酬支払基金法の適用の特例（第三十六条の三十八）》

○　流行初期医療確保措置関係業務は、支払基金法第三十二条第二項の規定の適用については、同法第十五条に規定する業務とみなす。

《審査請求（第三十六条の三十九）》

○　感染症法に基づく支払基金の処分又はその不作為に不服のある者は、厚生労働大臣に対し、審査請求をすることができる。

この場合において、厚生労働大臣は、行政不服審査法第二十五条第二項及び第三項、第四十六条第一項及び第二項、第四十七条並びに第四十九条第三項の規定の適用については、支払基金の上級行政庁とみなす。

（厚生労働省令への委任）

第三十六条の四十　この節に定めるもののほか、流行初期医療確保措置に関し必要な事項は、厚生労働省令で定める。

〔解　説〕

○　第三十六条の四十において、感染症法第六章第二節に定めるもののほか、流行初期医療確保措置に関し必要な事項は、厚生労働省令で定める。

第三節　入院患者の医療等

（入院患者の医療）

第三十七条　都道府県は、都道府県知事が第十九条若しくは第二十条（これらの規定を第二十六条において準用する場合を含む。）又は第四十六条の規定により入院の勧告又は入院の措置を実施した場合において、当該入院に係る患者（新感染症の所見がある者を含む。以下この条において同じ。）又はその保護者から申請があったときは、当該患者が感染症指定医療機関において受ける次に掲げる医療に要する費用を負担する。

一　診察

二　薬剤又は治療材料の支給

三　医学的処置、手術及びその他の治療
四　病院への入院及びその療養に伴う世話その他の看護
2　都道府県は、前項に規定する患者若しくはその配偶者又は民法第八百七十七条第一項に定める扶養義務者が前項の費用の全部又は一部を負担することができると認められるときは、同項の規定にかかわらず、その限度において、同項の規定による負担をすることを要しない。
3　都道府県は、前項に定めるもののほか、都道府県知事が第二十六条第二項において読み替えて準用する第十九条若しくは第二十条又は第四十六条の規定により入院の勧告又は入院の措置を実施した場合において、当該入院に係る患者が第四十四条の三第二項又は第五十条の二第二項の規定による協力の求めに応じない者であるときは、第一項の規定にかかわらず、同項の規定による負担の全部又は一部をすることを要しない。ただし、当該患者若しくはその配偶者又は民法第八百七十七条第一項に定める扶養義務者が第一項の費用の全部又は一部を負担することができないと認められるときは、この限りでない。
4　第一項の申請は、当該患者の居住地を管轄する保健所長を経由して都道府県知事に対してしなければならない。

〔解　説〕

○　第三十七条は、入院患者の医療について規定した条文である。旧伝染病予防法においては伝染病患者に医療を提供するという概念はなかったが、本法では感染症患者に良質かつ適切な医療を提供することで早期に社会に復帰させ、もって感染症のまん延を防止するという立場に立ち、法律上、入院患者に対する医療に関する規定を設けている。

○　第一項では、公費負担医療の対象となる医療について規定しているが、入院患者のみを想定しているため、生活保護法（昭和二十五年法律第百四十四号）にあるような「居宅における療養上の管理及びその療養に伴う世話その他の看護」（生活保護法第十五条第四号）は盛り込まれていない。また、患者の移送については、都道府県知事の責任又は権限で行われるので（第二十一条）、「移送」（生活保護法第十五条第六号）についても盛り込まれていない。

○　公費負担医療の実施主体は、本条では都道府県とされているが、第三十八条第三項において感染症指定医療機関が担当するとされており、実際には、感染症指定医療機関において現物給付されることとなる。

○　申請の手続きは、第四十四条において厚生労働省令で定めている（規則第二十条）。

○　第二項は、費用徴収について規定しており、入院患者若しくはその配偶者又は民法第八百七十七条第一項に定める扶養義務者が医療費を負担する能力がある場合には、本人等が一定程度の医療費を負担することになる。どの程度の負担能力がある場合にどの程度の負担を求めるかについては、各都道府県で判断されることになるが、国から技術的助言が示されている。具体的には、当該患者並びにその配偶者及び当該患者と生計を一にする絶対的扶養義務者について、入院のあった月の属する年度（当該入院のあった月が四月から六月までの場合にあっては、前年度）分の地方税法（昭和二十五年法律第二百二十六号）の規定による市町村民税（特別区民税を含む。）の所得割の額の合算額（年額）が五十六万四千円を超える場合に二万円の負担を求めている（精神保健及び精神障害者福祉に関する法律による措置入院患者の費用徴収額、麻薬及び向精神薬取締法による措置入院者の費用徴収額及び感染症の予防及び感染症の患者に対する医療に関する法律による入院患者の自己負担額の認定基準について（平成七年六月十六日厚生省発健医第一八九号））。

○　第三項は、第二項に定めるもののほか、宿泊療養・自宅療養の協力の求めに応じない者に対して入院勧告・措置を行った場合における自己負担の費用徴収について規定している。なお、宿泊療養・自宅療養の協力の求めに応じなければ直ちに入院医療費について全額自己負担を求めなければならないものではなく、宿泊療養・自宅療養に応じた場合の費用負担との衡平等を勘案し、地方自治体において適当と認める場合に、適当な額の負担を求めることとした。その他、詳細については、「感染症の予防及び感染症の患者に対する医療に関する法律第三十七条第三項の規定による入院患者の医療に要する費用の負担について」（令和三年二月十日健感発〇二一〇第二号厚生労働省健康局結核感染症課長通知）が発出されている。

○　第四項は、医療費の申請方法について規定しているが、保健所長を経由すべきとされているのは、事務処理の効率性の問題のほか、実際には保健所長が入院に関する権限、事務を委任されている場合が多いからである。

主要通知

精神保健及び精神障害者福祉に関する法律による措置入院患者の費用徴収額、麻薬及び向精神薬取締法による措置入院者の費用徴収額及び感染症の予防及び感染症の患者に対する医療に関する法律による入院患者の自己負担額の認定基準について（抄）

〔平成七年六月十六日　厚生省発健医第一八九号
各都道府県知事・各政令市市長・各特別区区長宛
厚生事務次官通知〕

注　令和二年一二月二八日厚生労働省発障一二二八第一号改正現在

別　紙

精神保健及び精神障害者福祉に関する法律による措置入院患者の費用徴収額、麻薬及び向精神薬取締法による措置入院者の費用徴収額及び感染症の予防及び感染症の患者に対する医療に関する法律による入院患者の自己負担額の認定基準

第一　認定の基準

１　精神保健及び精神障害者福祉に関する法律（昭和二十五年法律第百二十三号。以下「精神保健福祉法」という。）第三十一条の費用徴収額、麻薬及び向精神薬取締法（昭和二十八年法律第十四号。以下「麻薬取締法」という。）第五十九条の四の費用徴収額及び感染症の予防及び感染症の患者に対する医療に関する法律（平成十年法律第百十四号。以下「感染症法」という。）第三十七条第二項の自己負担額は、月額によって決定するものとし、その額は、当

該患者並びにその配偶者及び当該患者と生計を一にする絶対的扶養義務者（民法（明治二十九年法律第八十九号）第八百七十七条第一項の直系血族及び兄弟姉妹をいう。以下同じ。）について精神保健福祉法第二十九条第一項若しくは第二十九条の二第一項の規定による入院、麻薬取締法第五十八条の八第一項の規定による入院又は感染症法第十九条、第二十条（これらの規定を同法第二十六条において準用する場合を含む。）若しくは第四十六条の規定による入院のあった月の属する年度（当該入院のあった月が四月から六月までの場合にあっては、前年度）分の地方税法（昭和二十五年法律第二百二十六号）の規定による市町村民税（同法の規定による特別区民税を含む。以下同じ。）の同法第二百九十二条第一項第二号に掲げる所得割（同法第三百二十八条の規定によって課する所得割を除く。）（以下「所得割」という。）の額を合算した額を基礎として、次表により認定した額とする。

所得割の額の合算額(年額)	費用徴収額又は自己負担額（月額）
五六万四〇〇〇円以下	〇円
五六万四〇〇〇円超	二万円。ただし、措置入院に要した医療費の額又は入院に要した医療費の額から、他の法律により給付を受けることができる額（精神保健福祉法第三十条の二（麻薬取締法第五十八条の十七第二項により準用する場合を含む。）又は感染症法第三十九条に規定する他の法律による給付の額をいう。）を控除して得た額が、二万円に満たない場合は、その額。

2　所得割の額の算定方法は、地方税法に定めるところによるほか、次に定めるところによる。

(1)　地方税法等の一部を改正する法律（平成二十二年法律第四号）第一条の規定による改正前の地方税法第二百九十二条第一項第八号に規定する扶養親族（一六歳未満の者に限る。以下「扶養親族」という。）及び同法第三百十四条の二第一項第十一号に規定する特定扶養親族（一九歳未満の者に限る。以下「特定扶養親族」という。）があるときは、同号に規定する額（扶養親族に係るもの及び特定扶養親族に係るもの（扶養親族に係る額に相当するものを除く。）に限る。）に同法第三百十四条の三第一項に規定する所得割の税率を乗じて得た額を控除するものとする。

(2)　当該患者又はその配偶者若しくは当該患者と生計を一にする絶対的扶養義務者が指定都市（地方自治法（昭和二十二年法律第六十七号）第二百五十二条の十九第一項の指定都市をいう。以下同じ。）の区域内に住所を有する者であるときは、これらの者を指定都市以外の市町村の区域内に住所を有する者とみなして、所得割の額を算定する。

3　月の中途で措置入院又は公費負担を開始し、又は終了する場合には、その月の費用徴収額又は自己負担額の認定に当たっては、日割計算をするものとし、１の表中「二万円」とあるのは、「二万円をその月の実日数で除して得た額に措置入院又は公費負担の期間の日数を乗じて得た額」と読み替える。

この場合において、一円未満の端数を生じた場合には、これを切り捨てること。

4　当該患者又はその属する世帯の世帯員が生活保護法（昭和二十五年法律第百四十四号）による保護又は中国残留邦人等の円滑な帰国の促進並びに永住帰国した中国残留邦人等及び特定配偶者の自立の支援に関する法律（平成六年法律第三十号。以下「中国残留邦人等支援法」という。）による支援給付を受けている場合には、所管の福祉事務所長の証明により、費用徴収を行わず、又は自己負担をさせないものとする。

5　災害等による所得の著しい減少又は支出の著しい増加がある場合には、自己負担額又は費用徴収額は、１から３までにより認定した額の全部又は一部を減じた額とすることができることとする。

第二　認定の方法

費用徴収額及び自己負担額の認定に当たっては、当該患者の属する世帯の構成、扶養義務者の範囲、生活保護法又は中国残留邦人等支援法の適用の有無、所得の有無及び所得割の額等を把握する必要がある。したがって、措置入院患者についてはその配偶者若しくは当該患者と生計を一にする絶対的扶養義務者（以下「配偶者等」という。）から、入院患者については公費負担の申請者から必要な書類を提出させ、又は市町村役場、福祉事務所等の関係機関、配偶者等若しくは保護者（感染症法第十五条第三項に規定するものをいう。）に対し照会を行うなど適切な方法により、これらの事項の把握に努めるものとする。

〔主要告示・通知等〕

・感染症の予防及び感染症の患者に対する医療に関する法律による医療の公費負担の取扱いについて（平成十一年三月十九日健医発第四五五号）

・感染症の予防及び感染症の患者に対する医療に関する法律第三十七条第三項の規定による入院患者の医療に要する費用の負担について（令和三年二月十日健感発〇二一〇第二号厚生労働省健康局結核感染症課長通知）

（結核患者の医療）

第三十七条の二　都道府県は、結核の適正な医療を普及するため、その区域内に居住する結核患者又はその保護者から申請があったときは、当該結核患者が結核指定医療機関において厚生労働省令で定める医療を受けるために必要な費用の百分の九十五に相当する額を負担することができる。

２　前項の申請は、当該結核患者の居住地を管轄する保健所長を経由して都道府県知事に対してしなければならない。

３　都道府県知事は、前項の申請に対して決定をするには、当該保健所について置かれた第二十四条第一項に規定する感染症診査協議会の意見を聴かなければならない。

４　第一項の申請があってから六月を経過したときは、当該申請に基づく費用の負担は、打ち切られるものとする。

〔解　説〕

○　第三十七条の二は、結核患者に対する医療に関する規定である。都道府県は、結核の適正な医療を普及するため結核患者に対する医療費の公費負担を行い、結核患者に対する医療を確保し、結核のまん延防止に資するものである。

○　第一項は、都道府県は、結核患者が適正医療を受けるために要する費用を、その申請により、その百分の九十五に相当する額を負担することができる旨を規定している。なお、都道府県は、「負担することができる」こととされており、その裁量により（合理的な基準に基づき）、予算の範囲内で、負担を行う趣旨であるが、公衆衛生上所要の財政措置を講ずべき注意義務があるものと解される。

○　都道府県による公費負担の対象となる結核患者は、当該都道府県の区域内に居住するものであり、居住地によって、公費負担の実施者が定まるものである。

○　公費負担の対象となる医療は、結核指定医療機関で受けた医療であって、厚生労働省令で定められる適正医療の範囲（規則第二十条の二）に限られる。なお、都道府県は、緊急その他やむを得ない理由により結核指定医療機関以外の者から医療を受けた場合には、第四十二条の規定による療養費の支給を行うことができる。

（感染症指定医療機関）

第三十八条　特定感染症指定医療機関の指定は、その開設者の同意を得て、当該病院の所在地を管轄する都道府県知事と協議した上、厚生労働大臣が行うものとする。

２　第一種感染症指定医療機関、第二種感染症指定医療機関、第一種協定指定医療機関、第二種協定指定医療機関及び結核指定医療機関の指定は、厚生労働大臣の定める基準に適合する病院（第一種協定指定医療機関にあっては病院又は診療所、第二種協定指定医療機関及び結核指定医療機関にあっては病院若しくは診療所又は薬局）について、その開設者の同意を得て、都道府県知事が行うものとする。

3　感染症指定医療機関は、厚生労働大臣の定めるところにより、前二条の規定により都道府県が費用を負担する感染症の患者及び新感染症の所見がある者の医療を担当しなければならない。

4　特定感染症指定医療機関は、第三十七条第一項各号に掲げる医療のうち新感染症の所見がある者並びに一類感染症、二類感染症及び新型インフルエンザ等感染症の患者に係る医療について、厚生労働大臣が行う指導に従わなければならない。

5　第一種感染症指定医療機関は、第三十七条第一項各号に掲げる医療のうち一類感染症、二類感染症及び新型インフルエンザ等感染症の患者に係る医療について、厚生労働省令で定めるところにより都道府県知事が行う指導に従わなければならない。

6　第二種感染症指定医療機関は、第三十七条第一項各号に掲げる医療のうち二類感染症及び新型インフルエンザ等感染症の患者に係る医療について、厚生労働省令で定めるところにより都道府県知事が行う指導に従わなければならない。

7　第一種協定指定医療機関は、第三十七条第一項各号に掲げる医療のうち新型インフルエンザ等感染症及び指定感染症の患者並びに新感染症の所見がある者に係る医療について、厚生労働省令で定めるところにより都道府県知事が行う指導に従わなければならない。

8　第二種協定指定医療機関は、第四十四条の三の二第一項（第四十四条の九第一項の規定に基づく政令によって準用される場合を含む。）又は第五十条の三第一項の厚生労働省令で定める医療について、厚生労働省令で定めるところにより都道府県知事が行う指導に従わなければならない。

9　結核指定医療機関は、前条第一項に規定する医療について、厚生労働省令で定めるところにより都道府県知事が行う指導に従わなければならない。
10　感染症指定医療機関は、その指定を辞退しようとするときは、辞退の日の一年前（結核指定医療機関にあっては、三十日前）までに、特定感染症指定医療機関については厚生労働大臣に、第一種感染症指定医療機関、第二種感染症指定医療機関、第一種協定指定医療機関、第二種協定指定医療機関及び結核指定医療機関については都道府県知事にその旨を届け出なければならない。
11　感染症指定医療機関が、第三項から第九項までの規定に違反したとき、その他前二条に規定する医療を行うについて不適当であると認められるに至ったときは、特定感染症指定医療機関については厚生労働大臣、第一種感染症指定医療機関、第二種感染症指定医療機関、第一種協定指定医療機関、第二種協定指定医療機関及び結核指定医療機関については都道府県知事は、その指定を取り消すことができる。

〔解　説〕

○　第三十八条は、感染症指定医療機関について規定した条文である。第一項、第二項で感染症指定医療機関の指定を、第三項で公費負担医療を担当する旨を、第四項から第九項で指定権者の指導に従うべき旨を、第十項で指定医療機関の辞退を、第十一項で指定の取消しについて規定している。

○　感染症対策においては、単に感染症患者の隔離ではなく、感染症類型に応じた一定の感染症医療を提供する能力を備えた医療機関において、感染症の発生後速やかに感染症患者に適切な医療を提供することにより、その早期治療を図り、感染症のまん延を防止していくことが必要であり、本法において、旧伝染病予防法のような必置規制の制度（旧伝染病予防法第十七条）を廃止し、感染症指定医療機関の制度を創設し、市町村の設置した病院に限らず、国公立その他の医療機関で総合的な診療能力のある病院を活用していくことにより、感染症患者に対する医療の充実を図っている。

○　特定感染症指定医療機関の指定権者は厚生労働大臣である（第一項）。これは、特定感染症指定医療機関は新感染症の所見がある者の入院を担当する医療機関であり、最も高い機能を要求されるものであるが、公衆衛生水準の高い我が国において、新感染症が爆発的に発生する危険性は低いため、全国で数か所程度、いかなる場合でも万全の感染症医療を講じることができる医療機関を整備しておくことで対応可能と考えられることから、令和四年改正により広域的見地により厚生労働大臣がその指定を行うこととした。

一方、第一種感染症指定医療機関、第二種感染症指定医療機関、第一種協定指定医療機関、第二種協定指定医療機関及び結核指定医療機関の指定権者は都道府県知事である（第二項）。第一種感染症指定医療機関については、一類感染症の患者の入院を担当する医療機関であるが、これらの感染症に対しては、都道府県で一か所は必ず整備することが必要なことから、第二種感染症指定医療機関については、二類感染症及び新型インフルエンザ等感染症の患者の入院を担当する医療機関であり、都道府県で複数か所（二次医療圏で一か所程度）整備しておくことが必要であることから、都道府県知事がその指定を行うものである。また、第一種協定指定医療機関及び第二種協定指定医療機関については、都道府県知事が通知又は締結する医療措置協定に基づき新型インフルエンザ等感染症及び指定感染症の患者並びに新感染症の所見がある者に対する医療を提供する医療機関であることから、都道府県知事が指定することとされたものである。結核指定医療機関については、結核患者の通院医療を担当するものであり、旧結核予防法に基づき都道府県で複数か所整備されてきたこと等を踏まえ、都道府県知事が指定することとされたものである。なお、旧結核予防法においては、沿革上、医療機関の開設者と指定権者を合致させる趣旨で国の開設する病院等については厚生労働大臣の指定権限とされていたが、特に医療機関の能力や機能に差異を設けるものではなく、地方分権の要請も踏まえ、感染症法においては、第一種又は第二種指定医療機関における取扱いと同様に、都道府県知事の指定権限とされた。

○　感染症指定医療機関の指定の要件は、厚生労働大臣が定めており（「感染症の予防及び感染症の患者に対する医療に関する法律第三十八条第二項の規定に基づく厚生労働大臣の定める感染症指定医療機関の基準」（平成十一年厚生省告示第四十三号））、空調設備、前室の有無といった病室の施設基準のほか、面会や通信の自由の確保といった患者の処遇についても定められているほか、令和四年改正により新設した第一種協定指定医療機関及び第二種協定指定医療機関については、医療措置協定の措置の実施に必要と考えられる基準が定められている。なお、特定感染症指定医療機関については厚生労働大臣自らが指定するので、第一種又は第二種感染症指定医療機関のように厚生労働大臣がその基準を定めることはしない。

○　感染症指定医療機関は、厚生労働大臣の定めるところにより、公費負担医療を担当することとされており（第三項）、感染症指定医療機関医療担当規程（平成十一年厚生省告示第四十二号）に従って医療を担当することとなる。第一種感染症指定医療機関、第二種感染症指定医療機関、第一種協定指定医療機関、第二種協定指定医療機関は厚生労働省令で定めるところにより都道府県知事が行う指導に従わなければならない。結核指定医療機関は都道府県知事が行う指導に従わなければならない（第五項から第九項、規則第二十一条。特定感染症指定医療機関については厚生労働大臣自らが指定するので、指導について厚生労働省令で定めることはしない（第四項））。

○　感染症指定医療機関は、指定の辞退をしたい場合は、辞退の日の一年前（結核指定医療機関にあっては、三十日前）までに指定権者にその旨を届ける必要がある（第十項）。この一年というのは、感染症指定医療機関の新築・改築に要する期間や、他の感染症指定医療機関の指定に要する期間等を考慮して定められたものである。

○　感染症指定医療機関の指定権者は、感染症指定医療機関が公費負担医療を担当するのに不適当と判断した場合には、その指定を取り消すことができる（第十一項）。

〔主要告示・通知等〕

・感染症指定医療機関医療担当規程（平成十一年厚生省告示第四十二号）

第38条　感染症指定医療機関

・感染症の予防及び感染症の患者に対する医療に関する法律第三十八条第二項の規定に基づく厚生労働大臣の定める感染症指定医療機関の基準（平成十一年厚生省告示第四十三号）
・感染症指定医療機関の指定について（平成十一年三月十九日健医発第四五七号）
・感染症指定医療機関の施設基準に関する手引きについて（平成十六年三月三日健感発第〇三〇三〇〇一号）
・感染症指定医療機関の運営上の留意点について（平成十一年四月一日健医発第六〇八号）

○他の指定医療機関制度等との比較

	感染症法	旧伝染病予防法（旧制度）	旧結核予防法	精神保健福祉法
根拠条項等	第38条	第17条、市町村の設置義務	第36条	第19条の８
指定医療機関の性格	第19条、第20条、第26条、第46条によって入院を勧告又は措置した患者又は第44条の３第２項若しくは第50条の２第２項によって外出自粛を求めた患者に対して医療を提供する施設	第７条による患者の収容先としての伝染病院、隔離病舎等の設置（指定制度ではない）	第34条、第35条（公費負担）の患者への医療を行う施設	原則は都道府県が精神科病院を設置。代わる施設として精神科病院を指定することができる。
設置の計画	予防計画により確保目標を規定	人口に応じて病床数を規定	医療計画により必要病床数を規定	医療計画により必要病床数を規定
開設者	特に規定なし	市町村	特に規定なし	国、都道府県（精神科病院） 国・都道府県以外（指定病院）
指定権者	厚生労働大臣（特定） 都道府県知事（第１、２種、第１、２種協定、結核）	－	厚生労働大臣（国立施設） 都道府県知事（一般施設）	都道府県知事
指定の際の同意	開設者の同意が必要（特定は都道府県知事と協議）	－	主務大臣（国立施設）、開設者（一般施設）の同意が必要	設置者の同意が必要
指定の基準	厚生労働大臣の定める基準に適合する医療機関	－	－	厚生労働大臣の定める基準に適合する医療機関
病床の基準	医療法施行規則で規定（第１、２種協定を除く）	同左	同左	同左
指定の辞退	１年以上の予告期間により可	－	30日以上の予告期間により可	－
指定の取り消し	不適格であると認められたときは指定権者により取消し	－	不適格であると認められたときは指定権者により取消し	基準に適合しなくなったとき、不適当と認めたときに取消し
医療の規定	厚生省告示「感染症指定医療機関医療担当規程」において ・医療の原則 ・診療開始時等の注意等について規定	－	厚生省告示「結核予防法指定医療機関医療担当規程」において ・指定医療機関の義務 ・医療の方針、取扱手続等について規定	－

※第１種…第一種感染症指定医療機関、第２種…第二種感染症指定医療機関、第１種協定…第一種協定指定医療機関、第２種協定…第二種協定指定医療機関、結核…結核指定医療機関、特定…特定感染症指定医療機関

（他の法律による医療に関する給付との調整）

第三十九条　第三十七条第一項又は第三十七条の二第一項の規定により費用の負担を受ける感染症の患者（新感染症の所見がある者を除く。）が、健康保険法（大正十一年法律第七十号）、国民健康保険法、船員保険法（昭和十四年法律第七十三号）、労働者災害補償保険法（昭和二十二年法律第五十号）、国家公務員共済組合法（昭和三十三年法律第百二十八号。他の法律において準用し、又は例による場合を含む。）、地方公務員等共済組合法（昭和三十七年法律第百五十二号）、高齢者の医療の確保に関する法律又は介護保険法（平成九年法律第百二十三号）の規定により医療に関する給付を受けることができる者であるときは、都道府県は、その限度において、第三十七条第一項又は第三十七条の二第一項の規定による負担をすることを要しない。

2　第三十七条第一項又は第三十七条の二第一項の規定は、戦傷病者特別援護法（昭和三十八年法律第百六十八号）の規定により医療を受けることができる結核患者については、適用しない。

3　第三十七条第一項又は第三十七条の二第一項の規定による費用の負担を受ける結核患者が、児童福祉法（昭和二十二年法律第百六十四号）の規定による療育の給付を受けることができる者であるときは、当該患者について都道府県が費用の負担をする限度において、同法の規定による療育の給付は、行わない。

〔解　説〕

○　第三十九条は、各種の社会保険法における医療に関する給付との調整について規定した条文である。

○　感染症指定医療機関において提供された医療の費用負担については、最終的には本法に基づき強制措置をとり得ること、また、感染力及び罹患した場合の病態の重篤度から判断した危険性が高い疾病に罹患した患者を入院させて医療を行うことは公益性が高いことから、（本条による調整分を除き）その医療費を公費で負担する。

本法においては、勧告に応じた感染症指定医療機関への入院の場合もあるが、感染症の病原体を保有しなくなるまで入院を継続することが社会的に必要であること、感染症予防施策に協力的な者に対して経済的にマイナスのインセンティブを与えるべきでないこと等から、強制措置による場合と同様にその医療費を公費で負担することになる（第三十七条第一項）。

○　旧伝染病予防法は全額公費で患者に医療を提供している（旧伝染病予防法第二十一条第一項第四号）が、感染症の患者に対して提供される医療は、強制措置による入院等であっても本人の疾病の治療のためという側面も有している。むしろ、近年においては、個人の健康の保持増進といった個人予防の積み重ねが集団の感染症予防を図るという考え方も有力である。このため、感染症指定医療機関における医療についても、国民の健康の保持と適切な医療を図るための制度である医療保険制度を優先的に適用させることとされた（第三十九条）。さらに、このような観点から、医療を受ける患者（又はその配偶者・扶養義務者）についても、その負担し得る範囲内で、その医療費を負担することが衡平の原理にかなうことから、自己負担を求める取扱いとされている（第三十七条第二項）。

なお、同様に行政上の措置による入院を行うこととしている精神保健福祉法等においても、このような調整規定及び自己負担規定が置かれている（精神保健福祉法第三十条の二、第三十一条）。

○　新感染症の所見がある者に係る医療費については、新感染症の発生状況・発生した際の被害の程度がまったく不明であることから、全額公費で賄うこととしている。この他、医療費を全額公費で負担する法律は、戦傷病者特別援護法（昭和三十八年法律第百六十八号）、原子爆弾被爆者に対する援護に関する法律（平成六年法律第百十七号）及びらい予防法の廃止に関する法律（平成八年法律第二十八号）の三本のみである。

○　医療費については、国がその四分の三、都道府県がその四分の一を負担する（第五十八条第十一号、第十三号、第六十一条第二項）。

○　結核患者が戦傷病者特別援護法の規定によって医療を受けることができる者であるときは、第三十七条第一項又は第三十七条の二第一項による公費負担は行われない（第二項）。本法と戦傷病者特別援護法の適用関係に関する規定であるが、国庫負担による医療を定める後者を優先する趣旨である。

○　第三十七条第一項又は第三十七条の二第一項の公費負担医療を受ける結核患者が児童福祉法の規定による療育の給付を受けることができる者であるときは、都道府県が費用の負担をする限度において、療育の給付は行わないとされる。療育の給付については、児童福祉法で児童に対する福祉の充実等の趣旨で、結核に関する医療の給付が行われるところであるが、結核予防については、本法が一般法としての性格を有するものであることから、本法を優先的に適用することとした（第三項）。

○厚生労働省所管法律に基づく公費負担医療の概要

医療費負担区分	公費負担事業名	事業実施の根拠	開始年度	対象者	対象疾病	医療機関の指定等	事業実施主体	費用負担区分			実施理由等	その他
								国	都道府県	市町村		
全額公費負担	新感染症の所見がある者に対する医療	感染症の予防及び感染症の患者に対する医療に関する法律（平成10年法律第114号）第37条	平成11	新感染症の所見がある者	新感染症	指定（法第38条）	都道府県	3/4	1/4	－	公衆衛生の確保	
	新感染症外出自粛対象者の医療	感染症の予防及び感染症の患者に対する医療に関する法律第50条の３	令和６	新感染症の所見がある者	新感染症	指定（法第38条）	都道府県	3/4	1/4	－	公衆衛生の確保	
	療養の給付	戦傷病者特別援護法（昭和38年法律第168号）第10条	昭和38	戦傷病者	公務上の傷病	指定（法第12条）	国	10/10	－	－	国家補償の精神	
	更生医療の給付	戦傷病者特別援護法第20条	昭和38	戦傷病者	公務上の傷病	指定（法第20条）	国	10/10	－	－	国家補償の精神	
	医療の給付	原子爆弾被爆者に対する援護に関する法律（平成６年法律第117号）第10条	平成６	原子爆弾被爆者	原子爆弾の傷害作用に起因する傷病	指定（法第12条）	国	10/10	－	－	原爆投下の結果として生じた放射能に起因する健康被害が他の戦争被害とは異なる特殊の被害であることに鑑み実施	従来は原子爆弾被爆者の医療等に関する法律（昭和32年法律第41号）第７条に基づき昭和32年度から実施されていた。
	国立ハンセン病療養所における療養	ハンセン病問題の解決の促進に関する法律（平成20年法律第82号）	平成21	国立ハンセン病療養所入所者	一般疾病	国立ハンセン病療養所（法第２条）	国	10/10	－	－	国立ハンセン病療養所入所者の置かれた特別の状態に鑑み実施	従来はらい予防法（昭和28年法律第214号）第11条に基づき昭和28年度から平成７年度まで、平成８年度からはらい予防法の廃止に関する法律（平成８年法律第28号）第２条に基づき実施されていた。

保険給付優先	一類感染症、二類感染症又は新型インフルエンザ等感染症の患者に対する医療	感染症の予防及び感染症の患者に対する医療に関する法律第37条	平成11	一類感染症、二類感染症又は新型インフルエンザ等感染症の患者	一類感染症、二類感染症又は新型インフルエンザ等感染症	指定（法第38条）	都道府県	3/4	1/4	－	公衆衛生の確保	
	結核患者に対する医療	感染症の予防及び感染症の患者に対する医療に関する法律第37条の２	昭和26	結核患者	結核	指定（法第38条）	都道府県	1/2	1/2	－	公衆衛生の確保	
	新型インフルエンザ等感染症外出自粛対象者の医療	感染症の予防及び感染症の患者に対する医療に関する法律第44条の３の２	令和６	新型インフルエンザ等感染症の患者	新型インフルエンザ等感染症	指定（法第38条）	都道府県	3/4	1/4	－	公衆衛生の確保	
	療育の給付	児童福祉法（昭和22年法律第164号）第20条	昭和34	児童	結核	指定（法第20条）	都道府県、指定都市、中核市	1/2	1/2	－	福祉の充実	
	健康被害にかかる医療費	予防接種法（昭和23年法律第68号）第11条	昭和52	予防接種を受けたことによる疾病について医療を受ける者	予防接種を受けたことによる疾病	なし	市町村	1/2	1/4	1/4	国家補償の精神	
	入院措置	精神保健及び精神障害者福祉に関する法律（昭和25年法律第123号）第29条	昭和25	自傷他害のおそれのある精神障害者	精神疾患	指定（法第19条の８）	都道府県	3/4	1/4	－	精神保健の向上	
	医療扶助	生活保護法（昭和25年法律第144号）第15条	昭和25	被保護者	一般疾病	指定（法第49条）	都道府県等	3/4	(1/4)	(1/4)	救貧対策	実施主体は、都道府県、市又は福祉事務所設置町村であり、費用負担割合は国の負担分（3/4）の残り（1/4）である。

	入院措置	麻薬及び向精神薬取締法（昭和28年法律第14号）第58条の８		麻薬等の施用を繰り返すおそれが著しい麻薬中毒者	麻薬中毒	麻薬及び向精神薬取締法施行規則（昭和28年厚生省令第14号）第49条	都道府県	3/4	1/4	－		
	養育医療	母子保健法（昭和40年法律第141号）第20条	昭和33	未熟児	一般疾病	指定（法第20条）	市町村	1/2	1/2	1/4	福祉の充実	
	一般疾病医療費の支給	原子爆弾被爆者に対する援護に関する法律第18条	平成７	原子爆弾被爆者	一般疾病	指定（法第19条）	都道府県、広島市、長崎市	10/10	－	－		従来は原子爆弾被爆者の医療等に関する法律（昭和32年法律第41号）第14条の２に基づき昭和35年度から実施
	自立支援医療（更生医療）	障害者の日常生活及び社会生活を総合的に支援するための法律（平成17年法律第123号）第５条・第58条	平成18	18歳以上の身体障害者	障害の除去・軽減のための手術等	指定（法第59条）	市町村	1/2	1/4	1/4	福祉の充実	
	自立支援医療（育成医療）	障害者の日常生活及び社会生活を総合的に支援するための法律第５条・第58条	平成18	18歳未満の身体障害児	障害の除去・軽減のための手術等	指定（法第59条）	市町村	1/2	1/4	1/4	福祉の充実	
	自立支援医療（精神通院医療）	障害者の日常生活及び社会生活を総合的に支援するための法律第５条・第58条	平成18	通院精神障害者	精神疾患	指定（法第59条）	都道府県・指定都市	1/2	1/2	－	精神保健の向上、福祉の充実	

（診療報酬の請求、審査及び支払）

第四十条　感染症指定医療機関は、診療報酬のうち、第三十七条第一項又は第三十七条の二第一項の規定により都道府県が負担する費用を、都道府県に請求するものとする。

2　都道府県は、前項の費用を当該感染症指定医療機関に支払わなければならない。

3　都道府県知事は、感染症指定医療機関の診療内容及び診療報酬の請求を随時審査し、かつ、感染症指定医療機関が第一項の規定によって請求することができる診療報酬の額を決定することができる。

4　感染症指定医療機関は、都道府県知事が行う前項の規定による決定に従わなければならない。

5　都道府県知事は、第三項の規定により診療報酬の額を決定するに当たっては、社会保険診療報酬支払基金法に定める審査委員会、国民健康保険法に定める国民健康保険診療報酬審査委員会その他政令で定める医療に関する審査機関の意見を聴かなければならない。

6　都道府県は、感染症指定医療機関に対する診療報酬の支払に関する事務を、支払基金、国保連合会その他厚生労働省令で定める者に委託することができる。

7　第三項の規定による診療報酬の額の決定については、審査請求をすることができない。

（診療報酬の基準）

第四十一条　感染症指定医療機関が行う第三十七条第一項各号に掲げる医療又は第三十七条の二第一項に規定する厚生労働省令で定める医療に関する診療報酬は、健康保険の診療報酬の例によるものとする。

2　前項に規定する診療報酬の例によることができないとき、及びこれによることを適当としないときの診療報酬は、厚生労働大臣の定めるところによる。

〔解　説〕

○　第四十条、第四十一条は、診療報酬に関して規定した条文である。

○　診療報酬は、感染症指定医療機関から都道府県へ請求され、都道府県知事は診療内容等を審査し、診療報酬の額を決定する。都道府県知事は診療報酬の額を決定するに当たってはその適正を期すため、支払基金法に定める審査委員会、国民健康保険法に定める国民健康保険診療報酬審査委員会その他の政令で定める医療に関する審査機関の意見を聴かなければならない（第五項）。

○　都道府県は、診療報酬の支払いに関する事務を、支払基金、国保連合会その他厚生労働省令で定める者に委託することができる（第六項）。委託できるのは支払いに関する事務であり、本条を根拠に診療報酬の審査に関する事務を委託することはできない。

○　診療報酬の請求並びに支払及びその事務の委託の手続きについては、第四十四条において厚生労働省令で定めることとされている（規則第二十二条、療養の給付及び公費負担医療に関する費用の請求に関する命令（昭和五十一年厚生省令第三十六号）第一条）。

〔主要告示・通知等〕

・感染症の予防及び感染症の患者に対する医療に関する法律に係る医療に関する費用の請求事務について（平成十一年三月十九日健医発第四五六号）
・療養の給付、老人医療及び公費負担医療に関する費用の請求に関する省令等の一部改正について（平成十一年三月二十九日健医発第五〇七号・老発第一六九号・保発第六四号）
・保険者番号等の設定について（昭和五十一年八月七日保発第四五号・庁保発第三四号）

診療報酬の基準

○　診療報酬の額は、健康保険の例による（第四十一条第一項）。これによることができないとき又は適当としないときは、厚生労働大臣の定めるところによるとされている（第二項）。

〔主要告示・通知等〕

・感染症の予防及び感染症の患者に対する医療に関する法律第四十一条第二項の規定による診療報酬（平成十九年厚生労働省告示第百二十三号）

（緊急時等の医療に係る特例）

第四十二条　都道府県は、第十九条若しくは第二十条（これらの規定を第二十六条において準用する場合を含む。以下この項において同じ。）若しくは第四十六条の規定により感染症指定医療機関以外の病院若しくは診療所に入院した患者（新感染症の所見がある者を含む。以下この条において同じ。）が、当該病院若しくは診療所から第三十七条第一項各号に掲げる医療を受けた場合又はその区域内に居住する結核患者（第二十六条第一項において読み替えて準用する第十九条又は第二十条の規定により入院した患者を除く。以下この項において同じ。）が、緊急その他やむを得ない理由により、結核指定医療機関以外の病院若しくは診療所若しくは薬局から第三十七条の二第一項に規定する厚生労働省令で定める医療を受けた場合においては、その医療に要した費用につき、当該患者又はその保護者の申請により、第三十七条第一項又は第三十七条の二第一項の規定によって負担する額の例により算定した額の療養費を支給することができる。第十九条若しくは第二十条若しくは第四十六条の規定により感染症指定医療機関に入院した患者が感染症指定医療機関から第三十七条第一項各号に掲げる医療を受けた場合又はその区域内に居住する結核患者が結核指定医療機関から第三十七条の二第一項に規定する厚生労働省令で定める医療を受けた場合において、当該医療が緊急その他やむを得ない理由により第三十七条第一項又は第三十七条の二第一項の申請をしないで行われたものであるときも、同様とする。

２　第三十七条第四項の規定は、前項の申請について準用する。

３　第一項の療養費は、当該患者が当該医療を受けた当時それが必要であったと認められる場合に限り、支給するものとする。

〔解　説〕

○　第四十二条は、感染症指定医療機関以外の医療機関で行われた医療に関して規定した条文である。

○　本法では、感染症が集団発生して感染症指定医療機関が満床の場合やもともと重篤な合併症等を発症しており、感染症指定医療機関へ移送することが不適当と認められる場合など、緊急その他やむを得ない理由があるときには感染症指定医療機関以外の医療機関への入院を想定している。また、合併症により他の医療機関での治療が必要になった場合や、より重篤な感染症の患者の入院が必要になった場合などは、感染症指定医療機関から他の医療機関への転院も想定している。

○　第一項前段の規定は、公費負担医療の対象となるべき医療について、緊急その他やむを得ない理由により、感染症指定医療機関以外の医療機関で医療を受けた場合を想定した規定である。合併症により他の医療機関での治療が必要になった場合や感染症指定医療機関が集団発生等による満床、事故等による不可抗力等のため対応できない状況になった場合などが想定される。感染症指定医療機関以外の医療機関で感染症の患者に対して医療の給付が行われることがやむを得ない場合には、医療費の負担については、政策上、感染症指定医療機関の行う医療と同様に取り扱うべきとの考えから、極めて例外的であるが、感染症指定医療機関以外の医療機関で行われた医療についても、療養費の支給によって公費負担を行う途を設けたものである。

○　第一項後段は、感染症指定医療機関から医療を受けた場合において、緊急その他やむを得ない理由により第三十七条第一項又は第三十七条の二第一項の申請をしないで行われた医療についても、同様に療養費の支給により公費負担を行うことができると定めている。申請の意思はあるが申請を行うことができなかったことについて緊急その他やむを得ない事情がある場合であり、単に手続きを怠った場合や手続きが遅延した場合を含むものではない。

○　都道府県が支給する療養費は、第三十七条第一項又は第三十七条の二第一項の規定によって負担する額の例により算定した額であり、社会保険各法の規定により医療に関する給付が行われる場合には、これらを優先して適用した残余の部分に相当する額となる（第一項前段）。

○　療養費の支給申請は、第三十七条第四項の規定を準用し、当該患者の居住地を管轄する保健所長を経由して都道府県知事に対してしなければならない（第二項）。申請は、当該医療を受けた後一月以内に申請書に医師の診断書等を添付して提出しなければならず、申請書には、申請者の住所、氏名等のほか、支給を受けようとする療養費の額、緊急その他やむを得ない理由を記載しなければならない（規則第二十三条）。

○　本条第一項の規定による申請を拒否する処分については、行政手続法の規定による理由付記並びに行政不服審査法及び行政事件訴訟法の規定による教示が必要である。

○　療養費は、感染症指定医療機関以外の医療機関で行われた医療全てについて支給されるものではなく、当時当該医療が必要であったと認められる場合に限って支給される。

〔主要告示・通知等〕

・感染症の予防及び感染症の患者に対する医療に関する法律による医療の公費負担の取扱いについて（平成十一年三月十九日健医発第四五五号）

（報告の請求及び検査）

第四十三条　都道府県知事（特定感染症指定医療機関にあっては、厚生労働大臣又は都道府県知事とする。次項において同じ。）は、第三十七条第一項及び第三十七条の二第一項に規定する費用の負担を適正なものとするため必要があると認めるときは、感染症指定医療機関の管理者に対して必要な報告を求め、又は当該職員に感染症指定医療機関についてその管理者の同意を得て実地に診療録その他の帳簿書類（その作成又は保存に代えて電磁的記録（電子的方式、磁気的方式その他人の知覚によっては認識することができない方式で作られる記録であって、電子計算機による情報処理の用に供されるものをいう。）の作成又は保存がされている場合における当該電磁的記録を含む。）を検査させることができる。

2　感染症指定医療機関が、正当な理由がなく、前項の報告の求めに応ぜず、若しくは虚偽の報告をし、又は同項の同意を拒んだときは、都道府県知事は、当該感染症指定医療機関に対する診療報酬の支払を一時差し止めるよう指示し、又は差し止めることができる。

〔解　説〕

○　第四十三条は、感染症指定医療機関に対する報告、検査に関して規定した条文である。感染症患者に対する医療が公費負担医療とされていることから、このような規定が置かれているのである。これは、第四十三条の要件が「第三十七条第一項及び第三十七条の二第一項に規定する費用の負担を適正なものとするため必要があると認めるときは」とされていることからうかがうことができる。

○　実施できる措置の内容は、必要な報告の請求及び診療録その他の帳簿書類の検査であり、感染症指定医療機関が、正当な理由なくこれを拒み、虚偽の報告をした場合は診療報酬の支払を差し止めることができる。

○　診療報酬の差し止めは、行政手続法上の不利益処分に該当する（行政手続法第二条第四号）ことから、差し止めに当たっては理由の提示が要求されるが、金銭の給付を制限するものであることから意見陳述手続きは要求されない（行政手続法第十三条第二項第四号）。

（厚生労働省令への委任）

第四十四条　この法律に規定するもののほか、第三十七条第一項及び第三十七条の二第一項の申請の手続、第四十条の診療報酬の請求並びに支払及びその事務の委託の手続その他この節で規定する費用の負担に関して必要な事項は、厚生労働省令で定める。

〔解　説〕

○　第四十四条は、医療費の申請の手続き、診療報酬の請求の手続き等に係る包括的な厚生労働省令への委任について規定した条文である。これらについては技術的・専門的事項が多いことから委任したものである。

第七章　新型インフルエンザ等感染症

第七章は、新型インフルエンザ等感染症に関する規定の章である。

（新型インフルエンザ等感染症の発生及び実施する措置等に関する情報の公表）

第四十四条の二　厚生労働大臣は、新型インフルエンザ等感染症が発生したと認めたときは、速やかに、その旨及び発生した地域を公表するとともに、当該感染症について、第十六条第一項の規定による情報の公表を行うほか、病原体の検査方法、症状、診断及び治療並びに感染の防止の方法、この法律の規定により実施する措置その他の当該感染症の発生の予防又はそのまん延の防止に必要な情報を新聞、放送、インターネットその他適切な方法により逐次公表しなければならない。

2　前項の規定による情報の公表を行うに当たっては、個人情報の保護に留意しなければならない。

3　厚生労働大臣は、第一項の規定により情報を公表した感染症について、国民の大部分が当該感染症に対する免疫を獲得したこと等により新型インフルエンザ等感染症と認められなくなったときは、速やかに、その旨を公表しなければならない。

〔解　説〕

○　第四十四条の二は、新型インフルエンザ等感染症の発生及び実施される措置等に関する情報の公表に関する条文である。新型インフルエンザ等感染症の発生時にその旨及び発生地域等を公表するとともに（第一項）、情報を公表した感染症について新型インフルエンザ等感染症と認められなくなったときにその旨を公表する（第三項）こととするものである。

○　新型インフルエンザ等感染症は、発生した際には、措置の開始の周知や国民が必要な感染防御策を講じることができるよう、その発生及び発生地域を公表する必要がある（第一項）。

○　新型インフルエンザ等感染症、新型コロナウイルス感染症については、病原体の検査方法、症状、診断及び治療並びに感染の防止の方法、法による実施措置等の発生の予防又はまん延の防止に必要な情報が、感染症の発生後に初めて確定的に判明するという性質を有しており、また、再興型インフルエンザ感染症、再興型コロナウイルス感染症については、近年流行がみられていないものであり、医師等や地方公共団体の職員等のまん延防止策の実施者や国民に対し、必要な情報を速やかに伝える必要がある。これらの理由から、発生が認められた場合には、こうした情報を速やかに公表しなければならないとするものである（第一項）。

○　第一項の規定による情報の公表に当たっては、患者等の人権を尊重する観点等から、個人情報の保護に留意しなければならない（第二項）。なお、個人情報の保護等に関する法令を遵守しつつ、新型インフルエンザ等感染症の発生の予防及びまん延の防止を図る法目的に照らして個々の事例ごとに個人情報の取扱いについて判断されることになる。

○　新型インフルエンザ等感染症については、人類に免疫がないことから大流行をみせると考えられているが、一定程度流行した後は、一度罹患した者には免疫が生じ、国民の大部分が免疫を獲得した場合、当該感染症は、新型インフルエンザ等感染症の定義に該当しなくなる。その時点以降は、新型インフルエンザ等感染症として通常のインフルエンザ以上に強力な措置を講ずる必要はなくなっているものである。このように、一定期間経過した場合には、新型インフルエンザ等感染症とは認められなくなるという特殊な性質を踏まえ、国民の大部分が当該感染症に対する免疫を獲得すること等によって、新型インフルエンザ等感染症と認められなくなった場合には、速やかにその旨を公表しなければならないとするものである（第三項）。

（感染を防止するための報告又は協力）

第四十四条の三　都道府県知事は、新型インフルエンザ等感染症のまん延を防止するため必要があると認めるときは、厚生労働省令で定めるところにより、当該感染症にかかっていると疑うに足りる正当な理由のある者に対し、当該感染症の潜伏期間を考慮して定めた期間内において、当該者の体温その他の健康状態について報告を求め、又は当該者の居宅若しくはこれに相当する場所から外出しないことその他の当該感染症の感染の防止に必要な協力を求めることができる。

2　都道府県知事は、新型インフルエンザ等感染症（病状の程度を勘案して厚生労働省令で定めるものに限る。次条第一項において同じ。）のまん延を防止するため必要があると認めるときは、厚生労働省令で定めるところにより、当該感染症の患者に対し、当該感染症の病原体を保有していないことが確認されるまでの間、当該者の体温その他の健康状態について報告を求め、又は宿泊施設（当該感染症のまん延を防止するため適当なものとして厚生労働省令で定める基準を満たすものに限る。第十一項及び同条第一項において同じ。）若しくは当該者の居宅若しくはこれに相当する場所から外出しないことその他の当該感染症の感染の防止に必要な協力を求めることができる。

3　前二項の規定により報告を求められた者は、正当な理由がある場合を除き、これに応じなければならず、前二項の規定により協力を求められた者は、これに応ずるよう努めなければならない。

4　都道府県知事は、第一項の規定による報告の求めについて、当該都道府県知事が適当と認める者に対し、その実施を委託することができる。
5　都道府県知事は、第二項の規定による報告の求めについて、第二種協定指定医療機関（第三十六条の二第一項の規定による通知（同項第三号に掲げる措置をその内容に含むものに限る。）又は医療措置協定（同号に掲げる措置をその内容に含むものに限る。）に基づく措置を講ずる医療機関に限る。）その他当該都道府県知事が適当と認める者に対し、その実施を委託することができる。
6　前二項の規定により委託を受けた者は、第一項又は第二項の規定による報告の内容を当該委託をした都道府県知事に報告しなければならない。
7　都道府県知事は、第一項又は第二項の規定により協力を求めるときは、必要に応じ、食事の提供、日用品の支給その他日常生活を営むために必要なサービスの提供又は物品の支給（次項において「食事の提供等」という。）に努めなければならない。
8　都道府県知事は、前項の規定により、必要な食事の提供等を行った場合は、当該食事の提供等を受けた者又はその保護者から、当該食事の提供等に要した実費を徴収することができる。
9　都道府県知事は、第一項又は第二項の規定により報告又は協力を求めるときは、必要に応じ、市町村長に対し協力を求めるものとする。
10　市町村長は、前項の規定による協力の求めに応ずるため必要があると認めるときは、当該都道府県知事に対し、新型インフルエンザ等感染症にかかっていると疑うに足りる正当な理由のある者又は第二項に規定する新型インフルエンザ等感染症の患者に関する情報その他の情報の提供を求めることができる。

11　都道府県知事は、第二項の規定により協力を求めるときは、当該都道府県知事が管轄する区域内における同項に規定する新型インフルエンザ等感染症の患者の病状、数その他当該感染症の発生及びまん延の状況を勘案して、必要な宿泊施設の確保に努めなければならない。

〔解　説〕

○　第四十四条の三は、新型インフルエンザ等感染症の感染を防止するための協力に関する条文である。

《第一項関係》

○　第一項は、新型インフルエンザ等感染症にかかっていると疑うに足りる正当な理由のある者に関する条文である。

○　新型インフルエンザ等感染症の患者に接触した者については、当該感染症に感染している可能性、さらにはその結果、後に周囲の者に感染させる可能性がある。新型インフルエンザ等感染症は「当該感染症の全国的かつ急速なまん延により国民の生命及び健康に重大な影響を与えるおそれがあると認められる」ものであり、想定される感染力の強さを踏まえると、そのまん延防止を確実に図るためには、患者と接触し当該感染症にかかっていると疑うに足りる正当な理由のある者について、症状が認められない段階においても、健康状態の報告の要請を行い、発症した時点で速やかに適切な対応へつなげる体制を整え、また、自覚症状の出る前から、当該者からさらなる感染が引き起こされる可能性を低減するための外出の自粛など、感染の防止に必要な協力を要請することが必要である。そこで、都道府県知事は、当該感染症にかかっていると疑うに足りる正当な理由のある者に対し、潜伏期間を考慮して定めた期間内において、健康状態について報告を求め、又は当該者の居宅若しくはこれに相当する場所から外出しないことその他の当該感染症の感染の防止に必要な協力を求めることができるとするものである（第一項）。

○「新型インフルエンザ等感染症にかかっていると疑うに足りる正当な理由のある者」とは、例えば新型インフルエンザでは、インフルエンザの感染経路が主に飛沫感染であり、新型インフルエンザにかかっていると疑うに足りる正当な理由についてもインフルエンザと同様の感染経路を持つことが想定されることから、咳やしぶきが飛散する範囲の一メートルから二メートル内で接触した者については、感染したおそれがあり、これに該当すると考えられる。新型インフルエンザ等感染症が発生した後には、明らかになったウイルスの性質や国内外の発生状況等の情報、知見から、合理的に判断していくこととなる。

《第二項関係》

○第二項は、新型インフルエンザ等感染症の患者に関する条文である。

○新型コロナウイルス感染症（COVID-19）については、全国的な感染拡大による病床のひっ迫のおそれが指摘されたことから、こういった感染者数の増加や、これまでに明らかになっている当該感染症の性質を踏まえ、重症者を優先する医療体制への移行を行った。その際、入院の勧告・措置の対象とならない者は、いわゆる「宿泊療養」及び「自宅療養」を行うこととした。また、新型インフルエンザ等対策一般においても、重症者を優先する医療体制への移行が想定されている。

○しかしながら、新型コロナウイルス感染症（COVID-19）の発生から暫くの間、宿泊療養・自宅療養は、感染症法上の位置づけが明確ではなかった。そこで、令和三年改正により本項を新たに設け、改めてこれを感染症法上に位置づけることとなった。都道府県知事は、新型インフルエンザ等感染症（病状の程度を勘案して厚生労働省令で定めるものに限る。）のまん延を防止するため必要があると認めるときは、厚生労働省令で定めるところにより、当該感染症の患者に対し、当該感染症の病原体を保有していないことが確認されるまでの間、当該者の体温その他の健康状態について報告を求め、又は宿泊施設（当該感染症のまん延を防止するため適当なものとして厚生労働省令で定める基準を満たすものに限る。）若しくは当該者の居宅若しくはこれに相当する場所から外出しないことその他の当該感染症の感染の防止に必要な協力を求めることができることとしたものである。

○　同項に基づく施設の基準については厚生労働省令で定めている（規則第二十三条の七）。

《第三項関係》

○　第三項は、第一項又は第二項の規定により報告又は協力を求められた者の義務・努力義務に関する条文である。

○　新型インフルエンザ等感染症にかかっていると疑うに足りる正当な理由のある者は、感染しているか否かは不確実であり、ウイルスの曝露量や健康状態によっては、発症せず、他者に感染させないこともあり得る。

○　また、宿泊療養・自宅療養は、一定の健康管理を行うことにより、個々の患者の病態に応じて適切な医療につなげるとともに、市中での感染拡大の防止を目的とするものであるが、感染症医療の提供そのものを目的とするものではない。

○　こういったことを踏まえ、新型インフルエンザ等感染症にかかっていると疑うに足りる正当な理由のある者の外出自粛や患者の宿泊療養・自宅療養は「協力を求めることができる」ものとして規定されており、本項においても、「応ずるよう努める」ものとして、協力を求められた者における努力義務が規定されている。

○　他方、健康状態を報告すること自体は、外出しないことに比べた場合には私権の制限の程度が相対的に低いことから、「応ずるよう努める」ではなく「応じなければならない」こととしている。

《第四項から第六項まで関係》

○　第四項から第六項までは、新型インフルエンザ等感染症にかかっていると疑うに足りる正当な理由のある者の体温その他の健康状態についての報告の求め（以下「健康観察」という。）の委託に関する規定である。

○　新型コロナウイルス感染症（COVID-19）対応においては、宿泊・自宅療養者に対する健康観察や生活支援（以下「健康観察等」という。）について、都道府県の業務がひっ迫し、健康観察等が不十分となった結果、重症化リスクの高い者に対する病状の変化等を把握しきれず、自宅療養・宿泊療養中に死亡する事例が発生した。

○　このため、宿泊・自宅療養者の健康観察については、容体の急変等を迅速に把握し、医療につなげる観点から、第二種協定指定医療機関（第三十六条の二第一項に基づき宿泊・自宅療養者の医療に関する義務を負っている医療機関又は宿泊・自宅療養者の医療に関する医療措置協定を締結しているものに限る。）その他都道府県知事が適当と認める者（第二種協定指定医療機関以外の医療機関等を想定）に対し、その実施を委託することができる（第五項）。

○　一方で、新型インフルエンザ等感染症にかかっていると疑うに足りる正当な理由のある者の健康観察については、保健所の負担軽減などの観点から、都道府県知事が適当と認める者（民間事業者を想定）に委託することができる（第四項）。

○　これらの委託を受けた者は、健康観察の報告内容を委託した都道府県知事に報告しなければならない（第六項）。

○　また、これらの委託に関し、委託を受けた者（その者が法人である場合にあっては、その役員）若しくはその職員又はこれらの者であった者が、当該委託に係る事務に関して知り得た人の秘密を正当な理由がなく漏らしたときは、一年以下の拘禁刑又は百万円以下の罰金に処する（第七十三条の二）。

《第七項・第八項関係》

○　新型インフルエンザ等感染症にかかっていると疑うに足りる正当な理由のある者の外出の自粛や、患者の宿泊療養・自宅療養等の感染防止の協力を要請するに当たっては、その実効性を高めるため、当該者に対し、食事の提供、日用品の支給など、日常生活を営むために必要な便宜、物品の提供が必要であり、これらの事務について、都道府県知事の努力規定を設けること（第七項）。また、これに伴い、都道府県知事が食事の提供等を行った場合には、当該者から実費を徴収することができる（第八項）。

《第九項・第十項関係》

○　第九項では、都道府県知事は、新型インフルエンザ等感染症にかかっていると疑うに足りる正当な理由のある者等の外出の自粛や、患者の宿泊療養・自宅療養等の感染防止の協力を要請するに当たっては、必要に応じ、市町村長に対し協力を求め（第九項）、市町村長は、第九項の規定による協力の求めに応ずるため必要があると認めるときは、当該都道府県知事に対し、新型インフルエンザ等感染症にかかっていると疑うに足りる正当な理由のある者又は第二項に規定する新型インフルエンザ等感染症の患者に関する情報その他の情報の提供を求めることができる（第十項）。

○　一般市町村の中には、地域の医師会等と連携することで、健康観察等を行う体制を確保することが可能な市町村もあり、こうした市町村と都道府県が連携して健康観察等を行うことは、宿泊・自宅療養者への良好な療養環境の整備及び感染のまん延防止の観点から望ましい。

○　また、一般的な地域保健、福祉サービス等については、地域保健法、介護保険法等の関係各法において市町村がその役割を担っており、宿泊療養・自宅療養の協力要請の対象者やその家族が当該サービスを必要とすることも想定される。

○　このため、宿泊・自宅療養者に対する健康観察等が適切に実施されるよう、都道府県知事は、市町村長に対し、宿泊・自宅療養者の健康観察等に関して必要な協力を求めるものとした。また、市町村長は、協力に必要な範囲で患者情報等の提供を求めることができる。

○　また、都道府県知事が当該事務を行うにあたり、市町村長に必要な協力を求めるものとすることとなるため、当該協力の求めに応じて健康状態の報告又は外出自粛の協力の求めに関する事務に従事した市町村の公務員又は公務員であった者についても、その職務の執行に関して知り得た人の秘密を正当な理由がなく漏らした場合の罰則規定（第七十三条第二項）の対象となる。

《第十一項関係》

○　都道府県知事は、患者に対し、宿泊療養を要請するに当たっては、当該都道府県知事が管轄する区域内における新型インフルエンザ等感染症の患者の病状、数その他当該感染症の発生及びまん延の状況を勘案して、必要な宿泊施設の確保に努めなければならない。

○　感染症予防事務については、感染拡大防止措置の専門性を担保しつつ、迅速な対応を可能とする観点から、保健所を有する地方公共団体の単位で行われることが原則とされており、例外的に、さらに広域的な対応が求められるものについて、都道府県のみがその事務を行うこととしている。本項の規定による施設の確保については、都道府県が広域的な見地から主体となって行うことが適当であり、このため、保健所設置市・特別区の長ではなく、都道府県知事のみを努力義務の対象としている（第六十四条第一項）。

（新型インフルエンザ等感染症外出自粛対象者の医療）

第四十四条の三の二　都道府県は、厚生労働省令で定める場合を除き、その区域内に居住する前条第二項の規定により宿泊施設若しくは居宅若しくはこれに相当する場所から外出しないことの協力を求められた新型インフルエンザ等感染症の患者（以下「新型インフルエンザ等感染症外出自粛対象者」という。）又はその保護者から申請があったときは、当該新型インフルエンザ等感染症外出自粛対象者が第二種協定指定医療機関から受ける厚生労働省令で定める医療に要する費用を負担する。

２　第三十七条第二項の規定は前項の負担について、同条第四項の規定は前項の申請について、第三十九条から第四十一条まで及び第四十三条の規定は同項の場合について、それぞれ準用する。

〔解　説〕

○　第四十四条の三の二は、新型インフルエンザ等感染症外出自粛対象者の医療について規定した条文である。

○　新型インフルエンザ等感染症や新感染症、指定感染症のまん延を防止するためには、本来、当該感染症等の患者は入院することが望ましい。一方で医療提供体制への負荷を軽減すること等により、当該感染症等の患者数等が医療提供体制のキャパシティを超えないようにすることで、必要な患者が必要な医療を受けられるようにすることが重要であることから、特に、全国的に感染がまん延し、重症者等は入院、無症状者・軽症者は宿泊・自宅療養で対応する必要のある感染症（※）については、入院勧告・措置の対象とはせず、宿泊・自宅療養を求めることとしている。

※　新型インフルエンザ等感染症、新感染症、指定感染症であって、病状の程度を勘案して厚生労働省令で定めるもの。

○　また、宿泊・自宅療養を求める場合には、健康状態について報告を求めることとしており、これは、個々の患者の病態に応じて適切な医療につなげるとともに、市中での感染拡大の防止を図ることを目的としている。

○　入院勧告・措置に係る医療に要する費用については、従前から、「感染症患者に良質かつ適切な医療を提供することで早期に社会復帰させ、もって感染症のまん延を防止する」観点から、第三十七条第一項の規定に基づき、公費により負担することとなっている。一方、宿泊・自宅療養者については、本来であれば公費負担による入院医療を受けられる者であるとともに、宿泊・自宅療養者に対する外来・在宅医療（以下「外来医療等」という。）についても、入院勧告・措置と同様の趣旨により行われるものであるにもかかわらず、外来医療等に要する費用が法律に基づき（※）公費により負担されないばかりか、自ら外来医療等を受ける医療機関を探す必要があるなど、外来医療等を受けにくい環境となっており、健康状態の報告の求めが十分に機能しているとは言えない状況にあった。

※　新型コロナウイルス感染症（COVID-19）については、新型コロナウイルス感染症緊急包括支援交付金により、宿泊・自宅療養者に対する医療費について負担していた。

○　令和四年改正により、宿泊・自宅療養や健康状態の報告の求めによる健康状態の悪化や感染拡大の防止を実効たらしめるため、宿泊・自宅療養者が医療機関において受ける外来医療等について、入院医療と同様に公費負担医療の仕組みを新設することとした。

○　都道府県は、厚生労働省令で定める場合を除き、外出自粛対象者又はその保護者から申請があったときは、当該外出自粛対象者が第二種協定指定医療機関において受ける厚生労働省令で定める医療に要する費用を負担する（第一項）。

○　また、入院医療と同様に、以下の規定についても整備する（第二項）。

・　外出自粛対象者本人等に費用を負担する能力がある場合は都道府県等が負担することを要しない（第三十七条第二項）

・　当該外出自粛対象者の居住地を管轄する保健所長を経由して都道府県知事に対して申請しなければならない（第三十七条第四項）

・　他の法律による医療に関する給付との調整（第三十九条）

・　診療報酬の請求、審査及び支払い（第四十条）

・　診療報酬の基準（第四十一条）

・　報告の請求及び検査（第四十三条）

（新型インフルエンザ等感染症外出自粛対象者の緊急時等の医療に係る特例）

第四十四条の三の三　都道府県は、厚生労働省令で定める場合を除き、その区域内に居住する新型インフルエンザ等感染症外出自粛対象者が、緊急その他やむを得ない理由により、第二種協定指定医療機関以外の病院若しくは診療所又は薬局から前条第一項の厚生労働省令で定める医療を受けた場合においては、その医療に要した費用につき、当該新型インフルエンザ等感染症外出自粛対象者又はその保護者の申請により、同項の規定によって負担する額の例により算定した額の療養費を支給することができる。

2　第三十七条第四項の規定は、前項の申請について準用する。

3　第一項の療養費は、当該新型インフルエンザ等感染症外出自粛対象者が第二種協定指定医療機関から同項の厚生労働省令で定める医療を受けた場合において、当該医療が緊急その他やむを得ない理由により同項の申請をしないで行われたものであるときも、同様とする。

必要であったと認められる場合に限り、支給するものとする。

〔解　説〕

○　第四十四条の三の三は、新型インフルエンザ等感染症外出自粛対象者に対する感染症指定医療機関以外の医療機関で行われた医療に関して規定した条文である。令和四年改正により、入院医療と同様に規定された。

○　都道府県は、厚生労働省令で定める場合を除き、外出自粛対象者が第二種協定指定医療機関以外の病院、診療所（これらに準ずるものとして政令で定めるものを含む。）又は薬局から医療を受けた場合においては、その医療に要した費用につき、当該外出自粛対象者又はその保護者の申請により、療養費を支給できる。また、外出自粛対象者が緊急その他やむを得ない理由により申請をしないで医療の提供を受けたときも同様である（第一項）。

○　前記の申請については、第三十七条第四項（居住地を管轄する保健所長を経由して都道府県知事に対してしなければならない）の規定を準用する（第二項）。

○　前記の療養費は、外出自粛対象者が医療を受けた当時それが必要であったと認められる場合に限り、支給する（第三項）。

（厚生労働省令への委任）

第四十四条の三の四　前二条に規定するもののほか、第四十四条の三の二第一項の申請の手続その他この章で規定する費用の負担に関して必要な事項は、厚生労働省令で定める。

〔解　説〕

○　第四十四条の三の四は、新型インフルエンザ等感染症外出自粛対象者に対する医療費の申請の手続き、診療報酬の請求の手続き等に係る包括的な厚生労働省令への委任について規定した条文である。これらについては技術的・専門的事項が多いことからこのように包括的に厚生労働省令に委任したものである。

（新型インフルエンザ等感染症に係る検体の提出要請等）

第四十四条の三の五　厚生労働大臣は、第四十四条の二第一項の規定による公表を行ったときから同条第三項の規定による公表を行うまでの間、新型インフルエンザ等感染症の性質及び当該感染症にかかった場合の病状の程度に係る情報その他の必要な情報を収集するため必要があると認めるときは、感染症指定医療機関の管理者その他厚生労働省令で定める者に対し、当該感染症の患者の検体又は当該感染症の病原体の全部又は一部の提出を要請することができる。

2　厚生労働大臣は、前項の規定による要請をしたときは、その旨を当該要請を受けた者の所在地を管轄する都道府県知事（その所在地が保健所設置市等の区域内にある場合にあっては、その所在地を管轄する保健所設置市等の長。次項及び第五項において同じ。）に通知するものとする。

3　第一項の規定による要請を受けた者は、同項の検体又は病原体の全部又は一部を所持している又は所持することとなったときは、直ちに、都道府県知事にこれを提出しなければならない。

4　第二項に規定する都道府県知事は、前項の規定により検体又は病原体の提出を受けたときは、直ちに、厚生労働省令で定めるところにより、当該検体又は病原体について検査を実施し、その結果を、電磁的方法により厚生労働大臣（保健所設置市等の長にあっては、厚生労働大臣及び当該保健所設置市等の区域を管轄する都道府県知事）に報告しなければならない。

5　厚生労働大臣は、自ら検査を実施する必要があると認めるときは、都道府県知事に対し、第三項の規定により提出を受けた検体又は病原体の全部又は一部の提出を求めることができる。

6　第二十六条の三第一項及び第三項の規定は、第一項の規定による要請に応じない者について準用する。この場合において、同条第一項中「一類感染症、二類感染症又は新型インフルエンザ等感染症」とあるのは「新型インフルエンザ等感染症」と、同項及び同条第三項中「当該各号に定める検体又は感染症」とあるのは「新型インフルエンザ等感染症の患者の検体又は新型インフルエンザ等感染症」と読み替えるものとする。

〔解　説〕

○　第四十四条の三の五は新型インフルエンザ等感染症に係る検体の提出要請等に関して規定した条文である。

○　新型インフルエンザ等感染症の発生初期においては、発生届や患者の入院中の状態、転帰等に係る届出（以下「退院届」という。）などの情報を連結して分析することにより、感染症の性質（重篤性や潜伏期間など）を迅速に把握し、政策につなげることが重要となる。

○　また、変異株の発生初期においては、その性質を迅速に把握するため、発生届や退院届の情報に加え、これらの届出に係る患者の病原体が従来株か変異株であるかをゲノム解析により迅速に特定することが重要となるが、当該患者の検体の収集に当たっては、個別の医療機関等に対する検体提出の求めの規定（第十五条第三項及び第二十六条の三）のみであり、迅速な検体の収集が困難となっていた。

○　これらを踏まえ、国から必要な感染症指定医療機関の管理者その他厚生労働省令で定める者に対する包括的な検体提出の要請を可能とし、当該要請を受けた者に対する検体提出義務を課すこととなった。

○　厚生労働大臣は、新型インフルエンザ等感染症等に係る発生等の公表を行ったときから新型インフルエンザ等感染症等と認められなくなった旨の公表等を行うまでの間、当該感染症の性質及び当該感染症にかかった場合の病状の程度に係る情報その他の必要な情報を収集するため必要があると認めるときは、感染症指定医療機関の管理者その他厚生労働省令で定めるものに対し、当該患者の検体又は当該感染症の病原体の全部又は一部の提出を要請することができる（第一項）。

○　厚生労働大臣は前記の要請をしたときは、都道府県知事及び保健所設置市・特別区の長に、その旨を通知しなければならない（第二項）。

○　前記の要請を受けた感染症指定医療機関の管理者等は、前記の検体又は病原体の全部又は一部を所持している又は所持することとなったときは、直ちに、当該感染症指定医療機関の管理者の所在地を管轄する都道府県知事（その所在地が保健所設置市・特別区の区域内にある場合にあっては、その所在地を管轄する保健所設置市・特別区の長）に提出しなければならない（第三項）。

○　なお、提出を要請することができる具体的な情報や期間、必要な検体数、収去に関する考え方といった詳細については、要請ごとに状況に応じて示すものとする。なお、提出を要請することのできる情報には、当該検体又は病原体に係る患者の情報と突合するのに必要な情報も含まれる。

○　また、都道府県知事又は保健所設置市・特別区の長は、直ちに、厚生労働省令で定めるところにより、提出を受けた検体又は病原体について検査を実施し、その結果を、電磁的方法により厚生労働大臣に報告しなければならない（第四項）。

○　加えて、厚生労働大臣は、自ら検査を実施する必要があると認めるときは、都道府県知事に対し、提出を受けた検体又は病原体の一部の提出を求めることができる（第五項）。

○　さらに、履行確保措置として、検体の提出命令及び無償収去について規定している（第六項）。

○　なお、新感染症についても同様の規定（第五十条の六）を置いているほか、指定感染症（当該疾病にかかった場合の病状の程度が重篤であり、かつ、全国的かつ急速なまん延のおそれのあるものと厚生労働大臣が認めたものに限る。）についても準用されている（第四十四条の九）。

（新型インフルエンザ等感染症の患者の退院等の届出）

第四十四条の三の六　厚生労働省令で定める感染症指定医療機関の医師は、第二十六条第二項において読み替えて準用する第十九条又は第二十条の規定により入院している新型インフルエンザ等感染症の患者が退院し、又は死亡したときは、厚生労働省令で定めるところにより、当該患者について厚生労働省令で定める事項を、電磁的方法により当該感染症指定医療機関の所在地を管轄する都道府県知事及び厚生労働大臣（その所在地が保健所設置市等の区域内にある場合にあっては、その所在地を管轄する保健所設置市等の長、都道府県知事及び厚生労働大臣）に届け出なければならない。

〔解　説〕

○　第四十四条の三の六は新型インフルエンザ等感染症の患者の退院等の届出に関して規定した条文である。

○　感染症の患者情報については、第十二条に基づき、診断時医師から都道府県知事への届出義務、また、都道府県知事から厚生労働大臣への報告義務が課されているが、診断後の経過についての届出義務はない。しかし、感染症の臨床的特徴が明確でない場合においては、感染症に罹患したときの重症度等を把握し、感染症施策を立案していくことが必要である。

○　これを踏まえ、厚生労働省令で定める感染症指定医療機関の医師は、入院している新型インフルエンザ等感染症の患者が退院し、又は死亡したときは、当該患者について厚生労働省令で定める事項を、電磁的方法により当該感染症指定医療機関の所在地を管轄する都道府県知事及び厚生労働大臣に届け出なければならないこととしている。

○　届出内容については、まん延期においても、現場の負担にも配慮しつつ、広く情報を把握するため、これまでの新型コロナウイルス感染症（COVID-19）対応を踏まえた必要最小限の事項に限り収集することを基本としつつ、患者の入院期間中の状況について迅速に把握する必要があるときにおいては、その他必要な項目により、状況に応じた収集を可能とする仕組みとしている。また、入院患者数の増加により、入院医療機関の業務がひっ迫し、当該届出義務の履行が困難となることも考えられるため、厚生労働省令において、対象医療機関、届出項目等を絞り込むことも可能である。

○　なお、届出の対象は国民の生命及び健康に重大な影響を与えるおそれがある感染症に限定されており、新型インフルエンザ等感染症のほか、新感染症について同様の規定（第五十条の七）を置いているほか、指定感染症（当該疾病にかかった場合の病状の程度が重篤であり、かつ全国的かつ急速なまん延のおそれのあるものと厚生労働大臣が認めたものに限る。）についても準用している（第四十四条の九）。

○　また、本届出の受理に係る事務に従事した公務員又は公務員であった者については、その職務の執行に関して知り得た人の秘密を正当な理由がなく漏らした場合の罰則規定（第七十三条第二項）の対象となる。

（建物に係る措置等の規定の適用）

第四十四条の四　国は、新型インフルエンザ等感染症の発生を予防し、又はそのまん延を防止するため、特に必要があると認められる場合は、二年以内の政令で定める期間に限り、政令で定めるところにより、当該感染症を一類感染症とみなして、第二十八条及び第三十一条から第三十六条まで、第十三章及び第十四章の規定（第二十八条又は第三十一条から第三十三条までの規定により実施される措置に係る部分に限る。）の全部又は一部を適用することができる。

2　前項の政令で定められた期間は、当該感染症について同項の政令により適用することとされた規定を当該期間の経過後なお適用することが特に必要であると認められる場合は、一年以内の政令で定める期間に限り延長することができる。当該延長に係る政令で定める期間の経過後、これを更に延長しようとするときも、同様とする。

3　厚生労働大臣は、前二項の政令の制定又は改廃の立案をしようとするときは、あらかじめ、厚生科学審議会の意見を聴かなければならない。ただし、第一項の政令の制定又は改廃につき緊急を要する場合で、あらかじめ、厚生科学審議会の意見を聴くいとまがないときは、この限りでない。

4　前項ただし書に規定する場合において、厚生労働大臣は、速やかに、その立案した政令の内容について厚生科学審議会に報告しなければならない。

〔解　説〕

○　第四十四条の四は、新型インフルエンザ等感染症に対する建物に係る措置等についての条文である。

○　新型インフルエンザ等感染症については、当該感染症が発生した後でなければ、その性質は確定し得ないところである。このため、現在の科学的知見に基づき必要とされている二類感染症相当の措置について、感染症法上に実施のための法的根拠となる規定を設けているが、新型インフルエンザ等感染症が予想を超える性質を有していた場合に備え、発生後に政令を定めることにより、一類感染症とみなして、感染症法に基づく全ての措置の適用を可能としたものである（第一項）。適用が可能となる措置及び規定は、第二十八条（ねずみ族、昆虫等の駆除）、第三十一条（生活の用に供される水の使用制限等）、第三十二条（建物に係る措置）及び第三十三条（交通の制限又は遮断）並びにこれらの規定により実施される措置に係る第三十四条から第三十六条まで、第十三章及び第十四章の規定である。

○　新型インフルエンザについては、過去の発生例から二年間程度にわたり世界的な流行を見せると考えられていること、現在の科学的知見においては必ずしも必要としない人権制限規定は、できるだけ抑制的であることを要することから、新型インフルエンザ等感染症に対する適用の期間については、原則二年以内とするとともに、二年以上の長期にわたり流行が継続する場合に備えて、当初に定めた期間の経過後は、一年以内の期間に限り、何度でも、政令を定めて延長できる（第二項）。

○　適用される措置が人権制限を伴うものであり、また、科学的知見に基づいた適切なものとなることを担保するため、政令の制定及び改廃に当たっては、事前に厚生科学審議会の意見を聴くことを原則とするとともに（第三項）、初めて政令を制定する場合には、迅速な措置の実施がまん延防止上極めて重要であることから、緊急を要する場合には、厚生科学審議会への事後報告で足りる（第三項ただし書、第四項）。

（他の都道府県知事等による応援等）

第四十四条の四の二　都道府県知事は、第四十四条の二第一項の規定による公表が行われたときから同条第三項の規定による公表が行われるまでの間、当該都道府県知事の行う新型インフルエンザ等感染症の患者に対する医療を担当する医師、看護師その他の医療従事者（以下この条及び次条において「新型インフルエンザ等感染症医療担当従事者」という。）又は当該都道府県知事の行う当該感染症の発生を予防し、及びそのまん延を防止するための医療を提供する体制の確保に係る業務に従事する医師、看護師その他の医療関係者（新型インフルエンザ等感染症医療担当従事者を除く。以下この条及び次条において「新型インフルエンザ等感染症予防等業務関係者」という。）の確保に係る応援を他の都道府県知事に対し求めることができる。

2　都道府県知事は、第四十四条の二第一項の規定による公表が行われたときから同条第三項の規定による公表が行われるまでの間、次の各号のいずれにも該当するときは、厚生労働大臣に対し、新型インフルエンザ等感染症医療担当従事者の確保に係る他の都道府県知事による応援について調整を行うよう求めることができる。

一　当該都道府県において、第三十六条の二第一項の規定による通知（同項第五号に掲げる措置をその内容に含むものに限る。）に基づく措置及び医療措置協定（同号に掲げる措置をその内容に含むものに限る。）を締結した医療機関が行う当該医療措置協定に基づく措置が適切に講じられてもなお新型インフルエンザ等感染症医療担当従事者の確保が困難であり、当該都道府県における医療の提供に支障が生じ、又は生じるおそれがあると認めること。

二　新型インフルエンザ等感染症の発生の状況及び動向その他の事情による他の都道府県における医療の需給に比して、当該都道府県における医療の需給がひっ迫し、又はひっ迫するおそれがあると認めること。

三　前項の規定による求めのみによっては新型インフルエンザ等感染症医療担当従事者の確保に係る他の都道府県知事による応援が円滑に実施されないと認めること。

四　その他厚生労働省令で定める基準を満たしていること。

3　前項の規定によるほか、都道府県知事は、第四十四条の二第一項の規定による公表が行われたときから同条第三項の規定による公表が行われるまでの間、新型インフルエンザ等感染症の発生を予防し、又はそのまん延を防止するため特に必要があると認め、かつ、第一項の規定による求めのみによっては新型インフルエンザ等感染症予防等業務関係者の確保に係る他の都道府県知事による応援が円滑に実施されないと認めるときは、厚生労働大臣に対し、新型インフルエンザ等感染症予防等業務関係者の確保に係る他の都道府県知事による応援について調整を行うよう求めることができる。

4　厚生労働大臣は、前二項の規定により都道府県知事から応援の調整の求めがあった場合において、全国的な新型インフルエンザ等感染症の発生の状況及び動向その他の事情並びに第三十六条の五第四項の規定による報告の内容その他の事項を総合的に勘案し特に必要があると認めるときは、当該都道府県知事以外の都道府県知事に対し、当該都道府県知事の行う新型インフルエンザ等感染症医療担当従事者又は新型インフルエンザ等感染症予防等業務関係者の確保に係る応援を求めることができる。

5　前項の規定によるほか、厚生労働大臣は、第四十四条の二第一項の規定による公表を行ったときから同条第三項の規定による公表を行うまでの間、全国的な新型インフルエンザ等感染症の発生の状況及び動向その他の事情を総合的に勘案し、新型インフルエンザ等感染症のまん延を防止するため、広域的な人材の確保に係る応援の調整の緊急の必要があると認めるときは、第二項又は第三項の規定による応援の調整の求めがない場合であっても、都道府県知事に対し、新型インフルエンザ等感染症医療担当従事者又は新型インフルエンザ等感染症予防等業務関係者の確保に係る応援を求めることができる。

6　厚生労働大臣は、第四十四条の二第一項の規定による公表を行ったときから同条第三項の規定による公表を行うまでの間、全国的な新型インフルエンザ等感染症の発生の状況及び動向その他の事情を総合的に勘案し、新型インフルエンザ等感染症のまん延を防止するため、その事態に照らし、広域的な人材の確保に係る応援について特に緊急の必要があると認めるときは、公的医療機関等その他厚生労働省令で定める医療機関に対し、厚生労働省令で定めるところにより、新型インフルエンザ等感染症医療担当従事者又は新型インフルエンザ等感染症予防等業務関係者の確保に係る応援を求めることができる。この場合において、応援を求められた医療機関は、正当な理由がない限り、応援を拒んではならない。

〔解　説〕

○　第四十四条の四の二は、新型インフルエンザ等感染症に関する他の都道府県知事等による応援等に関して規定した条文であり、令和四年改正において新設された。

○　これまで都道府県を越えた広域的な医療人材の応援の調整の仕組みがなかったところ、新型コロナウイルス感染症（COVID–19）の対応に際して、医療人材の確保に時間を要した点が課題として指摘されている。具体的には、当初は各都道府県が、ＤＭＡＴや全国知事会に応援を求める形で都道府県を越えた広域的な医療人材の応援の調整を実施し、令和三年四月以降は、国立病院機構（ＮＨＯ）や地域医療機能推進機構（ＪＣＨＯ）など省庁関係の公的病院から、その都度感染が拡大し、医療ひっ迫が認められる都道府県への応援を厚生労働省が中心となって随時調整を行った。

○　広域派遣を含む人材確保の仕組み・ルールがなく、設置法に包括的な要求規定のある国立病院機構（ＮＨＯ）や地域医療機能推進機構（ＪＣＨＯ）からの広域派遣に偏ったこと等を踏まえ、平時における人材応援の準備から、感染症発生・まん延時における国と都道府県の役割分担や、都道府県をまたいで医療人材の応援を要する場合の条件の明確化等まで、法制度として位置づけることとした。

○　都道府県知事は、感染症発生及びまん延時において、感染急拡大等により、他の都道府県からの都道府県知事間で感染症の患者に対する医療を担当する医師、看護師その他の医療従事者（以下「医療担当従事者」という。）又は感染症の予防及びまん延を防止するための医療提供体制の確保に係る業務に従事する医師、看護師その他の医療関係者（医療担当従事者を除く。以下「感染症予防等業務関係者」という。）の確保に係る応援の求めをすることができる（第一項）。当該規定については左記のような状況を想定し、費用負担関係を明らかにするため規定することとし、近隣県同士での応援で対応する範囲での調整を念頭に置いていることから、応諾義務はない。

《都道府県間の応援調整として想定している例》
県全体としての病床使用率が同様の感染状況等にある他県と比べて高くない段階であっても、
・急速な感染拡大により、感染症対応に一定の知見があり感染者の入院等の判断・調整を行う医師や看護師が不足する場合
・特定の医療機関において大規模クラスターが発生し、多数の医療従事者の欠勤が発生、診療体制の継続が難しい場合など医療人材が局所的・臨時的に不足する場合

○　都道府県知事は、感染症発生及びまん延時において、協定等に基づく自都道府県内での医療担当従事者の確保の措置を講じてもなお、医療ひっ迫等の要件を満たすと認める場合（※）には、厚生労働大臣に対し、医療担当従事者の確保に係る他の都道府県知事の応援の協力を求めることができる（第二項）。

※　左記①、②、③及び④の要件を満たす場合。

①　提供義務医療機関への通知及び各都道府県知事と医療機関との間で締結される協定に基づく措置が講じられてもなお当該都道府県における医療担当従事者が不足し、医療の提供に支障が生じ、又は生じるおそれがあると認めること（第二項第一号）＝各都道府県における医療人材確保については、まずは、各都道府県内で必要な確保を行うべきであり、自都道府県における医療人材確保が十分に行われているかを表したもの

②　新型インフルエンザ等感染症等の発生の状況、動向、その他の事情による他の都道府県における医療の需給に比して、当該都道府県における医療の需給がひっ迫し、又はひっ迫するおそれがあると認めること（第二項第二号）＝病床使用率が他の都道府県と比べて相対的に高い状況であること等、他の都道府県の状況と比較した際に、当該都道府県に

医療人材の応援を行う必要性が認められるかを表したもの

③　前項の規定による求めのみによっては医療担当従事者の確保に係る他の都道府県知事による応援が円滑に実施されないと認めること（第二項第三号）＝まずは、近隣県への応援の求めを検討することを原則とするもの

④　当該応援に従事する者の宿泊施設の確保等の受入体制の整備が講じられていること（令和五年改正省令第二十三条の十第一項）

○　都道府県知事は、感染症発生及びまん延時において、新型インフルエンザ等感染症の発生を予防し、又はそのまん延を防止するため、特に必要があると認めるときは、厚生労働大臣に対し、他の都道府県の感染症予防等業務関係者の確保に係る応援について調整を行うよう求めることができる（第三項）。

○　これは、感染症予防等業務関係者については、感染制御や業務継続支援等の業務を担当（※）することを想定しており、必ずしも医療ひっ迫等の要件を満たしていなくとも、都道府県入院調整本部や大規模クラスター施設での対応において応援が必要となる場合があることから、都道府県知事が応援を求めるに当たり、医療ひっ迫等の要件は設けない。

※　例えば、令和四年改正により医療法で法定化された医療チーム（ＤＭＡＴ等）が都道府県庁において行うコロナ患者の入院・搬送調整、クラスターが発生した医療機関・介護施設等において行う感染症の専門家と連携して行う支援等を想定。

第44条の４の２　他の都道府県知事等による応援等

○　厚生労働大臣は、都道府県知事から医療担当従事者又は感染症予防等業務関係者の確保に係る応援調整の求めがあった場合において、全国的な新型インフルエンザ等感染症の発生の状況、動向等や各都道府県知事が各医療機関と締結した協定の内容（特に人材の確保に係る状況）等を総合的に勘案し特に必要があると認めるときは、求めを行った都道府県知事以外の都道府県知事に対し、医療担当従事者又は感染症予防等業務関係者の確保に係る応援を求めることができることとした（第四項）。この場合において、応援を求められた都道府県知事には、応諾義務はない。

○　これらのほか、厚生労働大臣は、都道府県知事から医療担当従事者又は感染症予防等業務対応関係者の確保に係る応援

の調整の求めがない場合であっても、全国的な新型インフルエンザ等感染症の発生の状況、動向等を総合的に勘案し、新型インフルエンザ等のまん延を防止するため、広域的な応援の調整の必要があると認めるときは、都道府県知事に対し、医療担当従事者又は感染症予防等業務関係者の確保に係る応援を求めることができる（第五項）。この場合において、応援を求められた都道府県知事には、応諾義務はない。

○　この規定については、都道府県知事からの応援の調整の求めがない場合であっても、厚生労働大臣が都道府県知事に応援を求めることができる旨を規定するものであり、以下の二つのパターンを想定したものである。

①　本来、医療がひっ迫するおそれのある都道府県知事が応援を求めるべきだが、急速な感染拡大等の事情で、厚生労働大臣に他の都道府県知事への応援の調整の求めを求めるいとまがないような場合。

②　令和二年のダイヤモンドプリンセス号対応のような、検疫における対応の中で、全国的な応援が必要となるような場合（この場合、ひっ迫都道府県という概念が生じず、厚生労働大臣の責任で応援を求めることとなる）。

○　医療担当従事者又は感染症予防等業務関係者の確保に特に緊急の必要があると認めるときは、厚生労働大臣から、直接、公的医療機関等（※）に対して、広域的な人材の確保に係る応援を求めることができる。この場合において、応援を求められた公的医療機関等は、正当な理由がある場合を除き、応援を拒んではならない（第六項）。

※　令和五年改正省令により、公的医療機関等のほか、地域医療支援病院、特定機能病院及び医療法第三十条の十二の六第一項に規定する協定を締結した医療機関も対象となっており、当該応援を求める医療機関を管理・運営する法人等に一括して応援を求めることができることを規定した。

○　なお、厚生労働大臣が、当該医療機関に新型インフルエンザ等感染症医療担当従事者等の応援を求める場合、その旨を当該医療機関の所在地の都道府県知事が把握できるよう、厚生労働大臣は当該都道府県知事にその旨を通知すること及び、都道府県知事が当該通知を受けたときは、厚生労働大臣に対し意見を申し出ることができる。（令和五年改正省令第二十三条の十第三項）

（他の都道府県知事等の応援を受けた場合の応援に要する費用の負担）

第四十四条の四の三　前条の規定により他の都道府県知事又は公的医療機関等その他同条第六項の厚生労働省令で定める医療機関による新型インフルエンザ等感染症医療担当従事者又は新型インフルエンザ等感染症予防等業務関係者の確保に係る応援を受けた都道府県は、当該応援に要した費用を負担しなければならない。

〔解　説〕

○　第四十四条の四の三は、他の都道府県知事等の応援を受けた場合の応援に要する費用の負担に関して規定した条文である。

○　第四十四条の四の二の規定により他の都道府県知事又は公的医療機関等その他厚生労働省令で定める医療機関による新型インフルエンザ等感染症医療担当従事者又は新型インフルエンザ等感染症予防等業務関係者の応援を受けた都道府県は、当該応援に要した費用を負担しなければならない旨を規定している。都道府県知事が他の都道府県に対し、医療担当従事者や感染症予防等業務関係者の確保に係る応援を求めた場合については、当該者の派遣元の都道府県と派遣によって講じられる措置を享受する都道府県が異なることから、応援に要した費用については、派遣によって講じられる措置を享受する、派遣先の都道府県が負担しなければならない。

（厚生労働大臣による総合調整）

第四十四条の五　厚生労働大臣は、第四十四条の二第一項の規定による公表を行ったときから同条第三項の規定による公表を行うまでの間、都道府県の区域を越えて新型インフルエンザ等感染症の予防に関する人材の確保又は第二十六条第二項において読み替えて準用する第二十一条の規定による移送を行う必要がある場合その他当該感染症のまん延を防止するため必要があると認めるときは、都道府県知事又は医療機関その他の関係者に対し、都道府県知事又は医療機関その他の関係者が実施する当該感染症のまん延を防止するために必要な措置に関する総合調整を行うものとする。

2　都道府県知事は、必要があると認めるときは、厚生労働大臣に対し、当該都道府県知事及び他の都道府県知事又は医療機関その他の関係者について、前項の規定による総合調整を行うよう要請することができる。この場合において、厚生労働大臣は、必要があると認めるときは、同項の規定による総合調整を行わなければならない。

3　第一項の場合において、都道府県知事又は医療機関その他の関係者は、同項の規定による総合調整に関し、厚生労働大臣に対して意見を申し出ることができる。

4　厚生労働大臣は、第一項の規定による総合調整を行うため必要があると認めるときは、都道府県知事又は医療機関その他の関係者に対し、それぞれ当該都道府県知事又は医療機関その他の関係者が実施する新型インフルエンザ等感染症のまん延を防止するために必要な措置の実施の状況について報告又は資料の提出を求めることができる。

5　厚生労働大臣は、第一項の規定による総合調整を行うに当たつては、新型インフルエンザ等対策特別措置法第十八条第一項に規定する基本的対処方針との整合性の確保を図らなければならない。

〔解　説〕

○　第四十四条の五は、厚生労働大臣の総合調整に関する規定であり、令和四年改正によって新設された。

○　医療提供等の感染症対策の具体の実施は、現場の執行機関等に密接な関係を有し、迅速な対応が可能な都道府県等が行うべきであるという前提を踏まえると、医療機関等と密接に関わる都道府県知事が主体となって総合調整を行うこととなる。

○　しかし、新型コロナウイルス感染症（COVID-19）対応に際して、複数の都道府県にまたがる範囲で厚生労働大臣が全国的に総合調整を行う必要があったことを踏まえ、国民の生命及び健康に重大な影響を与えるおそれがある新型インフルエンザ等感染症の発生及びまん延時であって、複数の都道府県や医療機関等にまたがって広域的な総合調整を行う必要があるときに、厚生労働大臣が総合調整できる規定が設けられた。

○　厚生労働大臣は、新型インフルエンザ等感染症の発生及びまん延時であって都道府県の区域を越えた当該感染症の予防に関する人材の確保、患者の移送を行う必要がある場合やその他当該感染症のまん延を防止するため必要があると認めるときは、都道府県知事や医療機関その他の関係者が実施する当該感染症のまん延を防止するために必要な措置に関する総合調整を行う（第一項）。

○　また都道府県知事は、必要があると認めるときは、厚生労働大臣に対し、当該都道府県知事その他の関係者について総合調整を行うよう要請することができる。この場合において、厚生労働大臣は、必要があると認めるときは、総合調整を行わなければならない（第二項）。

○　また、厚生労働大臣が行った総合調整の結果に対して、都道府県知事が意見を申し出ることができる規定（第三項）及び報告又は資料の提出を求める規定（第四項）を置いている。

○　加えて、感染症法に基づく厚生労働大臣の総合調整と特措法に基づく政府対策本部長の総合調整とで、措置の内容に齟齬が生じ混乱を惹起することを防ぐため、厚生労働大臣が総合調整を行う必要が生じた場合は、特措法第十八条の基本的対処方針との整合性の確保を図らなければならない（第五項）。

○　なお、新型インフルエンザ等感染症の発生及びまん延時に、本条の規定による総合調整も、第六十三条の二第一項及び第二項の規定による指示権限も行使できる場面が生じることとなる。この場合については、緊急時等における感染症関係事務の迅速な実行のため、総合調整と指示権限の先後関係は問われず、当該感染症の発生及びまん延時等の際、厚生労働大臣は各々の権限の要件を満たしさえすれば、同一の事由に対してどちらの権限も行使できるものと解される。

（新型インフルエンザ等感染症に係る経過の報告）

第四十四条の六　都道府県知事は、新型インフルエンザ等感染症に関し、この法律又はこの法律に基づく政令の規定による事務を行った場合は、厚生労働省令で定めるところにより、その内容を厚生労働大臣に報告しなければならない。

２　前項の規定は、市町村長が、新型インフルエンザ等感染症に関し、第三十五条第五項において準用する同条第一項に規定する措置を当該職員に実施させた場合について準用する。

〔解　説〕

○　第四十四条の六の規定は、新型インフルエンザ等感染症に係る経過の報告についての条文である。

○　新型インフルエンザ等感染症については、確定的な性質や必要となるまん延防止策は、発生後でなければ判明し得ない。そのため、都道府県知事や市町村長が、新型インフルエンザ等感染症に関して、感染症法及び感染症法に基づく政令によって行った事務について、情報を適宜収集することにより、当該感染症の確定的な性質を把握し、これを踏まえたまん延防止策を展開することが必要である。また、新型インフルエンザ等感染症については、強い感染力を有すると想定され、そのまん延防止を図るためには、国を挙げてまん延防止策を講じなければならないことから、都道府県知事が実施する個別の事務等についても、国においてその状況を適切に把握することが必要である。そこで、都道府県知事及び市町村長は、新型インフルエンザ等感染症に関する事務を行った場合は、その内容を厚生労働大臣に報告しなければならないこととしたものである。なお、厚生労働大臣に報告すべき情報については、厚生労働省令で定めることとし、都道府県等に過重な負担をかけることなく、的確な情報の把握を行うこととしている。

第七章の二　指定感染症

（指定感染症について実施する措置等に関する情報の公表）

第四十四条の七　厚生労働大臣は、指定感染症にかかった場合の病状の程度が重篤であり、かつ、全国的かつ急速なまん延のおそれがあるものと認めたときは、速やかに、その旨を公表するとともに、当該指定感染症について、第十六条第一項の規定による情報の公表を行うほか、病原体の検査方法、症状、診断及び治療並びに感染の防止の方法、この法律の規定により実施する措置その他の当該指定感染症の発生の予防又はそのまん延の防止に必要な情報を新聞、放送、インターネットその他適切な方法により逐次公表しなければならない。

2　前項の規定による情報の公表を行うに当たっては、個人情報の保護に留意しなければならない。

3　厚生労働大臣は、第一項の規定により情報を公表した指定感染症について、国民の大部分が当該指定感染症に対する免疫を獲得したこと等により全国的かつ急速なまん延のおそれがなくなったと認めたときは、速やかに、その旨を公表しなければならない。

〔解　説〕

○　第四十四条の七は、指定感染症について実施する措置等に関する情報の公表についての規定であり、令和四年改正により新設された。

○　新型コロナウイルス感染症（COVID-19）への対応においては、関係機関の事前の準備等が不足し、連携協力が思うように進まなかったことや、国や地方自治体、医療機関等の間で感染症対応への共通認識が構築できずに、法に基づく医療機関等への要請指示がほぼ機能しなかったといったような課題が顕在化した。

○　これらの課題は、主に新型コロナウイルス感染症（COVID-19）が全国的に爆発的な勢いで感染拡大したことに起因すると考えられ、医療措置協定等、今後の感染症発生及びまん延時に対応する制度について、新型インフルエンザ等感染症及び新感染症のほかに、指定感染症のうち、かかった場合の病状の程度が重篤であり、かつ、全国的かつ急速なまん延のおそれがあるものを対象とすることとし、これに伴い新型インフルエンザ等感染症と同様に情報の公表規定を置くこととした。

（指定感染症に対するこの法律の準用）

第四十四条の八　第四十四条の四の二から第四十四条の五までの規定は、指定感染症（前条第一項の規定による公表が行われたものに限る。）について準用する。この場合において、第四十四条の四の二第一項から第三項まで、第五項及び第六項並びに第四十四条の五第一項中「第四十四条の二第一項」とあるのは「第四十四条の七第一項」と、第四十四条の四の二及び第四十四条の四の三中「新型インフルエンザ等感染症医療担当従事者」とあるのは「指定感染症医療担当従事者」と、「新型インフルエンザ等感染症予防等業務関係者」とあるのは「指定感染症予防等業務関係者」と、第四十四条の五第一項中「確保又は第二十六条第二項において読み替えて準用する第二十一条の規定による移送」とあるのは「確保」と読み替えるほか、必要な技術的読替えは、政令で定める。

第四十四条の九　指定感染症については、一年以内の政令で定める期間に限り、政令で定めるところにより第八条、第三章から前章（第四十四条の二及び第四十四条の四の二から第四十四条の五までを除く。）まで、第十章、第十三章及び第十四章の規定の全部又は一部を準用する。

２　前項の政令で定められた期間は、当該政令で定められた疾病について同項の政令により準用することとされた規定を当該期間の経過後なお準用することが特に必要であると認められる場合は、一年以内の政令で定める期間に限り延長することができる。

３　厚生労働大臣は、前二項の政令の制定又は改廃の立案をしようとするときは、あらかじめ、厚生科学審議会の意見を聴かなければならない。

〔解　説〕

○　第四十四条の八及び第四十四条の九は、指定感染症に対する本法の準用を規定した条文である。指定感染症とは、既知の感染症の中で一類感染症、二類感染症、三類感染症及び新型インフルエンザ等感染症に分類されない感染症であって、一類感染症から三類感染症に準じた対応又は必要に応じて新型インフルエンザ等感染症に準じた対応の必要が生じたものとして、政令で一年以内の期間に限定して指定された感染症（第六条第八項）である。

○　第四十四条の八は、第四十四条の七第一項の規定による公表があった指定感染症について、

・　他の都道府県知事等による応援等に関する規定（第四十四条の四の二及び第四十四条の四の三）

・　厚生労働大臣による総合調整（第四十四条の五）

の準用を法律上定めるものである。これまで指定感染症に関する感染症法の規定の準用は全て政令により規定することとされていたが、一定のまん延のおそれがある指定感染症に対して、一部の新型インフルエンザ等感染症に関する規定については、その必要性の観点から、法律上規定の準用を定めたものである。

○　第四十四条の九は、第四十四条の八に基づき法律上指定感染症について準用されることとなっている規定以外の規定について、準用する規定を政令で規定することとしている。政令で定める期間の経過後、なお本法の規定の一部を準用することが特に必要と認められる場合は、一年以内の期間に限り、指定期間を延長することができる。令和四年改正により、旧第七条の規定が第四十四条の九に移動され、所要の規定の整備が行われた。

第八章　新感染症

（新感染症の発生及び実施する措置等に関する情報の公表）

第四十四条の十　厚生労働大臣は、新感染症が発生したと認めたときは、速やかに、その旨及び発生した地域を公表するとともに、当該新感染症について、第十六条第一項の規定による情報の公表を行うほか、病原体の検査方法、症状、診断及び治療並びに感染の防止の方法、この法律の規定により実施する措置その他の当該新感染症の発生の予防又はそのまん延の防止に必要な情報を新聞、放送、インターネットその他適切な方法により逐次公表しなければならない。

２　前項の規定による情報の公表を行うに当たっては、個人情報の保護に留意しなければならない。

〔解　説〕

○　第四十四条の十は、新感染症の発生及び実施される措置等に関する情報の公表に関する条文である。新感染症の発生時にその旨及び発生地域等を公表することとするものである。

○　新感染症は、人類にとって未知なものであり、罹患時の症状が重篤な感染症であることから、発生した際には、措置の開始の周知や国民が必要な感染防御策を講じることができるよう、その発生及び発生地域を公表する必要がある（第一項)。

○　新感染症については、病原体の検査方法、症状、診断及び治療並びに感染の防止の方法、法による実施措置等の発生の予防又はまん延の防止に必要な情報を、医師等や地方公共団体の職員等のまん延防止策の実施者や国民に対し、速やかに伝える必要がある。これらの理由から、発生が認められた場合には、こうした情報を速やかに公表しなければならないとするものである（第一項)。なお、新感染症については、第五十三条の規定により、その固有の症状及びまん延防止のために講ずべき措置を示すことができるようになった時点で、当該新感染症を政令で指定することとされているが、当該新感染症の発生数が減り、措置を実施する必要がなくなったときには、政令は廃止されるものであることから、これによって新感染症への対応の終了を公示したと考えることが可能である。

○　新感染症の性質が判明し、連続的に対策が必要となった場合には、法改正を行い一類感染症から五類感染症のいずれかに位置づけるなどの対応が行われることになるが、こうした実施措置の内容の変化についても情報の公表の対象となるものである。

○　第一項の規定による情報の公表を行うに当たっては、患者等の人権を尊重する観点から、個人情報の保護に留意しなければならない（第二項)。なお、個人情報の保護等に関する法令を遵守しつつ、新感染症の発生の予防及びまん延を図る法目的に照らして個々の事例ごとに個人情報の取扱いについて判断されることになる。

（新感染症に係る検体の採取等）

第四十四条の十一　都道府県知事は、新感染症のまん延を防止するため必要があると認めるときは、第十五条第三項第三号に掲げる者に対し同号に定める検体を提出し、若しくは当該職員による当該検体の採取に応じるべきことを勧告し、又はその保護者に対し当該検体を提出し、若しくは同号に掲げる者に当該職員による当該検体の採取に応じさせるべきことを勧告することができる。ただし、都道府県知事がその行おうとする勧告に係る当該検体（その行おうとする勧告に係る当該検体から分離された新感染症の病原体を含む。以下この項において同じ。）を所持している者からその行おうとする勧告に係る当該検体を入手することができると認められる場合においては、この限りでない。

2　厚生労働大臣は、新感染症のまん延を防止するため緊急の必要があると認めるときは、第十五条第三項第三号に掲げる者に対し同号に定める検体を提出し、若しくは当該職員による当該検体の採取に応じさせるべきことを勧告し、又はその保護者に対し当該検体を提出し、若しくは同号に掲げる者に当該職員による当該検体の採取に応じさせるべきことを勧告することができる。ただし、厚生労働大臣がその行おうとする勧告に係る当該検体（その行おうとする勧告に係る当該検体から分離された新感染症の病原体を含む。以下この項において同じ。）を所持している者からその行おうとする勧告に係る当該検体を入手することができると認められる場合においては、この限りでない。

3　都道府県知事は、第一項の規定による勧告を受けた者が当該勧告に従わないときは、当該職員に当該勧告に係る第十五条第三項第三号に掲げる者から検査のため必要な最小限度において、同号に定める検体を採取させることができる。

4　厚生労働大臣は、第二項の規定による勧告を受けた者が当該勧告に従わないときは、当該職員に当該勧告に係る第十五条第三項第三号に掲げる者から検査のため必要な最小限度において、同号に定める検体を採取させることができる。

5　都道府県知事は、厚生労働省令で定めるところにより、第一項の規定により提出を受け、若しくは当該職員が採取した検体又は第三項の規定により当該職員に採取させた検体について検査を実施しなければならない。

6　都道府県知事は、厚生労働省令で定めるところにより、前項の検査の結果その他厚生労働省令で定める事項を厚生労働大臣に報告しなければならない。

7　厚生労働大臣は、自ら検査を実施する必要があると認めるときは、都道府県知事に対し、第一項の規定により提出を受け、若しくは当該職員が採取した検体又は第三項の規定により当該職員に採取させた検体の一部の提出を求めることができる。

8　都道府県知事は、第一項の規定により検体の提出若しくは採取の勧告をし、第三項の規定により当該職員に検体の採取の措置を実施させ、又は第五項の規定により検体の検査を実施するため特に必要があると認めるときは、他の都道府県知事又は厚生労働大臣に対し、感染症試験研究等機関の職員の派遣その他の必要な協力を求めることができる。

9　第十六条の三第五項及び第六項の規定は、都道府県知事が第一項の規定により検体の提出若しくは採取の勧告をし、又は第三項の規定により当該職員に検体の採取の措置を実施させる場合について準用する。

10　第十六条の三第五項及び第六項の規定は、厚生労働大臣が第二項の規定により検体の提出若しくは採取の勧告をし、又は第四項の規定により当該職員に検体の採取の措置を実施させる場合について準用する。

〔解　説〕

○　第四十四条の十一は、第十六条の三に定める一類感染症等と同様に、都道府県知事（緊急時は厚生労働大臣）が新感染症の所見がある者若しくは新感染症にかかっていると疑うに足りる正当な理由のある者又はその保護者への検体提出・検体採取に応じる旨の勧告を前置（第一項、第二項）した上で、当該勧告を受けた者がその勧告に応じない場合、患者等から強制的に検体を採取できること（第三項、第四項）、入手した検体等について都道府県知事は検査を実施しなければならないこと（第五項）、その結果について厚生労働大臣に報告しなければならないこと（第六項）、厚生労働大臣が検体の一部の提出を求めることができること（第七項）等を定めた条文である。

（新感染症に係る健康診断）

第四十五条　都道府県知事は、新感染症のまん延を防止するため必要があると認めるときは、当該新感染症にかかっていると疑うに足りる正当な理由のある者に対し当該新感染症にかかっているかどうかに関する医師の健康診断を受け、又はその保護者に対し当該新感染症にかかっていると疑うに足りる正当な理由のある者に健康診断を受けさせるべきことを勧告することができる。

2　都道府県知事は、前項の規定による勧告を受けた者が当該勧告に従わないときは、当該勧告に係る新感染症にかかっていると疑うに足りる正当な理由のある者について、当該職員に健康診断を行わせることができる。

3　第十六条の三第五項及び第六項の規定は、都道府県知事が第一項に規定する健康診断の勧告又は前項に規定する健康診断の措置を実施する場合について準用する。

〔解　説〕

○　第四十五条は、新感染症に係る健康診断について規定した条文である。新感染症という概念は、従来の感染症予防関連法規にはない概念であり、新感染症に係る法制の必要性、新感染症の要件及び手続きについて解説する。

○　一九七〇年代以降、世界中で少なくとも三十以上の新しい感染症（新興感染症）の出現が報告されている。この新興感染症の中には、感染力が強く、また罹患した場合の病態が重症化する感染症も含まれている。例えば、エボラ出血熱の場合、一九七六年の六月にスーダンで最初の患者が発見されてからウイルスが同定される十一月までに約二百八十名の患者が発生し、百五十二名が死亡したと報告されている。現代のような世界各地の森林開発、都市化の急速な進展、技術革新による新たな感染症（例：薬剤耐性菌感染症）の出現を考えると、エボラ出血熱以上の危険性を有する感染症が今後出現し、交通機関の発達等に伴う活発な国際的交流の下、我が国に侵入してくる可能性は十分に想定される。このような観点から、原因不明であっても人から人への伝染力が強いと認められ、かつ罹患した場合の病態が極めて重篤な感染症に限定した上で、医療の提供、必要な感染拡大防止ができるような法制の構築が求められている。このため、新感染症に係る規定を設けることとした。

○　新感染症に対しては、原因病原体が不明の段階において、行動制限を含めた対策を講じる必要があることから、その適用は、ある程度合理的な範囲に限定する必要があると考えられ、次のような要件に合致するものを新感染症制度の対象とする。

①　既知の感染症ではないこと
（理由：既知であれば、指定感染症制度の活用により、本法で必要な規定が適用可能）

②　人から人への伝染力が強いと認められること
（理由：伝染力が強くなければ、病原体の同定の研究を進めてから指定感染症として指定する方法で十分であり、新感染症制度の適用の緊急性に乏しい）

③　罹患した場合の病態が重篤であること
（理由：病態が重篤でなければ、病原体の同定の研究を進めてから指定感染症として指定する方法で十分であり、新感染症制度の適用の緊急性に乏しい）

○　新感染症に係る手続きについては、感染症に関する症例の積み重ねの程度に応じて、対応が二段階に分類されている。
なお、病原体が判明した時点で、必要に応じ、指定感染症による対応又は法改正による対応となる。

〔1〕　症例の積み重ねができる前の手続き

新感染症の患者の個々の発生に応じて対処すべき方策を個別に判断するため、その発生ごとに厚生労働大臣が厚生科学審議会の意見を聴いた上で、新感染症の適用等の指導及び助言を与える。この段階においては、新感染症の発生事例も十分でなく、法の適用の可否等を判断する場合、厚生労働大臣の指導及び助言を受け法の適用をすることとし、厚生労働大臣は、専門性の担保のため、厚生科学審議会に意見を聴くこととする。

要件に合致すると考えられる患者を診断した医師は都道府県知事に届出
↓
都道府県知事は、新感染症に係る措置を講ずる前に厚生労働大臣に通報
↓
厚生労働大臣は、新感染症に係る措置について、厚生科学審議会に意見を聴く
↓
厚生労働大臣は、発動する措置を含めて新感染症の適用に関する指導及び助言を都道府県知事に行う （入院は十日間を限度とし、十日間を超える入院の必要性がある場合は、その都度、厚生科学審議会の意見を聴いて厚生労働大臣の指導及び助言が必要）
↓
保健所長（都道府県知事）が措置の実施

〔2〕 症例の積み重ねができた後の手続き

積み重ねられた症例に基づいて、新感染症に対して講ずべき措置を厚生労働大臣が厚生科学審議会の意見を聴いた上で政令で定め（第五十三条）、以後は、都道府県知事がその要件に基づいて一類感染症と同様の手続きによって措置を実施する。この段階においては、当該新感染症に関する知見の積み重ねも比較的増えており、政令の定める基準に基づき都道府県知事が定型的に判断できる程度の抽象化が可能であると考えられる。政令で指定する内容としては、①新感染症の暫定名称（呼称）、②新感染症患者に共通し、診断するに十分と考えられる臨床症状、感染経路等、③講ずべき措置等が想定されている。

要件に合致すると考えられる患者を診断した医師は都道府県知事に届出
↓
都道府県知事の判断において、七十二時間の入院勧告、措置を実施
↓
七十二時間を超える入院が必要な場合は、都道府県知事が感染症の診査に関する協議会の意見を聴いた上で十日間を限度に入院勧告、措置
↓
さらに十日間を超える入院が必要な場合は、都道府県知事が感染症の診査に関する協議会の意見を聴いた上で、十日間を限度に入院勧告、措置の延長を行う（十日間の延長ごとに手続きを実施）

第45条　新感染症に係る健康診断

○　新感染症に係る健康診断の要件は、以下の三点である。

①　新感染症のまん延を防止するため必要があると認められること

②　本人又はその保護者に対する勧告

③　厚生労働大臣との密接な連携（指導及び助言を受けること）（第五十一条第一項）

○　本条に基づく健康診断の対象者は、新感染症にかかっていると疑うに足りる正当な理由のある者である。また、健康診断が入院の前提となることから、健康診断勧告に従わない者に対しては、強制的な健康診断を実施できることとする。なお、健康診断の必要性の判断について厚生労働大臣との密接な連携の下に検討しているから、健康診断勧告については厚生労働大臣への通報等が要求されるが、健康診断措置については厚生労働大臣への通報等は要求されていないものである（第五十一条第一項）。

○　新感染症の実態を早期に解明するため、新感染症に係る情報を収集する必要があることから、健康診断を実施した場合には、健康診断の内容及びその後の経過を厚生労働大臣に報告しなければならない（第五十二条第一項）。

○　健康診断勧告又は健康診断措置を実施する場合には、原則として、その理由その他の厚生労働省令で定める事項を記載した書面により通知しなければならない（第三項）。

〔主要告示・通知等〕

・感染症の予防及び感染症の患者に対する医療に関する法律による新感染症の取扱いについて（平成十一年三月三十日健医発第五三六号）

○1976年以降に発見又は確認された主な新興感染症

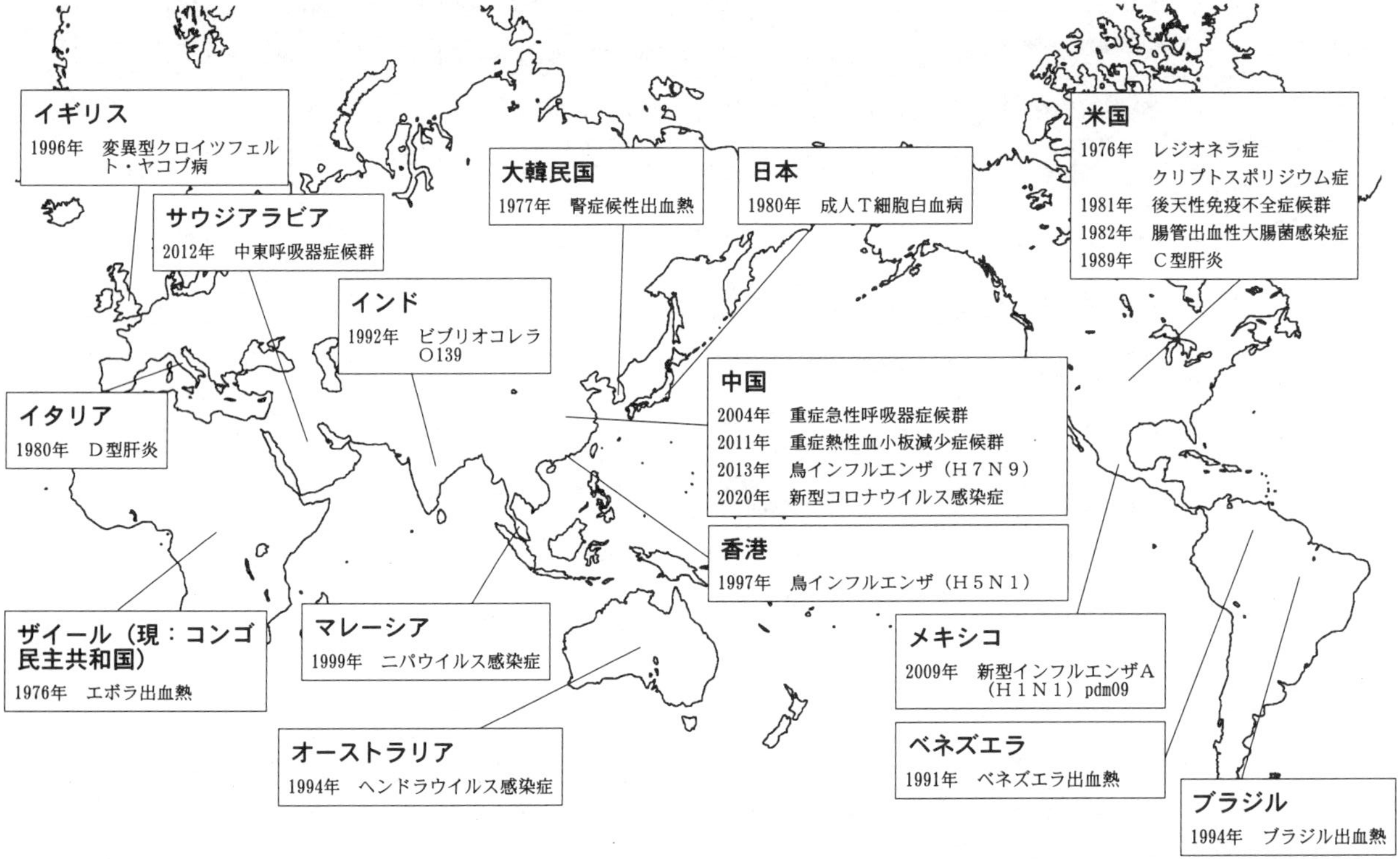
イギリス
1996年　変異型クロイツフェルト・ヤコブ病
サウジアラビア
2012年　中東呼吸器症候群
インド
1992年　ビブリオコレラO139
大韓民国
1977年　腎症候性出血熱
日本
1980年　成人T細胞白血病
米国
1976年　レジオネラ症
クリプトスポリジウム症
1981年　後天性免疫不全症候群
1982年　腸管出血性大腸菌感染症
1989年　C型肝炎
イタリア
1980年　D型肝炎
中国
2004年　重症急性呼吸器症候群
2011年　重症熱性血小板減少症候群
2013年　鳥インフルエンザ（H７N９）
2020年　新型コロナウイルス感染症
香港
1997年　鳥インフルエンザ（H５N１）
ザイール（現：コンゴ民主共和国）
1976年　エボラ出血熱
マレーシア
1999年　ニパウイルス感染症
メキシコ
2009年　新型インフルエンザA（H１N１）pdm09
オーストラリア
1994年　ヘンドラウイルス感染症
ベネズエラ
1991年　ベネズエラ出血熱
ブラジル
1994年　ブラジル出血熱

発見（確認）年・国名	病名	病原体	主な症状	主な感染経路	感染症法分類
1976年・ザイール	エボラ出血熱	エボラウイルス	全身出血・多臓器不全	血液・体液の接触	一類
1976年・米国	レジオネラ症	レジオネラ属菌	肺炎	経気道感染	四類
1977年・大韓民国	腎症候性出血熱	ハンタウイルス	出血・腎臓障害	経気道感染	四類
1980年・日本	成人Ｔ細胞白血病	ヒトＴ細胞白血病ウイルス	発熱・倦怠感・リンパ節腫大	母乳感染・輸血など	
1981年・米国	後天性免疫不全症候群	ＨＩＶ（ヒト免疫不全ウイルス）	日和見感染症・悪性腫瘍	性的接触・血液・母子感染など	五類
1982年・米国	腸管出血性大腸菌感染症	腸管出血性大腸菌（Ｏ157）	下痢・腎機能低下	経口感染	三類
1996年・イギリス	変異型クロイツフェルト・ヤコブ病	プリオン（タンパク質）	運動失調・進行性精神・神経障害	牛海綿状脳症の脳・脊髄の喫食	五類
1997年・香港	鳥インフルエンザ（Ｈ５Ｎ１）	Ａ型インフルエンザウイルス（Ｈ５Ｎ１）	肺炎・呼吸窮迫症候群・多臓器不全	飛沫・接触感染	二類
1999年・マレーシア	ニパウイルス感染症	ニパウイルス	発熱・頭痛・意識障害	感染動物（主にブタ）の体液や組織との接触	四類
2004年・中国	重症急性呼吸器症候群	ＳＡＲＳコロナウイルス	肺炎・呼吸窮迫症候群・多臓器不全	飛沫・接触感染	二類
2009年・メキシコ	新型インフルエンザＡ（Ｈ１Ｎ１）pdm09	インフルエンザウイルスＡ（Ｈ１Ｎ１）pdm09	発熱・気道症状・消化器症状	飛沫・接触感染	五類
2011年・中国	重症熱性血小板減少症候群	ＳＦＴＳウイルス	発熱、消化器症状	ダニ刺咬	四類
2012年・サウジアラビア	中東呼吸器症候群	ＭＥＲＳコロナウイルス	肺炎・呼吸窮迫症候群・多臓器不全	飛沫・接触感染	二類
2013年・中国	鳥インフルエンザ（Ｈ７Ｎ９）	Ａ型インフルエンザウイルス（Ｈ７Ｎ９）	肺炎・呼吸窮迫症候群・多臓器不全	飛沫・接触感染	二類
2020年・中国	新型コロナウイルス感染症	ＳＡＲＳコロナウイルス２	発熱、呼吸器症状	飛沫・接触感染	五類

（新感染症の所見がある者の入院）

第四十六条　都道府県知事は、新感染症のまん延を防止するため必要があると認めるときは、新感染症の所見がある者（新感染症（病状の程度を勘案して厚生労働省令で定めるものに限る。）の所見がある者にあっては、当該新感染症の病状又は当該新感染症にかかった場合の病状の程度が重篤化するおそれを勘案して厚生労働省令で定める者及び当該者以外の者であって第五十条の二第二項の規定による協力の求めに応じないものに限る。）に対し十日以内の期間を定めて特定感染症指定医療機関若しくは第一種協定指定医療機関に入院し、又はその保護者に対し当該新感染症の所見がある者をこれらの医療機関に入院させるべきことを勧告することができる。ただし、緊急その他やむを得ない理由があるときは、特定感染症指定医療機関及び第一種協定指定医療機関以外の病院又は診療所であって当該都道府県知事が適当と認めるものに入院し、又は当該新感染症の所見がある者を入院させるべきことを勧告することができる。

2　都道府県知事は、前項の規定による勧告を受けた者が当該勧告に従わないときは、十日以内の期間を定めて、当該勧告に係る新感染症の所見がある者を特定感染症指定医療機関又は第一種協定指定医療機関（同項ただし書の規定による勧告に従わないときは、特定感染症指定医療機関及び第一種協定指定医療機関以外の病院又は診療所であって当該都道府県知事が適当と認めるもの）に入院させることができる。

3　都道府県知事は、緊急その他やむを得ない理由があるときは、前二項の規定により入院している新感染症の所見がある者を、前二項の規定により入院したときから起算して十日以内の期間を定めて、当該新感染症の所見がある者が入院している病院又は診療所以外の病院又は診療所であって当該都道府県知事が適当と認めるものに入院させることができる。

4　都道府県知事は、前三項の規定に係る入院の期間の経過後、当該入院に係る新感染症の所見がある者について入院を継続する必要があると認めるときは、十日以内の期間を定めて入院の期間を延長することができる。当該延長に係る入院の期間の経過後、これを更に延長しようとするときも、同様とする。

5　都道府県知事は、第一項の規定による勧告をしようとする場合には、当該新感染症の所見がある者又はその保護者に、適切な説明を行い、その理解を得るよう努めるとともに、都道府県知事が指定する職員に対して意見を述べる機会を与えなければならない。この場合においては、当該新感染症の所見がある者又はその保護者に対し、あらかじめ、意見を述べるべき日時、場所及びその勧告の原因となる事実を通知しなければならない。

6　前項の規定による通知を受けた当該新感染症の所見がある者又はその保護者は、代理人を出頭させ、かつ、自己に有利な証拠を提出することができる。

7　第五項の規定による意見を聴取した者は、聴取書を作成し、これを都道府県知事に提出しなければならない。

〔解　説〕

○　第四十六条は、新感染症の所見がある者の入院について規定した条文である。新感染症は病原体が判明していないものであるので、病原体が判明していることを前提とした患者という表現は用いられないものである。

○　入院先は、特定感染症指定医療機関である。ただし、緊急その他やむを得ない理由があるときは、適当と認める病院又は診療所に入院させることができる。令和四年改正前は、「病院」のみに入院させることができるとされていたが、新型コロナウイルス感染症（COVID-19）対応において発生した病床のひっ迫を避けるため、協定を締結した第一種協定指定医療機関も新たに感染症指定医療機関として、新型インフルエンザ等感染症、指定感染症の一部、新感染症の患者の入院を担当することとなり、第一種協定指定医療機関には、有床診療所を含むことから、診療所も対象としている。

○　緊急その他やむを得ない理由がある場合とは、第十九条、第二十条と同様、特定感染症指定医療機関が満床の場合や、もともと重篤な合併症等を発症しており、特定感染症指定医療機関へ移送することが不適当と判断される場合である。また、入院している新感染症の所見がある者についても緊急その他やむを得ない理由があるときは、適当と認める病院又は診療所に入院させることができる。この場合の緊急その他やむを得ない理由があるときとは、合併症等で他の医療機関での治療が必要になった場合や、より重篤な新感染症の所見がある者の入院が必要になった場合等である。

○　新感染症の所見がある者については、一類感染症、二類感染症及び新型インフルエンザ等感染症のように、都道府県知事だけの判断で七十二時間の時限的な入院をさせることはできない。これは、新感染症は感染症の疾病であるか確認がとれておらず、人権の尊重の観点から問題があるからである。厚生労働大臣が厚生科学審議会の意見を聴いて、都道府県知事に指導及び助言をし、密接な連携の下、十日以内の期間で入院の措置が行われるので、保健所に置かれる感染症の診査に関する協議会の意見を聴く必要はない（第五十一条）。また、入院期間の終了後、なお入院が必要な場合は、入院の期間を延長することができる。期間を延長する際には、あらかじめ、厚生労働大臣に通報し、厚生労働大臣の指導及び助言を受け、密接な連携を図る必要がある。

○　入院勧告を行う際には厚生労働大臣に通報する必要があるが、入院措置を行う場合には通報は不要である（第五十一条）。これは、入院勧告を行う時点で入院の必要性を判断しているからである。また、新感染症に係る情報を収集するため、都道府県知事は、新感染症の所見がある者を入院させた場合にはその後の経過を厚生労働大臣に報告しなければなら

○新感染症の患者の入院に係る手続き

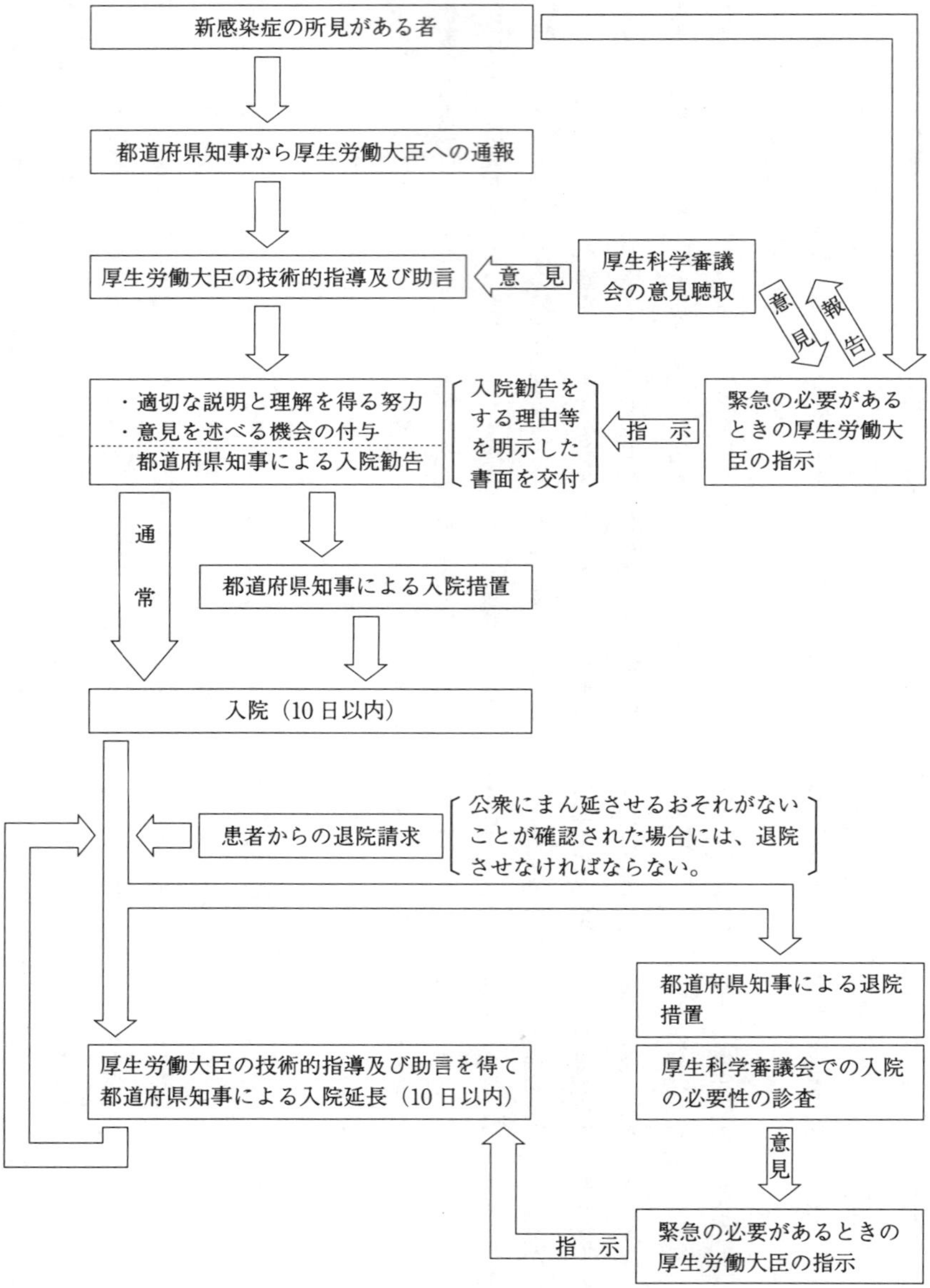

ない（第五十二条）。

○　入院の勧告又は入院の措置を実施するには、新感染症の所見がある者又はその保護者に対して、原則として書面により、その理由その他の厚生労働省令で定める事項を通知しなければならない（第十六条の三第五項、第六項、第四十九条）。

○　入院の勧告に際しては、人権尊重の観点から、可能な限り、当該患者に対し適切な説明を行い、その理解を得るように努め、これが奏功しない場合に限って、強制措置が講じられることが適当である。このため、都道府県知事は、当該勧告に係る患者又はその保護者に対し適切な説明を行い、その理解を得るよう努めなければならない。また、入院に係る適法性、相当性及び人権の尊重に資するため、都道府県知事は、当該患者又はその保護者に対し、意見聴取の機会を与えなければならず、その意見を聴取した者が提出する聴取書に記載された内容を参酌した上で、当該勧告を行うこととしているる（第五項から第七項）。

（新感染症の所見がある者の移送）

第四十七条　都道府県知事は、前条の規定により入院する新感染症の所見がある者を当該入院に係る病院に移送しなければならない。

〔**解　説**〕

○　第四十七条は、新感染症の所見がある者の移送について規定した条文である。新感染症は未知の疾病であることから、移送方法をあらかじめ決めることはできず、厚生労働大臣に通報し、厚生労働大臣と密接な連携を図りながら移送することとしている。

○　一類感染症、二類感染症又は新型インフルエンザ等感染症の患者の移送と同様、第四十六条による入院の勧告等を受けていない者については、本条の適用はなく、新感染症の所見がある者との判断がなされる前に、救急用の車両で移送されることも想定される。

（新感染症の所見がある者の退院）
第四十八条　都道府県知事は、第四十六条の規定により入院している者について、当該入院に係る新感染症を公衆にまん延させるおそれがないことが確認されたときは、当該入院している者を退院させなければならない。
２　病院の管理者は、都道府県知事に対し、第四十六条の規定により入院している者について、当該入院に係る新感染症を公衆にまん延させるおそれがない旨の意見を述べることができる。
３　第四十六条の規定により入院している者又はその保護者は、都道府県知事に対し、当該入院している者の退院を求めることができる。
４　都道府県知事は、前項の規定による退院の求めがあったときは、当該入院している者について、当該入院に係る新感染症を公衆にまん延させるおそれがないかどうかの確認をしなければならない。

〔解　説〕
○　第四十八条は、新感染症の所見がある者の退院について規定した条文である。退院の要件は、新感染症を公衆にまん延させるおそれがないことが確認されることである。一類感染症、二類感染症及び新型インフルエンザ等感染症と異なり、病原体の存在が前提とならないため、病原体の消失は退院要件とできないものである。

○　退院は入院と裏腹な行為であり、退院により新感染症を公衆にまん延させるおそれがないことを確認するため、都道府県知事は退院に際して、あらかじめ厚生労働大臣に通報し、厚生労働大臣と密接な連携を図ることが要求される（第五十一条）。

○　病院の管理者は、都道府県知事に対して、入院している者が新感染症をまん延させるおそれがない旨の意見を述べることができる（第二項）。新感染症の性格から、病院の管理者が、入院している者が新感染症をまん延させるおそれがないと断定するのは困難であり、意見を述べることができることにしたものである（一類感染症、二類感染症及び新型インフルエンザ等感染症と異なり、義務を課さないこととした。）。

○　入院している者又はその保護者は、都道府県知事に対して退院の請求をすることができる（第三項）。この請求がなされた場合は、都道府県知事は新感染症を公衆にまん延させるおそれがないかどうか確認しなければならない（第四項）が、その際には、厚生労働大臣に通報し、密接な連携を図る必要がある（第五十一条）。

○　新感染症の所見がある者については、一類感染症、二類感染症又は新型インフルエンザ等感染症の入院患者と異なり審査請求の特例（第二十五条）は存在しない。これは、新感染症の所見がある者については、厚生労働大臣が厚生科学審議会の意見を聴いて、都道府県知事に指導及び助言を行った上で入院措置がなされるからである（第五十一条）。なお、当該確認は、直接新感染症の所見がある者の権利義務に変動を与えるものでないので、行政不服審査法による不服申立、行政事件訴訟法による取消訴訟の対象とならず、行政手続法の不利益処分にも該当しない。

（最小限度の措置）

第四十八条の二　第四十四条の十一から第四十七条までの規定により実施される措置は、新感染症を公衆にまん延させるおそれ、新感染症にかかった場合の病状の程度その他の事情に照らして、新感染症の発生を予防し、又はそのまん延を防止するため必要な最小限度のものでなければならない。

〔解　説〕

○　第四十八条の二は、第四十四条の十一から第四十七条までの措置の程度について規定した条文である。第四十四条の十一から第四十七条までに規定されている措置は、いわゆる警察規制であるので、警察比例の原則から措置の程度は当然必要最小限度であるべきものである。第四十八条の二はこのことを確認的に規定したものである。

○　健康診断、入院措置及び移送といった新感染症に係る対人措置については、人権を直接侵害し、制約するものであり、当該措置を行うに当たっては、その対象となる者の任意の協力を求め、それが奏功しない場合に限って、強制措置を行い、当該措置については必要な最小限度のものとする必要がある。このため、これらの対人措置を実施するに当たっては、新感染症を公衆にまん延させるおそれ、新感染症にかかった場合の病状の程度その他の事情に照らして、新感染症の発生を予防し、又はそのまん延を防止するため必要な最小限度のものでなければならない旨を入念的に規定するものである。本条の原則に反し、必要な最小限度を超える措置は、違法となる余地がある。

（新感染症の所見がある者の入院に係る書面による通知）

第四十九条　第十六条の三第五項及び第六項の規定は、都道府県知事が第四十六条第一項に規定する入院の勧告、同条第二項及び第三項に規定する入院の措置並びに同条第四項に規定する入院の期間の延長をする場合について準用する。

〔解　説〕

○　第四十九条は、新感染症の所見がある者からの検体採取等に係る書面による通知について規定した条文である。それぞれ勧告及び措置については行政手続法の不利益処分に該当しないため、行政手続法による理由の提示は要求されないものである。しかし、それぞれは身体の拘束等を伴う行為であり、人権に対する配慮から、所要の手続保障を設けたものである。

（都道府県知事に対する苦情の申出）

第四十九条の二　第二十四条の二の規定は、第四十六条の規定により入院している新感染症の所見がある者について準用する。

〔解　説〕

○　第四十九条の二は、都道府県知事に対する苦情の申出に関する規定である。第四十六条の規定により入院している新感染症の所見がある者について、一類感染症等の入院患者に係る都道府県知事に対する苦情の申出の規定（第二十四条の二）を準用するものであり、本条の規定の趣旨は、第二十四条の二と同様である。

（新感染症に係る消毒その他の措置）

第五十条　都道府県知事は、新感染症の発生を予防し、又はそのまん延を防止するため必要があると認めるときは、当該新感染症を一類感染症とみなして、第二十六条の三第一項及び第三項、第二十六条の四第一項及び第三項、第二十七条から第三十三条まで並びに第三十五条第一項に規定する措置の全部又は一部を実施し、又は当該職員に実施させることができる。

2　第二十六条の三第五項から第八項までの規定は、前項の規定により都道府県知事が同条第一項又は第三項に規定する措置を実施し、又は当該職員に実施させる場合について準用する。

3　第二十六条の四第五項から第八項までの規定は、第一項の規定により都道府県知事が同条第一項又は第三項に規定する措置を実施し、又は当該職員に実施させる場合について準用する。

4　第三十五条第二項及び第三項の規定は、第一項の規定により都道府県知事が当該職員に同条第一項に規定する措置を実施させる場合について準用する。

5　第三十六条第一項及び第二項の規定は、第一項の規定により都道府県知事が第二十六条の三第一項若しくは第三項、第二十六条の四第一項若しくは第三項、第二十七条第一項若しくは第二項、第二十八条第一項若しくは第二項、第二十九条第一項若しくは第二項、第三十条第一項又は第三十一条第一項に規定する措置を実施し、又は当該職員に実施させる場合について準用する。

6　第三十六条第四項の規定は、第一項の規定により都道府県知事が第三十二条又は第三十三条に規定する措置を実施し、又は当該職員に実施させる場合について準用する。

7　厚生労働大臣は、新感染症の発生を予防し、又はそのまん延を防止するため緊急の必要があると認めるときは、当該新感染症を一類感染症とみなして、第二十六条の三第二項及び第四項、第二十六条の四第二項及び第四項並びに第三十五条第四項において準用する同条第一項に規定する措置の全部又は一部を実施し、又は当該職員に実施させることができる。

8　第三十五条第四項において準用する同条第二項及び第三項の規定は、前項の規定により当該職員に同条第四項において準用する同条第一項に規定する措置を実施させる場合について準用する。

9　第三十六条第三項において準用する同条第一項及び第二項の規定は、第七項の規定により厚生労働大臣が第二十六条の三第二項若しくは第四項又は第二十六条の四第二項若しくは第四項に規定する措置を実施し、又は当該職員に実施させる場合について準用する。

10　市町村長は、新感染症の発生を予防し、又はそのまん延を防止するため必要があると認めるときは、当該新感染症を一類感染症とみなして、第三十五条第五項において準用する同条第一項に規定する措置を当該職員に実施させることができる。

11　第三十五条第五項において準用する同条第二項及び第三項の規定は、前項の規定により当該職員に同条第五項において準用する同条第一項に規定する措置を実施させる場合について準用する。

12　第三十六条第五項において準用する同条第一項及び第二項の規定は、第一項の規定により実施される第二十七条第二項、第二十八条第二項又は第二十九条第二項の規定による都道府県知事の指示に従い、市町村長が当該職員に第二十七条第二項、第二十八条第二項又は第二十九条第二項に規定する措置を実施させる場合について準用する。

13　第一項、第七項又は第十項の規定により実施される措置は、新感染症の発生を予防し、又はそのまん延を防止するため必要な最小限度のものでなければならない。

〔解　説〕

○　第五十条は、新感染症に係る消毒等の措置について規定した条文である。第一項で都道府県知事の実施できる措置を、第二項及び第三項で都道府県知事の検体等の検査、報告の義務等を、第四項で質問調査を行う都道府県の職員が証明書を携帯すべきことを、第五項で措置を行う際の書面による通知を、第六項で措置を行う際の掲示を、第七項で厚生労働大臣の実施できる措置を、第八項で質問調査を行う国の職員が証明書を携帯すべきことを、第九項で措置を行う際の書面による通知を、第十項で市町村長の質問調査を、第十一項で質問調査を行う市町村の職員が証明書を携帯すべきことを、第十二項で措置を行う際の書面による通知を、第十三項で消毒等の措置は必要最小限でなければならないことを定めたものである。

○　新感染症は一類感染症と同程度の危険性がある疾病であり、一類感染症に対してとり得る措置の全てを実施することができる。その際には、厚生労働大臣に通報し、厚生労働大臣の指導及び助言を受け、密接な連携を図って措置を実施する必要がある（第五十一条）。また、措置を講じた場合には、新感染症に係る情報の収集のため、厚生労働大臣に報告する必要がある（第五十二条）。

○　第二十七条第二項、第二十八条第二項、第二十九条第二項、第三十一条第二項により市町村が消毒等を実施する場合には、まず、都道府県知事が厚生労働大臣に通報し、厚生労働大臣と密接な連携を図った都道府県知事の指示を受けて行うこととなる。また、市町村が消毒等を実施するために必要な質問・調査をすることができる（第十項）。

○　なお、新感染症により死亡した者の死体について火葬義務、二十四時間以内の火葬・埋葬については規定が設けられていないが、必要に応じて本条第一項において実施される第二十九条で消毒や必要な措置を講じることとなる。これは、新感染症が原因不明な疾病であることから、一律にある行為を禁止したり（埋葬の禁止）、特別の地位を付与する（二十四時間以内の火葬・埋葬）のは不適当であるからである。

○　新感染症に係る措置についても人権尊重の観点から、一類感染症から四類感染症及び新型インフルエンザ等感染症と同様の手続き保障が設けられており（第五項、第六項、第十二項）、一類感染症から四類感染症及び新型インフルエンザ等感染症と同様、当該措置は必要最小限度のものとされている（第十三項）。

（感染を防止するための報告又は協力）

第五十条の二　都道府県知事は、新感染症のまん延を防止するため必要があると認めるときは、厚生労働省令で定めるところにより、当該新感染症にかかっていると疑うに足りる正当な理由のある者に対し、当該新感染症の潜伏期間と想定される期間を考慮して定めた期間内において、当該者の体温その他の健康状態について報告を求め、又は当該者の居宅若しくはこれに相当する場所から外出しないことその他の当該新感染症の感染の防止に必要な協力を求めることができる。

2　都道府県知事は、新感染症（病状の程度を勘案して厚生労働省令で定めるものに限る。次条第一項において同じ。）のまん延を防止するため必要があると認めるときは、厚生労働省令で定めるところにより、当該新感染症の所見のある者に対し、当該新感染症を公衆にまん延させるおそれがないことが確認されるまでの間、当該者の体温その他の健康状態について報告を求め、又は宿泊施設（当該新感染症のまん延を防止するため適当なものとして厚生労働省令で定める基準を満たすものに限る。）若しくは当該者の居宅若しくはこれに相当する場所から外出しないことその他の当該新感染症の感染の防止に必要な協力を求めることができる。

3　前二項の規定により報告を求められた者は、正当な理由がある場合を除き、これに応じなければならず、前二項の規定により協力を求められた者は、これに応ずるよう努めなければならない。

4　第四十四条の三第四項の規定は都道府県知事が第一項の規定により報告を求める場合について、同条第五項の規定は都道府県知事が第二項の規定により報告を求める場合について、同条第六項の規定は都道府県知事が第一項又は第二項の規定により報告を求める場合について、同条第七項から第十項までの規定は都道府県知事が第一項又は第二項の規定により協力を求める場合について、同条第十一項の規定は都道府県知事が第二項の規定により協力を求める場合について、それぞれ準用する。この場合において、同条第十項中「新型インフルエンザ等感染症に」とあるのは「新感染症に」と、「第二項」とあるのは「第五十条の二第二項」と、同項及び同条第十一項中「新型インフルエンザ等感染症の患者」とあるのは「新感染症の所見がある者」と、同項中「同項」とあるのは「第五十条の二第二項」と、「当該感染症」とあるのは「当該新感染症」と、「宿泊施設」とあるのは「同項に規定する宿泊施設」と読み替えるものとする。

〔解　説〕

○　第五十条の二は、新感染症の感染を防止するための協力に関する条文である。本条各項の規定の趣旨等については、新型インフルエンザ等感染症に係る第四十四条の三の規定とおおむね同様であるので、参考にされたい。

○　新感染症に係る措置については、当該新感染症が発生した後に、科学的知見に基づき適切に行う必要があることから、都道府県知事は、入院措置等を講ずる前には、厚生労働大臣と連携を図らなければならず、厚生労働大臣は、厚生科学審議会の意見を聴いた上で都道府県知事に対して技術的な指導や助言を行うこととされている（第五十一条）。これは、新感染症に係る措置が科学的に適切に、かつ、過度に人権制限を行うことなく実施するための規定であるが、健康状態の報告の要請や外出自粛等の協力要請は、強制的な性格を持つものではなく、新感染症が生じた場合には、どのような性質であった場合にも迅速に実施することがまん延防止に有効であることから、厚生労働大臣からの技術的な指導や助言を必須とはしていないものである。

○　都道府県知事がこれらの要請を適切に行うことを担保するため、本条による事務については、厚生労働大臣による指示（第五十一条の五）及び経過の報告（第五十二条）の対象とされている一方、第五十条の二第四項において準用する第四十四条の三第七項及び第八項による食事の提供等及び実費の徴収は、外出自粛等の要請に付随する事務であり、かつ、人権制限を伴わない措置であることから、指示及び経過報告の対象から除外されているものである。

（新感染症外出自粛対象者の医療）

第五十条の三　都道府県は、厚生労働省令で定める場合を除き、その区域内に居住する前条第二項の規定により宿泊施設若しくは居宅若しくはこれに相当する場所から外出しないことの協力を求められた新感染症の所見がある者（以下「新感染症外出自粛対象者」という。）又はその保護者から申請があったときは、当該新感染症外出自粛対象者が第二種協定指定医療機関から受ける厚生労働省令で定める医療に要する費用を負担する。

２　第三十七条第二項の規定は前項の負担について、同条第四項の規定は前項の申請について、第四十条、第四十一条及び第四十三条の規定は同項の場合について、それぞれ準用する。

（新感染症外出自粛対象者の緊急時等の医療に係る特例）

第五十条の四　都道府県は、厚生労働省令で定める場合を除き、その区域内に居住する新感染症外出自粛対象者が、緊急その他やむを得ない理由により、第二種協定指定医療機関以外の病院若しくは診療所又は薬局から前条第一項の厚生労働省令で定める医療を受けた場合においては、その医療に要した費用につき、当該新感染症外出自粛対象者又はその保護者の申請により、同項の規定によって負担する額の例により算定した額の療養費を支給することができる。当該新感染症外出自粛対象者が第二種協定指定医療機関から同項の厚生労働省令で定める医療を受けた場合において、当該医療が緊急その他やむを得ない理由により同項の申請をしないで行われたものであるときも、同様とする。

2　第三十七条第四項の規定は、前項の申請について準用する。

3　第一項の療養費は、当該新感染症外出自粛対象者が当該医療を受けた当時それが必要であったと認められる場合に限り、支給するものとする。

（厚生労働省令への委任）

第五十条の五　前二条に規定するもののほか、第五十条の三第一項の申請の手続その他この章で規定する費用の負担に関して必要な事項は、厚生労働省令で定める。

〔解　説〕

○　第五十条の三から第五十条の五までは、新感染症の外出自粛対象者に対する医療に関する規定である。

○　これらの条の規定の趣旨等については、新型インフルエンザ等感染症に係る第四十四条の三の二から第四十四条の三の四までの規定とおおむね同様である。

（新感染症に係る検体の提出要請等）

第五十条の六　厚生労働大臣は、第四十四条の十第一項の規定による公表を行ったときから第五十三条第一項の政令が廃止されるまでの間、新感染症の性質及び当該新感染症にかかった場合の病状の程度に係る情報その他の必要な情報を収集するため必要があると認めるときは、感染症指定医療機関の管理者その他厚生労働省令で定める者に対し、当該新感染症の所見がある者の検体又は当該新感染症の病原体の全部又は一部の提出を要請することができる。

２　厚生労働大臣は、前項の規定による要請をしたときは、その旨を当該要請を受けた者の所在地を管轄する都道府県知事（その所在地が保健所設置市等の区域内にある場合にあっては、その所在地を管轄する保健所設置市等の長。次項及び第五項において同じ。）に通知するものとする。

３　第一項の規定による要請を受けた者は、同項の検体又は病原体の全部又は一部を所持している又は所持することとなったときは、直ちに、都道府県知事にこれを提出しなければならない。

４　第二項に規定する都道府県知事は、前項の規定により検体又は病原体の提出を受けたときは、直ちに、厚生労働省令で定めるところにより、当該検体又は病原体について検査を実施し、その結果を、電磁的方法により厚生労働大臣（保健所設置市等の長にあっては、厚生労働大臣及び当該保健所設置市等の区域を管轄する都道府県知事）に報告しなければならない。

５　厚生労働大臣は、自ら検査を実施する必要があると認めるときは、都道府県知事に対し、第三項の規定により提出を受けた検体又は病原体の全部又は一部の提出を求めることができる。

６　第二十六条の三第一項及び第三項の規定は、第一項の規定による要請に応じない者について準用する。この場合において、同条第一項中「一類感染症、二類感染症又は新型インフルエンザ等感染症」とあるのは「新感染症」と、同項及び同条第三項中「当該各号に定める検体又は感染症」とあるのは「新感染症の所見がある者の検体又は新感染症」と読み替えるものとする。

〔解　説〕

○　第五十条の六は新感染症に係る検体の提出要請等に関して規定した条文である。

○　この規定の趣旨等については、新型インフルエンザ等感染症に係る第四十四条の三の五の規定とおおむね同様である。

（新感染症の所見がある者の退院等の届出）

第五十条の七　厚生労働省令で定める感染症指定医療機関の医師は、第四十六条の規定により入院している新感染症の所見がある者が退院し、又は死亡したときは、厚生労働省令で定めるところにより、当該者について厚生労働省令で定める事項を、電磁的方法により当該感染症指定医療機関の所在地を管轄する都道府県知事及び厚生労働大臣（その所在地が保健所設置市等の区域内にある場合にあっては、その所在地を管轄する保健所設置市等の長、都道府県知事及び厚生労働大臣）に届け出なければならない。

〔解　説〕

○　第五十条の七は新感染症の所見がある者の退院等の届出に関して規定した条文である。

○　この規定の趣旨等については、新型インフルエンザ等感染症に係る第四十四条の三の六の規定とおおむね同様である。

（厚生労働大臣の技術的指導及び助言）

第五十一条　都道府県知事は、第四十四条の十一第一項、第四十五条第一項、第四十六条第一項、第三項若しくは第四項、第四十七条若しくは第四十八条第一項若しくは第四項に規定する措置又は第五十条第一項の規定により第二十六条の三第一項、第二十六条の四第一項、第二十七条から第三十三条まで若しくは第三十五条第一項に規定する措置を実施し、又は当該職員に実施させようとする場合には、あらかじめ、当該措置の内容及び当該措置を実施する時期その他厚生労働省令で定める事項を厚生労働大臣に通報し、厚生労働大臣と密接な連携を図った上で当該措置を講じなければならない。

2　厚生労働大臣は、前項の規定による通報を受けたときは、第四十四条の十一から第四十八条まで及び第五十条第一項に規定する措置を適正なものとするため、当該都道府県知事に対して技術的な指導及び助言をしなければならない。

3　厚生労働大臣は、前項の規定により都道府県知事に対して技術的な指導及び助言をしようとするときは、あらかじめ、厚生科学審議会の意見を聴かなければならない。

4　前三項の規定は、市町村長が第五十条第十項の規定により第三十五条第五項において準用する同条第一項に規定する措置を当該職員に実施させる場合について準用する。

〔解　説〕

○　第五十一条は、新感染症に係る施策を実施する場合の、厚生労働大臣の技術的指導及び助言について規定した条文である。第一項で都道府県知事が具体的な措置を行う場合の事前通報を、第二項で厚生労働大臣の技術的指導及び助言を、第三項で指導及び助言に際しての厚生科学審議会の意見聴取を、第四項で市町村長が質問調査をする際に必要な手続きを定めたものである。

○　都道府県知事が以下の施策を実施する際には、あらかじめ厚生労働大臣に措置の内容及び措置を実施する時期その他厚生労働省令で定める事項を通報し、厚生労働大臣と密接な連携を図った上で措置を講じなければならない（第一項）。厚生労働省令で定める事項としては、当該措置を実施することが必要な理由等である（規則第二十七条）。また、密接な連携とは具体的にいうと第二項の指導及び助言を受けて措置を実施することを意味する。

①　検体提出・検体採取勧告（第四十四条の十一第一項）

②　健康診断受診勧告（第四十五条第一項）

③　入院勧告（第四十六条第一項）、入院場所の変更（第四十六条第三項）、入院期間の延長（第四十六条第四項）

④　移送（第四十七条）

⑤　退院（第四十八条第一項）、退院請求に係る確認（第四十八条第四項）

⑥　第五十条第一項に規定する措置関係：検体の収去・採取（第二十六条の三第一項、第二十六条の四第一項）、場所の消毒（第二十七条）、ねずみ族・昆虫等の駆除（第二十八条）、物件に係る措置（第二十九条）、死体の移動制限等（第三十条）、生活用水の使用制限等（第三十一条）、建物に係る措置（第三十二条）、交通の制限・遮断（第三十三条）、質問調査（第三十五条第一項）

なお、検体採取措置（第四十四条の十一第三項）、健康診断措置（第四十五条第二項）、入院措置（第四十六条第二項）については、勧告をする段階で検体採取、健康診断又は入院の必要性が判断されているため、通報は不要としている。入院場所の変更については、新感染症については原因が不明であり、都道府県知事が適当と認める病院で本当に対応できるのかを確認するために通報することとした。

○　通報を受けた厚生労働大臣は、都道府県知事に対して技術的な指導及び助言をしなければならない（第二項）。その際には、感染症の専門家である厚生科学審議会の意見を聴くこととし、措置の妥当性、判断の専門性を担保することとしている（第三項）。厚生労働大臣は、必要に応じて技術的な助言を出すことができるが（地方自治法第二百四十五条の四）、第二項は厚生労働大臣の義務としての技術的指導及び助言を規定したものである。この規定の趣旨は二つある。一つは新感染症に係る措置の適正化を図ること、もう一つは、新感染症に係る措置を実施する際の都道府県の負担を軽減する（新感染症にどう対処していいかの判断に困惑することが想定されるため）ことである。

○　市町村は、第五十条第十項により措置（第二十七条第二項、第二十八条第二項、第二十九条第二項、第三十一条第二項による消毒等）を実施する際に必要な質問及び調査を実施する際にも、厚生労働大臣への通報、密接な連携、厚生労働大臣の技術的指導及び助言、その際の厚生科学審議会への諮問という一連の手続きが要求される（第四項）。

（他の都道府県知事等による応援等）

第五十一条の二　都道府県知事は、第四十四条の十第一項の規定による公表が行われたときから第五十三条第一項の政令が廃止されるまでの間、当該都道府県知事の行う新感染症の所見がある者に対する医療を担当する医師、看護師その他の医療従事者（以下この条及び次条において「新感染症医療担当従事者」という。）又は当該都道府県知事の行う当該新感染症の発生を予防し、及びそのまん延を防止するための医療を提供する体制の確保に係る業務に従事する医師、看護師その他の医療関係者（新感染症医療担当従事者を除く。以下この条及び次条において「新感染症予防等業務関係者」という。）の確保に係る応援を他の都道府県知事に対し求めることができる。

2　都道府県知事は、第四十四条の十第一項の規定による公表が行われたときから第五十三条第一項の政令が廃止されるまでの間、次の各号のいずれにも該当するときは、厚生労働大臣に対し、新感染症医療担当従事者の確保に係る他の都道府県知事による応援について調整を行うよう求めることができる。

一　当該都道府県において、第三十六条の二第一項の規定による通知（同項第五号に掲げる措置をその内容に含むものに限る。）に基づく措置及び医療措置協定（同号に掲げる措置をその内容に含むものに限る。）を締結した医療機関が行う当該医療措置協定に基づく措置が適切に講じられてもなお新感染症医療担当従事者の確保が困難であり、当該都道府県における医療の提供に支障が生じ、又は生じるおそれがあると認めること。

二　新感染症の発生の状況及び動向その他の事情による他の都道府県における医療の需給に比して、当該都道府県における医療の需給がひっ迫し、又はひっ迫するおそれがあると認めること。

三　前項の規定による求めのみによっては新感染症医療担当従事者の確保に係る他の都道府県知事による応援が円滑に実施されないと認めること。

四　その他厚生労働省令で定める基準を満たしていること。

3　前項の規定によるほか、都道府県知事は、第四十四条の十第一項の規定による公表が行われたときから第五十三条第一項の政令が廃止されるまでの間、新感染症の発生を予防し、又はそのまん延を防止するため特に必要があると認め、かつ、第一項の規定による求めのみによっては新感染症予防等業務関係者の確保に係る他の都道府県知事による応援が円滑に実施されないと認めるときは、厚生労働大臣に対し、新感染症予防等業務関係者の確保に係る他の都道府県知事による応援について調整を行うよう求めることができる。

4　厚生労働大臣は、前二項の規定により都道府県知事から応援の調整の求めがあった場合において、全国的な新感染症の発生の状況及び動向その他の事情並びに第三十六条の五第四項の規定による報告の内容その他の事項を総合的に勘案し特に必要があると認めるときは、当該都道府県知事以外の都道府県知事に対し、当該都道府県知事の行う新感染症医療担当従事者又は新感染症予防等業務関係者の確保に係る応援を求めることができる。

5　前項の規定によるほか、厚生労働大臣は、第四十四条の十第一項の規定による公表を行ったときから第五十三条第一項の政令が廃止されるまでの間、全国的な新感染症の発生の状況及び動向その他の事情を総合的に勘案し、新感染症のまん延を防止するため、広域的な人材の確保に係る応援の調整の緊急の必要があると認めるときは、第二項又は第三項の規定による応援の調整の求めがない場合であっても、都道府県知事に対し、新感染症医療担当従事者又は新感染症予防等業務関係者の確保に係る応援を求めることができる。

6　厚生労働大臣は、第四十四条の十第一項の規定による公表を行ったときから第五十三条第一項の政令が廃止されるまでの間、全国的な新感染症の発生の状況及び動向その他の事情を総合的に勘案し、新感染症のまん延を防止するため、その事態に照らし、広域的な人材の確保に係る応援について特に緊急の必要があると認めるときは、公的医療機関等その他厚生労働省令で定める医療機関に対し、厚生労働省令で定めるところにより、新感染症医療担当従事者又は新感染症予防等業務関係者の確保に係る応援を求めることができる。この場合において、応援を求められた医療機関は、正当な理由がない限り、応援を拒んではならない。

（他の都道府県知事等の応援を受けた場合の応援に要する費用の負担）

第五十一条の三　前条の規定により他の都道府県知事又は公的医療機関等その他同条第六項の厚生労働省令で定める医療機関による新感染症医療担当従事者又は新感染症予防等業務関係者の確保に係る応援を受けた都道府県は、当該応援に要した費用を負担しなければならない。

〔解　説〕

○　第五十一条の二及び第五十一条の三は新感染症に関する他の都道府県知事等による応援等に関する規定である。

○　この規定の趣旨等については、新型インフルエンザ等感染症に係る第四十四条の四の二及び第四十四条の四の三の規定とおおむね同様である。

（厚生労働大臣による総合調整）

第五十一条の四　厚生労働大臣は、第四十四条の十第一項の規定による公表を行ったときから第五十三条第一項の政令が廃止されるまでの間、都道府県の区域を越えて新感染症の予防に関する人材の確保又は第四十七条の規定による移送を行う必要がある場合その他当該新感染症のまん延を防止するため必要があると認めるときは、都道府県知事又は医療機関その他の関係者に対し、都道府県知事又は医療機関その他の関係者が実施する当該新感染症のまん延を防止するために必要な措置に関する総合調整を行うものとする。

２　都道府県知事は、必要があると認めるときは、厚生労働大臣に対し、当該都道府県知事及び他の都道府県知事又は医療機関その他の関係者について、前項の規定による総合調整を行うよう要請することができる。この場合において、厚生労働大臣は、必要があると認めるときは、同項の規定による総合調整を行わなければならない。
３　第四十四条の五第三項から第五項までの規定は、第一項の規定による総合調整について準用する。
４　厚生労働大臣は、第一項の規定による総合調整を行おうとするときは、あらかじめ、厚生科学審議会の意見を聴かなければならない。ただし、緊急を要する場合で、あらかじめ、厚生科学審議会の意見を聴くいとまがないときは、この限りでない。
５　前項ただし書に規定する場合において、厚生労働大臣は、速やかに、その行った総合調整について厚生科学審議会に報告しなければならない。

〔解　説〕

○　第五十一条の四は新感染症に関する厚生労働大臣による総合調整に関する規定である。
○　この規定の趣旨等については、新型インフルエンザ等感染症に係る第四十四条の五の規定とおおむね同様である。

（厚生労働大臣の指示）
第五十一条の五　厚生労働大臣は、新感染症の発生を予防し、若しくはそのまん延を防止するため緊急の必要があると認めるとき、又は都道府県知事がこの章の規定に違反し、若しくはこの章の規定に基づく事務の管理若しくは執行を怠っている場合において、新感染症の発生を予防し、若しくはその全国的かつ急速なまん延を防止するため特に必要があると認めるときは、当該都道府県知事に対し、第四十四条の十一第一項、第四十五条第一項、第四十六条第一項、第三項若しくは第四項、第四十七条、第四十八条第一項若しくは第四項、第五十条第一項又は第五十条の二第一項若しくは第二項の規定により都道府県知事が行う事務に関し必要な指示をすることができる。

2　厚生労働大臣は、前項の規定により都道府県知事に対して指示をしようとするときは、あらかじめ、厚生科学審議会の意見を聴かなければならない。ただし、緊急を要する場合で、あらかじめ、厚生科学審議会の意見を聴くいとまがないときは、この限りでない。

3　前項ただし書に規定する場合において、厚生労働大臣は、速やかに、その指示した措置について厚生科学審議会に報告しなければならない。

〔解　説〕

○　第五十一条の五は、厚生労働大臣の都道府県知事の行う新感染症に係る事務に関する指示についての規定である。本法では、感染症の発生の予防及びまん延の防止の措置は、感染症の発生状況に即してきめ細かく対応することが必要であるため、第一義的には、現地の実情に即応して迅速に判断し、権限を行使できる都道府県の事務としている。

○　一方、新感染症が都道府県の区域を越えて発生し、又は発生するおそれがあるような場合、接触者調査の実施や患者等の移送等の対応について、複数の都道府県の間で連携して対応することが必要であり、緊急に必要があるときは、国が都道府県の間の事務を調整し、事務の実施を含めた指示を行うことが必要であることから、厚生労働大臣は、新感染症の発生の予防及びまん延を防止するため緊急の必要があると認めるときや、都道府県知事に法令違反がある場合や事務の管理、執行を怠っている場合で特に必要があると認めるときは、新感染症に関し本法の規定により都道府県知事が行うこととされている事務に関し、必要な指示をすることができる（第一項）。

○　新感染症については、他の感染症と異なり、その性格上、特に、都道府県知事が行う新感染症のまん延防止に係る措置が適正に行われるようにするため、専門性を担保しつつ、厚生労働大臣が的確な指示を行う必要がある。そこで、厚生労働大臣が都道府県知事に対し指示をしようとするときは、厚生科学審議会の意見を聴かなければならない（第二項）。

○　しかし、緊急時に厚生労働大臣が都道府県知事に指示を行うに当たっては、通常、このような意見聴取を行う時間的余裕がないことが想定されることから、事後において、厚生科学審議会に報告すべきこととした（第二項ただし書及び第三項）。

○　なお、「必要な指示」には、厚生労働大臣が都道府県知事に対して、当該事務の実施方法等に関する一般的指示及び個別的指示のみならず、当該事務を行っていない場合に当該事務を行うよう指示することも含まれる。

（新感染症に係る経過の報告）

第五十二条　都道府県知事は、第四十四条の十一第一項若しくは第三項若しくは第四十五条から第四十八条までに規定する措置若しくは第五十条第一項の規定により第二十六条の三第一項若しくは第三項、第二十六条の四第一項若しくは第三項、第二十七条から第三十三条まで若しくは第三十五条第一項に規定する措置を実施し、若しくは当該職員に実施させた場合又は第五十条の二第一項若しくは第二項の規定による事務を行った場合は、その内容及びその後の経過を逐次厚生労働大臣に報告しなければならない。

２　前項の規定は、市町村長が、第五十条第十項に規定する措置を当該職員に実施させた場合について準用する。

〔解　説〕

○　第五十二条は、新感染症に係る経過の報告について規定した条文である。第一項で都道府県知事の報告義務を、第二項で市町村長の報告義務を定めたものである。新感染症に係る情報を適宜収集することにより、新感染症の病態等を明らかにしていくために設けられた規定である。

○　都道府県知事又は市町村長が報告を要する場合は、厚生労働大臣に通報を要する措置を実施した場合と同じである。また、報告は逐次なされる必要がある。逐次とは、定期的な報告だけでなく、新感染症（の所見がある者）に係る新たな情報が入った場合等、報告が必要な場合は報告すべきという趣旨である。

（新感染症の政令による指定）

第五十三条　国は、新感染症に係る情報の収集及び分析により、当該新感染症の固有の病状及びまん延の防止のために講ずべき措置を示すことができるようになったときは、速やかに、政令で定めるところにより、新感染症及び新感染症の所見がある者を一年以内の政令で定める期間に限り、それぞれ、一類感染症及び一類感染症の患者とみなして第三章から第六章（第一節及び第二節を除く。）まで、第十章、第十三章及び第十四章の規定の全部又は一部を適用する措置を講じなければならない。

２　前項の政令で定められた期間は、当該政令で定められた新感染症について同項の政令により適用することされた規定を当該期間の経過後なお適用することが特に必要であると認められる場合は、一年以内の政令で定める期間に限り延長することができる。当該延長に係る政令で定める期間の経過後、これを更に延長しようとするときも、同様とする。

3　厚生労働大臣は、前二項の政令の制定又は改廃の立案をしようとするときは、あらかじめ、厚生科学審議会の意見を聴かなければならない。

〔解　説〕

○　第五十三条は、新感染症の政令指定について規定した条文である。新感染症に係る情報については、第五十二条により厚生労働大臣に報告することとされており、新感染症の症例がある程度集まった時点で、病原体は発見されていないが、病状やまん延防止のためにとるべき措置を解明することは十分に期待できる。そのような状態になった場合には、厚生労働大臣に通報し、密接な連携の下、個別の措置を講じるという方法によらなくても適正な対応をとることが可能である。そこで、新感染症の固有の病状及びまん延防止のために講ずべき措置を示すことができるようになった段階で、新感染症及び新感染症の所見がある者を一類感染症及び一類感染症の患者とみなして、第三章から第六章まで、第十章、第十三章及び第十四章の規定の全部又は一部を適用する政令を制定することとした。なお、新感染症は、病原体が確認されていないことから、病原体の存在を前提とした規定を適用する政令を制定する際には、所要の技術的読替えが行われることとなる。

○　政令の期間は一年であるが、当該期間の経過後、なお措置を講ずることが特に必要な場合は、当該期間を一年に限り延長できる（第二項）。さらに、延長された期間の経過後も措置が必要な場合は何度でも期間を延長することができる。

○　新感染症及び新感染症の所見がある者を一類感染症及び一類感染症の患者とみなして、第三章から第六章まで、第十章、第十三章及び第十四章の規定の全部又は一部を適用する政令を制定又は改廃する場合、及び当該政令の期間を延長する場合には、厚生科学審議会の意見を聴く必要がある（第三項）。

○　新感染症については、まず、厚生労働大臣との密接な連携の下での措置が行われ、その後、新感染症の病状等が判明した段階で政令で指定されることにより都道府県知事による措置が行われ、病原体が判明した段階で指定感染症（第六条第八項）や新型インフルエンザ等感染症、又は法改正等により一類感染症から五類感染症のいずれかに分類されることとなる。なお、強権的な措置は不要とされる場合もあり得る。

第九章　結　核

第九章は、結核に関する規定の章である。結核に関する章が設けられた趣旨等について、概説しておく。

旧結核予防法については、①法律上、同居者のいない者（ホームレス、独居老人等）に対しては結核療養所への入所の命令が出せず、的確な公衆衛生上の措置ができないこと、②法律に反して同居者のいない者に対して入所命令が出されるなど人権上問題のある運用がなされていたこと、③入所命令前の入院勧告が設けられていないなど、人権上、事前手続きに不備があること、④感染症の予防及び感染症の患者に対する医療に関する法律案に対する意見書（日本弁護士連合会）による指摘があること、⑤感染症法制定当時の国会の附帯決議では、ハンセン病やＨＩＶ感染症など個別の感染症に対する特別な立法を置くことは患者等に対する差別や偏見につながったとの意見を真摯に受け止めるべきであると指摘されていること、などの課題が挙げられており、感染症法への統合によってその解決を図る政策的必要性があり、また、結核予防法に感染症法と同等の規定を設けて対処した場合には、感染症法と結核予防法との相違がほとんどなくなり、独立した法体系を残す意義、合理性が乏しいこと、結核菌が変異したような疾病が生じたときに、いずれの法が適用されるのか不明な点が生ずるなどの問題点があった。

また、多剤耐性結核菌については、テロ等の人為的感染に使用されるおそれが払拭できず、感染力が強く、その治療方法が乏しいなど、その危険性から使用等の規制の対象とする必要があるが、仮に感染症法に結核を位置づけず、同法に設ける病原体等の取扱いの規制の対象としない場合には、結核予防法において別途、結核菌の取扱いの規制を設けることも考えられるが、同等の条項を設けることとなり、合理性を欠くほか、結核菌が変異したような病原体に対する規制根拠が不分明となるなど、病原体等の取扱いの規制を体系的・統一的に行えなくなる。このため、旧結核予防法を廃止し、結核を感染症法の二類感染症に分類し、結核対策の適正化、充実化を図るとともに、他の病原体等と併せて、結核菌の適正な管理体制の確立を図るものである。

旧結核予防法の廃止に伴い、結核に関する措置等は、感染症法の相当する規定に基づくこととなるが、旧結核予防法に固有の規定については、引き続き当該規定に基づき施策を実施するものは、新たに感染症法に規定する必要があるため、結核対策は相互に関連し、条文相互の間にも関係があり、定期健康診断、患者の登録等の対策を講じる必要性のある感染症は結核のみしかないことから、まとまりのある章として、「第九章　結核」において規定することとした。

結核に関する個別規定の概略は以下のとおりである。

(1)　結核患者に対する医療（第三十七条の二）

結核患者に対する医療については、旧結核予防法において、一般患者（通院患者）に対する医療に関する規定が設けられていた。また、一般患者に対する医療並びにこれに係る指定医療機関及び診療報酬の支払い等に関する規定については、結核の通院患者に対する公費負担医療が結核患者に対する良質かつ適切な医療を普及、確保し、結核のまん延の防止に資するとともに、治療中断、服薬中断による多剤耐性結核菌の出現等の公衆衛生上の危険の防止にも寄与することから、旧結核予防法の相当規定を参考にし、必要な規定を設けた。

(2)　結核に係る定期の健康診断（第五十三条の二から第五十三条の九）

定期の健康診断については、結核予防の施策として、患者の早期発見を通じた結核のまん延の防止のため引き続き実施することが必要であることから、旧結核予防法の相当規定を参考にし、事業者、学校長、矯正施設の長等が定期において結核に係る定期の健康診断を行わなければならないこととし、市町村は、事業者等の行う定期の健康診断の対象とならない者について定期の健康診断を行うものである。

(3) 結核患者の届出の通知(第五十三条の十)

旧結核予防法においては、医師が行う結核患者に係る届出は最寄りの保健所長がその届出先となっており、また、保健所長は、その管轄する区域内に居住する者以外の者について当該届出を受けたときは、その届出の内容を、当該患者の居住地を管轄する保健所長に通報しなければならない、とされていたことから、保健所においては当該届出に基づき、その管轄区域内に居住する結核患者を把握して結核登録票を作成し、精密検査、家庭訪問指導等の結核対策を行ってきた。

これに対し、感染症法においては、医師が行う感染症の患者等に係る届出は、最寄りの保健所長を経由して都道府県知事がその届出先となっており、都道府県知事は、その管轄する区域外に居住する者について前記の届出を受けたときは、当該届出の内容を、その者の居住地を管轄する都道府県知事に通報しなければならないと従前規定されているが、当該届出の内容は、その者の居住地を管轄する保健所へは通報されない制度となっていた。旧結核予防法の廃止に伴い、結核は二類感染症に位置づけられたが、現行の制度では、保健所がその管轄する区域内の結核患者を全て把握することができない事態が生じるおそれがある。このため、都道府県知事は、結核患者に係る届出を受けた場合において、当該届出がその者の居住地を管轄する保健所長以外の保健所長を経由して行われたときは、直ちに当該届出の内容をその者の居住地を管轄する保健所長に通知しなければならないこととし、保健所における結核対策に支障を生じないよう措置したものである。

(4) 病院管理者の届出(第五十三条の十一)

病院管理者の行う入退院の届出については、結核対策において、結核患者の状況の把握及びその管理を迅速、的確に行うためのものであり、具体的措置として、家庭訪問指導等につながり得るものであるため、旧結核予防法の相当規定を参考にし、病院の管理者は、結核患者が入院したとき、又は入院している結核患者が退院したときは、七日以内に、その患者についての事項を、最寄りの保健所長に届け出なければならないこととする。

(5)　結核登録票（第五十三条の十二）

結核登録票は、保健所がその管轄する区域内に居住する結核患者及び結核回復者の情報を管理するために作成する帳票であり、結核患者及びその同居者、結核回復者に対する結核予防上、医療上必要な指導や感染拡大の防止に必要な措置を行うために重要な役割を持つものであるため、旧結核予防法の相当規定を参考にし、保健所長は、結核登録票を備え、これに、その管轄区域内に居住する結核患者及び厚生労働省令で定める結核回復者に関する事項を記録しなければならないこととする。

(6)　精密検査（第五十三条の十三）

精密検査は、結核登録患者の病状を把握し、適切な対応を迅速に行うことにより、結核の予防又は適切な医療を確保するものであるため、旧結核予防法の相当規定を参考にし、保健所長は、結核登録患者に対して、結核の予防又は医療上必要があると認めるときは、精密検査を行うものとする。

(7)　家庭訪問指導、医師の指示（第五十三条の十四、第五十三条の十五）

結核については、他の急性の感染症と異なり、治療期間が長期にわたるため、治療・服薬の継続的な実施が患者の治療成功のために必要であるとともに、治療中断や服薬中断による多剤耐性結核の出現等、公衆衛生上の問題、感染症の予防上の支障を引き起こすおそれが高い。そこで、保健所長は、保健師等の職員に、結核登録患者について、その者の家庭を訪問し、服薬指導等の必要な指導を行わせること及び地域の医療機関、薬局等に服薬指導等の必要な指導の実施を依頼できることを、特に法律上明記する。

また、医師についても、結核患者を診療したときは、本人又はその保護者若しくは現にその患者を看護する者に対して、処方した薬剤を確実に服用することその他厚生労働省令で定める患者の治療に必要な事項及び消毒その他厚生労働省令で定める感染の防止に必要な事項を指示しなければならないことを、特に法律上明記する。

(8)　費用負担

①　市町村の支弁すべき費用（第五十七条）

事業者である市町村又は市町村の設置する学校若しくは施設の長が行う結核に係る定期の健康診断に要する費用、市町村が一般住民に対して行う結核に係る定期の健康診断に要する費用は、市町村の支弁すべき費用とする。

②　都道府県の支弁すべき費用（第五十八条）

結核医療に係る医療費につき負担する費用、結核患者の一般医療に係る療養費の支給に要する費用、事業者である都道府県又は都道府県の設置する学校若しくは施設の長が行う結核に係る定期の健康診断に要する費用、保健所長が行う結核登録患者に対する精密検査に要する費用は、都道府県の支弁すべき費用とする。

③　事業者の支弁すべき費用（第五十八条の二）

事業者（国、都道府県及び市町村を除く。）が行う結核に係る定期の健康診断に要する費用は、事業者の支弁すべき費用とする。

④　学校又は施設の設置者の支弁すべき費用（第五十八条の三）

学校又は施設（国、都道府県又は市町村が設置する学校又は施設を除く。）の長が行う結核に係る定期の健康診断に要する費用は、学校又は施設の設置者の支弁すべき費用とする。なお、支弁規定については、感染症法に基づき実施される定期の健康診断については、必ずしも（民間の）事業者や地方自治体が支弁すべきことが明らかとはいえず、また、地方自治体については支弁根拠を明確にする趣旨から、これらのものが支弁する旨を規定している。一方、国については、支弁することに紛れは生ずることはないため、規定していない。

⑤　都道府県の補助（第六十条）

都道府県は、学校又は施設の設置者の支弁すべき費用に対して、その三分の二を補助するものとする。

⑥　国の負担（第六十一条）

国は、都道府県の支弁すべき費用（保健所長が行う精密検査に要する費用）に対して、その二分の一を負担する。

⑦　国の補助（第六十二条）

国は、都道府県の支弁すべき費用（結核患者の一般医療に係る医療費負担、療養費（結核患者の一般医療に係る療養費に限る。））に対して、その二分の一を補助する。

（定期の健康診断）

第五十三条の二　労働安全衛生法（昭和四十七年法律第五十七号）第二条第三号に規定する事業者（以下この章及び第十三章において「事業者」という。）、学校（専修学校及び各種学校を含み、修業年限が一年未満のものを除く。以下同じ。）の長又は矯正施設その他の施設で政令で定めるもの（以下この章及び第十三章において「施設」という。）の長は、それぞれ当該事業者の行う事業において業務に従事する者、当該学校の学生、生徒若しくは児童又は当該施設に収容されている者（小学校就学の始期に達しない者を除く。）であって政令で定めるものに対して、政令で定める定期において、期日又は期間を指定して、結核に係る定期の健康診断を行わなければならない。

2　保健所長は、事業者（国、都道府県及び保健所設置市等を除く。）又は学校若しくは施設（国、都道府県又は保健所設置市等の設置する学校又は施設を除く。）の長に対し、前項の規定による定期の健康診断の期日又は期間の指定に関して指示することができる。

3　市町村長は、その管轄する区域内に居住する者（小学校就学の始期に達しない者を除く。）のうち、第一項の健康診断の対象者以外の者であって政令で定めるものに対して、政令で定める定期において、保健所長（保健所設置市等にあっては、都道府県知事）の指示を受け期日又は期間を指定して、結核に係る定期の健康診断を行わなければならない。

4　第一項の健康診断の対象者に対して労働安全衛生法、学校保健安全法（昭和三十三年法律第五十六号）その他の法律又はこれらに基づく命令若しくは規則の規定によって健康診断が行われた場合において、その健康診断が第五十三条の九の技術的基準に適合するものであるときは、当該対象者に対してそれぞれ事業者又は学校若しくは施設の長が、同項の規定による定期の健康診断を行ったものとみなす。

5　第一項及び第三項の規定による健康診断の回数は、政令で定める。

〔解　説〕

○　第五十三条の二は、結核の定期の健康診断に関して規定した条文である。

○　本条は、旧結核予防法の平成十六年改正（平成十六年法律第百三十三号による改正）により大きく改正された旧結核予防法第四条に相当する規定であるので、その経緯及び考え方を概説する。旧結核予防法の平成十六年改正以前の結核の早期発見対策については、定期の健康診断として、①小・中学生に対するツベルクリン反応検査（ツ反）による健康診断（平成十五年の政令改正により廃止されている（平成十五年四月施行）。）、②十六歳（高校一年生時）の健康診断、③十六歳（高校一年生時）の健康診断で治癒の所見がある場合の次年度及び次々年度における健康診断、④十九歳以降における毎年度の健康診断が実施されてきた。また、定期外の健康診断として、結核に感染した場合に多数の者に結核を感染させるおそれがある業務に従事する者に対する健康診断（業態者健診）と結核患者と接触したおそれのある者に対する健康診断（接触者健診）が実施されてきたところである。

しかしながら、この一律的・集団的な定期の健康診断という手法は、結核が広くまん延していた旧結核予防法制定当時は、相当な効果を上げたものであるが、結核の罹患率が当時と比べれば著しく改善し、患者の数が当時と比べて極めて少なくなった現在においては、定期の健康診断で患者を発見する率は極端に低下しており、結核患者の早期発見の手段としての政策的必要性のみならず精度管理の面からも不都合なものとなっている。発見率、発見患者に占める定期の健康診断の割合のいずれもが低く、検査と検査の間に発症する事例の発見が不可能であること、放射線の被曝を伴うこと等から、公権力や公費を用いて定期の健康診断を義務づけることの有用性を一般に肯定することは困難である。

以上の経過及び考え方により、リスクに応じた効率的な定期の健康診断及び定期外の健康診断（接触者健診）の実施と有症状時の受診を組み合わせた合理的な結核患者の早期発見対策を実施するという観点から、旧結核予防法平成十六年法改正では、健康診断の対象者、方法等の大幅な見直しが行われ、定期の健康診断の対象者、実施時期等については、罹患率、発見率を基に、臨機に見直しながら、効率化・重点化を図るため、政令に広く委任されている。内閣は、政令事項に委任する法の趣旨に従って、臨機に健康診断の対象等を見直し、合理的、効率的な定期の健康診断となるよう、結核を取り巻く環境の変化に即応して政令を制定改廃しなければならない。

○　定期の健康診断は、一定の安全衛生確保義務・責任を負う立場から事業者等の行う健康診断と、それ以外の住民に対する保健衛生、公衆衛生の確保の立場から市町村長の行う健康診断に区分される（第一項、第三項）。事業者等については、①労働安全衛生法第二条第三号に規定する事業者、②学校（専修学校及び各種学校を含み、修業年限が一年未満のものを除く。）の長又は③矯正施設その他の施設で政令で定めるものの長をいう。③の施設については、政令に委任されており、刑事施設並びに社会福祉法第二条第二項第一号及び第三号から第六号までに規定する施設としている（令第十一条）。

（関係条文）

◉社会福祉法（抄）

〔昭和二十六年三月二十九日
法律第四十五号〕

注　令和四年六月二二日法律第七六号改正現在

（定義）

第二条

2　次に掲げる事業を第一種社会福祉事業とする。

一　生活保護法（昭和二十五年法律第百四十四号）に規定する救護施設、更生施設その他生計困難者を無料又は低額な料金で入所させて生活の扶助を行うことを目的とする施設を経営する事業及び生計困難者に対して助葬を行う事業

二　（略）

三　老人福祉法（昭和三十八年法律第百三十三号）に規定する養護老人ホーム、特別養護老人ホーム又は軽費老人ホームを経営する事業

四　障害者の日常生活及び社会生活を総合的に支援するための法律（平成十七年法律第百二十三号）に規定する障害者支援施設を経営する事業

五　削除

六　困難な問題を抱える女性への支援に関する法律（令和四年法律第五十二号）に規定する女性自立支援施設を経営する事業

七　（略）

○　事業者等の行う定期の健康診断の対象となる者は、実施義務者に対応して、①事業者の行う事業において業務に従事する者、②学校の学生、生徒若しくは児童、③施設に収容されている者（小学校就学の始期に達しない者を除く。）であって、それぞれ政令で定めるものである（第一項）。これは、法律では、定期の健康診断の対象者の類型を実施義務者に応じて定め、具体的な対象者については政令に委任し、各類型ごとに臨機かつ専門技術的な判断により画定していく趣旨で

ある。

○　政令においては、定期の健康診断が政策上有効であると判断すべき患者発見率〇・〇二〜〇・〇四％（イギリスやドイツにおいて、健康診断の有効性を測る基準として提唱された参考数値）を参酌すべき基準とし、併せて集団感染の防止という観点からも、健康診断の必要性及び有効性に照らして、その対象者が定められている（令第十二条）。

(1)　事業者の行う定期の健康診断

○　事業者の行う定期の健康診断の対象者は、結核菌に曝露される機会が多い職種及び必ずしも結核に感染する危険性は高くないものの、発症すれば二次感染を引き起こす危険性が高い職種として、結核集団感染発生事例があり、初発患者が従事者であることも少なくない事業所として、旧結核予防法の平成十六年改正以前に対象とされていた事業を踏まえ、学校、病院等の医療機関、介護老人保健施設、介護医療院、社会福祉施設の従事者とし、毎年度において一回の健康診断を行うこととしている（令第十二条第一項第一号、第三項第一号）。

○　「学校」とは、学校教育法第一条に規定する学校である。専修学校及び各種学校は、本法で特にこれらを含む旨が明示されている。学校教育法第一条に規定する学校には、幼稚園が含まれるが、幼稚園については、在園時間が短く、集団発生の事例も少ないことから、健康診断の対象から除外されている（令第十二条第一項第一号）。

（関係条文）

◉学校教育法（抄）

〔昭和二十二年三月三十一日　法律第二十六号〕

注　令和四年六月二二日法律第七七号改正現在

〔学校の範囲〕

第一条　この法律で、学校とは、幼稚園、小学校、中学校、義務教育学校、高等学校、中等教育学校、特別支援学校、大学及び高等専門学校とする。

○　令第十二条第一項第一号の「業務に従事する者」とは、当該施設において、施設の設置者、管理者の管理の下、業として行われる業務に現に従事する者を広く含むものであり、例えば、病院や社会福祉施設等の事務職員も含まれる。また、労働基準法（昭和二十二年法律第四十九号）第九条に規定する労働者のみならず、常勤、非常勤を問わず、現に反復継続して当該業務に従事している者は該当することとなるほか、法人の役員等、事業及び業務に責任を有する者、使用者については、現にその業務に従事している限りにおいて、本条の趣旨から「業務に従事する者」に含まれる。一方、同一の事業体の一部で社会福祉施設における業務が行われている場合や同一の建造物の中に診療所等がある場合などにあっては、「業務に従事する者」とは、同号に規定される類型の事業が業として行われる施設に関して業務に従事するものであり、同一事業体、同一建造物における業務に従事する者全てを指すものではない。

⑵　学校の長の行う定期の健康診断

○　旧結核予防法の平成十六年改正前においては、高校、高等専門学校、短大、大学、専門学校、各種学校等の学生、生徒のうち、高校生・高等専門学校生については入学年度（有所見者に対しては高校二、三年時に追跡検査）、それ以外の者については、毎年度実施されてきた。

○　旧結核予防法の平成十六年改正においては、学校における定期の健康診断での患者発見率は非常に低率であり、一方、高校・大学においては年間十件程度集団感染事例が発生していること、ＢＣＧワクチンの効果の持続期間が一般に十五年間程度とされていることもあり、高校生以上では、学生、生徒が初発患者となっている事例が多いこと、また、高校二、三年時におけるいわゆる追跡健診においては、発見患者は全国で数人程度であり、追跡健診を継続することの結核予防政策上の有効性を肯定することは困難であること、以上のような考え方によって、学校における定期の健康診断の対象者は、集団感染防止の観点から、高校以降の年次の者に対して、入学した年度において一回の健康診断を実施することとしている（令第十二条第一項第二号、第三項第一号）。

(3)　施設の長の行う定期の健康診断

○　旧結核予防法平成十六年法改正前に対象であった婦人補導院及び少年院に収容されている者については、結核患者の発生が近年ほとんどなく、集団発生事例の報告もないことから、毎年度の定期の健康診断を義務づける結核予防政策上の有効性は乏しく、同改正で廃止されている。

○　刑事施設（拘置所、刑務所）については、施設内での患者発生率が若年層においても高く（必ずしも施設内での新たな感染を意味しない。）、集団感染事例も報告され、その収容者は結核発症の危険が高い層といえることから、定期の健康診断を実施することが結核患者の早期発見に極めて有効であり、その収容者について患者発生率の高い年齢である二十歳に達する日の属する年度以降において毎年度に一回の健康診断を実施することとしている（令第十二条第一項第三号、第三項第一号）。

○　社会福祉施設については、長期間の集団生活の場である生活保護施設、養護老人ホーム、特別養護老人ホーム、軽費老人ホーム、身体障害者更生施設、身体障害者療護施設、身体障害者福祉ホーム、身体障害者授産施設、知的障害者更生施設、知的障害者授産施設、知的障害者福祉ホーム、知的障害者通勤寮、婦人保護施設において、旧結核予防法平成十六年改正前に定期の健康診断が義務づけられていた。これら社会福祉施設における定期の健康診断での患者発見率は〇・〇二七％程度であるが、若年層に係る患者発見率が〇・〇二％近傍ないし下回り、若年層を初発患者とする集団発生事例が稀であり、施設において健康管理も行われ、発症があれば医療機関への受診等が期待できることから、その入所者について既感染率が高い六十五歳に達する日の属する年度以降において毎年度に一回の健康診断を実施することとしている（令第十二条第一項第四号、第三項第一号）。

○　令第十二条第一項第四号の「施設に入所している者」とは、令第十一条第二号に規定する施設に入所しているとの意味であるが、行政措置又は契約によって施設に生活の本拠を有し、日常生活の大部分を長期間にわたり送っている者に限られ、単に通所している者や当該施設で提供される他の福祉サービスを利用している者等は含まれない。

⑷　市町村の行う定期の健康診断

○　旧結核予防法の平成十六年改正以前には、学校、施設長、事業者が実施する健康診断の対象外の者については、十九歳以降毎年度、市町村がその住民に対する定期の健康診断を実施することが義務づけられていたが、市町村における定期の健康診断の患者発見率はおよそ〇・〇一％と推定されるため、一律に成人に対し実施する健康診断としては、効率性に疑義があり、結核予防政策上の有効性が乏しいため、同改正においては、市町村の行う定期の健康診断の対象が見直された。

○　都道府県ごとの結核の罹患率によると、概して東日本に比して、西日本の罹患率が高い傾向にあるほか、さらに都市部では罹患率が高い傾向があるなどの地域格差が生じており、これによって、定期の健康診断の政策目的である結核患者の発見に対する有効性、効率性も地域格差が大きくなることから、全国一律の基準で定期の健康診断を義務づけることは有効、合理的でなく、市町村の実情に合致した定期の健康診断を行うことが適当であることから、自治事務の主体である市町村の裁量により実施することとしている。

○　高齢者に対する定期の健康診断については、地域を問わず高齢者の結核患者は一定割合存在し、既感染率がほぼ半数であり、かつ罹患率が人口十万対三十七となり、結核予防政策上有効である発見率となり得る年齢層としては、六十五歳以上の者を基準とすることが適当であることから、第四条第一項の健康診断の対象者以外の者について、六十五歳に達する日の属する年度以降において毎年度の健康診断を実施することとしている（令第十二条第二項第一号、第三項第一号）。一方、六十五歳以上の者を基準として政令を規定した際の基礎となる発見率は、全国的な数値であり、羅患率の低い地域には該当しないこと、定期の健康診断は、市町村の自治事務でありその費用も一般財源で賄われること、個々の市町村において、他の保健医療、健康政策と相まって、定期の健康診断の義務づけが効率性や有効性の面から不合理であると判断される場合も想定されること、発見率の著しく低い地域では、定期の健康診断の合理性、有効性を肯定することはそもそも困難であること、以上の理由から、市町村の判断により、定期の健康診断の対象者を限定できることとし、「市町村が定期の健康診断の必要がないと認める者」に対しては、定期の健康診断を行わないことができる（令第十二条第二項第一号かっこ書き）。

○　このように施行令では、一律に六十五歳以上の者に対する定期の健康診断の義務を課する趣旨ではなく、発見率その他の事情を勘案して、市町村が、六十五歳以上の者であっても定期の健康診断の対象としないことや六十五歳以上の別の基準で対象を画定することも可能とするものである。なお、令第十二条第二項第一号かっこ書きの規定に基づき、市町村の裁量によって定期の健康診断の対象から除いた者については、条例等で範囲をあらかじめ画定し、明確にしておくことが適当である。

○　市町村においては、第五十三条の二第三項の規定の趣旨に従って、基本指針等を参酌して積極的かつ有効、効率的な定期の健康診断の実施を行うことが求められる。

○　特定住民層に対する定期の健康診断については、大都市等の特定の地域に特有の問題として、小規模事業所従事者、住所不定者、定住外国人といった、他の住民層より結核の罹患率が有意に高い層も存在するため、これらの者に対して、発見率を勘案して有効性の高い定期の健康診断を重点的に施行する政策的な必要性が高い。一方、特定の都市部を除く全ての市町村において、これらの危険層に該当する者に対する定期の健康診断の必要性、有効性、効率性があるとはいえない。そこで、特定の高危険層の住民が多く存在する都市部や個別に特別の政策課題を有している地域を想定して、市町村が特に必要と認める「年齢等を限定しない特定の住民層」に対する定期の健康診断を実施できる規定を設け、年齢層を問わず、有効、効率的かつ的確な定期の健康診断の対象を画定できることとし、この場合においては、市町村が定める定期において健康診断を行うこととなる（令第十二条第二項第二号）。

○　令第十二条第二項第二号の「その管轄する区域内における結核の発生の状況」とは、当該市町村において結核の発生率（罹患率）が全国的にみて高いことを想定する趣旨であり、「定期の健康診断による結核患者の発見率」とは、定期の健康診断における結核患者の発見率が政策的有効性、合理性を示す程度に高いものであることが求められる趣旨である。

○　令第十二条第二項第二号の「特に定期の健康診断の必要があると認める者」とは、結核の発生及びまん延の防止が定期の健康診断で有効に発見できるものであることを前提に、政策的な必要性が特に高い者（の層）に対して、定期の健康診断を義務づけることができるとの趣旨である。

○　いかなる住民層を令第十二条第二項第二号の定期の健康診断の対象とすべきかは、市町村の状況によって異なり、政令で一般化、類型化して義務づけることは困難かつ不合理であるため、具体的な定期の健康診断の対象者については、法第九条の基本指針に大まかな方針を示すにとどめ、本法及び政令の趣旨に従って、都道府県の策定する予防計画において、地域の実情に即した市町村の行う定期の健康診断について市町村の主体的判断によって規定することが望ましいとともに、該当する市町村においては、地域の実情に応じた対応を行うことが期待される。しかしながら、一般的な健康診断を広く各住民に対して行うとすることは、本項の規定の趣旨に反するものである。

○　令第十二条第二項第二号の「市町村が定める定期」とは、市町村が特に定期の健康診断の必要があると認める者に対し、結核患者の発見という法目的に照らして、必要かつ合理的な時期であり、あらかじめ定められる時期をいう。毎年度に一回であっても、複数回であっても、合理的必要があれば、差し支えない。一方、「定期」とは、あらかじめ時期を定めて定期的、普遍的な健康診断として行われることが必要であるとの趣旨から、結核のまん延や集団感染事象が起こった都度に行うというような臨機の時期の指定は認められない。

○　本条の規定による定期の健康診断の対象者は、受診義務を負うが、法的な担保措置によって健康診断の受診が担保されているものではないので、実施義務者は、定期において健康診断を行わなければならないが、対象者に対し、通常の注意で受診が可能な健康診断の機会を付与すれば義務の履行をしたこととなり、受診をその意思及び都合により対象者が現実に受診することまでの義務を負うものではない。

○　第二項は、定期の健康診断の期日又は期間の指定に関して、事業者又は学校若しくは施設の長に対し保健所長が行う指示についての規定である。本項は、沿革的には、定期の健康診断を行う保健所、医療機関等の施設が必ずしも十分ではなく、時間的及び時期的な調整を公衆衛生の専門行政機関である保健所に行わせる趣旨で設けられたものであるが、公的調整を行う現代的意義は一般には乏しい。調整を要しない場合をはじめ、保健所長にその義務はなく、定期の健康診断の実施の必要的事前手続きではない。事業者等の求めに応じて必要な助言等として本項の指示を行うことは、当然に可能であるが、「指示」の法的性格は、行政指導又は地方自治法に基づく技術的助言（市町村に対する場合）であり、法的拘束力はない。

○　「事業者」からは、国、都道府県、保健所を設置する市及び特別区が除かれているが（第五十三条の二第二項かっこ書き）、保健所長は、都道府県知事、保健所を設置する市の市長又は特別区の区長の管理に属する行政庁又はその補助機関であるため、国と地方自治体の関係や地方自治体の内部組織の監督関係に照らし、法制上、国、都道府県、保健所を設置する市及び特別区への指示規定から除外しているものである。実際に必要に応じて事実上の調整の任に当たることは差し支えない。また、「学校若しくは施設」からは、国、都道府県、保健所を設置する市又は特別区の設置する学校又は施設が除かれているが、同様の趣旨である。

○　第四項は、他法令の規定によって行われる健康診断と本法に基づく定期の健康診断との調整規定である。結核患者の発見のため定期的に行われる健康診断としては、第五十三条の二に基づく定期の健康診断が一般法として位置づけられるものである。一方、他の法令において、健康診断が義務づけられ、その内容が本法の規定による健康診断の技術的基準に適合している限りにおいては、健康診断が間接レントゲン撮影における被曝のように身体への負担や時間的負担等を国民に課するものである以上、重複を避けるべきであることから、他の法令に基づく健康診断が行われた場合には、当該対象者については、本法による健康診断の実施義務者がその義務を履行したものとみなすこととしている。本法による定期の健康診断の実施義務等の規制対象から除外されるわけではないので、定期の健康診断に関連する本法に基づく関連規定の適用はあることに留意しなければならない。

○　「その他の法律又はこれらに基づく命令若しくは規則の規定によって」とは、本法以外の法律及び法律に基づく政令、省令又は規則である。地方自治体の条例及びその長の定める規則は含まないが、市町村の行う定期の健康診断に関しては、令第十二条第二項第一号の規定によって対象者について調整が可能である。

○　逆に、本法に基づく定期の健康診断の対象者でない者に対し、他の法令の規定によって定期的に実施される健康診断が行われた場合については、本法の規制対象でない以上、当然のことながら、本法の規定の適用はない。

（受診義務）

第五十三条の三　前条第一項又は第三項の健康診断の対象者は、それぞれ指定された期日又は期間内に、事業者、学校若しくは施設の長又は市町村長の行う健康診断を受けなければならない。

2　前項の規定により健康診断を受けるべき者が十六歳未満の者又は成年被後見人であるときは、その保護者において、その者に健康診断を受けさせるために必要な措置を講じなければならない。

〔**解　説**〕

○　第五十三条の三は、定期の健康診断の受診義務を定める規定である。第五十三条の二の規定による定期の健康診断の対象者は、同条の規定により実施義務者が行う健康診断の受診をしなければならない旨を確認的に規定するものであるが、義務を担保するための行政罰等は設けられておらず、訓示的な規定である。

○　定期の健康診断は、現に結核にかかっていると疑われる者に対する健康診断ではなく、対象者が受診しないことが直ちに結核の発生及びまん延をもたらすものではない。定期の健康診断は、個人の健康管理を通じた結核の予防、公衆衛生の確保を図る趣旨であるから、法の趣旨に従い、国、地方公共団体、実施義務者は、積極的な受診勧奨を制度上行うこととなるが、受診するかしないかは、強制的な措置を伴わないという点で個人の任意である。なお、被用者については、就業規則、業務命令に基づき受診が義務づけられることがあるが、いずれも各関係法律の趣旨、目的に照らして行われるものであり、本法に基づく義務とは直接関係しない。

○　本条の受診義務については、定期の健康診断の対象者のみに課せられており、第十七条の健康診断については、最終的には強制的に措置されていることから、受診義務に関する規定は、法制上、必要なくなるので、条文上は規定されていない。

○　第二項の規定は、健康診断を受けるべき者が十六歳未満又は成年被後見人である場合の規定であり、この場合には、有効な意思能力を欠くことが多い者であることに鑑み、これらの者を保護する観点から、感染症法では、保護者が健康診断を受けさせるため必要な措置を講じなければならないこととするものである。

（他で受けた健康診断）

第五十三条の四　定期の健康診断を受けるべき者が、健康診断を受けるべき期日又は期間満了前三月以内に第五十三条の九の技術的基準に適合する健康診断を受け、かつ、当該期日又は期間満了の日までに医師の診断書その他その健康診断の内容を証明する文書を当該健康診断の実施者に提出したときは、定期の健康診断を受けたものとみなす。

〔**解　説**〕

○　第五十三条の四は、定期の健康診断の対象者が他で同等以上の健康診断を受診している場合についての調整規定である。例えば、人間ドックで間接撮影を行っている者が、定期の健康診断を職場で受けるべきこととなった場合や転職、転勤によって、時期を接して健康診断の機会が付与された場合などが想定される。

○　定期の健康診断が間接レントゲン撮影における被曝のように身体への負担や時間的負担等を受診者に課するものである以上、一定の期間内に有効な健康診断を受けている場合には、改めて健康診断を行う必要性はなく、むしろ重複を避けるべきであるとの趣旨である。

○　①定期の健康診断の期日又は期間の満了前三月以内に、②現に他の同等以上の健康診断である厚生労働省令で定める技術的基準に適合する健康診断を受けた場合には、③診断書、健康診断の内容を証明する文書の提出、を要件として、本法による定期の健康診断を受診したものとみなされる。「三月以内」とは、定期の健康診断を受診した者とみなしても医学上健康診断の有効性を維持して差し支えのない期間として法定されているものである。

○　「当該健康診断の実施者」とは、定期の健康診断を受けるべき者に対して、当該定期の健康診断を実施する義務を負う者である。

○　第十七条の健康診断については、臨機に、一類感染症、二類感染症又は三類感染症のまん延を防止するため必要があると認めるときは結核にかかっていると疑うに足りる正当な理由のある者に対し健康診断を受け、又はその保護者に対し健康診断を受けさせるべきことを勧告し、当該勧告に従わないときは、即時強制により健康診断を行わせる一連の公権力の行使の手続きであることから、その趣旨目的及び法的性格に鑑み、本条の調整規定の対象とされていない。第十七条の健康診断の勧告を受けた者が時期を近接して同等以上の他の健康診断を受けていた場合であっても、本条の規定の適用はないが、都道府県知事は、当該他の健康診断等の結果により感染の有無が事実上把握できる者に対して、第十七条の健康診断を勧告しないこととすることが可能であるので、事実上、他の健康診断の結果を示す診断書その他の文書を提出し、職権の発動をしないよう促す、又は勧告の取消の検討を求めるよう促すことは、実務上の手続きとして想定し得る。

（定期の健康診断を受けなかった者）

第五十三条の五　疾病その他やむを得ない事故のため定期の健康診断を受けることができなかった者は、その事故が二月以内に消滅したときは、その事故の消滅後一月以内に、健康診断を受け、かつ、その健康診断の内容を記載した医師の診断書その他その健康診断の内容を証明する文書を当該健康診断の実施者に提出しなければならない。

〔解　説〕

○　第五十三条の五は、定期の健康診断を受けなかった者に対する健康診断の受診義務に関する規定である。疾病その他やむを得ない事故のため定期の健康診断を受けることができなかった者については、二月以内にその事故が消滅したときは、事故の消滅後一月以内に健康診断を受けることを義務づけるものである。

○　定期の健康診断の実施義務者は、対象者に対し、社会通念上、通常の注意で受診が可能な合理的な健康診断の機会を付与すれば義務の履行をしたものと認められるので、反面、対象者側の事情により健康診断を受けることができなかった者に対し、再度の受診の機会を与えること、又は複数の受診機会を当初から設けておくことも望ましいことではあるが、通常は、改めて、受診の機会の付与を行うまでの法律上の義務はない。したがって、法制上は、やむを得ない事故のため定期の健康診断を受けることができなかった者は、自ら、健康診断を受診し、診断書等を提出することが義務づけられている。

○　「疾病その他やむを得ない事故」とは、本条の趣旨が、健康診断の受診を勧奨し、個人の健康管理を通じた結核の予防にあることから、限定的に解すべきではなく、その者の責めに帰すべき場合を含め、定期の健康診断を受診できなかった原因となる事実を広く指す。本人の意思により受診しない場合は、「事故」に該当する事実は存在しない上、もとより再度の受診義務を課しても受診が期待し得ないので、含まれない。

○「その事故が二月以内に消滅したときは、その事故の消滅後一月以内に」とは、定期の健康診断と時期的に近接することを要件とする趣旨で法定された期間に関する要件である。定期の健康診断は、患者の発見を目的とするものであることから、時期的な近接を求めない考え方もあるが、定期の健康診断の実施義務者に必要な情報を提出させ管理する目的も有することから、特に本来の定期の健康診断の実施時期に近接することとしたものである。

○「健康診断を受け」とは、自ら適切な健康診断を受診することの意味であり、提出すべき診断書等の記載事項等からも明らかであるように、第五十三条の四と同様、技術的基準に適合する健康診断であることと解すべきであるが、法文上は、その者の意思による受診であることから、規定はされていない。

○本条の規定は、自ら健康診断の受診をしなければならない旨を創設的に規定するものであるが、義務を担保するための行政罰等は設けられておらず、訓示的な規定である。定期の健康診断は、個人の健康管理を通じた結核の予防、公衆衛生の確保を図る趣旨であるから、本条の規定による受診についても、結局のところ、受診するかしないかは、個人の任意である。

なお、被用者については、就業規則、業務命令に基づき再度受診を求められることがあり得るが、本条に基づく再受診の義務とは直接関係しない。

○本条の再度の受診義務については、定期の健康診断の対象者のみに課せられており、第十七条の健康診断については、最終的には強制的に措置されていることから、再度の受診義務に関する規定は、法制上必要なく、また、不可抗力により受診ができなかった者に関しても、第十七条の健康診断は、必要に応じて臨機に実施することができるので、条文上は規定されていない。

（定期の健康診断に関する記録）
第五十三条の六　定期の健康診断の実施者（以下この章において「健康診断実施者」という。）は、定期の健康診断を行い、又は前二条の規定による診断書その他の文書の提出を受けたときは、遅滞なく、健康診断に関する記録を作成し、かつ、これを保存しなければならない。
２　健康診断実施者は、定期の健康診断を受けた者から前項の規定により作成された記録の開示を求められたときは、正当な理由がなければ、これを拒んではならない。

〔解　説〕

○　第五十三条の六は、健康診断に関する記録の作成及び保存並びに開示に関する規定である。本法に基づく健康診断を行ったときに、健康診断実施者が健康診断に関する記録を作成し、保存するよう義務づけるものである。第五十三条の四及び第五十三条の五の規定により、健康診断の実施者に対して、診断書等の文書が提出されたときも、健康診断を行ったときと同視し得る状況にあることから、同様に記録の作成等を義務づけている。

○　本条は、健康診断の結果等に関する情報が本法の目的の達成に必要な基礎的な健康情報であることから、記録の作成及び保存を健康診断実施者に義務づけることによって、定期の健康診断の結果を本法による各種措置、結核の予防に資する対策、事業に活用することを図らんとする趣旨である。また、受診者が健康診断実施者の保有する受診者本人の個人情報の開示を請求することを認め、受診者の健康管理に資するとともに、個人情報の正確性や取扱いの適正を確保する趣旨のものである。

○　「記録」は、文書、図画又は電磁的記録（電子的方式、磁気的方式その他人の知覚によっては認識することができない方式で作られた記録）である。

第53条の６　定期の健康診断に関する記録

○　記録の必要的記載事項は、受診者の住所、氏名、生年月日及び性別、検査の結果及び所見、結核患者の病名、実施年月日等である（規則第二十七条の三、第二十七条の四）。その他の事項について健康診断実施者が任意に健康管理等に資する情報を記録することは違法とはいえないが、個人情報の保護や人権に配慮することが必要である。

○　記録の保存期間は、事業者、学校又は施設の長が行った健康診断については受診者がその事業等から離れたときから、都道府県知事又は市町村の行った健康診断については健康診断を行ったときから、それぞれ五年間とされている（規則第二十七条の四）。本条に定めるほか、健康診断の記録は、個人情報に該当することから、個人情報の保護、適正な管理を確保するため、各健康診断実施者に対し適用される個人情報保護に関する法令を遵守するとともに、これらの法令の適用がない場合であっても、特にその取扱いには、相当の注意が必要である。

○　第二項は、記録の開示に関する規定である。健康診断実施者は、健康診断を受けた者から開示請求があった場合には、開示することを原則とするものである。開示対象となる「記録」とは、当該健康診断を受けた者に関する記録又は記録の一部分に限られる。開示については、開示請求する理由を問わないし、開示請求者は、請求に当たって請求理由を示す必要はない。ただし、当該記録の特定及び開示請求者本人であることの確認ができるようにしなければならない。

○　開示の方法は、文書又は図画については閲覧又は写しの交付により、電磁的記録についてはその種別、情報化の進展状況等によって行うものであるが、例えば、閲覧の方法によっては、健康診断実施者の記録の保存に支障が生ずる場合には、写しによることとするなど、具体的にどの方法によるかは、開示を行う健康診断実施者の合理的な裁量に委ねられる。

○　「正当な理由」とは、記録の特定や本人確認のできない場合のほか、本人や第三者等の権利利益や公共の利益との比較衡量の結果、不開示とすることに合理的な理由がある場合であるが、限定的に解すべきである。

○　本項は、受診者（未成年者又は成年被後見人の法定代理人を含む。）からの開示請求に関する規定であり、受診者以外の者（法定代理人を除く。）からの請求については、守秘義務（第七十三条、第七十四条）に照らして、本項によって開示することは認められない。受診者以外の者からの請求については、第三者に対し文書の提出等を求め、又は義務づける関係法令の規定や当該健康診断実施者に対して適用される個人情報保護に関する法令（条例含む。）の規定に従って処理することとなる。

（通報又は報告）

第五十三条の七　健康診断実施者は、定期の健康診断を行ったときは、その健康診断（第五十三条の四又は第五十三条の五の規定による診断書その他の文書の提出を受けた健康診断を含む。）につき、受診者の数その他厚生労働省令で定める事項を当該健康診断を行った場所を管轄する保健所長（その場所が保健所設置市等の区域内であるときは、保健所長及び保健所設置市等の長）を経由して、都道府県知事に通報又は報告しなければならない。

２　前項の規定は、他の法律又はこれに基づく命令若しくは規則の規定による健康診断実施者が、第五十三条の二第四項の規定により同条第一項の規定による健康診断とみなされる健康診断を行った場合について準用する。

〔解　説〕

○　第五十三条の七は、健康診断実施者の都道府県知事に対する通報及び報告義務に関する規定である。健康診断実施義務者は、定期の健康診断について、受診者数等の基礎的情報となる事項を都道府県知事に通報又は報告するよう義務づけるものである。第五十三条の四及び第五十三条の五の規定により、健康診断実施者に対して、診断書等の文書が提出されたときも、健康診断を行ったときと同視し得る状況にあることから、同様に事項の通報又は報告を義務づけている。

○　本条は、健康診断の結果等に関する統計的情報が本法の目的の達成に必要な基礎的な情報であり、本法に基づく具体的権限及び施策を実施する都道府県行政の基礎となることから、都道府県が統計的情報を把握し、各種措置、結核の予防に資する対策、事業に活用しようとする趣旨である。

○　「通報」とは一定の事実を知らせる行為であり、法律上の効果は発生せず、意思の通知を含まない事実行為である。本条においては、客観的情報としての統計的情報を知らせる意味である。「報告」とは、個人又は法人から行政機関である都道府県知事に知らせる場合又は下級行政庁から上級行政庁に知らせる場合を報告と規定する法令に従い、区別して規定しているが、同趣旨である。

○　通報又は報告は、保健所長（保健所設置市又は特別区の区域内では保健所長及び市長又は区長）を経由して行うこととされているが、「経由」とは、保健所長等を中間の行政機関として、これを通じて間接的に都道府県知事に行う意味であり、本法に基づく権限や施行事務を所管する保健所長等に健康診断の結果等の情報を了知させ、結核予防行政に反映させる趣旨及び通報又は報告を行う健康診断実施者の手続き上の便宜を図る趣旨である。

（他の行政機関との協議）

第五十三条の八　保健所長は、第五十三条の二第二項の規定により、事業者の行う事業において業務に従事する者で労働安全衛生法の適用を受けるものに関し、当該事業者に対して指示をするに当たっては、あらかじめ、当該事業の所在地を管轄する労働基準監督署長と協議しなければならない。

２　保健所長は、教育委員会の所管に属する学校については、第五十三条の二第二項の指示に代えて、その指示すべき事項を当該教育委員会に通知するものとする。

３　教育委員会は、前項の通知があったときは、必要な事項を当該学校に指示するものとする。

〔解　説〕

○　第五十三条の八は、保健所長と他の行政機関との協議に関する規定である。

○　保健所長又は都道府県知事が第五十三条の二第二項の規定に基づく職権を行使するに際して、他法令に基づく他の行政庁の規制、監督を受ける場合には、その権限間の調整を図る趣旨である。本法が結核（を含む感染症）の予防等に関する一般法として適用されることから、他法令において、特別の法目的を達成するため、その規制の一部において結核に関する規定を設けられている場合に、特定の者に対する規制を課しているときは、当該他法令の適用関係、監督関係を優先、尊重することが基本的な考え方である。

○　第一項は、保健所長が、第五十三条の二第二項の規定により、事業者の行う事業において業務に従事する者で労働安全衛生法の適用を受けるものに関して、事業の使用者に対して定期の健康診断の期日又は期間を指示するに当たっては、あらかじめ、当該事業の所在地を管轄する労働基準監督署長と協議しなければならない旨規定している。

○　「協議しなければならない」とは、単に意見を聴く、相談するというものではなく、労働基準監督署長の意見と保健所長の指示を行おうとする意思との合致を経て、当該指示を行うこと、すなわち、本項の趣旨からは、同意を得て、その内容を指示するものと解すべきである。したがって、協議が成立しないときは、保健所長は、当該指示をすることはできないものである。

○　労働安全衛生法の適用を受ける従事者については、同法における健康診断の実施義務との調整が必要であるが、労働安全衛生の所管行政庁である労働基準監督署長との協議を求めている。

○　第二項は、保健所長が、第五十三条の二第二項の規定により、学校の長に対して定期の健康診断の期日又は期間を指示しようとする場合に、当該学校が教育委員会の所管に属する学校であるときは、本法による指示に替えて、指示すべき事項を当該教育委員会に通知することとしている。学校については、学校保健安全法（昭和三十三年法律第五十六号）により健康診断等の健康管理が義務づけられており、調整が必要であるが、学校保健の所管行政庁である教育委員会への通知をすべきものとしており、その後の学校への指示については、教育委員会に委ねる趣旨である。

○　「教育委員会の所管に属する学校」とは、都道府県又は市町村の設置する学校（大学を除く。）である（地方教育行政の組織及び運営に関する法律（昭和三十一年法律第百六十二号）第三十二条）。

○　当該通知を受けた教育委員会は、第三項の規定により、必要な事項を当該学校に指示するものとされているところ、「必要な事項」については、保健所長の通知の内容を尊重すべきであるが、教育委員会の裁量により最終的に判断されるべきものである。

（厚生労働省令への委任）

第五十三条の九　定期の健康診断の方法及び技術的基準、第五十三条の四又は第五十三条の五に規定する診断書その他の文書の記載事項並びに健康診断に関する記録の様式及び保存期間は、厚生労働省令で定める。

〔解　説〕

○　第五十三条の九は、健康診断の方法等の技術的細則等の厚生労働省令への委任に関する規定である。定期の健康診断に関しては、専門的事項や結核を取り巻く環境の変化に対応して臨機に定める技術的、細則的事項が必要であることから、厚生労働省令に委任し、厚生労働大臣の専門的裁量に委ねることとする趣旨である。

（結核患者の届出の通知）

第五十三条の十　都道府県知事は、第十二条第一項の規定による結核患者に係る届出を受けた場合において、当該届出がその者の居住地を管轄する保健所長以外の保健所長を経由して行われたときは、直ちに当該届出の内容をその者の居住地を管轄する保健所長に通知しなければならない。

〔解　説〕

○　第五十三条の十は、結核患者の届出の通知義務に関して規定した条文である。届出を受けた都道府県知事の患者居住地の管轄保健所長への通知義務を規定している。

○　都道府県知事は、第十二条第一項の規定による結核患者に係る届出を受けた場合において、その届出が患者の居住地を管轄する保健所長以外の保健所長を経由して行われたときは、直ちに当該届出の内容をその患者の居住地を管轄する保健所長に通知しなければならない。これは、居住地の地域において結核の予防のための措置を的確に講ずる必要がある可能性があるためであり、通知を受けた保健所長は、調査、健康診断等の措置に向けた必要な対応をとることとなる。

（病院管理者の届出）

第五十三条の十一　病院の管理者は、結核患者が入院したとき、又は入院している結核患者が退院したときは、七日以内に、当該患者について厚生労働省令で定める事項を、最寄りの保健所長に届け出なければならない。

２　保健所長は、その管轄する区域内に居住する者以外の者について前項の届出を受けたときは、その届出の内容を、当該患者の居住地を管轄する保健所長に通知しなければならない。

〔解　説〕

○　第五十三条の十一は、病院の管理者の届出義務に関する規定である。第一項で、病院の管理者による結核患者の入院及び退院についての届出義務を規定し、第二項で届出を受けた保健所長の患者居住地の管轄保健所長への通知義務を規定している。

○　本条の規定による届出は、結核対策において、結核患者の状況の把握及びその管理を迅速、的確に行うためのものであり、本法に基づく具体的措置として家庭訪問指導等につながり得るものである。

○　届出義務者は、結核患者が入退院した病院の管理者であり、医療法第十条の規定による医師又は歯科医師である。管理者以外の者は、届出義務者ではなく、これらの者が届出をしても、本条の義務を履行したことにはならない。

○　届出の対象は、結核患者の入院及び退院の事実である。

○　結核患者が入院したときの届出事項は、①患者の住所、氏名並びに患者が成年に達していない場合は、保護者の氏名及び住所、②病名、③入院の年月日、④病院の名称及び所在地である（規則第二十七条の六第一項）。また、退院したときの届出事項は、①患者の住所、氏名、年齢、性別及び職業並びに患者が成年に達していない場合は、保護者の氏名及び住所、②病名、③退院時の病状及び菌排泄の有無、④退院の年月日、⑤病院の名称及び所在地である（規則第二十七条の六第二項）。これは、届出を受けて、必要に応じ都道府県知事、保健所長が本法に基づく措置を講ずることが予定されていることから、その前提となる結核患者に関する情報を収集する趣旨である。

○　「入院したとき」とは、結核患者が新たに当該病院に入院した事実があったときであり、既に入院中の者が新たに結核患者となった場合は、法文上は含まないが、医師による届出により、保健所長がその事実を把握することとなる。

○　「退院したとき」とは、当該病院に入院していた結核患者が退院した事実があったときであり、結核患者が治癒した後に退院した場合は、結核患者に該当しないので、含まない。

○　届出は、七日以内に最寄りの保健所長に届け出なければならない（第一項）。「七日以内」とは、届出書（電子情報処理組織による場合を含む。）が保健所長に到達するまでの期間である。「最寄りの保健所長」とは、病院の管理者の行う届出を迅速かつ円滑に行うため、その負担を軽減するとともに、届出先の機関を明確にする趣旨であり、当該病院の所在地を管轄する保健所の長に届け出ることを意味するものであるが、地理的条件、交通事情等に照らして、当該病院の所在地を管轄しない距離的に近傍にある保健所の長に届け出ることも例外的に許容されるものである。

○　管轄する区域内に居住する者以外の者についての届出を受けた保健所長は、当該届出の内容をその患者の居住地を管轄する保健所長に通知しなければならない。これは、居住地において結核の予防のための措置を講ずる必要がある可能性があるためであり、通知を受けた保健所長は、家庭訪問指導等の対応をとることとなる。

○　本条の届出義務の違反については、罰則はない。これは、入退院の事実の届出が直ちに結核の感染の拡大及びまん延の防止につながるとはいえず、結核患者又はその同居者への指導等の円滑な推進に資するものであるからである。

（結核登録票）

第五十三条の十二　保健所長は、結核登録票を備え、これに、その管轄する区域内に居住する結核患者及び厚生労働省令で定める結核回復者に関する事項を記録しなければならない。

２　前項の記録は、第十二条第一項の規定による届出又は第五十三条の十の規定による通知があった者について行うものとする。

３　結核登録票に記載すべき事項、その移管及び保存期間その他登録票に関し必要な事項は、厚生労働省令で定める。

〔解　説〕

○　第五十三条の十二は、結核登録票の整備等の義務に関する規定である。保健所長は、結核登録票を整備し、管轄区域内に居住する結核患者及び結核回復者に関する事項を記録しなければならない。

○　結核登録票は、保健所がその管轄する区域内に居住する結核患者及び結核回復者の情報を管理するために作成する帳票であり、結核患者及びその同居者、結核回復者に対する結核予防上、医療上必要な指導や感染拡大の防止に必要な措置を行うために重要な役割を持つ一方、結核患者の個人情報に関する記録であることから、その管理、使用方法等については、個人情報の保護に関する関係法令の遵守や人権尊重の観点に特に留意しなければならない。

○　登録の対象となる「結核回復者」とは、結核医療を必要としないと認められてから二年以内の者その他結核再発のおそれが著しいと認められる者（結核医療を必要としないと認められてから二年を超えた者であって結核再発のおそれが著しいと認められる者）である（規則第二十七条の七）。登録は、結核患者等の個人情報に基づき必要な結核対策措置をとることを目的とする管理行為であるので、人権尊重の観点からその対象者の解釈及び適用は厳格に行わなければならない。

○　登録は、第十二条第一項の規定による医師の届出又は第五十三条の十の規定による管轄保健所長への通知があった者について行うものであり（第二項）、結核登録票の記載事項は、①登録年月日及び登録番号、②患者又は回復者の住所、氏名、生年月日、性別、職業並びに患者が成年に達していない場合は、保護者の氏名及び住所、③届け出た医師の住所（病院又は診療所の名称及び所在地）及び氏名、④患者の病名、病状、抗酸菌培養検査及び薬剤感受性検査の結果並びに現に医療を受けていることの有無、⑤患者又は回復者に対して保健所がとった措置の概要、⑥生活環境その他患者又は回復者の指導上必要と認める事項である（規則第二十七条の八第一項）。

○　保健所長は、結核登録票に登録されている患者又は回復者が、管轄区域外に居住地を移したときは、直ちに新居住地を管轄する保健所長にその旨を通報し、結核登録票を送付しなければならない（規則第二十七条の八第二項）。これにより、患者又は回復者の管理は、居住地の変更に際しても継続的に適切に行われることを確保する趣旨である。

なお、結核登録票に登録されている患者又は回復者については、居住地に変更を生じたときの届出義務は法令上課されていないことから、保健所長は、職務の遂行上、適法に知り得た場合にのみ通報を行うこととなるが、行政指導により、これらの者の任意で居住地の変更があった場合に申出を行うよう登録患者又は回復者に要請することは可能である。この場合には、個人情報の収集に関し、その目的及び使用内容を説明し、同意を得ておくことが必要である。

○　保健所長は、結核登録票に登録されている患者又は回復者が登録を必要としなくなったときは、その必要としなくなった日から二年間結核登録票を保存しなければならない（規則第二十七条の八第三項）。「登録を必要としなくなったとき」とは、第一項の規定から、結核登録票への記録対象である結核患者及び結核回復者が、それぞれ患者及び回復者に該当しなくなったときと解すべきであり、①結核患者については、結核患者でなくなったとき、結核患者が死亡したとき、当初から結核患者でないことが事後に判明したときであり、②結核回復者については、結核医療を必要としないと認められてから二年を経過したとき（二年を経過したが、結核再発のおそれが著しいと認められる場合を除く。）である。

○　「結核医療を必要としないと認められてから二年以内の者」とする趣旨は、結核という疾病の性格に照らして、結核患者であった者が不活動性となった場合に、二年程度を経過観察する必要があることから形式的要件を定めた上で、結核登録票に記録し、必要な保健指導等を行うこととするものである。

〔主要告示・通知等〕

・「活動性分類等について」の一部改正について（平成二十八年十一月二十五日健感発一一二五第二号）

（精密検査）

第五十三条の十三　保健所長は、結核登録票に登録されている者に対して、結核の予防又は医療上必要があると認めるときは、エックス線検査その他厚生労働省令で定める方法による精密検査を行うものとする。

〔解　説〕

○　第五十三条の十三は、結核登録票に登録されている者に対して保健所長の行う精密検査に関する規定である。結核患者及び結核回復者に対して、公衆衛生上、結核の予防又は医療上必要があると認めるときは、精密検査を行うこととし、その受診機会を付与しなければならない。登録患者等の病状を把握し、適切な対応を行うことによって法目的を達成する趣旨であるが、保健所長が行う精密検査であることから、結核の予防又は医療上必要合理的なものでなければならない。

○　結核患者及び結核回復者については、受診義務まではなく、本条の規定による精密検査が公的な検査であることから、他の健康診断等で病状等を把握できる場合には、保健所長が精密検査を行う必要はない。

（家庭訪問指導等）

第五十三条の十四　保健所長は、結核登録票に登録されている者について、結核の予防又は医療上必要があると認めるときは、保健師又はその他の職員をして、その者の家庭を訪問させ、処方された薬剤を確実に服用する指導その他必要な指導を行わせるものとする。

2　保健所長は、結核登録票に登録されている者について、結核の予防又は医療を効果的に実施するため必要があると認めるときは、病院、診療所、薬局その他厚生労働省令で定めるものに対し、厚生労働大臣が定めるところにより、処方された薬剤を確実に服用する指導その他必要な指導の実施を依頼することができる。

〔解　説〕

○　第五十三条の十四は、保健所長が保健師等に行わせる家庭訪問指導及び服薬指導に関する規定である。保健所長は、結核登録票に登録されている者について、公衆衛生上、結核の予防又は医療上必要があると認めるときは、保健師等にその者の家庭を訪問させ、服薬指導その他必要な指導を行わせることとしている（第一項）。また、保健所のみで服薬指導等を実施する場合と比して、地域全体で連携体制をとって実施することにより、より効果的に服薬指導事業等を実施できるようにすることを目的として、保健所長から医療機関等に対し、結核登録票に登録されている者が処方された薬剤を確実に服用することの指導その他必要な指導の実施を依頼できることとされている（第二項）。

○　本条の規定は、家庭訪問指導が結核の予防及び医療上の必要という公衆衛生上の理由により行われる患者及びその家族等に対する行政指導であることから、特に保健所長の職務権限を法律上明確に定めたものである。

○　「結核の予防又は医療上必要があると認めるとき」とは、保健所長が保健師等をして行わせる家庭訪問指導が、結核の予防又は医療上の必要の観点という法目的達成のために行われ、必要な指導は、当然にその範囲に限られるものであることを入念的に明確にする趣旨である。また、保健所長が必要と認めるときに行わせることを定め、家庭訪問指導を行わせるか否かは保健所長の合目的的な裁量に委ねられているものであるが、客観的に必要性がある場合に選択的に行わせなくてもよいという趣旨ではない。

○　「保健師又はその他の職員をして」とは、保健所長の所属に属する職員として保健師を例示するものであるが、保健師以外には、地域保健法施行令第五条に規定する職員のうち、結核に関する職務を担当する職員が想定される。

〔関係条文〕

◉地域保健法施行令（抄）〔昭和二十三年四月二日政令第七十七号〕

注　令和四年一二月九日政令第一七五号改正現在

（職員）

第五条　保健所には、医師、歯科医師、薬剤師、獣医師、保健師、助産師、看護師、診療放射線技師、臨床検査技師、管理栄養士、栄養士、歯科衛生士、統計技術者その他保健所の業務を行うために必要な者のうち、当該保健所を設置する法第五条第一項に規定する地方公共団体の長が必要と認める職員を置くものとする。

2　前条第二項の規定により医師でない法第五条第一項に規定する地方公共団体の長の補助機関である職員をもつて保健所の所長に充てる場合（前条第三項の規定により当該期間を延長する場合を含む。）においては、当該保健所に医師を置かなければならない。

○「処方された薬剤を確実に服用すること」とは、必要な指導の例示であり、ＤＯＴＳの推進を図るため、法律上明示されたものである。

○ＤＯＴＳとは、Directly Observed Treatment, Short-course（直接監視下短期化学療法）の略であり、結核患者を治療するために世界中で使われているプライマリー保健サービスの包括的戦略を指す。ＤＯＴＳの一環として、ヘルスワーカーが助言し、患者が処方された薬剤を服用するのを直接確認し、患者が治癒するまで保健サービスが経過をモニターすることなどがある。結核が感染性の疾病であり、とりわけ近年における患者の特性の変化等に鑑み、結核患者に確実に服薬させることにより、患者の治療の成功と結核のまん延を防止するとともに、多剤耐性結核の発生を予防する必要性が高いことから、特に法令上明示することとし、本条による保健師等による患者の家庭訪問指導及び第五十三条の十五における結核患者等に対する医師の指示の例示として規定されている。

○本条の規定は、ＤＯＴＳの実施を法的に義務づけるものではない。また、結核患者に法的な義務や罰則が科されるものではなく、患者の個々の意思で拒否することは当然に可能であるが、ＤＯＴＳは、患者の治療成功を支援することが第一義的な目的であることから、その趣旨について十分な周知を図り、患者にその必要性の理解を得て推進すべきであることから、その実施に当たっては、地域の実情を踏まえ、基本指針に即し適切に実施することが必要である。

〔主要告示・通知等〕

・結核患者に対するＤＯＴＳ（直接服薬確認療法）の推進について（平成十六年十二月二十一日健感発第一二二一〇〇一号）

（医師の指示）

第五十三条の十五　医師は、結核患者を診療したときは、本人又はその保護者若しくは現にその患者を看護する者に対して、処方した薬剤を確実に服用することその他厚生労働省令で定める患者の治療に必要な事項及び消毒その他厚生労働省令で定める感染の防止に必要な事項を指示しなければならない。

〔解　説〕

○　第五十三条の十五は、医師が行う患者の治療に必要な事項及び感染の防止に必要な事項の指示に関する規定である。医師は、結核患者を診療したときは、本人又はその保護者若しくは看護者に対して、服薬指導等の治療に必要な事項及び消毒等の感染の防止に必要な事項を指示しなければならないこととしている。

○　本条の規定は、患者の治療及び感染の防止に関する医師の指示行為について、結核の予防及び医療上の必要という公衆衛生上の理由から、特に医師の診療業務における指示を法律上の義務として明確に定めたものである。

○　「結核患者を診療したときは」とは、医師が結核患者を診療した機会を捉えて必要に応じて、治療に必要な事項及び感染の防止に必要な事項を適時行うことで足りるものであり、どの段階で、具体的にいかなる事項を指示するかは、医師の合理的裁量に委ねられている。

○　「保護者」とは、親権を行う者又は後見人である（第十五条第三項）。「現にその患者を看護する者」とは、現に看護している事実があって、医師による指示を受けて、本人のためにその内容の実行及び実現が期待できる者である。

○　医師は、結核患者の状況及び事情を勘案して、その判断により、本人又はその保護者若しくは現にその患者を看護する者のいずれかに必要な指示をすることが求められるが、患者の治療及び感染の防止に最も適切な者に対して、指示をする注意義務を有すると解すべきである。

○　「処方した薬剤を確実に服用すること」とは、ＤＯＴＳの推進を図るため、法律上明示されたものである。ＤＯＴＳの趣旨及び内容については、第五十三条の十四の解説を参照のこと。なお、医師は、当該患者の状況に照らして、必要に応じて処方された薬剤を確実に服用することを指示するものである。

○　「その他厚生労働省令で定める患者の治療に必要な事項」については、本条の規定は、医師が通常の診療行為に際して行う治療に必要な指導に加え、特に法律上、指示を義務づけるべきものを厚生労働省令に委任する趣旨であるが、現在のところ、治療に必要な服薬指導以外には定められていない。

○　「消毒その他厚生労働省令で定める感染の防止に必要な事項」とは、消毒のほか、①結核を感染させるおそれがある患者の居室の換気に注意すること、②当該患者のつば及びたんは布片又は紙片に取って捨てる等他者に結核を感染させないように処理すること、③当該患者は、せき又はくしゃみをするときは、布片又は紙片で口鼻を覆い、人と話をするときはマスクを掛けることが限定列挙されている（規則第二十七条の十一）。なお、医師は、当該患者の状況に照らして、必要に応じてこれらの指示を行うものである。

○　本条の規定は、結核患者に法的な義務や罰則が科されるものではなく、患者の個々の意思で拒否することは当然に可能であるが、ＤＯＴＳは、患者の治療成功を支援することが第一義的な目的であることから、医師は、その趣旨について十分な説明を行い、患者にその必要性について理解を得るよう努めることが必要である。

第九章の二　感染症対策物資等

○　令和二年以降、新型コロナウイルス感染症（COVID-19）の感染拡大に伴い、医薬品だけでなく、マスク等の個人防護具を含む感染症対策物資について、医療現場を含めた市中における需給がひっ迫する事態が生じた。
○　また、このような感染症対策物資については、国内生産は行われているものの、これらを製造するための原材料の不足により生産が滞る事態が生じ、原材料確保の重要性も明らかになった。
○　このような事態を踏まえ、令和四年改正において、生産指示、輸入指示、売渡し指示等の規定を新たに設けることとした。
○　なお、特措法第十条、第五十条等において、物資の供給、備蓄等に関する規定が設けられているが、これらの規定は特措法第十四条に基づいて新型インフルエンザ等感染症が発生した旨の報告がなされた場合等に適用されるものである。
○　一方で、新型コロナウイルス感染症（COVID-19）への対応においては、物資の安定供給までに一定の準備期間を要したところ、国内での新型インフルエンザ等感染症の発生報告がなされる前に、予め物資の供給に係る指示等を行うことが必要であり、感染症法に規定を設けるものである。

（生産に関する要請等）
第五十三条の十六　厚生労働大臣は、感染症の予防及び感染症の患者に対する医療に必要な医薬品（医薬品、医療機器等の品質、有効性及び安全性の確保等に関する法律第二条第一項に規定する医薬品をいい、専ら動物のために使用されることが目的とされているものを除く。）、医療機器（同条第四項に規定する医療機器をいい、専ら動物のために使用されることが目的とされているものを除く。）、個人防護具（着用することによって病原体等にばく露することを防止するための個人用の道具をいう。）その他の物資並びにこれらの物資の生産に必要不可欠であると認められる物資及び資材（以下「感染症対策物資等」という。）について、需要の増加又は輸入の減少その他の事情により、その供給が不足し、又は感染症対策物資等の需給の状況その他の状況から合理的に判断して、その供給が不足する蓋然性が高いと認められるため、感染症の発生を予防し、又はそのまん延を防止することが困難になることにより、国民の生命及び健康に重大な影響を与えるおそれがある場合において、その事態に対処するため、当該感染症対策物資等の生産を促進することが必要であると認めるときは、当該感染症対策物資等の生産の事業を行う者（以下「生産業者」という。）に対し、当該感染症対策物資等の生産を促進するよう要請することができる。

2　厚生労働大臣は、前項の規定による要請をしようとするときは、あらかじめ、事業所管大臣（当該感染症対策物資等の生産の事業を所管する大臣をいう。以下この条及び次条第二項において同じ。）に協議するものとする。

3　第一項の規定による要請を受けた生産業者は、厚生労働省令で定めるところにより、当該要請に係る感染症対策物資等の生産に関する計画（以下この条において「生産計画」という。）を作成し、厚生労働大臣及び事業所管大臣に届け出なければならない。これを変更したときも、同様とする。

４　事業所管大臣は、自らがその生産の事業を所管する感染症対策物資等について、第一項に規定する事態に対処するため特に必要があると認めるときは、前項の規定による届出をした生産業者に対し、その届出に係る生産計画を変更すべきことを指示することができる。

５　厚生労働大臣は、事業所管大臣に対して、前項の規定による指示を行うよう要請することができる。

６　第三項の規定による届出をした生産業者は、その届出に係る生産計画（同項後段の規定による変更の届出があったときは、その変更後のもの。次項において同じ。）に沿って当該生産計画に係る感染症対策物資等の生産を行わなければならない。

７　厚生労働大臣又は事業所管大臣は、第四項の規定による指示を受けた生産業者が正当な理由がなくその指示に従わなかったとき、又は前項に規定する生産業者が正当な理由がなくその届出に係る生産計画に沿って当該生産計画に係る感染症対策物資等の生産を行っていないと認めるときは、その旨を公表することができる。

第五十三条の十七　厚生労働大臣は、前条第一項に規定する事態に対処するため特に必要があると認めるときは、生産可能業所管大臣（感染症対策物資等の生産の事業を行っていない者であって、当該感染症対策物資等を生産することができると認められるもの（以下この項及び第三項において「生産可能業者」という。）が営んでいる事業を所管する大臣をいう。同項において同じ。）に対し、生産可能業者に対して当該感染症対策物資等の生産の協力を求めるよう要請することができる。

２　厚生労働大臣は、前項の規定による要請をしようとするときは、あらかじめ、事業所管大臣に協議するものとする。

3　第一項の規定による要請を受けた生産可能業所管大臣は、自らが所管する事業を営む生産可能業者に対し、当該感染症対策物資等の生産の協力を要請するものとする。

〔解　説〕

○　第五十三条の十六及び第五十三条の十七は感染症対策物資等の生産要請等に関する規定である。

《供給不足時等の生産業者に対する生産要請等（第五十三条の十六）》

○　新型コロナウイルス感染症（COVID-19）対応において、様々な交渉を経て、感染症対策物資等の増産を実現したことを踏まえると、今後、再び感染症対策物資等の供給が不足し、同様に企業に増産要請を行う場合、より実効性の高いスキームが求められる。そこで、感染症対策物資等の生産業者に対する生産促進の要請を法律上に規定するとともに、実効性を担保するため、生産計画の届出、国による生産計画の変更指示等に係る規定を設けることとした。

○　厚生労働大臣は、感染症対策物資等について、需要の増加又は輸入の減少その他の事情により、その供給が不足し、又は需給の状況その他の状況から合理的に判断して、その供給が不足する蓋然性が高いと認められるため、感染症の発生を予防し、又はそのまん延を防止することが困難になることにより、国民の生命及び健康に重大な影響を与えるおそれがある場合、当該感染症対策物資等の生産業者に対し、生産を促進するよう要請することができる（第一項）。

○　厚生労働大臣は、生産の促進を要請しようとするときは、あらかじめ、当該感染症対策物資等の生産の事業を所管する大臣（以下「事業所管大臣」という。）に協議を行う（第二項）。

○　要請を受けた生産業者は、厚生労働大臣及び事業所管大臣に対して生産計画を届け出なければならない。また、当該計画に沿った生産を行わなければならない（第三項及び第六項）。

○　事業所管大臣は、自らがその生産の事業を所管する感染症対策物資等について、生産計画の変更指示を行うことができる（第四項）。

○　厚生労働大臣は、事業所管大臣に対し、生産計画の変更指示を行うよう要請することができる（第五項）。

○　厚生労働大臣及び事業所管大臣は、生産業者が正当な理由がなく生産計画の変更指示に従わなかったとき又は正当な理由がなく計画に沿った生産を行わなかったときは、その旨を公表することができる（第七項）。

《供給不足時等の生産可能業者に対する生産要請等（第五十三条の十七）》

○　新型コロナウイルス感染症（COVID-19）対応において、需給がひっ迫した感染症対策物資等については、平時においてその生産を行っている生産業者による増産だけではなく、縫製事業者の医療用ガウン生産事業への参入など、平時は当該感染症対策物資等を生産していない異業種事業者がその生産を開始した事例があった。

○　このような異業種事業者の参入が、医療現場等の需給状況改善の一助となったことを踏まえると、今後、再び感染症対策物資等の供給が不足し、同様に平時から感染症対策物資等を生産していた事業者だけではなく、異業種事業者への協力を依頼する場合、より実効性の高いスキームが求められる。

○　そこで、異業種事業者であって、感染症対策物資等の生産をすることができると認められる者（以下「生産可能業者」という。）に対し、生産可能業者が営んでいる事業を所管する大臣（以下「生産可能業所管大臣」という。）を通じた感染症対策物資等の生産協力の要請を法律上に規定した。

○　厚生労働大臣は、第五十三条の十六第一項に規定する事態に対処するため特に必要があると認めるときは、生産可能業所管大臣に対し、生産可能業者から当該感染症対策物資等の生産の協力を得るよう要請することができる（第一項）。

○　厚生労働大臣は、当該要請をしようとするときは、あらかじめ、事業所管大臣に協議するものとする（第二項）。

○　第一項の規定による要請を受けた生産可能業所管大臣は、自らが所管する事業を営む生産可能業者に対し、当該感染症対策物資の生産の協力を要請するものとする（第三項）。

（輸入に関する要請等）

第五十三条の十八　厚生労働大臣は、感染症対策物資等について、第五十三条の十六第一項に規定する事態に対処するため、当該感染症対策物資等の輸入を促進することが必要であると認めるときは、当該感染症対策物資等の輸入の事業を行う者（以下「輸入業者」という。）に対し、当該感染症対策物資等の輸入を促進するよう要請することができる。

2　第五十三条の十六第二項から第七項までの規定は、輸入業者に対して前項の規定による要請をする場合について準用する。この場合において、同条第二項中「生産」とあるのは「輸入」と、「この条及び次条第二項」とあるのは「この条」と、同条第三項中「生産に」とあるのは「輸入に」と、「生産計画」とあるのは「輸入計画」と、同条第四項中「生産の」とあるのは「輸入の」と、「に対し」とあるのは「であって、当該感染症対策物資等の輸入事情を考慮して当該感染症対策物資等の輸入をすることができると認められるものに対し」と、「生産計画」とあるのは「輸入計画」と、同条第六項及び第七項中「生産計画」とあるのは「輸入計画」と、「生産を」とあるのは「輸入を」と読み替えるものとする。

〔解　説〕

○　第五十三条の十八は、輸入に関する要請等に関する規定である。

○　新型コロナウイルス感染症（COVID-19）対応において、感染症対策物資等の輸入量が回復するまでに一定の期間を要したことを踏まえると、今後、再び感染症対策物資等の供給が不足し、企業に輸入の促進等の要請を行う場合、実効性の高いスキームが求められる。そこで、感染症対策物資等の輸入業者に対する輸入促進の要請を法律上に規定するとともに、実効性を担保するため、企業の輸入計画届出義務規定、国の輸入計画変更指示規定及び国の財政等支援規定等を設けることとした。

○　規定の内容は第五十三条の十六（感染症対策物資等の生産要請等に関する規定）と同様である。

（出荷等に関する要請）

第五十三条の十九　厚生労働大臣は、感染症対策物資等について、第五十三条の十六第一項に規定する事態に対処するため、当該感染症対策物資等の出荷又は引渡しを調整することが必要であると認めるときは、当該感染症対策物資等の生産、輸入、販売又は貸付けの事業を行う者に対し、当該感染症対策物資等の出荷又は引渡しを調整するよう要請することができる。

2　厚生労働大臣は、前項の規定による要請をしようとするときは、あらかじめ、当該感染症対策物資等の生産、輸入、販売又は貸付けの事業を所管する大臣に協議するものとする。

〔解　説〕

○　第五十三条の十九は、出荷等に関する要請に関する規定である。

○　新型コロナウイルス感染症（COVID–19）対応において、国内生産の立ち上げや輸入量の回復により需給状況が改善するまでに一定の期間を要したことを踏まえると、今後、再び感染症対策物資等の供給が不足した場合、生産指示や輸入指示の規定により市場全体の供給量を増加させるだけでなく、

・　将来的に供給の不足が見込まれる物資について、物資が比較的豊富な時期に、出荷を抑制させる

・　原材料を感染症対策物資等の生産業者へ優先的に納入させる等により、生産指示の実効性を高めるなど、出荷等を調整することで、感染症対策物資等の供給不足に対処する方策も考えられる。

○　そこで、感染症対策物資等の生産・輸入・販売・貸付けの事業を行う者（以下「出荷等業者」という。）に対する出荷等の調整の要請に係る規定を設けることとした。

○　厚生労働大臣は、第五十三条の十六第一項に規定する事態に対処するため、出荷等の調整を行うことが必要であると認めるときは、感染症対策物資等の出荷等業者に対し、出荷又は引渡しを調整するよう要請することができる（第一項）。

○　厚生労働大臣は、要請をしようとするときは、あらかじめ、当該感染症対策物資等の生産・輸入・販売・貸付けの事業を所管する大臣に協議を行う（第二項）。

（売渡し、貸付け、輸送又は保管に関する指示等）

第五十三条の二十　厚生労働大臣は、特定の地域において感染症対策物資等の供給が不足し、又は感染症対策物資等の需給の状況その他の状況から合理的に判断して、その供給が不足する蓋然性が高いと認められるため、当該地域において感染症の発生を予防し、又はそのまん延を防止することが困難になることにより、国民の生命及び健康に重大な影響を与えるおそれがあり、当該地域における当該感染症対策物資等の供給を緊急に増加させることが必要であると認めるときは、当該感染症対策物資等の生産、輸入又は販売の事業を行う者に対し、売渡しをすべき期限及び数量並びに売渡先を定めて、当該感染症対策物資等の売渡しをすべきことを指示することができる。

2　厚生労働大臣は、前項に規定する事態に対処するため必要があると認めるときは、当該感染症対策物資等の貸付けの事業を行う者に対し、貸付けをすべき期限、数量及び期間並びに貸付先を定めて、当該感染症対策物資等の貸付けをすべきことを指示することができる。
3　厚生労働大臣は、第一項に規定する事態に対処するため特に必要があると認めるときは、当該感染症対策物資等の輸送の事業を行う者に対し、輸送をすべき期限、数量及び区間並びに輸送条件を定めて、当該感染症対策物資等の輸送をすべきことを指示することができる。
4　厚生労働大臣は、第一項に規定する事態に対処するため特に必要があると認めるときは、当該地域において当該感染症対策物資等の保管の事業を行う者に対し、保管をすべき数量及び期間並びに保管条件を定めて、当該感染症対策物資等の保管をすべきことを指示することができる。
5　厚生労働大臣は、前各項の規定による指示をしようとするときは、あらかじめ、当該感染症対策物資等の生産、輸入、販売、貸付け、輸送又は保管の事業を所管する大臣に協議するものとする。
6　厚生労働大臣は、第一項から第四項までの規定による指示を受けた者が、正当な理由がなくその指示に従わなかったときは、その旨を公表することができる。

〔解　説〕

○　出荷等については第五十三条の十九においてその調整の要請に関する規定を設けているが、特定の地域において感染症対策物資等の供給が不足し、又はその蓋然性が高い場合、特に感染症対策物資等を必要としている医療機関等への供給を緊急的に増加させる必要があり、このような要請だけでは不十分な場面も想定される。
○　このため、特定の地域における感染症対策物資等の供給を緊急に増加させることが必要であると認める場合における事業者に対する感染症対策物資等の売渡し等の指示に関する規定を、設けることとされた。

《緊急時の事業者に対する売渡し・貸付け指示（第一項、第二項、第五項及び第六項）》

○　厚生労働大臣は、特定の地域において感染症対策物資等の供給が不足し、又はその蓋然性が高いと認められるため、感染症の発生を予防し、又はそのまん延を防止することが困難になることにより、国民の生命及び健康に重大な影響を与えるおそれがある場合において、その事態に対処するため、当該地域における当該感染症対策物資等の供給を緊急に増加することが必要であると認めるときは、当該感染症対策物資等の生産・輸入・販売業者に対し、売渡し期限・数量・売渡し先／貸付け期限・数量・期間・貸付先を指定して売渡し・貸付けを行うよう指示することができる（第一項及び第二項）。

○　厚生労働大臣は、売渡し・貸付けの指示をしようとするときは、あらかじめ、当該感染症対策物資等の生産、輸入、販売、貸付け、輸送又は保管の事業を所管する大臣に協議を行う（第五項）。

○　厚生労働大臣は、事業者が正当な理由がなく売渡し・貸付けの指示に従わなかったときは、その旨を公表することができる（第六項）。

《緊急時の輸送業者に対する輸送指示（第三項、第五項及び第六項）》

○　厚生労働大臣は、特定の地域において感染症対策物資等の供給が不足し、又はその蓋然性が高いと認められるため、感染症の発生を予防し、又はそのまん延を防止することが困難になることにより、国民の生命及び健康に重大な影響を与えるおそれがある場合において、その事態に対処するため特に必要であると認めるときは、輸送業者に対し、輸送すべき期限・数量・区間・輸送条件を指定して輸送を指示することができる（第三項）。

○　厚生労働大臣は、輸送の指示をしようとするときは、あらかじめ、当該物資の輸送の事業を所管する大臣に協議を行う（第五項）。

○　厚生労働大臣は、輸送業者が正当な理由がなく輸送指示に従わなかったときは、その旨を公表することができる（第六項）。

《緊急時の保管業者に対する保管指示（第四項から第七項まで）》

○　厚生労働大臣は、特定の地域において感染症対策物資等の供給が不足し、又はその蓋然性が高いと認められるため、感染症の発生を予防し、又はそのまん延を防止することが困難になることにより、国民の生命及び健康に重大な影響を与えるおそれがある場合において、その事態に対処するため特に必要であると認めるときは、当該地域において感染症対策物資等の保管の事業を行う保管業者に対し、保管すべき期間・数量・保管条件を指定して保管を指示することができる（第四項）。

○　厚生労働大臣は、保管の指示をしようとするときは、あらかじめ、当該物資の保管の事業を所管する大臣に協議を行う（第五項）。

○　厚生労働大臣は、保管業者が正当な理由がなく保管指示に従わなかったときは、その旨を公表することができる（第六項）。

（財政上の措置等）

第五十三条の二十一　国は、第五十三条の十六第一項の規定による要請又は同条第四項の規定による指示に従って感染症対策物資等の生産を行った生産業者、第五十三条の十八第一項の規定による要請又は同条第二項において読み替えて準用する第五十三条の十六第四項の規定による指示に従って感染症対策物資等の輸入を行った輸入業者及び前条第一項から第四項までの規定による指示に従って感染症対策物資等の売渡し、貸付け、輸送又は保管を行った者に対し、必要な財政上の措置その他の措置を講ずることができる。

〔解　説〕

○　第五十三条の二十一は、財政上の措置について規定した条文である。国は、国の要請、指示に従い感染症対策物資等の生産を行った生産業者・輸入を行った輸入業者・売渡し、貸付け、輸送又は保管を行った者に対し、必要な財政上の措置その他の措置を講ずることができる旨を規定している。

（報告徴収）

第五十三条の二十二　厚生労働大臣又は感染症対策物資等の生産、輸入、販売若しくは貸付けの事業を所管する大臣は、感染症対策物資等の国内の需給状況を把握するため、感染症対策物資等の生産、輸入、販売又は貸付けの事業を行う者に対し、感染症対策物資等の生産、輸入、販売又は貸付けの状況について報告を求めることができる。

2　前項の規定により報告の求めを受けた者は、その求めに応じるよう努めなければならない。

〔解　説〕

○　第五十三条の二十二は、報告徴収について規定した条文である。

○　新型コロナウイルス感染症（COVID-19）対応において、国は事業者に対して感染症対策物資等の増産の要請などを行った。このような対応を行うに当たっては、需給の状況やその見込みを把握するため、事業者からのヒアリングにより需給状況の把握に努めたが、法的位置づけがない任意のヒアリングだったため、把握できる情報には限界があった。

○　再び感染症対策物資等の供給が不足した場合に適切に対応するためには、感染症対策物資等の需給状況を円滑に把握することができる体制の整備が必要であり、より迅速かつ正確な情報収集を行うため、事業者からの報告徴収に係る規定を設けた。

○　生産及び輸入については感染症法第五十三条の十六及び第五十三条の十八において計画の届出規定を設けることとしているが、これらはあくまで国から生産促進等の要請を受けた事業者について計画の届出を義務づける規定であり、要請を受けていない事業者にまでその効力が及ぶものではない。また、出荷については感染症法第五十三条の十九において出荷要請の規定を設けることとしているが、生産や輸入のように個別の計画について国が調整することは困難であることから、計画届出規定を設けることとはしていない。

○　一方で、こうした生産・輸入・出荷に関する要請等を行うに当たっては、前述のとおり、国として需給状況の把握が必要であり、計画届出規定とは別に報告徴収規定を設けるものである。

○　厚生労働大臣又は感染症対策物資等の生産、輸入、販売若しくは貸付けの事業を所管する大臣は、感染症対策物資等の国内の需給状況を把握するため、生産・輸入・販売・貸付事業者に対して、その状況について報告を求めることができる（第一項）。

○　報告の求めを受けた者は、その求めに応じるよう努めなければならない（第二項）。

（立入検査等）

第五十三条の二十三　厚生労働大臣又は感染症対策物資等の生産、輸入、販売、貸付け、輸送若しくは保管の事業を所管する大臣は、第五十三条の十六第一項及び第二項から第七項まで（これらの規定を第五十三条の十八第二項において準用する場合を含む。）、第五十三条の十八第一項並びに第五十三条の二十の規定の施行に必要な限度において、感染症対策物資等の生産、輸入、販売、貸付け、輸送若しくは保管の事業を行う者に対し、その業務若しくは経理の状況に関し報告させ、又はその職員に、これらの者の営業所、事務所その他の事業場に立ち入り、帳簿、書類その他の物件を検査させることができる。

2　第三十五条第二項及び第三項の規定は、前項の規定による立入検査について準用する。

〔解　説〕

○　第五十三条の二十三は立入検査に関する規定である。

○　本章の生産指示等の規定を実施するためには、生産指示等の対象である又は対象となり得る事業者の業務状況や経理状況を詳細、的確に把握する必要がある。

○　また、こうした状況を把握する上で、単に報告を求めるだけでなく、帳簿・書類といった物件を検査することで、報告された情報の真正性を確認できるようにする必要がある。

○　このため、事業者の業務状況や経理状況について、報告徴収規定及び立入検査規定を設けた。

○　なお、第五十三条の二十二は、生産指示等の規定を適用する前段において、感染症対策物資等の需給状況を把握することが目的である一方で、本条に規定する報告徴収は、生産指示等の実効性を担保することが目的である。

○　厚生労働大臣及び感染症対策物資等を所管する大臣は、生産指示、輸入指示、売渡しの指示等の規定の施行に必要な限度において、事業者に対して、業務状況や経理状況について報告させ、又はその職員に、これらの者の営業所、事務所その他の事業場に立ち入り、帳簿、書類その他の物件を検査させることができる（第一項）。

○　立入検査をする職員は、その身分を示す証明書を携帯し、関係人の請求があった場合にはこれを提示しなければならない。また、立入検査の権限は、犯罪捜査のために認められたものと解釈してはならない（第二項）。

第十章　感染症の病原体を媒介するおそれのある動物の輸入に関する措置

（輸入禁止）

第五十四条　何人も、感染症を人に感染させるおそれが高いものとして政令で定める動物（以下「指定動物」という。）であって次に掲げるものを輸入してはならない。ただし、第一号の厚生労働省令、農林水産省令で定める地域から輸入しなければならない特別の理由がある場合において、厚生労働大臣及び農林水産大臣の許可を受けたときは、この限りでない。

一　感染症の発生の状況その他の事情を考慮して指定動物ごとに厚生労働省令、農林水産省令で定める地域から発送されたもの

二　前号の厚生労働省令、農林水産省令で定める地域を経由したもの

〔解　説〕

○　第五十四条は、動物の輸入禁止に関して規定した条文である。動物由来感染症の中でも近年問題視されているエボラ出血熱、マールブルグ病、ペスト、重症急性呼吸器症候群等については、①日本に常在しないものであり、②感染力、死亡率が極めて高く、③現時点で有効な予防・治療方法がない。したがって、これらの感染症については、日本国内への侵入

を防止するために水際対策を講ずることが最も重要であり、そのため、感染源となる動物について輸入禁止措置、検疫措置（第五十五条）及び輸入届出措置（第五十六条の二）を講ずることとされた。

○「輸入」とは、外国から日本国内に病原体等を搬入する行為をいう。船舶による場合には陸揚げ、航空機による場合は航空機からの取り下ろしによって、完成する。

○動物由来感染症を人に感染させるおそれが高いものとして政令で定める動物であって、厚生労働省令、農林水産省令で定める地域から発送又は当該地域を経由した動物が輸入禁止の対象となる。政令ではイタチアナグマ、コウモリ、サル、タヌキ、ハクビシン、プレーリードッグ及びヤワゲネズミが定められている（令第十三条）。

○輸入禁止地域から発送又は当該地域を経由した動物であっても、厚生労働大臣及び農林水産大臣の許可を受けた場合は輸入をすることができる。許可要件は明示されておらず、許可制をとった法の趣旨に反しない範囲で、厚生労働大臣及び農林水産大臣の広い裁量に委ねられている。学術研究のために必要不可欠な場合であって、感染症の侵入の疑いが払しょくできるときがこの場合に該当し得ると考えられる。

○当該規定に違反して指定動物を輸入した者は、五十万円以下の罰金が科せられる（第七十七条第一項第十一号）。

（輸入検疫）

第五十五条　指定動物を輸入しようとする者（以下「輸入者」という。）は、輸出国における検査の結果、指定動物ごとに政令で定める感染症にかかっていない旨又はかかっている疑いがない旨その他厚生労働省令、農林水産省令で定める事項を記載した輸出国の政府機関により発行された証明書又はその写しを添付しなければならない。

２　指定動物は、農林水産省令で定める港又は飛行場以外の場所で輸入してはならない。

3　輸入者は、農林水産省令で定めるところにより、当該指定動物の種類及び数量、輸入の時期及び場所その他農林水産省令で定める事項を動物検疫所に届け出なければならない。この場合において、動物検疫所長は、次項の検査を円滑に実施するため特に必要があると認めるときは、当該届出をした者に対し、当該届出に係る輸入の時期又は場所を変更すべきことを指示することができる。

4　輸入者は、動物検疫所又は第二項の規定により定められた港若しくは飛行場内の家畜防疫官が指定した場所において、指定動物について、第一項の政令で定める感染症にかかっているかどうか、又はその疑いがあるかどうかについての家畜防疫官による検査を受けなければならない。ただし、特別の理由があるときは、農林水産大臣の指定するその他の場所で検査を行うことができる。

5　家畜防疫官は、前項の検査を実施するため必要があると認めるときは、当該検査を受ける者に対し、必要な指示をすることができる。

6　前各項に規定するもののほか、指定動物の検疫に関し必要な事項は、農林水産省令で定める。

〔解　説〕

○　第五十五条は、指定動物の輸入検疫に関して規定した条文である。第一項で輸出国政府機関が発行した証明書の添付を、第四項で輸入国（日本）での検査を求めている。このように動物の輸入については、輸出国と輸入国の双方において検査を実施することとしているが、これは以下のような考え方によるものであり、国際的に一般化しているものである。

①　病原体に感染してから発症するまでの潜伏期間については、個体差が大きいため、潜伏期の状態のものが輸出されるおそれがある。

② 現時点では、エボラ出血熱等の検査技術には限界があり、検査結果について一〇〇％の信頼性がない。

③ エボラ出血熱等の感染性の強い感染症については、輸入国での検疫を行う前に動物と接触する機会がある港湾等の貨物運送担当者、検疫所職員等に感染する危険性がある。

○ 指定動物を輸入しようとする者は以下の手続きが必要である。

① 輸出国の政府機関により発行された、当該輸入しようとする動物が指定動物ごとに政令で定める感染症にかかっていない旨又はかかっている疑いがない旨その他厚生労働省令、農林水産省令で定める事項を記載した証明書又はその写しを添付する（第一項）。政令で定める感染症は、サルについて、エボラ出血熱及びマールブルグ病である（令第十四条）。

② 動物検疫所において、①に定められた感染症にかかっているかどうか、又はその疑いがあるかどうかについての検査を受ける（第四項）。

○ 指定動物は、農林水産省令で定める港又は飛行場以外の場所で輸入することはできない（第二項）。これは、指定動物の輸入には家畜防疫官による検査が必要であり（第四項。家畜防疫官以外の者は検査できない。）、全ての港や飛行場で検査ができるものではないからである。また、同様の理由から、動物を輸入しようとする者は、指定動物の種類及び数量、輸入の時期及び場所その他農林水産省令で定める事項を動物検疫所に届け出なければならない（第三項）。また、検査の円滑な実施に必要な場合は、動物検疫所長は輸入の時期又は場所を変更すべきことを指示することができ（第三項）、家畜防疫官は必要な指示をすることができる（第五項）。

○ 当該規定に違反して指定動物を輸入した者は五十万円以下の罰金が科せられる（第七十七条第一項第十一号）。

（検査に基づく措置）

第五十六条　家畜防疫官が、前条第四項の検査において、同条第一項の政令で定める感染症にかかり、又はかかっている疑いがある指定動物を発見した場合については、第十三条の規定は、適用しない。この場合において、動物検疫所長は、直ちに、当該指定動物の輸入者の氏名その他同条第一項の厚生労働省令で定める事項を最寄りの保健所長を経由して都道府県知事に通知するものとする。

2　前項の規定による通知を受けた都道府県知事は、直ちに、当該通知の内容を厚生労働大臣に報告しなければならない。

3　動物検疫所長は、第一項に規定する指定動物について、農林水産省令で定めるところにより、家畜防疫官に隔離、消毒、殺処分その他必要な措置をとらせることができる。

〔解　説〕

○　第五十六条は、第五十五条第四項の規定により実施された検査における対応に関して規定した条文である。第一項で動物検疫所長の通知義務について、第三項で感染症のまん延防止措置について規定している。

○　動物検疫所で、指定動物ごとに政令で定める感染症にかかり、又はかかっている疑いがある指定動物を発見した場合には、第十三条の適用はなく、本条の規定に従い、動物検疫所長が、当該指定動物の輸入者の氏名その他厚生労働省令で定める事項を最寄りの保健所長を経由して都道府県知事に通知しなければならない（第一項）。また、当該通知を受けた都道府県知事は、直ちに、当該通知の内容を厚生労働大臣に報告しなければならない（第二項）。

○　動物検疫所で、指定動物ごとに政令で定める感染症にかかり、又はかかっている疑いがある指定動物を発見した場合には、第五章の規定の適用はなく、動物検疫所長が、本条に従い、隔離、消毒、殺処分その他必要な措置をとらせることができる。

○　動物検疫所の職員は、動物の感染症について専門的知識及び技能を有する職員であり、保健所に連絡してからの対応では感染症の予防の観点からは迂遠であることから、特別の規定を設け、迅速的確な対応がとれることとしたものである。

（輸入届出）

第五十六条の二　動物（指定動物を除く。）のうち感染症を人に感染させるおそれがあるものとして厚生労働省令で定めるもの又は動物の死体のうち感染症を人に感染させるおそれがあるものとして厚生労働省令で定めるもの（以下この条及び第七十七条第一項第十二号において「届出動物等」という。）を輸入しようとする者は、厚生労働省令で定めるところにより、当該届出動物等の種類、数量その他厚生労働省令で定める事項を記載した届出書を厚生労働大臣に提出しなければならない。この場合において、当該届出書には、輸出国における検査の結果、届出動物等ごとに厚生労働省令で定める感染症にかかっていない旨又はかかっている疑いがない旨その他厚生労働省令で定める事項を記載した輸出国の政府機関により発行された証明書又はその写しを添付しなければならない。

2　前項に規定するもののほか、届出動物等の輸入の届出に関し必要な事項は、厚生労働省令で定める。

〔解　説〕

○　第五十六条の二は、動物等の輸入届出を規定した条文である。第一項において、指定動物を除く動物又は動物の死体のうち感染症を人に感染させるおそれのあるものとして厚生労働省令で定めるもの（以下「届出動物等」という。）を輸入しようとする者は、届出動物等の種類、数量等厚生労働省令で定める事項を記載した届出書を提出するとともに、届出書には、届出動物等ごとに厚生労働省令で定める感染症にかかっていない旨又はかかっている疑いがない旨その他厚生労働省令で定める事項を記載した輸出国政府機関の発行する衛生証明書又はその写しを添付しなければならないとしている。

○　輸入については、第五十四条を参照のこと。

○　届出動物等の輸入届出は、感染症を人に感染させるおそれがある動物又はその死体について、届出書及び衛生証明書等の書類に基づいて、感染症の発生又はそのまん延の疑いがないことが明らかにされた場合に、輸入が認められるという制度趣旨であることから、届出は、動物等の種類ごとに必要とされる。この場合、「動物等の種類」とは、種類、数量等の事項が記載されている届出書とこれに添付された衛生証明書に基づいて、公衆衛生上の観点から当該動物等の輸入の適否を判断することとした法の趣旨からみて、社会通念上、当該動物等が明確に特定、識別できる程度までの種類を意味するものであり、通常は、品種ごとに届出の客体となると解される。

○　届出動物等としては、齧《げっ》歯目に属する動物及び死体、うさぎ目に属する動物及び死体、哺乳類に属する動物、鳥類に属する動物が定められており、これらの届出動物等のそれぞれに対して感染症及び衛生証明書に記載すべき事項が定められている（規則第二十八条、第三十条）。

○　届出動物等を輸入しようとする者は、到着後遅滞なく、届出書を海港、空港ごとに定められている所管の検疫所の長に提出することとされており、検疫所の長によって、届出書及び衛生証明書等の添付書類の記載事項が真正なものであり、届出が法令に適合しているか否かを審査される（規則第二十九条）。

○　届出書の記載事項としては、用途、原産国、由来、輸出国及び積出地、搭載船舶名又は搭載航空機名、搭載・到着年月日、到着地及び保管場所、荷送人・荷受人の氏名等、輸送中の事故の概要、衛生証明書の発行番号等、輸入後の保管施設の名称等、船荷証券又は航空運送状の番号等が定められている（規則第二十九条第二項）。

○　届出動物等の輸入届出に関しては、厚生労働省令でその手続き等が定められ（第二項）、届出書の記載事項、衛生証明書のほか本人確認の書類等の添付書類、衛生証明書の記載事項等が定められている（規則第十章）。

○　感染症の国内への侵入を防止する手段として、輸入禁止、輸入検疫に加え、届出書の提出及び衛生証明書の添付を義務づけることによって、感染症を人に感染させるおそれがある動物又はその死体が感染症を発生し、まん延を起こすおそれがない場合に限り、輸入を認め、もって感染症の発生及びまん延の防止を確保することとするのが、第五十六条の二の規定の趣旨である。

したがって、厚生労働大臣（検疫所の長）は、このような法の趣旨に従って、届出書の記載事項及び添付書類の具備等届出の形式的要件の審査のみならず、実質的要件として、届出の内容を審査し、記載事項が真正であり、法令に適合しているかを判断することが求められる。法令に適合しない届出については、法律上、届出の効力が発生しないことから、輸入をすることはできず、届出なく輸入した場合には、罰則が適用されることとなるが、実際上は、関税法（昭和二十九年法律第六十一号）第七十条の規定により、他法令の証明又は確認を受けられない貨物として輸入の許可がされず、通関できない。

第十一章　特定病原体等

第十一章は、特定病原体等に係る規制についての章である。各条の解説の前に、本章が設けられた趣旨等について、概説しておく。

① 生物テロの未然防止

米国においては、平成十三年九月に同時多発テロが発生したが、翌月には炭疽《そ》菌を混入した郵便物による生物テロ事件で死亡者を含む健康被害が発生し、これを契機に、病原体等をテロ行為に使用する、いわゆる生物テロに関する関係法令の整備が進められた。また、国際社会においては、これらの米国同時多発テロ以降、国連安保理決議等に基づき、対テロ国際包囲網を強化してきた。国内においても、サリンを使用して大量殺人事件を引き起こした団体が、炭疽菌、ボツリヌス菌等の生物剤の研究を行っていたことが指摘されており、生物テロの未然防止対策が重要な課題となった。

このため、政府においては、国際組織犯罪等・国際テロ対策推進本部（本部長：内閣官房長官）において、生物テロ対策を含め、今後速やかに講ずべきテロの未然防止対策が検討され、平成十六年十二月には「テロの未然防止に関する行動計画」を決定した。その中で生物テロ対策として、「厚生労働省は、病原性微生物等に関する適正な管理体制の確立を図るため、感染症の病原体を保有している者に対し、国及び都道府県に対する届出を義務づけるとともに、病原体の譲渡の規制、国及び都道府県による報告徴収、調査及び立入検査等に関する規定を設け、違反等に対し行政処分を行い、又は罰則を科すことなどを内容とする法改正について検討を行い、感染症法の改正案を平成十八年の国会に提出することとする。」とされた。

② 国内における病原体等の管理体制の不備

感染症の病原体及び毒素（以下「病原体等」という。）については、米英等日本を除くＧ７各国において、病原体等の管理の充実と強化が国際的に進められる一方、国内においては、病原体等の管理については何ら法的規制が設けられておらず、「実験室バイオセーフティ指針（ＷＨＯ）」に基づくバイオセーフティレベル（ＢＳＬ：実験室等における病原体等の安全取扱いのレベル）を満たさず、病原体等の管理マニュアルも策定していない施設があるなど、国内の施設における病原体等の管理が適正に行われていない状況にあり、報道等でも問題が指摘されていた。

病原体等については、その不適正な管理によって人為的な感染症が発生するおそれがあること、その感染が病原体等を取り扱う研究者のみならず、その他の者の生命及び身体に危害を及ぼす事態となるおそれもあることから、我が国においても病原体等の適正な管理体制を迅速に確立する必要があった。

③ 病原体等の取扱いの規制

既述のとおり、病原体等については、国内において必要な管理体制が確立しておらず、生物テロとして使用される危険性が高いことから、感染症法において、現時点における病原体等管理の必要性、国際的動向、生物テロ等に用いられる危険度等を総合的に勘案し、感染症分科会での専門家の意見を踏まえ、特定の病原体等を一種病原体等から四種病原体等までに四分類し、所持、輸入等の禁止、許可、届出、基準の遵守等の規制を講ずることにより、感染症の発生及びまん延を防止するバイオセーフティ（実験室等における病原体等の安全取扱いの確保）及びバイオセキュリティ（実験室等を含み病原体等の管理、悪意又は無意識のトラブルを防ぐ方策の強化）を確立し、もって生物テロや事故等による人為的感染に対処できるための感染症対策の強化を図ることとされたものである。

第一節　一種病原体等

（一種病原体等の所持の禁止）

第五十六条の三　何人も、一種病原体等を所持してはならない。ただし、次に掲げる場合は、この限りでない。

一　特定一種病原体等所持者が、試験研究が必要な一種病原体等として政令で定めるもの（以下「特定一種病原体等」という。）を、厚生労働大臣が指定する施設における試験研究のために所持する場合

二　第五十六条の二十二第一項の規定により一種病原体等の滅菌若しくは無害化（以下「滅菌等」という。）をし、又は譲渡しをしなければならない者（以下「一種滅菌譲渡義務者」という。）が、厚生労働省令で定めるところにより、滅菌等又は譲渡し（以下「滅菌譲渡」という。）をするまでの間一種病原体等を所持する場合

三　前二号に規定する者から運搬を委託された者が、その委託に係る一種病原体等を当該運搬のために所持する場合

四　前三号に規定する者の従業者が、その職務上一種病原体等を所持する場合

２　前項第一号の特定一種病原体等所持者とは、国又は独立行政法人（独立行政法人通則法（平成十一年法律第百三号）第二条第一項に規定する独立行政法人をいう。）その他の政令で定める法人であって特定一種病原体等の種類ごとに当該特定一種病原体等を適切に所持できるものとして厚生労働大臣が指定した者をいう。

〔解　説〕

○　第五十六条の三は、一種病原体等の所持の禁止に関して規定した条文である。

○　エボラウイルスなどの一種病原体等については、その引き起こす感染症（疾病）が、人から人に感染し流行するおそれがあり、かつ、当該感染症にかかった場合の病状の程度についても重篤で治療法が確立していないため、国民の生命及び健康に重大な影響を及ぼすおそれがある。また、他の化学物質、放射性物質とは異なり、入手、携帯、輸送、製造（培養）が安価で容易であり、国際的にも生物テロに使用される危険性が強く指摘されていることから、未然の防止が特に必要である。このような理由から、国民の生命の身体を保護し、公衆衛生を確保する上で、一種病原体等は、危険性が高い性質のものとして、原則として、所持、輸入、譲渡し及び譲受けを厳しく禁止されている（第五十六条の三から第五十六条の五）。

○　「所持」とは、病原体等を自己の支配し得る状態に置くことをいう。保管、使用、運搬など、社会通念上、自己の実力支配関係があれば足り、法令上の支配関係は必要ではない。直接所持のみならず、他人の所持を通じた間接所持も含まれる。

○　一種病原体等の所持は、次の場合に限り、極めて限定的に認められる（第一項ただし書）。

①　特定一種病原体等所持者（第二項参照）が、試験研究で必要な特定一種病原体等（政令で指定）を、厚生労働大臣が指定する施設における試験研究のために所持すべき場合

②　第五十六条の二十二第一項の規定により一種病原体等の滅菌若しくは無害化又は譲渡し（以下「滅菌譲渡」という。）をしなければならない者が滅菌譲渡をするまでの間所持する場合

③　①、②の者から運搬を委託された者が委託に係る一種病原体等を当該運搬のために所持する場合

④　①から③までの者の従業者が、その職務上一種病原体等を所持する場合

○　特定一種病原体等所持者は、国又は独立行政法人その他の政令で定める法人であって特定一種病原体等の種類ごとに当

該一種病原体等を適切に所持できるものとして厚生労働大臣が指定する者であり、厚生労働大臣が広範な専門的技術的裁量に基づき指定することとなる（第二項）。これは、近隣国で感染症が発生するなどの場合を踏まえて、一種病原体等の所持、輸入、譲渡し及び譲受けを行う場合を検討するに当たっては、一種病原体等の性質、危険性に鑑み、

イ　一種病原体等を巡る国際情勢、犯罪情勢、感染症の国内の情勢等を勘案し、国の安全、治安の維持、テロ対策の観点も参酌して、国が政策的に使用等の要否、適否を判断する必要があること

ロ　一種病原体等の所持を認めるに当たっては、一律の基準を設けることはなじまず、当該患者の発生時の対応や、生物テロ対策等のための研究のための使用等の必要性、緊急性、公益性と一種病原体等の危険性を比較考量して、特段の積極的理由が認められる場合に限られるべきであること

等の理由から、行為者側の申請に基づき一定の許可要件を満たした場合にその行為を許容することとする許可制度にはなじまず、政策的に国内での試験研究等を認めると判断される場合に、政令で指定した種類の一種病原体等のみの所持の禁止を解除する警察規制としての指定制度とすることが適当であるとの趣旨である。

○　厚生労働大臣は、試験研究をする施設も個別に指定することが必要であり、特定一種病原体等所持者であれば一般に当該特定一種病原体等を所持できるものではなく、当該指定された施設において、試験研究の目的で所持する場合にのみ、所持が許されるものである。これに反する所持は、違法となり罰則の対象となる（第一項第一号）。

○　①特定一種病原体等所持者がその所持に関し、所持を要しなくなった場合、指定を取り消され、又は効力を停止された場合、②医療等に関する業務によって継続的な所持を意図しないものの、病原体等を扱うことが想定され得る病院等（病院若しくは診療所又は病原体等の検査を行っている機関。以下同じ。）が業務上これを所持するに至った場合には、法令上滅菌譲渡が求められるが（第五十六条の二十二第一項）、それまでの間は所持を適法に行わせる必要があることから、所持を禁止しない例外規定を設けている（第一項第二号）。

○　運搬のための所持については、適法に一種病原体等を所持させることが必要となる場合として規定するものであり、こ

れは、運搬については、専門の知見、技術を有する者（技術的基礎を有する運搬業者）に行わせることが一種病原体等の適正な管理を通じた感染症の発生及びまん延の防止に資することから、法令上、特に認められているものである（第一項第三号）。

○　一種病原体等を適法に所持する者について、従業者がいる場合には、その職務上の所持については、従業者ごとに禁止を個々に解除することは、手続きが複雑となり、法目的達成の上で必ずしも規制として合理的ではなく、適法な所持者である使用者（雇用者）が従業者の監督を十分に尽くすことが期待されることから（なお、これを尽くしていない場合には、指定の取消し等の処分が可能である。）、従業者についても使用者と同様に所持を適法に認めることとしている（第一項第四号）。

○　本条に違反して一種病原体等を所持した者は、七年以下の懲役又は三百万円以下の罰金に処せられる（第六十九条第一項第一号）。

〔参　考〕

第五十六条の三第二項は、令和五年六月七日法律第四十七号第八条により、次のように改正される。（令和五年六月七日から起算して三年を超えない範囲内において政令で定める日施行）

傍線＝改正箇所

2　前項第一号の特定一種病原体等所持者とは、国又は独立行政法人（独立行政法人通則法（平成十一年法律第百三号）第二条第一項に規定する独立行政法人をいう。）、国立健康危機管理研究機構その他の政令で定める法人であって特定一種病原体等の種類ごとに当該特定一種病原体等を適切に所持できるものとして厚生労働大臣が指定した者をいう。

（一種病原体等の輸入の禁止）

第五十六条の四　何人も、一種病原体等を輸入してはならない。ただし、特定一種病原体等所持者（前条第二項に規定する特定一種病原体等所持者をいう。以下同じ。）が、特定一種病原体等であって外国から調達する必要があるものとして厚生労働大臣が指定するものを輸入する場合は、この限りでない。

〔解　説〕

○　第五十六条の四は、一種病原体等の輸入の禁止に関して規定した条文である。

○　「輸入」とは、外国から本邦内に病原体等を搬入する行為をいう。船舶による場合には陸揚げ、航空機による場合は航空機からの取り下ろしによって、完成となる。

○　一種病原体等の輸入については、特定一種病原体等所持者が試験研究のために外国から調達する必要がある場合のみ適法に認められるが、この場合においても、一般的な許可制をとるのではなく、厚生労働大臣が政令で指定する特定一種病原体等に限られ、厚生労働大臣の管理下において、その裁量により当該輸入ごとに必要性等が判断されることとなる。

○　本条に違反した者は、十年以下の懲役又は五百万円以下の罰金に処せられる（第六十八条第一項）。なお、本条の違反行為が所持及び譲渡し・譲受けの禁止違反に比して重い刑となっているのは、本条に違反した輸入行為が、本邦に新たに一種病原体等を持ち込む極めて危険性の高い行為であり、感染症の発生及びまん延の防止という法目的に反する程度及び国民の生命・健康を侵害するおそれが極めて高く、法的非難の度合いが法に違反した所持等に比して強いためである。

（一種病原体等の譲渡し及び譲受けの禁止）

第五十六条の五　何人も、一種病原体等を譲り渡し、又は譲り受けてはならない。ただし、次に掲げる場合は、この限りでない。

一　特定一種病原体等所持者が、特定一種病原体等を、厚生労働大臣の承認を得て、他の特定一種病原体等所持者に譲り渡し、又は他の特定一種病原体等所持者若しくは一種滅菌譲渡義務者から譲り受ける場合

二　一種滅菌譲渡義務者が、特定一種病原体等を、厚生労働省令で定めるところにより、特定一種病原体等所持者に譲り渡す場合

〔解　説〕

○　第五十六条の五は、一種病原体等の譲渡し及び譲受けの禁止に関して規定した条文である。

○　「譲渡し」とは、所有権の移転又は処分権の付与を伴う所持の移転をいう。有償、無償を問わない。処分権は、事実上のもので足り、病原体等を他人に売却する行為も譲渡しに含まれる。所持の移転は、現実の病原体等の引渡しに限らず、占有改定、簡易の引渡又は指図による占有移転（民法第百八十二条第二項、第百八十三条、第百八十四条）の方法によっても該当する。なお、所有権の移転又は処分権の付与を伴わない所持の移転、例えば、貸与、寄託等は、譲渡しには該当しない。

○　「譲受け」とは、譲渡しに対応する行為であり、所有権の移転又は処分権の付与を伴う所持の移転を受けることをいう。譲渡しが成立する場合には、その対象となる相手方に、譲受けが必ず成立する。

○　特定一種病原体等所持者の間での譲渡し又は譲受けについては、厚生労働大臣の承認を得た場合のみ認められる。これは、特定一種病原体等所持者の所持についても、厳格な判断の下で例外的に許容されるものであり、目的や施設が限定されて所持が許されている。所持が認められている者の間における譲渡し又は譲受けであっても一種病原体等の移動、流通が自由に認められるものではなく、厚生労働大臣の完全な管理下に置くとする趣旨で個々に承認を必要としているものである（第一号）。

○　特定一種病原体等所持者又は病院等が、第五十六条の二十二第一項の規定により、法令上滅菌譲渡が求められる場合において、これらの者が厚生労働省令で定めるところにより、特定一種病原体等所持者に譲渡する場合には、適法に行わせる必要があることから、譲渡し禁止の解除が規定されている（第二号）。

○　本条に違反して一種病原体等を譲り渡し、又は譲り受けた者は、七年以下の懲役又は三百万円以下の罰金に処せられる（第六十九条第一項第二号）。

第二節　二種病原体等

（二種病原体等の所持の許可）

第五十六条の六　二種病原体等を所持しようとする者は、政令で定めるところにより、厚生労働大臣の許可を受けなければならない。ただし、次に掲げる場合は、この限りでない。

一　第五十六条の二十二第一項の規定により二種病原体等の滅菌譲渡をしなければならない者（以下「二種滅菌譲渡義務者」という。）が、厚生労働省令で定めるところにより、滅菌譲渡をするまでの間二種病原体等を所持しようとする場合

二　この項本文の許可を受けた者（以下「二種病原体等許可所持者」という。）又は二種滅菌譲渡義務者から運搬を委託された者が、その委託に係る二種病原体等を当該運搬のために所持しようとする場合

三　二種病原体等許可所持者又は前二号に規定する者の従業者が、その職務上二種病原体等を所持しようとする場合

2　前項本文の許可を受けようとする者は、厚生労働省令で定めるところにより、次の事項を記載した申請書を厚生労働大臣に提出しなければならない。

一　氏名又は名称及び住所並びに法人にあっては、その代表者の氏名

二　二種病原体等の種類（毒素にあっては、種類及び数量）

三　所持の目的及び方法

四　二種病原体等の保管、使用及び滅菌等をする施設（以下「二種病原体等取扱施設」という。）の位置、構造及び設備

〔解　説〕

○　第五十六条の六は、二種病原体等の所持の許可に関して規定した条文である。

○　所持については、第五十六条の三を参照のこと。

○　二種病原体等については、治療や検査等に用いられる社会的有用性もあるが、生物テロや事故等により感染した場合には国民の生命及び身体に重大な危害を及ぼすおそれがあり、生物テロに使用される危険性が指摘されていることから、そ

の所持、輸入、譲渡し及び譲受けについては、行政上規制することが適当である。また、所持等に際して一定の安全性、感染の予防に関する基準を満たすことを要件にする必要がある。したがって、二種病原体等については、厚生労働大臣の許可を受けた者に限り、施設基準、保管基準等に従った所持等を認める許可制度を設けるものである（第一項本文）。

○　一種病原体等と同様に、①二種病原体等許可所持者がその所持に関し、所持を要しなくなった場合、指定を取り消され、又は効力を停止された場合、②医療等に関する業務によって意図しないものの、病原体等を扱うことが想定され得る病院等が業務上これを所持するに至った場合には、法令上滅菌譲渡が求められるが（第五十六条の二十二第一項）、それまでの間は所持を適法に行わせる必要があることから、許可を要しない旨の例外規定を設けている（第一項ただし書、同項第一号）。

○　運搬のための所持については、適法に二種病原体等を所持させることが必要となる場合として規定するものであり、これは、運搬については、専門の知見、技術を有する者（技術的基礎を有する運搬業者）に行わせることが二種病原体等の適正な管理を通じた感染症の発生及びまん延の防止に資することから、法令上、特に認められているものである（第一項第二号）。

○　二種病原体等について許可を得て適法に所持する者について、従業者がいる場合には、その職務上の所持については、従業者ごとに許可を要するとすることは、手続きが複雑となり、法目的達成の上で必ずしも規制として合理的ではなく、許可を得た適法な所持者である使用者（雇用者）が従業者の監督を十分に尽くすことが期待されることから（なお、これを尽くしていない場合には、許可の取消し等の処分が可能である。）、従業者については許可を要しないこととし、使用者と同様に所持を適法に認めることとしている（第一項第三号）。

○　二種病原体等の所持の許可については、申請主義をとっている。許可を受けようとする者は、必要的記載事項を記載した申請書を厚生労働大臣に提出しなければならない（第二項）。

○　本条第一項本文の許可を受けないで二種病原体等を所持した者は、三年以下の懲役又は二百万円以下の罰金に処せられる（第七十一条第一号）。

第56条の６　二種病原体等の所持の許可

（欠格条項）

第五十六条の七　次の各号のいずれかに該当する者には、前条第一項本文の許可を与えない。

一　心身の故障により二種病原体等を適正に所持することができない者として厚生労働省令で定めるもの

二　破産手続開始の決定を受けて復権を得ない者

三　禁錮以上の刑に処せられ、その執行を終わり、又は執行を受けることがなくなった日から五年を経過しない者

四　この法律、狂犬病予防法（昭和二十五年法律第二百四十七号）若しくは検疫法又はこれらの法律に基づく命令の規定に違反し、罰金の刑に処せられ、その執行を終わり、又は執行を受けることがなくなった日から五年を経過しない者

五　第五十六条の三十五第二項の規定により許可を取り消され、取消しの日から五年を経過しない者（当該許可を取り消された者が法人である場合においては、当該取消しの処分に係る行政手続法（平成五年法律第八十八号）第十五条の規定による通知があった日前六十日以内に当該法人の役員（業務を執行する社員、取締役、執行役又はこれらに準ずる者をいい、相談役、顧問その他いかなる名称を有する者であるかを問わず、法人に対し業務を執行する社員、取締役、執行役又はこれらに準ずる者と同等以上の支配力を有するものと認められる者を含む。以下この条において同じ。）であった者で当該取消しの日から五年を経過しないものを含む。）

六　第五十六条の三十五第二項の規定による許可の取消しの処分に係る行政手続法第十五条の規定による通知があった日から当該処分をする日又は処分をしないことを決定する日までの間に第五十六条の二十二第二項の規定による届出をした者（当該届出について相当の理由がある者を除く。）で、当該届出の日から五年を経過しないもの

七　前号に規定する期間内に第五十六条の二十二第二項の規定による届出があった場合において、同号の通知の日前六十日以内に当該届出に係る法人（当該届出について相当の理由がある法人を除く。）の役員若しくは政令で定める使用人であった者又は当該届出に係る個人（当該届出について相当の理由がある者を除く。）の政令で定める使用人であった者であって、当該届出の日から五年を経過しないもの

八　営業に関し成年者と同一の能力を有しない未成年者でその法定代理人（法定代理人が法人である場合においては、その役員を含む。）が前各号のいずれかに該当するもの

九　法人でその役員又は政令で定める使用人のうちに第一号から第七号までのいずれかに該当する者のあるもの

十　個人で政令で定める使用人のうちに第一号から第七号までのいずれかに該当する者のあるもの

〔解　説〕

○　第五十六条の七は、二種病原体等の所持の許可要件のうち欠格条項に関して規定した規定である。

○　二種病原体等については、その所持に際して一定の安全性、感染の予防に関する基準を満たすことを要件にする必要が

あり、厚生労働大臣の許可を受けた者に限り、施設基準、保管基準等に従った所持を認める許可制度を設けるものであるが、公衆衛生規制として、一定の要件に該当するものについては、これらの基準等の遵守が期待し得ない者として、所持の許可を認めないものとする趣旨である。

○　本条の欠格条項は、申請者が一定の欠格事由に該当する場合に、許可を受ける地位を認めないとするものである。二種病原体等の所持の許可を受ける地位が法令遵守に関する潔癖さを求められるものであり、許可を受けるのに不適格な者をあらかじめ一律に排除することによって、法及びこれに基づく許可制度に対する信頼を維持しようとする趣旨である。

①　心身の故障により二種病原体等を適正に所持することができない者として厚生労働省令で定めるもの（第一号）については、本法の遵守を前提とした許可の対象とはできないことから、欠格条項に規定されている。この厚生労働省令で定める者は、規則第三十一条の六の二において、精神の機能の障害により二種病原体等を適正に所持するに当たって必要な認知、判断及び意思疎通を適切に行うことができない者とされている。

なお、当該箇所は、成年後見制度の利用の促進に関する法律（平成二十八年法律第二十九号）の成立及び成年後見制度利用促進基本計画（平成二十九年三月二十四日閣議決定、第二期：令和四年三月二十五日閣議決定）といった近年の成年後見制度を取り巻く状況の変化を踏まえ、成年被後見人等の職業選択の自由を確保するとともに、成年被後見人等について多数の権利制限等が存在することによる制度利用の萎縮的効果を除去するため、成年被後見人等の権利の制限に係る措置の適正化等を図るための関係法律の整備に関する法律（令和元年法律第三十七号）により、「成年被後見人又は被保佐人」とあったものが「心身の故障により二種病原体を適正に所持できない者として厚生労働省令で定めるもの」に改められたものである。

②　破産手続き開始の決定を受けて復権を得ない者（第二号）……支払い不能又は債務超過の結果、破産手続き開始の決定を受けており、また、復権を得ていないことから、行為能力に制約のある者として、欠格条項に規定されている。

③　禁錮刑以上の刑に処せられ、その執行を終わり、又は受けなくなった日から五年を経過しない者（第三号）……重大な法令違反を犯し、重い刑事罰を受けていることから、規範意識の低いものとして、欠格条項に規定されている。犯罪

の種類を問わないので、道路交通法違反等による刑罰も含まれる。
④　感染症法、狂犬病予防法若しくは検疫法又はこれらの法律に基づく命令（政令、省令等）に違反し、罰金の刑に処せられ、その執行を終わり、又は受けなくなった日から五年を経過しない者（第四号）……公衆衛生法規である感染症法等に違反し、刑事罰を受けていることから、本法の遵守が期待し得ないものとして、欠格条項に規定されている。
⑤　本法の規定により許可を取り消され、取消しの日から五年を経過しない者（法人の役員等であった者を含む。）（第五号）……本法に違反し、又は基準に適合しないことにより、許可を取り消されていることから、本法の遵守を期待し得ないものとして、欠格条項に規定されている。法人の役員等についても、法人と同等のものとして取り扱うものである。なお、許可の効力が停止中の者については、本条によるのではなく、許認可は一の者に対し一件とする原則に照らし、許可を受けた地位は存することから、新たな許可を与えることはできない。
⑥　行政手続法の通知の日から許可の取消しの処分をする日又は処分をしないことを決定する日までの間に所持を要しなくなった場合の届出をした者で、届出の日から五年を経過しないもの（第六号）……許可の取消しを免れる趣旨で当該届出を行い、その結果として許可の効力が喪失したものとして、許可の取消しを受けた者と同等に取り扱うべきことから、本法の遵守が期待し得ないものとして、欠格条項に規定されている。
⑦　⑥の届出があった場合において、行政手続法の通知の日前六十日以内に法人の役員等であった者であって、届出の日から五年を経過しないもの（第七号）……法人の役員等についても法人についてと同等のものとして取り扱う。
⑧　営業に関し成年者と同一の能力を有しない未成年でその法定代理人（法定代理人が法人である場合においては、その役員を含む。）が①から⑦のいずれかに該当するもの（第八号）……法定代理人について欠格条項に該当する場合には、未成年についても同等のものとして取り扱うものである。
⑨　法人でその役員等のうちに①から⑦までのいずれかに該当する者があるもの（第九号）……法人でその役員等のうちに①から⑦までの欠格条項に該当する者がある場合には、同等のものとして取り扱う。
⑩　個人で政令で定める使用人のうちに①から⑦までのいずれかに該当する者があるもの（第十号）……個人でその使用

人のうちに①から⑦までの欠格条項に該当する者がある場合には、同等のものとして取り扱う。この政令で定める使用人は、令第十七条において、申請人の使用人で、本店又は支店（商人以外の者にあっては、主たる事務所又は従たる事務所）等の代表者であるものとされている。

○　本条の欠格条項については、公益上の要件であり、該当する者については許可を与えることはいかなる事情があっても認められない。当初から欠格条項に該当する者に対して誤ってなされた許可は、違法であり、事後に判明した場合には、遡及して取消しを行わねばならない（講学上の取消し）。

（許可の基準）

第五十六条の八　厚生労働大臣は、第五十六条の六第一項本文の許可の申請が次の各号のいずれにも適合していると認めるときでなければ、同項本文の許可をしてはならない。

一　所持の目的が検査、治療、医薬品その他厚生労働省令で定める製品の製造又は試験研究であること。

二　二種病原体等取扱施設の位置、構造及び設備が厚生労働省令で定める技術上の基準に適合するものであることその他二種病原体等による感染症が発生し、又はまん延するおそれがないこと。

〔解　説〕

○　第五十六条の八は、二種病原体等の所持の許可の基準に関して規定した条文である。第五十六条の七の欠格条項の規定は、制度に対する信頼を維持するための許可を受ける者の地位に関する要件であるのに対し、本条の基準は、当該許可の申請の内容について満たすべき実質的な要件である。

○　二種病原体等の所持の許可要件は、以下のとおりである。まず、所持の目的が①検査、②治療、③医薬品その他厚生労働省令で定める製品の製造、④試験研究のいずれかに該当することである。目的については、具体的な実態を伴っているかについて事案ごとに実質的に判断することとなる。③については、医薬品以外の製品として検査キットが規定されている（規則第三十一条の七第一項）。次に、①二種病原体等の保管、使用及び滅菌等をする施設（二種病原体等取扱施設）の位置、構造及び設備が厚生労働省令で定める技術上の基準に適合するものであること、②二種病原体等による感染症が発生し、又はまん延するおそれがないこと、のいずれにも該当することである。①の二種病原体等取扱施設に関する技術上の基準としては、設置場所、耐火構造、保管庫、施設設備の構造等について定めている（規則第三十一条の七第二項、第三十一条の二十八）。②については、所持の許可の申請の内容が二種病原体等による感染症が発生し、又はまん延するおそれがある場合には、許可要件を満たさないこととなるものであり、具体的事情に照らして、厚生労働大臣の裁量により判断される。

（許可の条件）

第五十六条の九　第五十六条の六第一項本文の許可には、条件を付することができる。

２　前項の条件は、二種病原体等による感染症の発生を予防し、又はそのまん延を防止するため必要な最小限度のものに限り、かつ、許可を受ける者に不当な義務を課することとならないものでなければならない。

〔解　説〕

○　第五十六条の九は、二種病原体等の所持の許可の条件に関して規定した条文である。許可に当たっては、厚生労働大臣の裁量により、感染症の発生を予防し、又はそのまん延を防止するために必要な条件を付することができることを法律上入念的に明らかにしたものである。

○　「条件」とは、行政行為である許可の効果を発生不確実な将来の事実にかからせる意思表示であり、講学上の附款に該当する。例えば、法人の設立を予定している場合に、法人の設立の認可等を条件として、二種病原体等の許可をするような場合が想定される。条件は、第二項に反しない限り、法目的達成のために必要な内容について裁量により広く付することができる。条件には、条件の成就によって許可の効果が発生する停止条件と、許可の効果が条件の成就まで存続する解除条件とがある。

○　本条第一項により許可に付される条件は、二種病原体等による感染症の発生を予防し、又はそのまん延を防止するため必要な最小限度のものに限り、許可を受けるものに不当な義務を課することとならないものであることを要する（第二項）。これは、条件は、許可の効力の発生又は消滅について、許可を受ける者の行為にかからしめるものであり、許可を受ける者に対する義務づけの機能が認められることから、特に、入念的に必要最小限度のものであり、不当な義務を課することとならないよう規定する趣旨である。

○　本条第一項の条件に違反した者は、三百万円以下の罰金に処せられる（第七十五条第一号）。

（許可証）

第五十六条の十　厚生労働大臣は、第五十六条の六第一項本文の許可をしたときは、その許可に係る二種病原体等の種類（毒素にあっては、種類及び数量）その他厚生労働省令で定める事項を記載した許可証を交付しなければならない。

2　許可証の再交付及び返納その他許可証に関する手続的事項は、厚生労働省令で定める。

〔解　説〕

○　第五十六条の十は、許可証の交付に関して規定した条文である。二種病原体等の所持については、個々の所持行為について、その者が許可を受けた者であるか否かを確認する必要性があることから、法律上許可証の交付に関する規定を設けるものである。

○　許可証の記載事項は、許可証を交付する趣旨に照らし、法令上統一されていることが適当であることから、①二種病原体等の種類（毒素にあっては、種類及び数量）のほか、②氏名又は名称及び住所、法人にあっては代表者の氏名、③所持の目的及び方法、④二種病原体等取扱施設の名称及び所在地であり、許可証の様式が厚生労働省令で定められている（規則第三十一条の八第一項）。

○　許可証の再交付及び返納その他許可証に関する手続的事項は、厚生労働省令に委任されており、具体的には、許可証の汚損又は紛失の場合における再交付の手続き、所持の目的の達成又は喪失、許可の取消し及び再交付後の再発見の場合における返納の手続きが定められている（規則第三十一条の八第二項、第三項）。

（許可事項の変更）

第五十六条の十一　二種病原体等許可所持者は、第五十六条の六第二項第二号から第四号までに掲げる事項の変更をしようとするときは、政令で定めるところにより、厚生労働大臣の許可を受けなければならない。ただし、その変更が厚生労働省令で定める軽微なものであるときは、この限りでない。

2　二種病原体等許可所持者は、前項ただし書に規定する軽微な変更をしようとするときは、厚生労働省令で定めるところにより、あらかじめ、その旨を厚生労働大臣に届け出なければならない。
3　二種病原体等許可所持者は、第五十六条の六第二項第一号に掲げる事項を変更したときは、厚生労働省令で定めるところにより、変更の日から三十日以内に、厚生労働大臣に届け出なければならない。
4　第五十六条の八及び第五十六条の九の規定は、第一項本文の許可について準用する。

〔解　説〕

○　第五十六条の十一は、許可事項の変更に関して規定した条文である。二種病原体等の所持の許可を受けた後に許可の対象を特定する許可事項に変更を生ずる場合について、変更の程度に応じて、変更の許可、事前届出又は事後届出の規制を設けている。
○　許可事項の変更のうち重大な変更である二種病原体等の種類、所持の目的及び方法並びに二種病原体等取扱施設の位置、構造及び設備（第五十六条の六第二項第二号から第四号）の変更については、既に受けた許可の内容を拡張、更改する趣旨のものであるから、新たに許可をとり直すのと同様に、変更の許可に服せしめることとし、実質的には、許可制度の趣旨が失われないようにしている（第一項）。なお、変更の許可については、新たに許可を受ける場合と同様の許可基準、許可条件を適用することとし、関係条文が準用されている（第四項）。
○　変更の内容が既に受けた許可の内容を縮減するもの等、軽微なものであるときは、変更の許可という規制までは必要ないが、厚生労働大臣がその変更内容を把握し、必要な規制、監視等を行うことが適当であることから、事前届出が必要であるとしている（第一項ただし書、第二項）。厚生労働省令では、毒素の数量の減少、二種病原体等取扱施設の廃止、所持の方法並びに管理区域の変更及び設備の増設を定めている（規則第三十一条の十）。
○　変更の内容が氏名若しくは名称、住所又は法人の代表者の氏名（第五十六条の六第二項第一号）の変更である場合については、二種病原体等の所持の主体と対象の同一性は認められるが、所持の主体を管理する上で必要な情報に変更が生じているに過ぎないことから、厚生労働大臣がその内容を把握することとしつつ、事後届出（三十日以内の届出）で足りるとしている（第三項）。

○　本条第一項本文の許可を受けないで第五十六条の六第二号から第四号までに掲げる事項を変更した者は、一年以下の懲役又は百万円以下の罰金に処せられる（第七十二条第一号）。

○　本条第二項の規定による届出をせず、又は虚偽の届出をして厚生労働省令で定める軽微な変更をした者は、百万円以下の罰金に処せられる（第七十六条第一号）。

○　本条第三項の規定による届出をしなかった者は、五万円以下の過料に処せられる（第八十四条第一号）。

（二種病原体等の輸入の許可）

第五十六条の十二　二種病原体等を輸入しようとする者は、政令で定めるところにより、厚生労働大臣の許可を受けなければならない。

2　前項の許可を受けようとする者は、厚生労働省令で定めるところにより、次の事項を記載した申請書を厚生労働大臣に提出しなければならない。

一　氏名又は名称及び住所並びに法人にあっては、その代表者の氏名

二　輸入しようとする二種病原体等の種類（毒素にあっては、種類及び数量）

三　輸入の目的

四　輸出者の氏名又は名称及び住所

五　輸入の期間
六　輸送の方法
七　輸入港名

〔解　説〕

○　第五十六条の十二は、二種病原体等の輸入の許可に関して規定した条文である。
○　輸入については、第五十六条の四を参照のこと。
○　二種病原体等の輸入については、所持と同様、許可制を設けており、第五十六条の十三に規定する許可の基準に適合する場合のみ許可が認められる。
○　二種病原体等の輸入の許可については、所持の許可と同様に、申請主義をとっている。許可を受けようとする者は、必要的記載事項を記載した申請書を厚生労働大臣に提出しなければならない（第二項）。
○　本条第一項本文の許可を受けないで二種病原体等を輸入した者は、五年以下の懲役又は二百五十万円以下の罰金に処せられる（第七十条）。なお、本条の違反行為が無許可の所持及び譲渡し・譲受けに比して重い刑となっているのは、無許可での輸入行為が、本邦に新たに二種病原体等を持ち込む危険性の高い行為であり、感染症の発生及びまん延の防止という法目的に反する程度及び国民の生命・健康を侵害するおそれが高く、法的非難の度合いが無許可での所持等に比して強いためである。

（許可の基準）

第五十六条の十三　厚生労働大臣は、前条第一項の許可の申請があった場合においては、その申請が次の各号のいずれにも適合していると認めるときでなければ、許可をしてはならない。

一　申請者が二種病原体等許可所持者であること。

二　輸入の目的が検査、治療、医薬品その他厚生労働省令で定める製品の製造又は試験研究であること。

三　二種病原体等による感染症が発生し、又はまん延するおそれがないこと。

〔解　説〕

○　第五十六条の十三は、二種病原体等の所持の許可の基準に関して規定した条文である。本条の基準は、実質的許可要件であるが、申請者が二種病原体等許可所持者であることが要件とされており、第五十六条の七の欠格条項の規定に該当する者は、二種病原体等許可所持者たり得ないので、法令上、輸入の許可についても形式的許可要件としての欠格条項の該当者は、許可の対象から排除されている。

○　二種病原体等の輸入の許可基準は、以下のとおりである。まず、輸入の許可の申請者が二種病原体等許可所持者であることである。輸入をした者は、本邦において二種病原体等を所持することとなるので、所持の許可を有している者でなければ、輸入を認めないこととしたものである。次に、輸入の目的が①検査、②治療、③医薬品その他厚生労働省令で定める製品の製造、④試験研究のいずれかに該当することである。目的については、具体的な実態を伴っているかについて事案ごとに実質的に判断することとなる。③については、医薬品以外の製品として検査キットが規定されている（規則第三十一条の十四）。第三に、二種病原体等による感染症が発生し、又はまん延するおそれがないことである。これについては、輸入の許可の申請の内容が二種病原体等による感染症が発生し、又はまん延するおそれがある場合には、許可要件を満たさないこととなるものであり、具体的事情に照らして、厚生労働大臣の裁量により判断される。

（準用）

第五十六条の十四　第五十六条の九の規定は第五十六条の十二第一項の許可について、第五十六条の十の規定は第五十六条の十二第一項の許可に係る許可証について、第五十六条の十一の規定は第五十六条の十二第一項の許可を受けた者について準用する。この場合において、第五十六条の十一第一項中「第五十六条の六第二項第二号から第四号まで」とあるのは「第五十六条の十二第二項第二号から第七号まで」と、同条第三項中「第五十六条の六第二項第一号」とあるのは「第五十六条の十二第二項第一号」と、同条第四項中「第五十六条の八及び第五十六条の九」とあるのは「第五十六条の九及び第五十六条の十三」と読み替えるものとする。

〔解　説〕

○　第五十六条の十四は、二種病原体等の輸入の許可について、二種病原体等の所持の許可に関する条文を準用する規定である。輸入の許可について許可の条件、許可証及び許可事項の変更の各条文を準用する。

○　輸入の許可の条件について第五十六条の九の規定が準用され、条件を付することができることとなる。

○　輸入の許可証について第五十六条の十の規定が準用され、許可証の交付、再交付及び返納等の手続きが行われることとなる。

○　輸入の許可事項の変更について第五十六条の十一の規定が読み替えて準用され、第五十六条の十二第二項第二号から第七号までに掲げる事項の変更について許可が必要とされることとなる。

（二種病原体等の譲渡し及び譲受けの制限）

第五十六条の十五　二種病原体等は、次の各号のいずれかに該当する場合のほか、譲り渡し、又は譲り受けてはならない。

一　二種病原体等許可所持者がその許可に係る二種病原体等を、他の二種病原体等許可所持者に譲り渡し、又は他の二種病原体等許可所持者若しくは二種滅菌譲渡義務者から譲り受ける場合

二　二種滅菌譲渡義務者が二種病原体等を、厚生労働省令で定めるところにより、二種病原体等許可所持者に譲り渡す場合

〔解　説〕

○　第五十六条の十五は、二種病原体等の譲渡し及び譲受けの制限に関して規定した条文である。

○　譲渡し及び譲受けについては、第五十六条の五を参照のこと。

○　二種病原体等許可所持者の間での、許可に係る二種病原体等の譲渡し又は譲受けについては、厚生労働大臣からその二種病原体等に係る所持の許可を受けていることから、許容されている。これは、二種病原体等許可所持者の所持については、許可の基準を満たした者について一般に許可する制度を設けている趣旨から、譲渡し又は譲受けの個々の行為についてまで許可を要しないこととしている。この点は、一種病原体等の譲渡し及び譲受けとは、性格を異にしており、二種病原体等については、許可を受けた者の間での移動、流通を一定認めるものとする趣旨である（第一号）。また、二種滅菌譲渡義務者から許可に係る二種病原体等を譲り受ける場合も、同様である。

○　二種病原体等許可所持者又は病院等が、第五十六条の二十二第一項の規定により、法令上滅菌譲渡が求められる場合において、これらの者が厚生労働省令で定めるところにより、二種病原体等許可所持者に譲渡する場合には、適法に行わせ

る必要があることから、禁止の解除が規定されている（第二号）。
○　本条に違反して、二種病原体等を譲り渡し、又は譲り受けた者は、三年以下の懲役又は二百万円以下の罰金に処せられる（第七十一条第二号）。

第三節　三種病原体等

（三種病原体等の所持の届出）
第五十六条の十六　三種病原体等を所持する者は、政令で定めるところにより、当該三種病原体等の所持の開始の日から七日以内に、当該三種病原体等の種類その他厚生労働省令で定める事項を厚生労働大臣に届け出なければならない。ただし、次に掲げる場合は、この限りでない。
一　病院若しくは診療所又は病原体等の検査を行っている機関が、業務に伴い三種病原体等を所持することとなった場合において、厚生労働省令で定めるところにより、滅菌譲渡をするまでの間三種病原体等を所持するとき。
二　三種病原体等を所持する者から運搬を委託された者が、その委託に係る三種病原体等を当該運搬のために所持する場合
三　三種病原体等を所持する者の従業者が、その職務上三種病原体等を所持する場合
2　前項本文の規定による届出をした三種病原体等を所持する者は、その届出に係る事項を変更したときは、厚生労働省令で定めるところにより、変更の日から七日以内に、その旨を厚生労働大臣に届け出な

ければならない。その届出に係る三種病原体等を所持しないこととなったときも、同様とする。

〔解　説〕

○　第五十六条の十六は、三種病原体等の所持の届出に関して規定した条文である。

○　所持については、第五十六条の三を参照のこと。

○　三種病原体等については、生物テロや事故等により感染した場合には国民の身体に重大な危害を及ぼすおそれがあり、事前規制によって所持者を制限するまでの必要性はないが、一定の安全性、感染の予防に関する基準を満たすことが必要である。したがって、三種病原体等については、施設基準、使用基準等に従った所持等を認め、その事後届出を義務づけ、必要に応じて改善命令、報告徴収、立入検査等を行うものである（第一項本文）。

○　医療等に関する業務によって継続的な所持を意図しないものの病原体等を扱うことが想定され得る病院等が業務上これを所持するに至った場合には、規制の対象としつつ所持を継続させることは相当でなく、滅菌譲渡が求められるため、それまでの間は所持を適法に行わせる必要があることから事後届出を要しない旨例外規定がされている（第一項ただし書及び同項第一号）。この場合においては、本法の規制の対象としつつ所持を継続させることは相当でないことから、自ら、滅菌譲渡を行わなければならないが、滅菌又は無害化にあっては、自己の責任において、自ら直接又は自らの管理下において他者に委託し、若しくは補助者として、これを行わなければならない。

○　運搬のための所持については、三種病原体等を所持させ、事後届出を要しないとすることが必要となる場合として規定するものであり、これは、運搬については、専門の知見、技術を有する者（技術的基礎を有する運搬業者）に行わせることが三種病原体等の適正な管理を通じた感染症の発生及びまん延の防止に資することから、法令上、特に認められているものである（第一項第二号）。

○　三種病原体等を所持する者について、従業者がいる場合には、その職務上の所持については、従業者ごとに事後届出を要するとすることは、手続きが複雑となり、法目的達成の上で必ずしも規制として合理的ではなく、事後届出をすべき所持者である使用者（雇用者）が従業者の監督を十分に尽くすことが期待されることから（なお、これを尽くしていない場合には、必要に応じて改善命令、報告徴収、立入検査等の処分が可能である。）、従業者については事後届出を要しないこととしている（第一項第三号）。

○　三種病原体等の所持の届出については、当該三種病原体等の所持の開始の日から七日以内に、必要的事項を厚生労働大臣に届け出ることとされている（第一項本文）。厚生労働省令で、①氏名又は名称及び住所並びに法人にあっては、その代表者の氏名、②毒素にあっては、その数量、③所持開始の年月日、④三種病原体等取扱施設の位置、構造及び設備が届出事項とされており、所定の様式の届出書に関係書類を添付して行わなければならない（規則第三十一条の十七）。

○　第二項は、届出事項の変更に関する条文である。三種病原体等の所持の届出をした後に届出の対象を特定する届出事項に変更を生じた場合について、事後届出の規制を設けている。届出事項に変更があったときは、既に行った届出の内容を拡張、更改する趣旨のものであるから、その旨を変更の日から七日以内に厚生労働大臣に届け出なければならないこととし、届出制度の趣旨が失われないようにしている（第二項前段）。なお、届出に係る三種病原体等を所持しないこととなったときも、同様に届出をしなければならないが、これは、規制の必要性が消滅している事実を把握するためである（第二項後段）。

○　本条第一項本文の規定による届出をせず、又は虚偽の届出をした者は、三百万円以下の罰金に処せられる（第七十五条第二号）。

○　本条第二項の規定による届出をせず、又は虚偽の届出をした者は、百万円以下の罰金に処せられる（第七十六条第二号）。

（三種病原体等の輸入の届出）

第五十六条の十七　三種病原体等を輸入した者は、厚生労働省令で定めるところにより、当該三種病原体等の輸入の日から七日以内に、次の事項を厚生労働大臣に届け出なければならない。

一　氏名又は名称及び住所並びに法人にあっては、その代表者の氏名

二　輸入した三種病原体等の種類（毒素にあっては、種類及び数量）

三　輸入の目的

四　輸出者の氏名又は名称及び住所

五　輸入の年月日

六　輸送の方法

七　輸入港名

〔解　説〕

○　第五十六条の十七は、三種病原体等の輸入の届出に関して規定した条文である。

○　輸入については、第五十六条の四を参照のこと。

○　三種病原体等の輸入については、所持と同様、事前規制によって輸入を制限するまでの必要性はないが、輸入の事実を把握し、輸入後の所持等について一定の安全性、感染の予防に関する基準を満たすことが必要であることから、輸入の事後届出を義務づけ、必要に応じて改善命令、報告徴収、立入検査等を行うものである（第一項本文）。

○　三種病原体等の輸入の届出については、当該三種病原体等の輸入の日から七日以内に、必要的事項を厚生労働大臣に届

け出ることとされている（第一項）。①氏名又は名称及び住所並びに法人にあっては、その代表者の氏名、②輸入した三種病原体等の種類（毒素にあっては、種類及び数量）、③輸入の目的、④輸出者の氏名又は名称及び住所、⑤輸入の年月日、⑥輸送方法、⑦輸入港名が届出事項とされており（第一項各号）、所定の様式の届出書により行わなければならない（規則第三十一条の二十）。

○　本条の規定による届出をせず、又は虚偽の届出をした者は、三百万円以下の罰金に処せられる（第七十五条第二号）。

○　なお、四種病原体等の所持等については、その感染力や疾病の重篤性が他の特定病原体等と比べて低いことから、その適正な管理体制の確立を図るに当たっては、所持する者の制限や常時把握は必要ないため、三種病原体のごとく事後届出は義務づけられていないが、一定の安全性、感染の予防に関する基準を満たすことは必要である。したがって、四種病原体等については、施設基準、使用基準等に従った所持等を認め、基準違反が判明した場合などには、必要に応じて改善命令、報告徴収、立入検査等を行うこととしている。

第四節　所持者等の義務

（感染症発生予防規程の作成等）

第五十六条の十八　特定一種病原体等所持者及び二種病原体等許可所持者は、当該病原体等による感染症の発生を予防し、及びそのまん延を防止するため、厚生労働省令で定めるところにより、当該病原体等の所持を開始する前に、感染症発生予防規程を作成し、厚生労働大臣に届け出なければならない。

２　特定一種病原体等所持者及び二種病原体等許可所持者は、感染症発生予防規程を変更したときは、変更の日から三十日以内に、厚生労働大臣に届け出なければならない。

〔解　説〕

○　第五十六条の十八は、感染症発生予防規程の作成等に関して規定した条文である。特定一種病原体等所持者及び二種病原体等許可所持者については、一種病原体等及び二種病原体等の危険性に鑑み、それぞれの実情に即した感染症発生予防規程を作成し、関係者に周知させることにより、自主的な病原体等の適正な取扱いの確保に資することが期待できることから、感染症発生予防規程の作成を義務づけるとともに、厚生労働大臣がその内容を把握することが適正な所持等を確保するための監督上必要であることから、厚生労働大臣に届け出なければならないこととしている（第一項）。

○　感染症発生予防規程は、病原体等取扱主任者その他の病原体等の取扱い及び管理に従事する者に関する職務並びに組織に関することなど、厚生労働省令で定める事項について定めるものとしている（規則第三十一条の二十一）。

○　特定一種病原体等所持者及び二種病原体等許可所持者が感染症発生予防規程を変更した場合についても、同様の趣旨により、変更した日から三十日以内に届け出なければならない（第二項）。

○　本条第一項の規定に違反した者は、十万円以下の過料に処せられる（第八十三条第一号）。本条第二項の規定による届出をしなかった者は、五万円以下の過料に処せられる（第八十四条第二号）。

（病原体等取扱主任者の選任等）

第五十六条の十九　特定一種病原体等所持者及び二種病原体等許可所持者は、当該病原体等による感染症の発生の予防及びまん延の防止について監督を行わせるため、当該病原体等の取扱いの知識経験に関する要件として厚生労働省令で定めるものを備える者のうちから、病原体等取扱主任者を選任しなければならない。

2　特定一種病原体等所持者及び二種病原体等許可所持者は、病原体等取扱主任者を選任したときは、厚生労働省令で定めるところにより、選任した日から三十日以内に、その旨を厚生労働大臣に届け出なければならない。これを解任したときも、同様とする。

〔解　説〕

○　第五十六条の十九は、病原体等取扱主任者の選任等に関して規定した条文である。特定一種病原体等所持者及び二種病原体等許可所持者については、一種病原体等及び二種病原体等の危険性に鑑み、当該病原体等の適正な取扱いを確保し、感染症の発生の予防及びまん延の防止について監督を行わせるため、当該病原体等の取扱いの知識経験を有する者のうちから、病原体等取扱主任者を選任しなければならないものとするものである（第一項）。

○　病原体等取扱主任者は、当該病原体等の取扱いの知識経験に関する要件として厚生労働省令で定めるものを備える者でなければならず、医師、獣医師、歯科医師、薬剤師、臨床検査技師等であって、病原体等の取扱いに関する十分の知識経験を有する者でなければならないとしている（規則第三十一条の二十二）。

○　病原体等取扱主任者については、厚生労働大臣が把握することが病原体等の適正な取扱いを確保するための監督上必要であることから、特定一種病原体等所持者及び二種病原体等許可所持者は、これを選任したときは、選任した日から三十日以内にその旨を厚生労働大臣に届け出なければならない（第二項前段）。病原体等取扱主任者を解任したときについても、同様の趣旨により、解任した日から三十日以内に届出なければならない（第二項後段）。

○　本条第一項の規定に違反した者は、一年以下の懲役又は百万円以下の罰金に処せられる（第七十二条第三号）。本条第二項の規定による届出をしなかった者は、十万円以下の過料に処せられる（第八十三条第二号）。

（病原体等取扱主任者の責務等）

第五十六条の二十　病原体等取扱主任者は、誠実にその職務を遂行しなければならない。

2　特定一種病原体等の保管、使用及び滅菌等をする施設（以下「一種病原体等取扱施設」という。）又は二種病原体等取扱施設に立ち入る者は、病原体等取扱主任者がこの法律又はこの法律に基づく命令若しくは感染症発生予防規程の実施を確保するためにする指示に従わなければならない。

3　特定一種病原体等所持者及び二種病原体等許可所持者は、当該病原体等による感染症の発生の予防及びまん延の防止に関し、病原体等取扱主任者の意見を尊重しなければならない。

〔解　説〕

○　第五十六条の二十は、病原体等取扱主任者の責務等に関して規定した条文である。病原体等取扱主任者は、一種病原体等及び二種病原体等の危険性に鑑み、当該病原体等の適正な取扱いを確保し、感染症の発生の予防及びまん延の防止について監督を行うことを職務とするものであることから、その趣旨目的を達成するため、誠実にその職務を遂行しなければならないことを責務として定めるものである（第一項）。

○　特定一種病原体等取扱施設又は二種病原体等取扱施設に立ち入る者は、病原体等取扱主任者が法又は法に基づく命令若しくは感染症発生予防規程の実施を確保するためにする指示に従わなければならないこととし、これにより、これらの施設に立ち入る者について、感染症の発生の予防及びまん延の防止を図るため、法令等の遵守を確保するとともに、病原体等取扱主任者の監督権を実効ならしめるものである（第二項）。

○　特定一種病原体等所持者及び二種病原体許可所持者は、病原体等取扱主任者に感染症の発生及びまん延の防止について監督をさせるのみならず、病原体等の所持者として、取扱いに関する管理責任を果たすため、病原体等取扱主任者の知識経験を病原体等の取扱いにおいて十分に反映することが重要であることから、当該病原体等による感染症の発生の予防及びまん延の防止に関し、病原体等取扱主任者の意見を尊重しなければならない（第三項）。本条は、罰則等の規定による担保はなく、訓示規定であるものの、特定一種病原体等所持者及び二種病原体許可所持者の注意義務を定めるものといえる。

（教育訓練）

第五十六条の二十一　特定一種病原体等所持者及び二種病原体等許可所持者は、一種病原体等取扱施設又は二種病原体等取扱施設に立ち入る者に対し、厚生労働省令で定めるところにより、感染症発生予防規程の周知を図るほか、当該病原体等による感染症の発生を予防し、及びそのまん延を防止するために必要な教育及び訓練を施さなければならない。

〔解　説〕

○　第五十六条の二十一は、特定一種病原体等所持者及び二種病原体等許可所持者が行う教育訓練に関して規定した条文である。特定一種病原体等所持者及び二種病原体等許可所持者については、一種病原体等及び二種病原体等の危険性に鑑み、これらの病原体等の適正な取扱いを図るため、一種病原体等取扱施設又は二種病原体等取扱施設に立ち入る者に対し、感染症発生予防規程の周知を図るほか、必要な教育及び訓練を施さなければならない。

○　一種病原体等取扱施設又は二種病原体等取扱施設に立ち入る者は、病原体等取扱主任者が感染症発生予防規程の実施を確保するためにする指示に従わなければならないこととされている（第五十六条の二十第二項）など、感染症発生予防規程を十分知悉していることが必要であることから、これらの者に対し、感染症発生予防規程の周知を図ることを定めることにより、その趣旨を十全ならしめるものである。

○　教育及び訓練については、管理区域に立ち入る者及び取扱等業務に従事する者に対し行うものとされ、取扱等業務を開始する前及び取扱等業務を開始した後にあっては一年を超えない期間ごとに行うなど、厚生労働省令の定めるところにより行わなければならない（規則第三十一条の二十四）。

○　本条の規定に違反した者は、百万円以下の罰金に処せられる（第七十六条第三号）。

（滅菌等）

第五十六条の二十二　次の各号に掲げる者が当該各号に定める場合に該当するときは、その所持する一種病原体等又は二種病原体等の滅菌若しくは無害化をし、又は譲渡しをしなければならない。

一　特定一種病原体等所持者又は二種病原体等許可所持者　特定一種病原体等若しくは二種病原体等について所持することを要しなくなった場合又は第五十六条の三第二項の指定若しくは第五十六条の六第一項本文の許可を取り消され、若しくはその指定若しくは許可の効力を停止された場合

二　病院若しくは診療所又は病原体等の検査を行っている機関　業務に伴い一種病原体等又は二種病原体等を所持することとなった場合

2　前項の規定により一種病原体等又は二種病原体等の滅菌譲渡をしなければならない者が、当該病原体等の滅菌譲渡をしようとするときは、厚生労働省令で定めるところにより、当該病原体等の種類、滅菌譲渡の方法その他厚生労働省令で定める事項を厚生労働大臣に届け出なければならない。

３　特定一種病原体等所持者及び二種病原体等許可所持者が、その所持する病原体等を所持することを要しなくなった場合において、前項の規定による届出をしたときは、第五十六条の三第二項の指定又は第五十六条の六第一項本文の許可は、その効力を失う。

〔解　説〕

○　第五十六条の二十二は、一種病原体等及び二種病原体等の滅菌譲渡（滅菌、無害化及び譲渡し）の義務に関して規定した条文である。

○　一種病原体等及び二種病原体等については、その危険性に鑑み、当該病原体等が不要になり、所持を適法とするための行政行為の効力が喪失した場合、医療等に関する業務によって継続的な所持を意図せざるも病原体等を扱うことが想定される病院等が業務上これを所持するに至った場合等において、もはや本法の規制の対象としつつ所持の継続を認めることは相当ではないことから、当該病原体等の処理が適正に行われることを担保する必要があるため、一定の場合には、その所持する一種病原体等又は二種病原体等の滅菌譲渡をしなければならないこととするものである。すなわち、①特定一種病原体等所持者又は二種病原体等許可所持者が、その特定一種病原体等又は二種病原体等について所持することを要しなくなった場合、②特定一種病原体等所持者又は二種病原体等許可所持者が、当該病原体等に係る指定若しくは許可を取り消され、若しくはその指定若しくは許可の効力を停止された場合、③病院若しくは診療所又は病原体等の検査を行っている機関が、業務に伴い一種病原体等又は二種病原体等を所持することとなった場合である（第一項）。

○　滅菌譲渡を義務づけられた者は、本法の規制の対象としつつ所持を継続することを認めることは相当でないことから、滅菌譲渡を義務づけることとした本条の趣旨に照らし、自ら滅菌譲渡を行わなければならないが、滅菌又は無害化にあっては、自己の責任において、自ら直接又は自らの管理下において他者に委託し、若しくは補助者として、これを行わなければならない。

○　病原体等の規制は、生物テロや人為的感染を防ぐために、病原体等の許可、届出、基準の遵守などの規制を設け、感染の拡大を防止する趣旨であり、通常は、研究目的等で継続的に保管、使用する病原体等を規制の対象として想定している。一方、病院又は検査機関は、業務上、継続的に所持する意図はなくとも、患者等からの病原体等を所持することが想定されるが、全てに事前の許可等の規制をかけるのは、合理的でない。そこで、感染防止を図りつつ、合理的な規制として、感染症法上、病院等が病原体等を所持することになった場合、所持の許可等に替えて、一定期間以内に滅菌譲渡をしなければならない。

○　滅菌譲渡の対象は、病原体等であることから、容器に病原体等が保管されている場合に限らず、これが付着している物についても対象となる。なお、病原体等を他の場所に移動させる場合には、移動を行う者に病原体等の運搬の届出が必要となる（第五十六条の二十七）。

○　滅菌譲渡を義務づけられた者が滅菌譲渡を行う場合には、厚生労働大臣がその情報、状況等を把握するとともに、必要に応じた対応をとることも必要となる場合が想定されるため、滅菌譲渡をしなければならない者は、当該病原体等の種類、滅菌譲渡の方法等について厚生労働大臣に届け出なければならない（第二項）。この場合の届出は、迅速な情報等の把握のため、所定の様式により、届出を義務づけられることとなった事由に従い、①所持を要しなくなった日から一日以内、②指定又は許可の取消し又は効力の停止の日から一日以内、③業務に伴う所持の開始の日から一日以内に行わなければならないこととしている（規則第三十一条の二十五）。

○　特定一種病原体等所持者又は二種病原体等許可所持者が、その特定一種病原体等又は二種病原体等について所持することを要しなくなった場合は、所持を要しなくなった日から一日以内に、当該病原体等の種類、滅菌譲渡の方法等について厚生労働大臣に届け出なければならない（第二項）が、当該病原体等に係る指定又は許可の効力をもはや存続させておく必要はなく、存続させることはむしろ不適当であることから、当該届出をしたときは、指定又は許可の効力を失わせることとしている（第三項）。

○　本条第一項の規定に反した者は、一年以下の懲役又は百万円以下の罰金に処せられる（第七十二条第四号）。本条第二項の規定による届出をせず、又は虚偽の届出をした者は、三百万円以下の罰金に処せられる（第七十五条第三号）。

（記帳義務）

第五十六条の二十三　特定一種病原体等所持者、二種病原体等許可所持者及び三種病原体等を所持する者（第五十六条の十六第一項第三号に規定する従業者を除く。以下「三種病原体等所持者」という。）は、厚生労働省令で定めるところにより、帳簿を備え、当該病原体等の保管、使用及び滅菌等に関する事項その他当該病原体等による感染症の発生の予防及びまん延の防止に関し必要な事項を記載しなければならない。

2　前項の帳簿は、厚生労働省令で定めるところにより、保存しなければならない。

〔解　説〕

○　第五十六条の二十三は、記帳義務に関して規定した条文である。特定一種病原体等所持者、二種病原体等許可所持者又は三種病原体等所持者については、病原体等の保管、使用、滅菌等の状況を明らかにすることにより、病原体等の取扱いについての自覚と責任意識の高揚を図るとともに、関係情報を記録、保存させておき、必要に応じ、規制当局がこれを把握すること等が病原体等の所持等の適正、感染症の発生の予防及びまん延の防止等の確保の上で必要であることから、これらの者に対し、帳簿を備え、病原体等の保管、使用及び滅菌等に関する事項等について必要な事項の記載、当該帳簿の保存を義務づけることとする。

○　帳簿に記載すべき項目は、厚生労働省令で病原体等の種類ごとに定められており、一年ごとに帳簿を閉鎖するとともに、閉鎖後、五年間保存するものとしている（規則第三十一条の二十六）。

○　本条第一項の規定に違反して帳簿を備えず、帳簿に記載せず、若しくは虚偽の記載をし、又は同条第二項の規定に違反して帳簿を保存しなかった者は、百万円以下の罰金に処せられる（第七十六条第四号）。

（施設の基準）

第五十六条の二十四　特定一種病原体等所持者、二種病原体等許可所持者、三種病原体等所持者及び四種病原体等を所持する者（四種病原体等を所持する者の従業者であって、その職務上当該四種病原体等を所持するものを除く。以下「四種病原体等所持者」という。）は、その特定病原体等の保管、使用又は滅菌等をする施設の位置、構造及び設備を厚生労働省令で定める技術上の基準に適合するように維持しなければならない。

〔解　説〕

○　第五十六条の二十四は、特定病原体等の保管、使用又は滅菌等をする施設の基準に関して規定した条文である。特定病原体等が適正に取り扱われ、当該病原体等による感染症の発生及びまん延の防止を担保するため、特定一種病原体等所持者、二種病原体等許可所持者、三種病原体等所持者及び四種病原体等所持者は、その特定病原体等の保管、使用又は滅菌等をする施設の位置、構造及び設備を厚生労働省令で定める技術上の基準に適合するように維持しなければならないこととするものである。

○　本条の技術上の基準に適合しない場合には、厚生労働大臣による改善命令（第五十六条の三十二第一項）、指定又は許可の取消し若しくは効力の停止（第五十六条の三十五第一項第一号、第二項第二号）の対象となるほか、特定一種病原体等所持者又は二種病原体等許可所持者に係るものについては、特に、当該病原体等の危険性に照らしその基準不適合によって感染症が発生し、及びまん延するおそれが高く、非難の度合いが高いことから、これらの行政処分とは別に、罰則の適用がある（第七十五条第四号）。この場合、事案の状況、緊急性、重大性等に応じて、行政処分を経ないで罰則が適用されることも、行政処分と罰則の両方が科されることも法令上想定されている。

○ 本条の技術上の基準については、厚生労働省令において、病原体等の種類ごとに定められている（規則第三十一条の二十七から第三十一条の三十）。

○ 本条の規定（特定一種病原体等又は二種病原体等許可所持者に係るものに限る。）に違反した者は、三百万円以下の罰金に処せられる（第七十五条第四号）。

（保管等の基準）

第五十六条の二十五　特定一種病原体等所持者及び二種病原体等許可所持者並びにこれらの者から運搬を委託された者、三種病原体等所持者並びに四種病原体等所持者（以下「特定病原体等所持者」という。）は、特定病原体等の保管、使用、運搬（船舶又は航空機による運搬を除く。次条第四項を除き、以下同じ。）又は滅菌等をする場合においては、厚生労働省令で定める技術上の基準に従って特定病原体等による感染症の発生の予防及びまん延の防止のために必要な措置を講じなければならない。

〔解　説〕

○ 第五十六条の二十五は、特定病原体等の保管、使用、運搬又は滅菌等（滅菌若しくは無害化。以下同じ。）をする場合の基準に関して規定した条文である。特定病原体等が適正に取り扱われ、当該病原体等による感染症の発生及びまん延の防止を担保するため、施設面だけでなく、実際に特定病原体等の保管、使用、運搬又は滅菌等をする場合においても、特定病原体等による感染症の発生及びまん延の防止に当たって必要とされる一定の技術上の基準に従って必要な措置が講じられる必要があることから、特定一種病原体等所持者及び二種病原体等許可所持者並びにこれらの者から運搬を委託された者、三種病原体等所持者並びに四種病原体等所持者（以下「特定病原体等所持者」という。）は、特定病原体等の保管、使用、運搬又は滅菌等をする場合において、厚生労働省令で定める技術上の基準に従って必要な措置を講じなければならない。

○　本条の技術上の基準に適合しない場合には、厚生労働大臣による改善命令（第五十六条の三十二第二項）、指定又は許可の取消し若しくは効力の停止（第五十六条の三十五第一項第一号、第二項第二号）の対象となるが、これらの行政処分とは別に、直接罰則の適用がされることはない。

○　本条の技術上の基準については、厚生労働省令において、病原体等の種類ごとに定められている（規則第三十一条の三十一から第三十一条の三十四）。

（適用除外）

第五十六条の二十六　前三条及び第五十六条の三十二の規定は、第五十六条の十六第一項第一号に掲げる場合には、適用しない。

2　第五十六条の二十三、第五十六条の二十四及び第五十六条の三十二第一項の規定は、第五十六条の十六第一項第二号に掲げる場合には、適用しない。

3　前二条及び第五十六条の三十二の規定は、病院若しくは診療所又は病原体等の検査を行っている機関が、業務に伴い四種病原体等を所持することとなった場合において、厚生労働省令で定めるところにより、滅菌譲渡をするまでの間四種病原体等を所持するときは、適用しない。

４　第五十六条の二十四及び第五十六条の三十二第一項の規定は、四種病原体等所持者から運搬を委託された者が、その委託に係る四種病原体等を当該運搬のために所持する場合には、適用しない。

〔解　説〕

○　第五十六条の二十六は、病原体等の所持者等の義務の適用除外に関して規定した条文である。病原体等の所持者等の義務の規定については、感染症の発生及びまん延の防止上必要なものであるが、病院等及び運搬の受託者の業務の適正かつ円滑な遂行を通じた感染症対策との調和を図る観点から、これを形式的に一律に全ての所持者等に適用することとはしないで、その適用を緩和し、限定的に基準等の適用を除外する。

○　病院等が、医療等に関する業務に伴い結果的に三種病原体等を所持することとなった場合において、厚生労働省令で定めるところにより滅菌譲渡をするまでの間三種病原体等を所持するとき（第五十六条の十六第一項第一号）は、記帳義務、施設の基準、保管等の基準及び改善命令に関する規定は適用しないとするものである（第一項）。この場合、所持の開始の日から十日以内に滅菌等を行うこと、密封できる容器に入れ保管庫において行うこと等、感染症の発生及びまん延の防止の観点から必要となる所持に関する一定の基準が適用される（規則第三十一条の十八）。なお、滅菌譲渡については、第五十六条の二十二を参照のこと。

○　三種病原体等の運搬を委託された者が当該運搬のために三種病原体等を所持する場合（第五十六条の十六第一項第二号）は、随時運搬の委託を受けるものであり、記帳義務になじまないこと等から、記帳義務、施設の基準及び改善命令に関する規定は適用しない（第二項）。

○　病院等が、医療等に関する業務に伴い結果的に四種病原体等を所持することとなった場合において、厚生労働省令で定めるところにより滅菌譲渡をするまでの間四種病原体等を所持するときは、施設の基準、保管等の基準及び改善命令に関する規定は適用しない（第三項）。この場合、所持の開始の日から十日以内に滅菌等を行うこと、密封できる容器に入れ保管庫において行うこと等、感染症の発生及びまん延の防止の観点から必要となる所持に関する一定の基準が適用される（規則第三十一条の三十七）。

○　第三項の場合においては、本法の規制の対象とし、所持を継続させることは相当でないことから、自ら、滅菌譲渡を行わなければならないが、滅菌又は無害化にあっては、自己の責任において、自ら直接又は自らの管理下において他者に委託し、若しくは補助者として、これを行わなければならない。

○　四種病原体等の運搬を委託された者が当該運搬のために四種病原体等を所持する場合は、施設の基準及び改善命令に関する規定は適用しない（第四項）。

（運搬の届出等）

第五十六条の二十七　特定一種病原体等所持者、一種滅菌譲渡義務者、二種病原体等許可所持者及び二種滅菌譲渡義務者並びにこれらの者から運搬を委託された者並びに三種病原体等所持者は、その一種病原体等、二種病原体等又は三種病原体等を事業所の外において運搬する場合（船舶又は航空機により運搬する場合を除く。）においては、国家公安委員会規則で定めるところにより、その旨を都道府県公安委員会に届け出て、届出を証明する文書（以下「運搬証明書」という。）の交付を受けなければならない。

2　都道府県公安委員会は、前項の規定による届出があった場合において、その運搬する一種病原体等、二種病原体等又は三種病原体等について盗取、所在不明その他の事故の発生を防止するため必要があると認めるときは、国家公安委員会規則で定めるところにより、運搬の日時、経路その他国家公安委員会規則で定める事項について、必要な指示をすることができる。

3　都道府県公安委員会は、前項の指示をしたときは、その指示の内容を運搬証明書に記載しなければならない。

4　第一項に規定する場合において、運搬証明書の交付を受けたときは、特定一種病原体等所持者、一種滅菌譲渡義務者、二種病原体等許可所持者及び二種滅菌譲渡義務者並びにこれらの者から運搬を委託された者並びに三種病原体等所持者は、当該運搬証明書を携帯し、かつ、当該運搬証明書に記載された内容に従って運搬しなければならない。

5　警察官は、自動車又は軽車両により運搬される一種病原体等、二種病原体等又は三種病原体等について盗取、所在不明その他の事故の発生を防止するため、特に必要があると認めるときは、当該自動車又は軽車両を停止させ、これらを運搬する者に対し、運搬証明書の提示を求め、若しくは、国家公安委員会規則で定めるところにより、運搬証明書に記載された内容に従って運搬しているかどうかについて検査し、又は当該病原体等について盗取、所在不明その他の事故の発生を防止するため、第一項、第二項及び前項の規定の実施に必要な限度で経路の変更その他の適当な措置を講ずることを命ずることができる。

6　前項に規定する権限は、犯罪捜査のために認められたものと解してはならない。

7　運搬証明書の書換え、再交付及び不要となった場合における返納並びに運搬が二以上の都道府県にわたることとなる場合における第一項の届出、第二項の指示並びに運搬証明書の交付、書換え、再交付及び返納に関し必要な都道府県公安委員会の間の連絡については、政令で定める。

〔解　説〕

○　第五十六条の二十七は、病原体等の運搬の届出、公安委員会の指示、運搬を行う者の義務、警察官の措置命令等に関して規定した条文である。特定病原体等の管理については、研究施設等の固定場所での適正な管理の必要性とともに、病原体等を運搬する際にも、移動途中の盗取、所在不明又は事故によって当該病原体等による感染症の発生及びまん延を防止する必要がある。そこで、交通の取締りや犯罪の予防を責務とし、道路交通の実態や盗難等の防止方法に通暁し、所管している警察、都道府県公安委員会が講じる措置と公衆衛生上の措置とが併せて対処することにより、両措置が相まって感染症の発生及びまん延の防止を図ることが適当であることから、一定の規制、措置等を講じることとするものである。なお、航空機、船舶については、航空法、船舶安全法等の規定により、一定の危険物等の運送の規制が行われている。

○　特定一種病原体等所持者、一種滅菌譲渡義務者、二種病原体等許可所持者及び二種滅菌譲渡義務者並びにこれらの者から運搬を委託された者並びに三種病原体等所持者については、その一種病原体等、二種病原体等又は三種病原体等を事業所の外において運搬する場合においては、その旨を都道府県公安委員会に届け出て、運搬証明書の交付を受けなければならないとするものである（第一項）。

○　都道府県公安委員会は、盗取、所在不明その他の事故の発生を防止するため必要があると認めるときは、運搬の日時、経路等について必要な指示をすることができるとするものである（第二項）。この場合、指示の内容を運搬証明書に記載することとされている（第三項）。運搬証明書の交付を受けて運搬を行う者は、運搬証明書に記載された内容に従って運搬をしなければならない（第四項）。

○　病原体等の事故を防止するためには、運搬証明書に記載された内容に従った運搬を確保するとともに、警察官に一定の権限を認める必要がある。そこで、警察官は、自動車又は軽車両により運搬される一種病原体等、二種病原体等又は三種病原体等について、盗取、所在不明その他の事故の発生を防止するため特に必要があると認めるときは、当該自動車又は軽車両を停止させ、運搬証明書の提示を求め、運搬証明書に記載された内容に従って運搬しているかどうかについて検査し、経路の変更その他の適当な措置を講ずることを命ずることができるとするものである（第五項）。なお、この警察官の権限については、犯罪捜査のために認められたものと解してはならないことを入念的に規定している（第六項）。

○　運搬証明書の書換え、再交付及び返納並びに複数の都道府県にわたることとなる場合における運搬の届出、都道府県公安委員会の指示、運搬証明書の交付等に関し必要な都道府県公安委員会の間の連絡については政令で定めることとされており（第七項）、運搬証明書の書換え等については都道府県公安委員会に対する届出、申請等の手続きが定められている（令第二十一条から第二十三条）とともに、複数の都道府県にわたる場合の関係都道府県公安委員会の通知、緊密な連絡などの措置が定められている（令第二十四条）。

○　本条第一項の規定による届け出をせず、又は虚偽の届出をして一種病原体等、二種病原体等又は三種病原体等を運搬した者及び本条第四項の規定に違反した者は、三百万円以下の罰金に処せられる（第七十五条第五号、第六号）。本条第五項の規定による警察官の停止命令に従わず、提示の要求を拒み、検査を拒み、若しくは妨げ、又は同項の規定による命令に従わなかった者は、百万円以下の罰金に処せられる（第七十六条第五号）。

（事故届）

第五十六条の二十八　特定病原体等所持者、一種滅菌譲渡義務者及び二種滅菌譲渡義務者は、その所持する特定病原体等について盗取、所在不明その他の事故が生じたときは、遅滞なく、その旨を警察官又は海上保安官に届け出なければならない。

〔解　説〕

○　第五十六条の二十八は、事故届に関して規定した条文である。感染症法においては、就業制限、入院措置、消毒措置等公衆衛生上の措置が規定されているが、これらの措置だけでは、特定病原体等の盗取、所在不明その他の事故が生じたときには、その対応が不十分であり、仮に特定病原体等が犯罪に使用されること等によって人為的に感染症が発生し、まん延した場合には、公衆衛生上の措置に加えて、被害発生時の措置等を適切に講じる必要がある。このため、特定病原体等所持者、一種滅菌譲渡義務者及び二種滅菌譲渡義務者について、その所持する特定病原体等について盗取、所在不明その他の事故が生じたときは、遅滞なく、その旨を警察官又は海上保安官へ届け出なければならないこととすることによって、当該事故に係る特定病原体等による被害発生時の措置等速やかにその対応策が講じられるようにする。

○　本条の規定による届出をせず、又は虚偽の届出をした者は、百万円以下の罰金に処せられる（第七十六条第二号）。

（災害時の応急措置）

第五十六条の二十九　特定病原体等所持者、一種滅菌譲渡義務者及び二種滅菌譲渡義務者は、その所持する特定病原体等に関し、地震、火災その他の災害が起こったことにより、当該特定病原体等による感染症が発生し、若しくはまん延した場合又は当該特定病原体等による感染症が発生し、若しくはまん延するおそれがある場合においては、直ちに、厚生労働省令で定めるところにより、応急の措置を講じなければならない。

2　前項の事態を発見した者は、直ちに、その旨を警察官又は海上保安官に通報しなければならない。

3　特定病原体等所持者、一種滅菌譲渡義務者及び二種滅菌譲渡義務者は、第一項の事態が生じた場合においては、厚生労働省令で定めるところにより、遅滞なく、その旨を厚生労働大臣に届け出なければならない。

〔解　説〕

○　第五十六条の二十九は、災害時の応急措置に関して規定した条文である。
○　地震、火災等の災害が発生し、特定病原体等による感染症の発生及びまん延を防止するため、特定病原体等所持者、一種滅菌譲渡義務者及び二種滅菌譲渡義務者については、その所持する特定病原体等に関し、災害が起こったことにより、特定病原体等による感染症が発生及びまん延した場合又はそのおそれがある場合においては、直ちに、応急の措置を講じなければならないこととするものである（第一項）。具体的には、特定病原体等取扱施設又は病原性輸送物に火災が起こった場合等には、消火、延焼防止、市町村長の指定場所への届出等を行うとともに、感染症の発生を予防し、又はそのまん延を防止する必要がある場合には、特定病原体等取扱施設の内部にいる者等に避難するよう警告することなどの措置を講じなければならない（規則第三十一条の三十八第一項、第二項）。
○　また、このような事態を発見した者は、直ちに、その旨を警察官又は海上保安官に通報しなければならない（第二項）。
○　特定病原体等所持者、一種滅菌譲渡義務者及び二種滅菌譲渡義務者は、このような事態が生じた場合は、遅滞なく、その旨を所定の様式により厚生労働大臣に届け出なければならない（第三項、規則第三十一条の三十八第三項）。
○　本条第一項の規定に違反した者は、一年以下の懲役又は百万円以下の罰金に処せられる（第七十二条第五号）。
○　本条第三項の規定による届出をせず、又は虚偽の届出をした者は、百万円以下の罰金に処せられる（第七十六条第二号）。

第五節　監督

（報告徴収）

第五十六条の三十　厚生労働大臣又は都道府県公安委員会は、この章の規定（都道府県公安委員会にあっては、第五十六条の二十七第二項の規定）の施行に必要な限度で、特定病原体等所持者、三種病原体等を輸入した者、四種病原体等を輸入した者、一種滅菌譲渡義務者及び二種滅菌譲渡義務者（以下「特定病原体等所持者等」という。）に対し、報告をさせることができる。

〔**解　説**〕

○　第五十六条の三十は、報告徴収に関して規定した規定である。特定病原体等の取扱いに関する規制について、当該規制の対象となる者が当該規制を遵守し、特定病原体等を適正に取り扱っているかどうかを監督するため、厚生労働大臣又は都道府県公安委員会は、第十一章（特定病原体等：第五十六条の三から第五十六条の三十八）の規定（都道府県公安委員会にあっては、運搬の指示規定）の施行に必要な限度で、特定病原体等所持者、三種病原体等を輸入した者、四種病原体等を輸入した者、一種滅菌譲渡義務者及び二種滅菌譲渡義務者（以下「特定病原体等所持者等」という。）に対し、報告をさせることができる。

○　本条の規定による報告をせず、又は虚偽の報告をした者は、一年以下の懲役又は百万円以下の罰金に処せられる（第七十二条第六号）。

（立入検査）

第五十六条の三十一　厚生労働大臣又は都道府県公安委員会は、この章の規定（都道府県公安委員会にあっては、第五十六条の二十七第二項の規定）の施行に必要な限度で、当該職員（都道府県公安委員会にあっては、警察職員）に、特定病原体等所持者等の事務所又は事業所に立ち入り、その者の帳簿、書類その他必要な物件を検査させ、関係者に質問させ、又は検査のため必要な最小限度において、特定病原体等若しくは特定病原体等によって汚染された物を無償で収去させることができる。

２　第三十五条第二項及び第三項の規定は、前項の規定による立入検査について準用する。

〔解　説〕

○　第五十六条の三十一は、立入検査に関して規定した条文である。厚生労働大臣又は都道府県公安委員会は、第十一章（特定病原体等：第五十六条の三から第五十六条の三十八）の規定（都道府県公安委員会にあっては、運搬の指示規定）の施行に必要な限度で、当該職員（都道府県公安委員会にあっては、警察職員）に、特定病原体等所持者等の事務所又は事業所に立ち入り、その者の帳簿、書類その他必要な物件を検査させ、関係者に質問させ、又は検査のため必要な最小限度において、特定病原体等若しくは特定病原体等によって汚染された物を無償で収去させることができる（第一項）。

○　立入検査を行う職員は、その身分を示す証明書を携帯し、かつ、関係者の請求があるときは、これを提示しなければならない。また、この立入検査権限は、犯罪捜査のために認められたものと解してはならない（第二項）。

○　本条第一項の規定による立入り、検査若しくは収去を拒み、妨げ、若しくは忌避し、又は質問に対して陳述をせず、若しくは虚偽の陳述をした者は、一年以下の懲役又は百万円以下の罰金に処せられる（第七十二条第七号）。

（改善命令）

第五十六条の三十二　厚生労働大臣は、特定病原体等の保管、使用又は滅菌等をする施設の位置、構造又は設備が第五十六条の二十四の技術上の基準に適合していないと認めるときは、特定一種病原体等所持者、二種病原体等許可所持者、三種病原体等所持者又は四種病原体等所持者に対し、当該施設の修理又は改造その他特定病原体等による感染症の発生の予防又はまん延の防止のために必要な措置を命ずることができる。

2　厚生労働大臣は、特定病原体等の保管、使用、運搬又は滅菌等に関する措置が第五十六条の二十五の技術上の基準に適合していないと認めるときは、特定病原体等所持者に対し、保管、使用、運搬又は滅菌等の方法の変更その他特定病原体等による感染症の発生の予防又はまん延の防止のために必要な措置を命ずることができる。

〔解　説〕

○　第五十六条の三十二は、改善命令に関して規定した条文である。厚生労働大臣は、特定病原体等の保管、使用又は滅菌等をする施設の位置、構造又は設備が技術上の基準に適合することを担保するため、当該基準に適合していないと認めるときは、特定一種病原体等所持者、二種病原体等許可所持者、三種病原体等所持者又は四種病原体等所持者に対し、当該施設の修理又は改造その他特定病原体等による感染症の発生の予防又はまん延の防止のために必要な措置を命ずることができる（第一項）。

○　厚生労働大臣は、特定病原体等の保管、使用、運搬又は滅菌等に関する措置が技術上の基準に適合することを担保するため、当該基準に適合していないと認めるときは、特定病原体等所持者（特定一種病原体等所持者、二種病原体等許可所持者並びにこれらの者から運搬を委託された者、三種病原体等所持者並びに四種病原体等所持者）に対し、保管、使用、運搬又は滅菌等の方法の変更その他特定病原体等による感染症の発生の予防又はまん延の防止のために必要な措置を命ずることができる（第二項）。

○　本条の規定による命令に違反した者は、三百万円以下の罰金に処せられる（第七十五条第七号）。

（感染症発生予防規程の変更命令）

第五十六条の三十三　厚生労働大臣は、特定一種病原体等又は二種病原体等による感染症の発生を予防し、又はそのまん延を防止するために必要があると認めるときは、特定一種病原体等所持者又は二種病原体等許可所持者に対し、感染症発生予防規程の変更を命ずることができる。

〔解　説〕

○　第五十六条の三十三は、感染症発生予防規程の変更命令に関して規定した条文である。厚生労働大臣は、特定一種病原体等所持者又は二種病原体等許可所持者に対し、一種病原体等又は二種病原体等による感染症の発生又はまん延の防止を図るため、必要があると認めるときは、感染症発生予防規程の変更を命ずることができることとし、一種病原体等及び二種病原体等の適正な取扱いの確保を図ることとする。

○　本条の規定による命令に違反した者は、十万円以下の過料に処せられる（第八十三条第三号）。

（解任命令）

第五十六条の三十四　厚生労働大臣は、病原体等取扱主任者が、この法律又はこの法律に基づく命令の規定に違反したときは、特定一種病原体等所持者又は二種病原体等許可所持者に対し、病原体等取扱主任者の解任を命ずることができる。

〔解　説〕

○　第五十六条の三十四は、解任命令に関して規定した条文である。厚生労働大臣は、病原体等取扱主任者が、この法律又はこの法律に基づく命令の規定に違反したときは、特定一種病原体等所持者又は二種病原体等許可所持者に対し、病原体等取扱主任者の解任を命ずることができることとし、一種病原体等及び二種病原体等の適正な取扱いの確保を図ることとする。

（指定の取消し等）

第五十六条の三十五　厚生労働大臣は、特定一種病原体等所持者が次の各号のいずれかに該当する場合は、第五十六条の三第二項の規定による指定を取り消し、又は一年以内の期間を定めてその指定の効力を停止することができる。

一　この法律又はこの法律に基づく命令若しくは処分に違反したとき。

二　一種病原体等取扱施設の位置、構造又は設備が厚生労働省令で定める技術上の基準に適合しなくなったとき。

三　特定一種病原体等を適切に所持できないと認められるとき。

２　厚生労働大臣は、二種病原体等許可所持者が次の各号のいずれかに該当する場合は、第五十六条の六第一項本文の許可を取り消し、又は一年以内の期間を定めてその許可の効力を停止することができる。

一　第五十六条の七各号のいずれかに該当するに至ったとき。

二　この法律又はこの法律に基づく命令若しくは処分に違反したとき。

三　二種病原体等取扱施設の位置、構造又は設備が第五十六条の八第二号の技術上の基準に適合しなくなったとき。

四　第五十六条の九第一項（第五十六条の十一第四項において準用する場合を含む。）の条件に違反した場合

〔解　説〕

○　第五十六条の三十五は、指定の取消し等に関して規定した条文である。厚生労働大臣は、特定一種病原体等所持者が、この法律に違反したときなど一定の場合は、法人の指定を取り消し、又は一年以内の期間を定めてその指定の効力を停止することができることとする（第一項）。

○　特定一種病原体等所持者については、国又は独立行政法人その他の政令で定める法人であって特定一種病原体等の種類ごとに当該一種病原体等を適切に所持できるものとして、厚生労働大臣が広範な専門的技術的裁量に基づき指定するものであり、法令等の違反の場合（第一項第一号）、一種病原体等取扱施設の基準不適合の場合（第一項第二号）のほか、特定一種病原体等を適切に所持できないと認められる場合（第一項第三号）についても、厚生労働大臣の裁量により指定を取り消すことができる。

○　厚生労働大臣は、二種病原体等許可所持者が、欠格条項に該当するに至ったとき、この法律に違反したときなど一定の場合は、許可を取り消し、又は一年以内の期間を定めてその許可の効力を停止することができる（第二項）。

（滅菌等の措置命令）

第五十六条の三十六　厚生労働大臣は、必要があると認めるときは、第五十六条の二十二第一項の規定により一種病原体等又は二種病原体等の滅菌譲渡をしなければならない者に対し、厚生労働省令で定めるところにより、当該病原体等の滅菌譲渡の方法の変更その他当該病原体等による感染症の発生を予防し、又はそのまん延を防止するために必要な措置を講ずることを命ずることができる。

〔解　説〕

○　第五十六条の三十六の規定は、滅菌等の措置命令に関して規定した条文である。厚生労働大臣は、感染症の発生及びまん延の防止のため必要があると認めるときは、特定一種病原体等所持者又は二種病原体等許可所持者が一種病原体等又は二種病原体等の滅菌譲渡をしなければならない者に対し、当該病原体等の滅菌譲渡の方法の変更等必要な措置を講ずることを命ずることができることとするものである。一種病原体等及び二種病原体等については、その危険性等に鑑み、所持を要しなくなった場合、指定又は許可の効力が喪失、停止した場合及び病院等が業務上所持するに至った場合において、迅速な滅菌譲渡によって感染の危険性を喪失させ、感染症の発生及びまん延の防止を図るため、滅菌譲渡をこれらの所持者に義務づけているが（第五十六条の二十二）、その趣旨を徹底するためには、滅菌譲渡の義務づけに加え、滅菌譲渡が適正に行われ感染の危険性のないようにしなければならないことから、滅菌譲渡の方法の変更をはじめとする必要な措置を命ずることができることとしたものである。

○　本条の規定による措置命令は、感染症の発生を予防し、又はそのまん延を防止するために必要なあらゆる措置を含むものであり、必要性と合理性を有する者である限りその措置の内容に制限はなく、厚生労働大臣の専門的技術的裁量に委ねられているというべきである。

○　本条の規定による命令に違反した者は、三百万円以下の罰金に処せられる（第七十五条第八号）。

（災害時の措置命令）

第五十六条の三十七　厚生労働大臣は、第五十六条の二十九第一項の場合において、特定病原体等による感染症の発生を予防し、又はそのまん延を防止するため緊急の必要があると認めるときは、特定病原体等所持者、一種滅菌譲渡義務者又は二種滅菌譲渡義務者に対し、特定病原体等の保管場所の変更、特定病原体等の滅菌等その他特定病原体等による感染症の発生の予防又はまん延の防止のために必要な措置を講ずることを命ずることができる。

〔解　説〕

○　第五十六条の三十七は、災害時の措置命令に関して規定した条文である。厚生労働大臣は、地震、火災その他の災害が起こったことにより、特定病原体等による感染症が発生及びまん延した場合又はそのおそれがある場合において、緊急の必要があると認めるときは、特定病原体等所持者、一種滅菌譲渡義務者及び二種滅菌譲渡義務者に対し、特定病原体等の保管場所の変更、特定病原体等の滅菌等その他特定病原体等必要な措置を講ずることを命ずることができることとするものである。

○　地震、火災その他の災害が起こったことにより、感染症が発生し、若しくはまん延した場合又は感染症が発生し、若しくはまん延するおそれがある場合においては、これらの者は、直ちに応急の措置を講じ、厚生労働大臣に届け出なければならないとされているところであり（第五十六条の二十九）、まずは、感染症の発生及びまん延の防止の責任を負う所持者において迅速かつ適切な措置が講じられるべきであるが、所持者自身による自主的な措置が不十分である場合等においては、感染症の発生及びまん延を防止するため、厚生労働大臣による行政命令を行うこととし、災害時の対応措置に万全を期することとするものである。

○　本条の規定による命令に違反した者は、一年以下の懲役又は百万円以下の罰金に処せられる（第七十二条第五号）。

（厚生労働大臣と警察庁長官等との関係）

第五十六条の三十八　警察庁長官又は海上保安庁長官は、公共の安全の維持又は海上の安全の維持のため特に必要があると認めるときは、第五十六条の十八第一項、第五十六条の十九第一項、第五十六条の二十、第五十六条の二十一、第五十六条の二十二第一項、第五十六条の二十三から第五十六条の二十五まで、第五十六条の二十八、第五十六条の二十九第一項又は第五十六条の三十二から前条までの規定の運用に関し、厚生労働大臣に、それぞれ意見を述べることができる。

2　警察庁長官又は海上保安庁長官は、前項の規定の施行に必要な限度において、当該職員に、特定病原体等所持者、一種滅菌譲渡義務者又は二種滅菌譲渡義務者の事務所又は事業所に立ち入り、帳簿、書類その他必要な物件を検査させ、又は関係者に質問させることができる。

3　第三十五条第二項及び第三項の規定は、前項の規定による立入検査について準用する。

4　厚生労働大臣は、第五十六条の三第一項第一号の施設若しくは同条第二項の法人の指定をし、第五十六条の六第一項本文、第五十六条の十一第一項本文（第五十六条の十四において準用する場合を含む。）若しくは第五十六条の十二第一項の許可をし、第五十六条の五第一号の承認をし、第五十六条の三十五の規定により処分をし、又は第五十六条の十一第二項若しくは第三項（第五十六条の十四において準用する場合を含む。）、第五十六条の十六から第五十六条の十八まで、第五十六条の十九第二項、第五十六条の二十二第二項若しくは第五十六条の二十九第三項の規定による届出を受理したときは、遅滞なく、その旨を警察庁長官、海上保安庁長官又は消防庁長官に連絡しなければならない。

5　警察官又は海上保安官は、第五十六条の二十八の規定による届出があったときは、遅滞なく、その旨を厚生労働大臣に通報しなければならない。

6　厚生労働大臣は、特定病原体等による感染症の発生を予防し、又はそのまん延を防止するため必要があると認めるときは、当該特定病原体等を取り扱う事業者の事業を所管する大臣に対し、当該事業者による特定病原体等の適切な取扱いを確保するために必要な措置を講ずることを要請することができる。

7　厚生労働大臣は、国民の生命及び身体を保護するため緊急の必要があると認めるときは、都道府県知事に対し、感染症試験研究等機関の職員の派遣その他特定病原体等による感染症の発生の予防又はまん延の防止のために必要な協力を要請することができる。

〔解　説〕

○　第五十六条の三十八は、厚生労働大臣と警察庁長官等との関係に関して規定した条文である。感染症対策については、従来の厚生労働大臣及び都道府県知事（衛生部局）による対応を原則としつつも、病原体等による人為的な感染症の発生及びまん延の防止については、公共の安全の維持、海上の安全の維持等の観点を含め、警察庁、海上保安庁等の関係行政機関、関係担当官との連携、協力が必要不可欠であり、法令上、これらの者の権限を規定しているところであることから、厚生労働大臣と関係行政機関等との関係についても規定するものである。

○　国民の生命・身体の安全の観点から、警察庁の行政とも密接な関係を保つことは、感染症の発生及びまん延の予防に資するものであり、警察庁は、厚生労働大臣からの連絡に基づき把握した病原体等取扱施設に対して権限を行使することにより、病原体等の取扱いの状況を把握するとともに、病原体等の盗取、所在不明その他の事故防止のため、病原体等取扱者における病原体等取扱規程の作成や基準に応じた措置や運搬の実施が不十分であると認められた場合や、より強化・改善すべきであると認められた場合に、厚生労働大臣から病原体等取扱者に対して行政指導や行政処分を行うよう対処することによって、病原体等の管理体制の強化を図ることが必要である。このため、①警察庁長官及び海上保安庁長官は、公共の安全の維持又は海上の安全の維持のため特に必要があると認めるときは、感染症発生予防規程の作成等、病原体等取扱主任者の選任、施設の基準、保管等の基準、事故届、災害時の措置等の規定の運用に関し、厚生労働大臣に、それぞれ意見を述べることができることとし（第一項）、②警察庁長官又は海上保安庁長官は、①の施行に必要な限度において、当該職員に、特定病原体等所持者等の事務所又は事業所に立ち入り、帳簿、書類その他必要な物件を検査させ、又は関係者に質問させることができることとし（第二項）、③厚生労働大臣は、特定一種病原体等所持者の施設又は法人の指定、二種病原体等許可所持者の許可、指定又は許可の取消処分、三種病原体等の所持の届出等について、遅滞なく、その旨を警察庁長官、海上保安庁長官又は消防庁長官に連絡しなければならないこととし（第四項）、④警察官又は海上保安官は、事故届があったときは、遅滞なく、その旨を厚生労働大臣に通報しなければならないこととするものである（第五項）。

○　特定病原体等の取扱いに関する規制については、警察権限による被害発生時の措置等一部を除き、感染症の発生及びまん延の防止を所掌とする厚生労働省が所管するものであり、特定病原体等による感染症が発生し、又はまん延した場合の公衆衛生上の措置は、従前どおり、感染症の予防及び公衆衛生を所管する厚生労働大臣が行うこととなるものである。しかしながら、業として特定病原体等が取り扱われている社会的実態に鑑みると、例えば、厚生労働省以外の省庁が所管する特定の業の事業所や研究所において、不適正な特定病原体等の取扱いや法令違反が判明した場合には、前記のとおり厚生労働省においても当該事業所等に対する報告徴収や立入検査等の公衆衛生上の措置を講じるが、その一方で、当該事業所の事業を所管する省庁からも、当該事業所等に対して必要な行政指導や、業界全体に対して特定病原体等の取扱いの適正化に係る要請が公衆衛生上の措置と併せて行われることによって、より効果的に特定病原体等の適正な取扱いの確保が図られることが想定される。このため、厚生労働大臣は、感染症の発生を予防し、又はそのまん延を防止するため必要があると認めるときは、特定病原体等を取り扱う事業者の事業を所管する大臣に対し、当該事業者による特定病原体等の適正な取扱いを確保するために必要な措置を講ずることを要請することができることとしている（第六項）。

○　特定病原体等の取扱いに関する規制については、従来の自然発生的な感染症対策に加えて、生物テロを含めた人為的感染に対処できる感染症対策を講じるものであり、また、特定病原体等の保管状況等の情報管理は、情報漏洩のリスクを考え、極めて厳格に取り扱う必要性があることから、多数の地方自治体等に保有情報を拡散させるべきではなく、国で一元的に措置することとしている。一方、現に特定病原体等による感染症が発生し、まん延した場合において、必要な措置を講ずるに当たっては、感染症法に規定されている対人、対物措置等都道府県衛生部局による協力の必要性が想定され、国と都道府県衛生部局とが連携して対応することによって、より効果的に感染症の発生及びまん延の防止を図ることができる。このため、厚生労働大臣は、感染症の発生を予防し、又はそのまん延を防止するため必要があると認めるときは、都道府県知事に対し、特定病原体等の適切な取扱いを確保するため必要な協力を要請することができることとしている（第七項）。

○　本条第二項の規定による立入り若しくは検査を拒み、妨げ、若しくは忌避し、又は質問に対して陳述せず、若しくは虚偽の陳述をした者は、一年以下の懲役又は百万円以下の罰金に処せられる（第七十二条第八号）。

第十二章　感染症及び病原体等に関する調査及び研究並びに医薬品の研究開発

（感染症及び病原体等に関する調査及び研究並びに医薬品の研究開発の推進）

第五十六条の三十九　国は、第十五条の規定に基づく調査の結果その他のこの法律に基づく調査、届出その他の行為により保有することとなった情報を活用しつつ、感染症の患者の治療によって得られた情報及び検体の提供等の協力を求めることその他の関係医療機関との緊密な連携を確保することにより、感染症の患者に対する良質かつ適切な医療の確保を図るための基盤となる感染症の発病の機構及び感染性、感染症にかかった場合の病状並びに感染症の診断及び治療の方法並びに病原体等に関する調査及び研究を推進するとともに、医薬品の臨床試験の実施等の協力を求めることその他の関係医療機関との緊密な連携を確保することにより、当該基盤となる医薬品の研究開発を推進するものとする。

2　厚生労働大臣は、前項に規定する調査及び研究の成果を適切な方法により感染症の発病の機構及び感染性、感染症にかかった場合の病状並びに感染症の診断及び治療の方法並びに病原体等に関する調査及び研究を行う者、医師その他の関係者に対して積極的に提供するものとする。

3　厚生労働大臣は、第一項に規定する調査及び研究並びに医薬品の研究開発並びに前項の規定による当該調査及び研究の成果の提供に係る事務を国立研究開発法人国立国際医療研究センターその他の機関に委託することができる。
4　厚生労働大臣は、第二項の規定により第一項に規定する調査及び研究の成果を提供するに当たっては、個人情報の保護に留意しなければならない。

〔解　説〕

○　感染症法第三条第三項では、「国は、感染症及び病原体等に関する情報の収集及び研究並びに感染症に係る医療のための医薬品の研究開発の推進及び当該医薬品の安定供給の確保、病原体等の検査の実施等を図るための体制を整備」することとされている。令和四年改正により、「医薬品の安定供給の確保」が追加された。

○　他方で、新型コロナウイルス感染症（COVID−19）での対応においては、ウイルスの変異等のゲノム情報及び症例データ等の臨床情報を一元的に管理・活用できる基盤を創設し、研究・開発スピードを加速することが必要である等の指摘があった。こうした指摘等を踏まえ、今後新たに発生する感染症に対し根拠のある対策を迅速にとるために、厚生労働省において、臨床情報・検体等を迅速に収集し一元的に情報を管理する基盤整備事業を行っている。

○　また、新型コロナウイルス感染症（COVID−19）の感染拡大に伴い、その治療目的の医薬品について、研究開発を迅速に行い、医療提供を開始することが求められたが、医療体制がひっ迫する中で医療機関の研究開発（治験）への協力が進まないことや、製薬企業による個々の医療機関との交渉に時間を要するといった課題があったことを踏まえ、平時より医療機関に対し、研究開発（治験）への協力を求め、製薬企業から相談があった場合には、国立研究開発法人国立国際医療研究センターその他の機関が、一元的に協力医療機関を紹介できるようにすることで、研究開発の早期化を図る必要がある。

○　本条は、

・　国は、積極的疫学調査等で得た情報を活用しつつ、感染症の患者の治療によって得られた情報及び検体の提供等の協力を求めることその他の関係医療機関との緊密な連携を確保することにより、感染症の発病の機構、感染性、病状、病原体等に関する調査・研究を推進するとともに、医薬品の臨床試験の実施等の協力を求めることその他の関係医療機関との緊密な連携を確保することにより、当該基盤となる医薬品の研究開発を推進すること（第一項）

・　厚生労働大臣は、前記の調査研究の成果を研究者等に積極的に提供すること（個人情報の保護に配慮することも規定）（第二項・第四項）

・　厚生労働大臣は、前記の調査研究・医薬品の研究開発やその成果の提供に必要な事務を国立国際医療研究センターその他の機関に委託できること（第三項）

を規定しており、もって、関係機関が緊密に連携しつつ、制度上の根拠に基づき、感染症に関する調査研究・医薬品の研究開発を推進することを企図するものである。

〔参　考〕

第五十六条の三十九第三項は、令和五年六月七日法律第四十七号第八条により、次のように改正される。（令和五年六月七日から起算して三年を超えない範囲内において政令で定める日施行）

傍線＝改正箇所

3　厚生労働大臣は、第一項に規定する調査及び研究並びに医薬品の研究開発並びに前項の規定による当該調査及び研究の成果の提供に係る事務を国立健康危機管理研究機構その他の機関に委託することができる。

（患者に対する良質かつ適切な医療の確保のための調査及び研究）

第五十六条の四十　厚生労働大臣は、患者に対する良質かつ適切な医療の確保に資するため、第四十四条の三の六及び第五十条の七の規定による届出により保有することとなった情報その他の厚生労働省令で定める感染症に関する情報（以下「感染症関連情報」という。）について調査及び研究を行う。

〔解　説〕

○　第五十六条の四十では、新型インフルエンザ等感染症、指定感染症、新感染症といった国民の生命及び健康に重大な影響を与えるおそれがある感染症を念頭に、感染症の重症度や経時的な病状把握等の分析に資する情報把握を進めるため、厚生労働大臣は、第四十四条の三の六及び第五十条の七の規定による届出により保有することとなった情報その他の厚生労働省令で定める感染症に関する情報（以下「感染症関連情報」という。）について調査及び研究を行うものとすることを規定している。

○　なお、第五十六条の三十九については、感染症の発病の機構等に関して、研究機関等における調査研究の推進を主な目的とするとともに、新型コロナウイルス感染症（COVID-19）対応における当該研究の国立研究開発法人国立国際医療研究センターへの委託事業についての規定であり、主に個別の症例を集積し深掘りしていくことを想定したものとなっている。他方で、本条は、感染症の重症度、ワクチン・治療薬の有効性等に関して、研究機関等のほか厚生労働省における情報把握を主な目的とするとともに、次条以降の規定と併せて、匿名化した大量の症例に係る情報を他の情報と連結解析することを想定したものとなっている。そのため、それぞれの研究の射程が異なることから、第五十六条の三十九とは別に規定している。

（国民保健の向上のための匿名感染症関連情報の利用又は提供）

第五十六条の四十一　厚生労働大臣は、国民保健の向上に資するため、匿名感染症関連情報（感染症関連情報に係る患者その他の厚生労働省令で定める者（次条において「本人」という。）を識別すること及びその作成に用いる感染症関連情報を復元することができないようにするために厚生労働省令で定める基準に従い加工した感染症関連情報をいう。以下同じ。）を利用し、又は厚生労働省令で定めるところにより、次の各号に掲げる者であって、匿名感染症関連情報の提供を受けて行うことについて相当の公益性を有すると認められる業務としてそれぞれ当該各号に定めるものを行うものに提供することができる。

一　国の他の行政機関及び地方公共団体　適正な保健医療サービスの提供に資する施策の企画及び立案に関する調査

二　大学その他の研究機関　疾病の原因並びに疾病の予防、診断及び治療の方法に関する研究その他の公衆衛生の向上及び増進に関する研究

三　民間事業者その他の厚生労働省令で定める者　医療分野の研究開発に資する分析その他の厚生労働省令で定める業務（特定の商品又は役務の広告又は宣伝に利用するために行うものを除く。）

2　厚生労働大臣は、前項の規定による匿名感染症関連情報の利用又は提供を行う場合には、当該匿名感染症関連情報を高齢者の医療の確保に関する法律第十六条の二第一項に規定する匿名医療保険等関連情報その他の厚生労働省令で定めるものと連結して利用し、又は連結して利用することができる状態で提供することができる。

3　厚生労働大臣は、第一項の規定により匿名感染症関連情報を提供しようとする場合には、あらかじめ、厚生科学審議会の意見を聴かなければならない。

〔解　説〕

○　第十二章中第五十六条の四十一以降の規定は、感染症情報の提供及び感染症情報と他の医療情報との連結解析に関する規定である。

○　感染症法の規定に基づき収集した情報を用いて国は感染症対策を行うが、これらの情報を研究機関等に提供することで研究が進むこと、また、例えば診療情報と連結解析することにより、感染症の予後の状態を知ることができるため、より効果的な感染症対策を講じることができると期待される。

○　第五十六条の四十一では、厚生労働大臣は、匿名感染症関連情報について、

・　国民保健の向上に資するため利用し、又は相当の公益性を有する分析等を目的とする者に提供することができること（第一項）。

・　同項の規定による利用又は提供を行う場合には、匿名医療保険等関連情報その他の厚生労働省令で定めるものと連結して利用することができる状態で提供することができること（第二項）。

を規定している。

○　また、匿名感染症関連情報の提供の可否決定の基準となる相当の公益性の判断については、国による事実関係等の確認だけでなく、医療分野における専門的な知見を有した者による、個々の事例に則した利用目的や利用内容、成果の公表の有無等を踏まえた総合的な審査が必要となることから、相当の公益性について確認するとともに、不適切利用による個人の権利利益の侵害防止を図るため、匿名感染症関連情報の提供の可否に関し、厚生労働大臣が厚生科学審議会から意見を聴く旨を規定している（第三項）。

（照合等の禁止）

第五十六条の四十二　前条第一項の規定により匿名感染症関連情報の提供を受け、これを利用する者（以下「匿名感染症関連情報利用者」という。）は、匿名感染症関連情報を取り扱うに当たっては、当該匿名感染症関連情報の作成に用いられた感染症関連情報に係る本人を識別するために、当該感染症関連情報から削除された記述等（文書、図画若しくは電磁的記録（電磁的方式（電子的方式、磁気的方式その他人の知覚によっては認識することができない方式をいう。）で作られる記録をいう。）に記載され、若しくは記録され、又は音声、動作その他の方法を用いて表された一切の事項をいう。）若しくは匿名感染症関連情報の作成に用いられた加工の方法に関する情報を取得し、又は当該匿名感染症関連情報を他の情報と照合してはならない。

（消去）

第五十六条の四十三　匿名感染症関連情報利用者は、提供を受けた匿名感染症関連情報を利用する必要がなくなったときは、遅滞なく、当該匿名感染症関連情報を消去しなければならない。

（安全管理措置）

第五十六条の四十四　匿名感染症関連情報利用者は、匿名感染症関連情報の漏えい、滅失又は毀損の防止その他の当該匿名感染症関連情報の安全管理のために必要かつ適切なものとして厚生労働省令で定める措置を講じなければならない。

（利用者の義務）

第五十六条の四十五　匿名感染症関連情報利用者又は匿名感染症関連情報利用者であった者は、匿名感染症関連情報の利用に関して知り得た匿名感染症関連情報の内容をみだりに他人に知らせ、又は不当な目的に利用してはならない。

〔解　説〕

○　第五十六条の四十二から第五十六条の四十五までの規定は、匿名感染症関連情報の利用者に対する義務等についての規定である。

○　匿名感染症関連情報は、特定の患者が識別できないよう加工が施されているものであるが、悪意のある者が匿名感染症関連情報の提供を受け、かつ他の情報との照合を行うことにより、特定の患者が推定できる可能性を完全に排除することはできない。

○　また、匿名感染症関連情報の提供を受けた者（以下「情報利用者」という。）におけるセキュリティ対策が不十分であることによる情報漏洩や、提供を受けた目的と異なる不適切な利用が行われれば、本制度に対する国民からの信頼が失墜し、匿名感染症関連情報の収集が困難となるおそれもある。

○　このような事態を回避するため、情報利用者に対し、特定の患者の情報であることを識別することを目的とする他の情報との照合禁止や、適切な管理等の必要な義務を設けている。具体的には、第五十六条の四十一第一項の規定により提供を受けた匿名感染症関連情報の取扱い等に関して、以下の規定を設けている。

・　患者本人を識別する目的での匿名感染症関連情報と他の情報との照合等の禁止（第五十六条の四十二）
・　利用する必要がなくなった場合の匿名感染症関連情報の消去（第五十六条の四十三）
・　当該情報の漏洩等の防止のための安全管理措置（第五十六条の四十四）
・　当該情報の不当利用等の禁止（第五十六条の四十五）

（立入検査等）

第五十六条の四十六　厚生労働大臣は、この章（第五十六条の三十九及び第五十六条の四十を除く。）の規定の施行に必要な限度において、匿名感染症関連情報利用者（国の他の行政機関を除く。以下この項及び次条において同じ。）に対し報告若しくは帳簿書類の提出若しくは提示を命じ、又は当該職員に関係者に対して質問させ、若しくは匿名感染症関連情報利用者の事務所その他の事業所に立ち入り、匿名感染症関連情報利用者の帳簿書類その他の物件を検査させることができる。

2　第三十五条第二項及び第三項の規定は、前項の規定による立入検査について準用する。

（是正命令）

第五十六条の四十七　厚生労働大臣は、匿名感染症関連情報利用者が第五十六条の四十二から第五十六条の四十五までの規定に違反していると認めるときは、その者に対し、当該違反を是正するため必要な措置をとるべきことを命ずることができる。

〔解　説〕

○　第五十六条の四十六及び第五十六条の四十七は義務違反に係る立入検査及び是正命令に関する規定である。

○　情報利用者に対しては、第五十六条の四十二から第五十六条の四十五までの匿名感染症関連情報の取扱いに関する義務等が課されることとなるが、こうした義務の適切な履行を図るため、厚生労働大臣による立入検査や是正命令に関する必要な規定を設けた。

○　第五十六条の四十二から第五十六条の四十五までの規定に基づく情報利用者の義務として、具体的には、厚生労働大臣から提供を受けた匿名感染症関連情報を管理する設備や人員体制に関するものを設けることを想定しているが、その履行状況について、個々の実態を正確に把握し、違反内容に則した個別具体的な是正命令等を行うことを可能とするため、報告徴収だけでなく、情報利用者の事業所等に実際に立入検査を行うこともできることとした（第五十六条の四十六）。

○　また、違反等の事実が発覚した場合に、当該違反等を是正することで、情報に係る個人の権利利益の侵害の防止と、本制度に対する国民からの信頼の確保を図るため、違反行為に対し、厚生労働大臣が是正命令をすることができる旨の規定を設けた（第五十六条の四十七）。

○　なお、公権力の行使に当たる立入検査や是正命令は、一般的に、公益上必要な限りにおいて最小限度のものとすべきとされており、国の行政機関も対象に含めて立入検査等の規定を設けている他法令の例が、私的独占の禁止及び公正取引の確保に関する法律（昭和二十二年法律第五十四号）（官製談合の防止の観点）や行政手続における特定の個人を識別するための番号の利用等に関する法律（平成二十五年法律第二十七号）（特定個人情報の保護措置の観点）等、その性質上極めて必要性の高いものに限られることを踏まえ、感染症法の立入検査や是正命令の対象からは国の行政機関を除外することとした。

（支払基金等への委託）
第五十六条の四十八　厚生労働大臣は、第五十六条の四十に規定する調査及び研究並びに第五十六条の四十一第一項の規定による匿名感染症関連情報の利用又は提供に係る事務の全部又は一部を、支払基金、国保連合会その他厚生労働省令で定める者（次条第一項及び第三項において「支払基金等」という。）に委託することができる。

〔解　説〕

○　第五十六条の四十八の規定は、支払基金等への委託に関する規定である。

○　支払基金及び国保連合会は、高齢者の医療の確保に関する法律第十六条第一項の規定により厚生労働大臣が行う医療保険等関連情報を用いた調査及び分析について厚生労働大臣から委託を受け業務を行う立場にあり、医療保険等関連情報等の特質やそれを踏まえた取扱いに関し高い専門性を有している。医療保険等関連情報は、被保険者等の診療日、診療内容等の記録を含むものであり、発症日、陽性判明時の診療内容等を含む感染症関連情報とその内容が類似していることから、感染症関連情報を用いた感染症の治療の方法等に関する調査及び研究に係る事務を適切に行うことが期待できる。

○　また、支払基金及び国保連合会は、匿名医療保険等関連情報の利用及び提供に係る事務の委託を受けることができるとされており、支払基金及び国保連合会の匿名医療保険等関連情報及び匿名感染症関連情報の一体的利用及び提供の観点から、匿名感染症関連情報の利用及び提供に係る事務も支払基金及び国保連合会に委託することができることとするのが適当である。

○　そこで、支払基金、国保連合会その他の厚生労働省令で定める者（以下「支払基金等」という。）に対し、第五十六条の四十第一項の調査及び研究並びに第五十六条の四十一第一項の利用又は提供に係る事務の全部又は一部を委託することができることとされている。

○　具体的には、支払基金が運用する医療介護データ等の解析基盤の利用等を想定している。

○　なお、支払基金等が厚生労働大臣からの委託を受けて行う第五十六条の四十第一項の調査及び研究並びに感染症法第五十六条の四十一第一項の利用又は提供に係る事務については、支払基金法第十五条第一項第八号及び国民健康保険法第八十五条の三第三項の「国民の保健医療の向上及び福祉の増進並びに医療費適正化に資する情報の収集、整理及び分析並びにその結果の活用の促進に関する事務〔業務〕」であると解される。

（手数料）

第五十六条の四十九　匿名感染症関連情報利用者は、実費を勘案して政令で定める額の手数料を国（前条の規定により厚生労働大臣からの委託を受けて、支払基金等が第五十六条の四十一第一項の規定による匿名感染症関連情報の提供に係る事務の全部を行う場合にあっては、支払基金等）に納めなければならない。

２　厚生労働大臣は、前項の手数料を納めようとする者が都道府県その他の国民保健の向上のために特に重要な役割を果たす者として政令で定める者であるときは、政令で定めるところにより、当該手数料を減額し、又は免除することができる。

３　第一項の規定により支払基金等に納められた手数料は、支払基金等の収入とする。

〔解　説〕

○　第五十六条の四十九は手数料に関して規定している。

○　匿名感染症関連情報の提供には、個々の申出に対応する作業量に応じた費用が発生する。情報利用者に受益が発生することも考慮すれば、当該者がその費用を負担することが適当であるため、当該者が手数料を納めることを規定する（第一項）。

○　ただし、我が国の保健医療の向上に資する公益性の高い利用が確保されることが重要であるため、こうした利用に関しては、手数料を減額又は免除することができることを規定する（第二項）。

○　また、支払基金等に納められた手数料は、支払基金等の収入とする（第三項）。

第十三章　費用負担

（市町村の支弁すべき費用）

第五十七条　市町村は、次に掲げる費用を支弁しなければならない。

一　第二十七条第二項の規定により市町村が行う消毒（第五十条第一項の規定により実施される場合を含む。）に要する費用

二　第二十八条第二項の規定により市町村が行うねずみ族、昆虫等の駆除（第五十条第一項の規定により実施される場合を含む。）に要する費用

三　第二十九条第二項の規定により市町村が行う消毒（第五十条第一項の規定により実施される場合を含む。）に要する費用

四　第三十一条第二項の規定により市町村が行う生活の用に供される水の供給（第五十条第一項の規定により実施される場合を含む。）に要する費用

五　第五十三条の二第一項の規定により、事業者である市町村又は市町村の設置する学校若しくは施設の長が行う定期の健康診断に要する費用

六　第五十三条の二第三項の規定により市町村長が行う定期の健康診断に要する費用

（都道府県の支弁すべき費用）

第五十八条　都道府県は、次に掲げる費用を支弁しなければならない。

一　第十四条、第十四条の二、第十五条（第二項及び第六項を除く。）、第十五条の二、第十五条の三、第十六条第一項、第十六条の三第一項、第三項若しくは第七項から第十項まで、第四十四条の三の五第三項から第五項まで、第四十四条の十一第一項、第三項若しくは第五項から第八項まで又は第五十条の六第三項から第五項までの規定により実施される事務（第十五条の三第一項の規定により実施される事務については同条第五項の規定により厚生労働大臣が代行するものを除く。）に要する費用

二　第十七条又は第四十五条の規定による健康診断に要する費用

三　第十八条第四項、第二十二条第四項（第二十六条において準用する場合を含む。）又は第四十八条第四項の規定による確認に要する費用

四　第二十一条（第二十六条において準用する場合を含む。）又は第四十七条の規定による移送に要する費用

四の二　第二十六条の三第一項若しくは第三項（これらの規定を第四十四条の三の五第六項及び第五十条の六第六項において準用する場合を含む。）の規定による検体若しくは感染症の病原体の受理若しくは収去（これらが第五十条第一項の規定により実施される場合を含む。）又は第二十六条の三第五項から第八項まで（これらの規定を第五十条第二項において準用する場合を含む。）の規定により実施される事務に要する費用

四の三　第二十六条の四第一項若しくは第三項の規定による検体の受理若しくは採取（これらが第五十条第一項の規定により実施される場合を含む。）又は第二十六条の四第五項から第八項まで（これらの規定を第五十条第三項において準用する場合を含む。）の規定により実施される事務に要する費用

五　第二十七条第二項の規定による消毒（第五十条第一項の規定により実施される場合を含む。）に要する費用

六　第二十八条第二項の規定によるねずみ族、昆虫等の駆除（第五十条第一項の規定により実施される場合を含む。）に要する費用

七　第二十九条第二項の規定による措置（第五十条第一項の規定により実施される場合を含む。）に要する費用

八　第三十二条第二項の規定による建物に係る措置（第五十条第一項の規定により実施される場合を含む。）に要する費用

九　第三十三条の規定による交通の制限又は遮断（第五十条第一項の規定により実施される場合を含む。）に要する費用

十　第三十六条の二第一項各号、第三十六条の三第一項第一号及び第三十六条の六第一項第一号に掲げる措置に要する費用（第三十六条の二第一項、第三十六条の三第一項第三号及び第三十六条の六第一項第三号の規定により都道府県が負担する部分に限る。）

十一　第三十七条第一項の規定により負担する費用

十二　第三十七条の二第一項の規定により負担する費用

十三　第四十二条第一項の規定による療養費の支給に要する費用
十四　第四十四条の三の二第一項及び第五十条の三第一項の規定により負担する費用
十五　第四十四条の三の三第一項及び第五十条の四第一項の規定による療養費の支給に要する費用
十六　第四十四条の四の三（第四十四条の八において準用する場合を含む。）及び第五十一条の三の規定により負担する費用
十七　第五十三条の二第一項の規定により、事業者である都道府県又は都道府県の設置する学校若しくは施設の長が行う定期の健康診断に要する費用
十八　第五十三条の十三の規定により保健所長が行う精密検査に要する費用

（事業者の支弁すべき費用）

第五十八条の二　事業者（国、都道府県及び市町村を除く。）は、第五十三条の二第一項の規定による定期の健康診断に要する費用を支弁しなければならない。

（学校又は施設の設置者の支弁すべき費用）

第五十八条の三　学校又は施設（国、都道府県又は市町村の設置する学校又は施設を除く。）の設置者は、第五十三条の二第一項の規定により、学校又は施設の長が行う定期の健康診断に要する費用を支弁しなければならない。

（都道府県の負担）

第五十九条　都道府県は、第五十七条第一号から第四号までの費用に対して、政令で定めるところにより、その三分の二を負担する。

（都道府県の補助）

第六十条　都道府県は、第五十八条の三の費用に対して、政令で定めるところにより、その三分の二を補助するものとする。

2　都道府県は、第一種感染症指定医療機関又は第二種感染症指定医療機関の設置者に対し、政令で定めるところにより、第一種感染症指定医療機関又は第二種感染症指定医療機関の設置及び運営に要する費用の全部又は一部を補助することができる。

3　都道府県は、第三十六条の二第一項各号に掲げる措置を講ずる公的医療機関等、地域医療支援病院及び特定機能病院並びに医療措置協定を締結した医療機関又は検査等措置協定を締結した病原体等の検査を行っている機関等の設置者に対し、政令で定めるところにより、これらの医療機関又は病原体等の検査を行っている機関等の設置に要する費用の全部又は一部を補助することができる。

（国の負担）

第六十一条　国は、第四十四条の四の二第五項及び第六項（これらの規定を第四十四条の八において準用する場合を含む。）並びに第五十一条の二第五項及び第六項の規定による応援に要する費用（第五十八条の規定により都道府県が支弁する同条第十六号の費用を除く。）並びに第五十五条の規定による輸入検疫に要する費用（輸入検疫中の指定動物の飼育管理費を除く。）を負担しなければならない。

2　国は、第五十八条第十一号の費用、同条第十三号の費用（第三十七条の二第一項に規定する厚生労働省令で定める医療に係るものを除く。）並びに第五十八条第十四号及び第十五号の費用に対して、政令で定めるところにより、その四分の三を負担する。

３　国は、第五十八条第一号から第九号まで及び第十八号並びに第五十九条の費用に対して、政令で定めるところにより、その二分の一を負担する。

（国の補助）

第六十二条　国は、第五十八条第十号及び第十六号の費用に対して、政令で定めるところにより、その四分の三を補助するものとする。

２　国は、第五十八条第十二号の費用及び同条第十三号の費用（第三十七条の二第一項に規定する厚生労働省令で定める医療に係るものに限る。）に対して、政令で定めるところにより、その二分の一を補助するものとする。

３　国は、第六十条第二項及び第三項の費用に対して、政令で定めるところにより、その二分の一以内を補助することができる。

４　国は、特定感染症指定医療機関の設置者に対し、政令で定めるところにより、予算の範囲内で、特定感染症指定医療機関の設置及び運営に要する費用の一部を補助することができる。

〔解　説〕

○　第五十七条から第六十二条までは、費用負担に関するもののうち、地方自治体が支弁する費用の負担及び国、都道府県の負担並びに補助について規定した条文である。規定の順番は、市町村、都道府県、国の順であり、その中では、支弁、負担金、補助金の順に規定している。本法における負担金についての基本的な考え方は、措置をした者が費用を支弁し、支弁した者が市町村の場合は都道府県及び国がその費用の一部を、支弁した者が都道府県の場合は国がその一部を負担することとしている。

○　最終的な費用の負担割合は、後述の例外を除き以下のとおりである。なお、流行初期医療確保措置等の費用負担については、第三十六条の十一から第三十六条の十三までにおいて、別途規定している。

①　市町村が措置をするもの（第五十七条）については、国：都道府県：市町村＝一：一：一

②　医療費以外の都道府県が措置するもの（第五十八条第一号から第十号、第十六号から第十八号まで）については、国：都道府県＝一：一

③　医療費（第五十八条第十一号、第十三号から第十五号まで）については、国：都道府県＝三：一

なお、費用の負担等については、次のとおり特段の定めがされている。

❶　第十五条の三第一項の規定により都道府県知事が実施することとされている事務について、同条第五項の規定により厚生労働大臣が代行する場合において発生した費用は、国の負担すべき費用である（第五十八条第一号）。

❷　事業者である市町村又は市町村の設置する学校若しくは施設の長が行う結核に係る定期の健康診断（第五十三条の二第一項）に要する費用及び市町村が一般住民に対して行う結核に係る定期の健康診断（同条第三項）に要する費用は、市町村の支弁すべき費用であるが、市町村が最終的な費用を負担する（市町村の一般財源によって措置されるものである）（第五十七条第五号、第六号）。

❸　結核医療に係る適正医療費（第三十七条の二）につき負担する費用、結核患者の一般医療に係る療養費の支給（第四十二条）に要する費用、事業者である都道府県又は都道府県の設置する学校若しくは施設の長が行う結核に係る定期の健康診断（第五十三条の二第一項）に要する費用、保健所長が行う結核登録患者に対する精密検査（第五十三条の十三）に要する費用は、都道府県の支弁すべき費用である（第五十八条第十二号、第十三号、第十七号、第十八号）。

❹　事業者（国、都道府県及び市町村を除く。）が行う結核に係る定期の健康診断（第五十三条の二第一項）に要する費用は、事業者の支弁すべき費用である（第五十八条の二）。

❺　学校又は施設（国、都道府県又は市町村が設置する学校又は施設を除く。）の長が行う結核に係る定期の健康診断（第五十三条の二第一項）に要する費用は、学校又は施設の設置者の支弁すべき費用である（第五十八条の三）。なお、支弁規定については、感染症法に基づき実施される定期の健康診断については、必ずしも（民間の）事業者や地方自治体が支弁すべきことが明らかとはいえず、また、地方自治体については支弁根拠を明確にする趣旨から、これらのものが支弁する旨を規定している。一方、国については、支弁することに紛れは生ずることはないので、規定していない。

❻　都道府県は、学校又は施設の設置者の支弁すべき費用に対して、その三分の二を補助するものとする（第六十条第一項）。

❼　国は、都道府県の支弁すべき費用（保健所長が行う精密検査に要する費用）に対して、その二分の一を負担するものとする（第六十一条第三項）。

❽　国は、

・　通知に基づき公的医療機関等並びに地域医療支援病院及び特定機能病院が実施する措置（第三十六条の二第一項各号）、医療措置協定を締結した医療機関が実施する措置（第三十六条の三第一項第一号）及び検査等措置協定を締結した病原体等の検査を行っている機関等が実施する措置（第三十六条の六第一項第一号）に要する費用（都道府県が負担する部分に限る。）（第五十八条第十号）

・　新型インフルエンザ等感染症、指定感染症又は新感染症に関し、他の都道府県知事等の応援を受けた場合の応援に要する費用（第五十八条第十六号）

については、

・　当該措置は、全て感染拡大防止に必要な対策として必須のものであり、感染症発生及びまん延時における感染症対策の根幹であること

・　国の責任に鑑み、その補助率は一般の補助利率の体系の中で最高水準の補助率に位置づけられる必要があること。

・　当該措置は、緊急性が高く感染状況に応じて、臨時的及び一時的に行う必要があるものであり、時期を逃さずに対応する必要性があることから、迅速性の観点から補助事業とすることが望ましいことから、四分の三を補助するものとする（第六十二条第一項）。

❾　国は、都道府県の支弁すべき費用（結核患者の一般医療に係る医療費負担、療養費（結核患者の一般医療に係る療養費に限る。）に対して、その二分の一を補助するものとする（第六十二条第二項）。

○　動物の輸入検疫に要する費用は、国が負担することとなるが、輸入検疫中の動物の飼育管理費は、輸入者の負担となる（第六十一条第一項）。

○　感染症指定医療機関に対する補助については、①特定感染症指定医療機関については国が直接的に（第六十二条第四項）、②第一種又は第二種感染症指定医療機関については、都道府県が直接的に（第六十条第二項）、国が間接的（第六十二条第三項）に補助することとなる。すなわち指定権者が直接補助することとされているのである。具体的な内容は政令に委ねられている（令第二十六条、第二十八条）。

○　また、第三十六条の二第一項各号に掲げる措置を講ずる公的医療機関等、地域医療支援病院及び特定機能病院並びに医療措置協定を締結した医療機関又は検査等措置協定を締結した病原体等の検査を行っている機関等については、他の感染症指定医療機関の設備整備と同様に、都道府県が全部又は一部を補助（国は都道府県の支弁の二分の一以内を補助）することとなる。具体的な内容は政令に委ねられている。

（費用の徴収）

第六十三条　市町村長は、第二十七条第二項の規定により、当該職員に一類感染症、二類感染症、三類感染症、四類感染症若しくは新型インフルエンザ等感染症の患者がいる場所又はいた場所、当該感染症に係る死体がある場所又はあった場所その他当該感染症の病原体に汚染された場所又は汚染された疑いがある場所を消毒させた場合（第五十条第一項の規定により実施された場合を含む。）は、当該患者若しくはその保護者又はその場所の管理をする者若しくはその代理をする者から消毒に要した実費を徴収することができる。

2　市町村長は、第二十八条第二項の規定により、当該職員に一類感染症、二類感染症、三類感染症又は四類感染症の病原体に汚染され、又は汚染された疑いがあるねずみ族、昆虫等を駆除させた場合（第五十条第一項の規定により実施された場合を含む。）は、当該ねずみ族、昆虫等が存在する区域の管理をする者又はその代理をする者からねずみ族、昆虫等の駆除に要した実費を徴収することができる。

3　市町村長は、第二十九条第二項の規定により、当該職員に一類感染症、二類感染症、三類感染症、四類感染症又は新型インフルエンザ等感染症の病原体に汚染され、又は汚染された疑いがある飲食物、衣類、寝具その他の物件を消毒させた場合（第五十条第一項の規定により実施された場合を含む。）は、当該飲食物、衣類、寝具その他の物件の所持者から消毒に要した実費を徴収することができる。

4　前三項の規定は、都道府県知事が、第二十七条第二項に規定する消毒、第二十八条第二項に規定するねずみ族、昆虫等の駆除又は第二十九条第二項に規定する消毒の措置を当該職員に実施させた場合について準用する。

〔解　説〕

○　第六十三条は、費用の徴収に関して規定した条文である。旧伝染病予防法では、私人が義務を履行しない場合は、行政がこれを代執行し、当該履行にかかった費用を義務者から徴収することができることとされていた（旧伝染病予防法第二十六条、第二十七条）。本法では、私人が措置を実行する義務を履行しない場合は、迅速性の確保等の観点から代執行という方法ではなく、行政が直接当該措置を実施することができることとしている（第二十七条第二項、第二十八条第二項、第二十九条第二項）。しかしながら、本来は当該私人が履行すべき措置であることから当該履行にかかった費用を当該私人に負担させるため、実費を徴収できることとした。

○　費用が徴収できた場合は、当該措置に費用はかからなかったということになり、当然に、第五十七条によって市町村が、又は第五十八条によって都道府県が費用を支弁することはない。

第十四章　雑　則

（厚生労働大臣の指示）

第六十三条の二　厚生労働大臣は、感染症の発生を予防し、又はそのまん延を防止するため緊急の必要があると認めるときは、都道府県知事に対し、この法律（第八章を除く。次項において同じ。）又はこの法律に基づく政令の規定により都道府県知事が行う事務に関し必要な指示をすることができる。

2　厚生労働大臣は、前項の規定によるほか、都道府県知事がこの法律若しくはこの法律に基づく政令の規定に違反し、又はこれらの規定に基づく事務の管理若しくは執行を怠っている場合において、新型インフルエンザ等感染症若しくは指定感染症（第四十四条の七第一項の規定による公表が行われたものに限る。）の発生を予防し、又はその全国的かつ急速なまん延を防止するため特に必要があると認めるときは、当該都道府県知事に対し、この法律又はこの法律に基づく政令の規定により都道府県知事が行う地方自治法（昭和二十二年法律第六十七号）第二条第九項第一号に規定する第一号法定受託事務（第六十五条及び第六十五条の二において「第一号法定受託事務」という。）に関し必要な指示をすることができる。

〔解　説〕

○　第六十三条の二は、厚生労働大臣の都道府県知事が行う事務に関する指示についての規定である。本法では、感染症の発生の予防及びまん延の防止の措置は、感染症の発生状況に即してきめ細かく対応することが必要であるため、第一義的には、地域の実情に即応して迅速に判断し、権限を行使できる都道府県の事務としている。

○　一方、感染症が都道府県の区域を越えて発生し、又は発生するおそれがあるような場合、接触者調査の実施や患者等の移送等について、複数の都道府県の間で連携して対応することが必要であり、緊急に必要があるときは、国が都道府県の間の事務を調整し、事務の実施を含めた指示を行うことが必要であることから、厚生労働大臣は、感染症の発生の予防及びまん延を防止するため緊急の必要があると認めるときは、感染症に関し本法の規定により都道府県知事が行うこととされている事務に関し、必要な指示をすることができることとした（第一項）。

○　また、新型コロナウイルス感染症（COVID-19）が発生した当初などにおいて、一部の地方自治体から必要なデータが提供されず、国が当該感染症の実態を適切に把握しきれない事態が生じたという指摘もあったため、データの収集等、必ずしも「緊急の必要がある」とは言えない場合であっても、都道府県知事に法令違反がある場合や事務の管理、執行を怠っている場合であって特に必要があると認めるときは、厚生労働大臣は必要な指示ができることとした（第二項）。

○　なお、「必要な指示」には、厚生労働大臣が都道府県知事に対して、当該事務の実施方法等に関する一般的指示及び個別的指示のみならず、当該事務を行っていない場合に当該事務を行うよう指示することも含まれる。

（都道府県知事による総合調整）

第六十三条の三　都道府県知事は、当該都道府県知事が管轄する区域の全部又は一部において、感染症の発生を予防し、又はそのまん延を防止するため必要があると認めるときは、市町村長、医療機関、感染症試験研究等機関その他の関係者（以下この条において「関係機関等」という。）に対し、第十九条若しくは第二十条（これらの規定を第二十六条において準用する場合を含む。）又は第四十六条の規定による入院の勧告又は入院の措置その他関係機関等が実施する当該区域の全部又は一部に係る感染症の発生を予防し、又はそのまん延を防止するために必要な措置に関する総合調整を行うものとする。

2　保健所設置市等の長は、必要があると認めるときは、都道府県知事に対し、当該保健所設置市等の長及び他の関係機関等について、前項の規定による総合調整を行うよう要請することができる。この場合において、都道府県知事は、必要があると認めるときは、同項の規定による総合調整を行わなければならない。

3　第一項の場合において、関係機関等は、同項の規定による総合調整に関し、都道府県知事に対して意見を申し出ることができる。

4　都道府県知事は、第一項の規定による総合調整を行うため必要があると認めるときは、関係機関等に対し、それぞれ当該関係機関等が実施する当該都道府県知事が管轄する区域の全部又は一部に係る感染症の発生を予防し、又はそのまん延を防止するために必要な措置の実施の状況について報告又は資料の提出を求めることができる。

〔解　説〕

○　第六十三条の三は、都道府県知事による総合調整について規定した条文である。

○　入院の勧告・措置は保健所設置自治体単位で行われる事務である一方、新型コロナウイルス感染症（COVID-19）での対応を踏まえれば、感染力が高く、病床のひっ迫が発生しうる場合には、保健所設置自治体単位で受入機関を調整すると、病床が効率的に配分されないおそれがあることから、重症化リスクのある者を優先的に入院させるため、都道府県知事に域内の重症化リスクのある者の発生状況と病床の状況（空き病床数、人工呼吸器の空き状況等）の双方を把握させ、広域で受入機関を調整させる必要がある。

○　また、入院のみならず、事前の体制整備や感染症発生及びまん延時における人材確保等の観点から、平時から、感染症対策全般について、都道府県が広域的な観点から調整を行う必要がある。

○　このため、本条においては、都道府県知事は、当該都道府県知事が管轄する区域の全部又は一部において、感染症の発生を予防し、又はそのまん延を防止するため必要があると認めるときは、市町村長、医療機関、感染症試験研究等機関その他の関係者に対し、入院の勧告又は入院の措置その他関係機関等が実施する当該区域の全部又は一部に係る感染症の発生を予防し、又はそのまん延を防止するために必要な措置に関する総合調整を行うものとしている（第一項）。

○　また、保健所設置市・特別区の長は、必要があると認めるときは、都道府県知事に対し、当該保健所設置市・特別区の長及び他の関係機関等について、総合調整を行うよう要請することができる。この場合において、都道府県知事は、必要があると認めるときは、総合調整を行わなければならない（第二項）。

○　また、総合調整が行われる場合に、関係機関等は都道府県知事に対して意見を申し出ることができる（第三項）。

○　さらに、都道府県知事は、総合調整を行うため必要があると認めるときは、関係機関等に対し、それぞれ当該関係機関等が実施する当該都道府県知事が管轄する区域の全部又は一部に係る感染症の発生を予防し、又はそのまん延を防止するために必要な措置の実施の状況について報告又は資料の提出を求めることができる（第四項）。

（都道府県知事の指示）

第六十三条の四　都道府県知事は、新型インフルエンザ等感染症等に係る発生等の公表が行われたときから新型インフルエンザ等感染症等と認められなくなった旨の公表等が行われるまでの間、新型インフルエンザ等感染症、指定感染症又は新感染症の発生を予防し、又はそのまん延を防止するため緊急の必要があると認めるときは、保健所設置市等の長に対し、第十九条若しくは第二十条（これらの規定を第二十六条において準用する場合を含む。）又は第四十六条の規定による入院の勧告又は入院の措置に関し必要な指示をすることができる。

〔解　説〕

○　第六十三条の四は、都道府県知事の指示についての条文である。新型コロナウイルス感染症（COVID-19）対応においては、入院調整について、保健所業務がひっ迫する中、都道府県や保健所設置市・特別区との間で調整が難航した事例があった。

○　令和四年改正により、都道府県知事は、新型インフルエンザ等感染症等に係る発生等の公表が行われたときから新型インフルエンザ等感染症等と認められなくなった旨の公表等が行われるまでの間、新型インフルエンザ等感染症、指定感染症又は新感染症の発生を予防し、又はそのまん延を防止するため緊急の必要があると認めるときは、保健所設置市・特別区の長に対し、入院の勧告又は入院の措置に関し必要な指示をすることができることとしている。

○　なお、新型インフルエンザ等感染症の発生及びまん延時において、都道府県知事は同一の事由に対して、総合調整権限も指示権限も行使できる場合が存在することとなる。この場合については、緊急時における感染症対策の迅速な実行の観点から、都道府県知事における総合調整権限及び指示権限について、先後関係は問われず、都道府県知事は各々の権限の要件を満たせば、同一の事由に対してどちらの権限も行使できることとした。

（保健所設置市等）

第六十四条　保健所設置市等にあっては、第四章から第六章（第一節及び第二節を除く。）まで、第七章から第九章まで及び第十章から前章までの規定（第三十八条第一項、第二項、第五項から第八項まで、第十項及び第十一項（同条第二項、第十項及び第十一項の規定にあっては、結核指定医療機関に係る部分を除く。）、第四十条第三項から第五項まで、第四十三条（結核指定医療機関に係る部分を除く。）、第四十四条の三第十一項（第五十条の二第四項において準用する場合を含む。）、第四十四条の三の五、第四十四条の三の六、第四十四条の四の二及び第四十四条の四の三（これらの規定を第四十四条の八において準用する場合を含む。）、第五十条の六、第五十条の七、第五十一条の二、第五十一条の三、第五十三条の二第三項、第五十三条の七第一項、第五十六条の二十七第七項並びに第六十条第一項から第三項（検査等措置協定に係る部分を除く。）までを除く。）並びに第六十三条の二中「都道府県知事」とあるのは「保健所設置市等の長」と、「都道府県」とあるのは「保健所設置市等」とする。

2　特別区にあっては、第三十一条第二項及び第五十七条（第四号の規定に係る部分に限る。）中「市町村」とあるのは、「都」とする。

〔解　説〕

○　第六十四条は、保健所設置市・特別区が都道府県と同様の立場に立って処理すべき事務に関して規定した条文である。なお、保健所設置市・特別区と都道府県の事務の分担については、法技術的な観点から、第十二条第一項等でも規定されており、併せて参照されたい。

〔参考〕第十二条第一項

第十二条　医師は、次に掲げる者を診断したときは、厚生労働省令で定める場合を除き、第一号に掲げる者については直ちにその者の氏名、年齢、性別その他厚生労働省令で定める事項を、第二号に掲げる者については七日以内にその者の年齢、性別その他厚生労働省令で定める事項を最寄りの保健所長を経由して都道府県知事（保健所設置市等にあっては、その長。以下この章（次項及び第三項、次条第三項及び第四項、第十四条第一項及び第六項、第十四条の二第一項及び第七項、第十五条第十三項並びに第十六条第二項及び第三項を除く。）において同じ。）に届け出なければならない。

一・二　（略）

○　旧伝染病予防法は、市町村に多くの事務権限を委ねているが、これには、以下のような問題点があった。

①　旧伝染病予防法の制定時（明治三十年）と異なり、交通機関の発達に伴う人的・物的移動の広域化に伴い、ごく一定の地域において多数の感染症患者が発生するという従来の集団発生の様態とともに、より広い地域において発生するという様態を想定し対応する必要がある。そうした状況に対応するためには多数の市町村にわたって調整を行う必要が生じる。

②　本法においては、良質かつ適切な医療の提供を一つの理念とするが、一定の医療の質を担保するためには、より統一的な基準が必要と考えられる。

③　有効かつ、人権保障の観点から必要最低限度の感染拡大防止措置を行うためには、専門知識・技術に裏打ちされた行政判断が必要となるが、一般の市町村全てにそのような専門性を期待するのは困難である。

そこで、本法では、以下のような考え方で、事務の実施主体の整理がされている。

❶国：危機管理の観点から必要な事務、国全体の統一的な基準が必要な事務。

❷都道府県：新しい感染症対策における広域性、統一的な基準や市町村の間の連絡調整の必要性及び感染拡大防止措置に

必要な専門性に鑑み、感染症予防事務は原則として都道府県（感染拡大防止措置の専門性が期待される「保健所」を有している地方公共団体（特別区を含む。））を基本とする。

❸指定都市：特に指定都市の区域を越えて行うべき事務以外の都道府県所管の事務。具体的には、市町村への指示事務等以外は都道府県並とする。

❹中核市：都道府県が一体的に行うべき事務以外の都道府県所管の事務。

❺保健所政令市：中核市と同様。

❻市町村：消毒、ねずみ族・昆虫等の駆除、死体に対する措置。ただし前二者については、都道府県知事の指示に従う。

❼特別区：基本的には保健所設置市並。

○　保健所設置市に権限を位置づけていない事務及びその理由は以下のとおりである。

①　指定届出機関の指定（第十四条第一項、第六項）

（理由）正確な感染症の発生動向情報を得るためには、広域的な観点から、指定届出機関を設定する必要があるため。

②　指定提出機関の指定（第十四条の二第一項、第八項）

（理由）より的確な感染症情報の収集のためには、広域的な観点から、指定提出機関を設定する必要があるため。

③　医療措置協定等（第三十六条の二から第三十六条の五まで）

（理由）医療提供体制については、医療計画に基づき広域的な観点から都道府県が調整を行う必要があるため。なお、法技術上第六章第一節（医療措置協定等）を全て第六十四条第一項の適用対象から除いているが、同節中第三十六条の六から第三十六条の八までの検査等措置協定に係る規定については、それぞれ「都道府県知事等」（第十五条第十三項で都道府県知事及び保健所設置市・特別区の長と定義）に関する規定が置かれているとおり、保健所設置市・特別区についても対象である。

④　感染症指定医療機関関係（第三十八条、第四十条、第四十三条）
（理由）感染症指定医療機関は、都道府県（第一種感染症指定医療機関）又は二次医療圏（第二種感染症指定医療機関）に一つ程度必要と考えられており、また第一種協定指定医療機関及び第二種協定指定医療機関は都道府県知事が締結する医療措置協定等に基づくものであり、都道府県知事が広域的な観点から調整を行い、指定をする必要があるため。

⑤　宿泊施設の確保の努力義務（第四十四条の三第十一項（第五十条の二第四項において準用する場合を含む））
（理由）感染症指定医療機関（特定感染症指定医療機関を除く。）の指定（④）と同様、都道府県が広域的な見地から主体となって行うことが適当であるため。なお、保健所設置市・特別区が予防計画に基づき宿泊施設を確保することを妨げるものではない。

⑥　他の都道府県知事等による応援等（第四十四条の四の二及び第四十四条の四の三（これらの規定を第四十四条の八において準用する場合を含む）並びに第五十一条の二及び第五十一条の三）
（理由）医療提供体制については、医療計画に基づき広域的な観点から都道府県が調整を行う必要があるため。

⑦　結核関係（第五十三条の二第三項、第五十三条の七第一項）
（理由）保健所設置市と都道府県との関係を規定している条文であり、保健所設置市の市長に対する都道府県知事の指示、保健所設置市の市長から都道府県知事への通報については、いずれも、広域的な調整等の観点から都道府県知事に所要の権限を位置づけており、都道府県の関与を失わせることとはしていないものであるため。

⑧　感染症対策物資等（第九章の二）
（理由）感染症対策物資等の確保は、我が国における当該物資の需給状況全体を俯瞰して、国において生産指示等を行うものであるため。

⑨　都道府県公安委員会関係

（理由）都道府県公安委員会の権限については、保健所設置市を地域に含む都道府県においても、当然に当該公安委員会に位置づけられており、読替え規定の適用をしないよう本条の適用から除かれているため。

⑩　都道府県の補助関係（第六十条）

（理由）感染症指定医療機関の指定は、都道府県知事が行うため。

⑪　都道府県知事の総合調整（第六十三条の三）

（理由）感染症指定医療機関（特定感染症指定医療機関を除く。）の指定は都道府県知事のみの役割である（④等、医療の提供において、都道府県が広域的な調整機能を果たすことが必要であり、保健所設置自治体単位で受入れ機関を調整すると、病床が効率的に配分されないおそれがあり、広域で受入れ機関を調整させる必要があるため。入院以外の人材や移送等の感染症発生及びまん延時に必要な措置についても、同様に都道府県が広域的な調整を行う必要があるため。

○　なお、第四十四条の三の五及び第五十条の六（新型インフルエンザ等感染症及び新感染症に係る検体の提出）並びに第四十四条の三の六及び第五十条の七（新型インフルエンザ等感染症の患者及び新感染症の所見がある者の退院等の届出）については、法技術上第六十四条第一項の適用から除かれているが、各条において保健所設置市・特別区についても規定をしている。

○　生活の用に供される水の供給については、特別区ではなく東京都がこれを行う（第二項）。これは、水道事業は市町村が行うことが原則とされているが（水道法第六条第二項）、特別区の存する区域においては東京都が行うこととされているためである（水道法第四十九条）。

（大都市等の特例）

第六十四条の二　第三章（第十二条第二項及び第三項、第十三条第三項及び第四項、第十四条第一項及び

第六項、第十四条の二第一項及び第七項、第十五条第十三項並びに第十六条第二項及び第三項を除く。第六十五条第二項において同じ。）及び前条に規定するもののほか、この法律中都道府県が処理することとされている事務（結核の予防に係るものに限る。）で政令で定めるものは、地方自治法第二百五十二条の十九第一項の指定都市（以下「指定都市」という。）及び同法第二百五十二条の二十二第一項の中核市（以下「中核市」という。）においては、政令で定めるところにより、指定都市又は中核市（以下「指定都市等」という。）が処理するものとする。この場合においては、この法律中都道府県に関する規定は、指定都市等に関する規定として指定都市等に適用があるものとする。

〔解　説〕

○　第六十四条の二は、大都市等の特例に関する規定である。保健所を設置する市又は特別区に関する規定のほか、都道府県が処理することとされている事務（結核の予防に係る事務に限る。）で政令で定めるものを地方自治法第二百五十二条の十九第一項の指定都市及び同法第二百五十二条の二十二第一項の中核市が処理するものとしている。

○　指定都市については、その事務は、法律又はこれに基づく政令の定めるところにより、都道府県が処理することとされている事務の全部又は一部で政令で定めるものを処理することができるとされ（地方自治法第二百五十二条の十九第一項）、本法及び施行令の規定により都道府県が処理する結核予防に関する事務を処理することとされている（地方自治法施行令第百七十四条の三十七）。なお、これらには、保健所を設置する市としての指定都市の処理する事務も含まれている。

○　中核市については、指定都市が処理することとされている事務のうち、都道府県がその区域にわたり一体的に処理することが中核市が処理することに比して効率的な事務その他の中核市において処理することが適当でない事務以外の事務で政令で定めるものを処理することができるとされ（地方自治法第二百五十二条の二十二第一項）、本法及び施行令の規定により都道府県が処理する結核予防に関する事務を処理することとされている（地方自治法施行令第百七十四条の四十九の十六）。なお、これらには、保健所を設置する市としての中核市の処理する事務も含まれている。

○　具体的に指定都市又は中核市が処理することとされている事務は、法及び施行令の規定により都道府県が処理する結核予防に関する事務である。ただし、第五十三条の二第三項（定期の健康診断の実施の指示）、第五十八条第十七号（費用の支弁）に関する事務は除かれている。

（先取特権の順位）

第六十四条の三　流行初期医療確保拠出金等その他この法律の規定による徴収金の先取特権の順位は、国税及び地方税に次ぐものとする。

〔解　説〕

○　第六十四条の三は、流行初期医療確保拠出金等の先取特権の順位について規定した条文である。

○　流行初期医療確保拠出金等その他この法律の規定による徴収金の先取特権の順位は、国税及び地方税に次ぐものとなる。

（時効）

第六十四条の四　流行初期医療確保拠出金等その他この法律の規定による徴収金を徴収し、又はその還付を受ける権利及び流行初期医療の確保に要する費用を受ける権利は、これらを行使することができる時から二年を経過したときは、時効によって消滅する。

２　流行初期医療確保拠出金等その他この法律の規定による徴収金の徴収の告知又は督促は、時効の更新の効力を生ずる。

〔解　説〕

○　第六十四条の四は、流行初期医療確保拠出金等に係る徴収金等の時効について規定した条文である。

○　流行初期医療確保拠出金等その他この法律の規定による徴収金を徴収し、又はその還付を受ける権利及び流行初期医療の確保に要する費用を受ける権利は、これらを行使することができる時から二年を経過したときは、時効によって消滅する。流行初期医療確保拠出金等その他この法律の規定による徴収金の徴収の告知又は督促は、時効の更新の効力を生ずることとされた。

（期間の計算）

第六十四条の五　この法律又はこの法律に基づく命令に規定する期間の計算については、民法の期間に関する規定を準用する。

〔解　説〕

○　第六十四条の五は、この法律等に規定する期間の計算について規定した条文である。

○　この法律又はこの法律に基づく命令に規定する期間の計算については、民法の期間に関する規定が準用される。

（不服申立て）

第六十五条　この法律に規定する事務のうち保健所設置市等の長が行う処分（第一号法定受託事務に係るものに限る。）についての審査請求の裁決に不服がある者は、厚生労働大臣に対して再審査請求をすることができる。

２　保健所設置市等の長が、第三章又は第六十四条の規定によりその処理することとされた事務のうち第一号法定受託事務に係る処分をする権限をその補助機関である職員又はその管理に属する行政機関の長に委任した場合において、委任を受けた職員又は行政機関の長がその委任に基づいてした処分につき、地方自治法第二百五十五条の二第二項の再審査請求の裁決があったときは、当該裁決に不服がある者は、同法第二百五十二条の十七の四第五項から第七項までの規定の例により、厚生労働大臣に対して再々審査請求をすることができる。

〔解　説〕

○　第六十五条は、行政不服審査法に規定する再審査請求（行政不服審査法第六条）に関して規定した条文である。行政不服審査法では再審査請求をすることができる場合を限定しており、法律に再審査請求をすることができる旨の規定がない場合は原則として再審査請求ができない（行政不服審査法第六条）。法が処分権限を地方自治体の長に与え、厚生労働大臣に審査請求を認め、これを通じて統一的な法の施行を確保する趣旨から、内容としては同様の処分を受けたにもかかわらず、都道府県知事が措置したか、保健所設置市・特別区の長が措置したかによって、厚生労働大臣の判断を求める機会を失うこととなるのは、不均衡であることから設けられた規定である。なお、第六十五条第二項により、保健所設置市・特別区の長が更に委任した事務に係る処分に対しても厚生労働大臣の判断を求める機会を与えている。

（事務の区分）

第六十五条の二　第三章（第十二条第八項、同条第九項において準用する同条第二項及び第三項、同条第九項において準用する同条第四項において準用する同条第二項及び第三項、第十四条、第十四条の二並びに第十六条を除く。）、第四章（第十八条第五項及び第六項、第十九条第二項及び第七項並びに第二十条第六項及び第八項（第二十六条においてこれらの規定を準用する場合を含む。）、第二十四条並びに第二十四条の二（第二十六条及び第四十九条の二において準用する場合を含む。）を除く。）、第二十六条の三（第四十四条の三の五第六項において準用する場合を含む。）、第二十六条の四、第三十二条、第三十三条、第六章第一節（第三十六条の八第四項を除く。）、第三十六条の十九第四項及び第三十六条の二十二（第三十六条の二十三第四項及び第三十六条の二十四第二項においてこれらの規定を準用する場合を含む。）、第三十六条の三十七、第三十八条第二項（第一種感染症指定医療機関、第一種協定指定医療機関及び第二種協定指定医療機関に係る部分に限る。）、第五項、第七項及び第八項、同条第十項及び第十一項（第一種感染症指定医療機関、第一種協定指定医療機関及び第二種協定指定医療機関に係る部分に限る。）、第四十四条の三第一項、第二項、第四項から第六項まで及び第十一項、第四十四条の三の五、第四十四条の三の六、第四十四条の四の二及び第四十四条の五第四項（第四十四条の八においてこれらの規定を準用する場合を含む。）、第四十四条の六、第八章（第四十六条第五項及び第七項、第五十条第十項、同条第十二項において準用する第三十六条第五項において準用する同条第一項及び第二項、第五十条の二第四項において準用する第四十四条の三第七項から第十項まで、第五十条の三、第五十条の四、第五十一条第四項において準用する同条第一項、第五十一条の四第二項並びに同条第三項において準用する第四十四条の五第三項を除く。）、第十章、第六十三条の三第一項並びに第六十三条の四の規定により都道府県又は保健所設置市等が処理することとされている事務は、第一号法定受託事務とする。

〔解　説〕

○　機関委任事務の廃止に伴い、法定受託事務と整理された法律上の事務を明示するための規定である。本条に掲げられた事務以外の法律上の事務は、都道府県又は市町村が処理する自治事務である。法制定時に法定受託事務と整理されたもののメルクマールは、地方分権推進計画（平成十年五月二十九日閣議決定）における「伝染病のまん延防止に関する事務」（メルクマール(4)①）であり、基本的には平時の事務は自治事務、広域性のある事務、緊急時の事務は法定受託事務と整理された。その後、地方分権推進の観点や実務の定着状況等を勘案して改正されている。

なお、本条が、この位置に追加された理由は、「事務区分規定は、具体的事務についてその性質を区分する規定であることから、具体的事務を定めた規定（大都市特例を含む。）の後、包括委任規定や罰則等の雑則の前に置くべき」ものと整理されたことによる。

都道府県連携協議会の設置等（第十条の二）

都道府県連携協議会は、感染症の予防に関する施策にあたって、地域内の連携協力体制の整備を図るとともに、相互

の連絡を図ることにより連携の緊密化を図るために開催されるものであるが、
・同協議会は都道府県内の自治事務の円滑化を主たる目的としたものであること
・同協議会の開催にあたって、厚生労働大臣の関与はないこと
を踏まえ、本条に係る事務を自治事務と整理する。

感染症に関する情報の収集及び公表（第十二条から第十六条）

これらの事務により収集された情報を基に、感染症のまん延防止の事務を行うことを予定していること、また、それらの情報を広く国民に提供することによってまん延防止を図ることを予定していることから、強い権限による情報収集は法定受託事務と整理する。ただし、緊急性の高くない統計的な情報収集や情報の公表、疑似症の調査等権限の性質が強くない協力要請事務については、自治事務と整理する。

感染症発生時の協力の要請等（第十六条の二）

感染症発生時に医療・検査体制等を確保するための事務であり、医療関係者及び感染症試験研究等機関に対する協力の勧告及び正当な理由がなく当該勧告に従わなかった場合の公表を規定している。本条は、
・異なる都道府県間にわたるという広域性を有していること
・勧告等により、直接的に感染症のまん延防止を図るものであること
から、法定受託事務と整理する。

就業制限その他の措置（第十六条の三から第二十六条の二）

感染症のまん延防止のための措置であり、緊急時の事務として原則は法定受託事務と整理する。ただし、就業制限における感染症の診査に関する協議会（感染症診査協議会）への意見聴取及び事後報告（第十八条第五項、第六項）、入院時の患者等への説明、措置の事後報告（第十九条第二項、第七項）、入院時の患者等への説明・意見聴取、聴取書の受理（第二十条第六項、第八項）並びに苦情の申出（第二十四条の二）については、入院に比して緊急性が低いこと、

自治体の状況に応じて行うべきもの等の理由から自治事務とする。また、感染症診査協議会は入院の必要性等について診査する合議制の機関であることから、感染症診査協議会への諮問（第二十条第五項）については、感染症のまん延防止のための事務として法定受託事務とするが、具体的運営の在り方等については自治体の自主的判断に委ねるべきものであることから自治事務として整理する（第二十四条）。

消毒その他の措置（第二十六条の三から第三十六条）

第二十六条の三（第四十四条の三の五第六項において準用する場合を含む。）及び第二十六条の四については、感染症に関する情報の収集及び公表に係る事務と同様に、これらの事務により収集された情報を基に、感染症のまん延防止の事務を行うことを予定していること、また、それらの情報を広く国民に提供することによってまん延防止を図ることを予定していることから、法定受託事務と整理し、また、感染症のまん延防止の措置であるが、対人措置と比した権利制約の度合い、緊急性等からみて、国が本来果たすべき役割に係る事務であって、国において適正な処理を特に確保する必要があるものというべき一類感染症のまん延防止のための措置である建物に係る措置（第三十二条）、交通の制限又は遮断（第三十三条）は法定受託事務と整理する。これ以外の消毒等の措置は、自治事務と整理する。

医療措置協定及び検査等措置協定（第六章第一節）

令和四年改正で新設された感染症法第三十六条の二から第三十六条の五までの規定により、

・公立・公的医療機関等への医療提供義務の通知・公表
・医療機関との協定の締結
・協定の履行確保措置（勧告・指示・公表）
・公立・公的医療機関等の運営状況確認

を整備している。

本改正は、感染症発生及びまん延時における体制を即座に確保する手法として、事前に都道府県が公立・公的医療機

関等に対して提供すべき措置の内容を通知すること及び医療機関等と協定を締結することとした上で、

・発生初期において医療・宿泊療養提供体制を確実に確保できるよう、指示等を前置した上で、その内容に従わない場合の公表を行うこと

・さらに平時より、都道府県知事は当該都道府県区域内における協定の実施状況その他の事項及び医療機関等の運営状況について報告を求めることができることとし、その運営状況によっては、医療機関等に対して指示等を行い、正当な理由なくこれに従わない場合は流行初期医療の確保に要する費用の返還を求める（第三十六条の二十四）といった制裁的措置等を行うこと

としている。

これは、

・当該都道府県区域内における医療機関等をその役割に応じて横断的に財政支援する上で、きめ細かく進捗状況を確認するといった広域性を有していること

・医療・宿泊療養体制を確実に確保し、より直接的に感染症のまん延防止を図ることを目的としているものであることといえるため、本改正に係る事務は法定受託事務と整理する。

検査等措置協定については、第三十六条の六から第三十六条の八までの規定により、

・病原体等の検査を行っている機関との協定の締結

・協定の履行確保措置（勧告・指示・公表）

・病原体等の検査を行っている機関の運営状況確認

を整備している。

これは、感染症発生及びまん延時における体制を即座に確保する手法として、事前に都道府県が病原体等の検査を行っている機関と協定を締結することとした上で、協定内容の履行を担保するための指示等や運営状況の確認を可能とし

ている点で医療措置協定と同じであるため、本改正に係る事務は法定受託事務と整理する。

なお、令和四年改正による第三十六条の八第四項の都道府県知事による保健所設置市・特別区の長への助言又は援助については、例えば、都道府県の予防計画や保健所設置市の予防計画の目標に沿って、地域の実情に応じて、自主的判断に委ねるべきものであるから、自治事務と整理する。

流行初期医療確保措置等（第六章第二節）

流行初期医療確保措置については、

・従前より医療費負担関係の事務や医療に関する事務については自治事務とされていたこと

・減収分の補償措置それ自体は直接的に感染症のまん延防止を図るものではないこと

から、当該規定に係る事務は自治事務と整理する。

なお、令和四年改正による「流行初期医療確保措置」のスキームについては、高齢者の医療の確保に関する法律（以下「高確法」という。）附則第二条に規定する「病床転換助成事業」を参考にしているところ、当該事務のうち、第三十六条の十九、第三十六条の二十二及び第三十六条の三十七にあたる督促及び滞納処分（高確法第四十四条）、報告の徴収等（高確法第百三十四条及び第百五十二条）については、地方自治法上第一号法定受託事務とされていることを踏まえ、感染症法第三十六条の十九第四項、第三十六条の二十二第一項並びに第三十六条の三十七第一項及び第三項の事務については、同じく法定受託事務と整理する。

入院患者の医療等（第六章第三節）

入院患者の医療費負担関係の事務や医療に関する事務については、まん延防止のための事務とは直接的にはいえないことから自治事務と整理する。

第一種感染症指定医療機関、第一種協定指定医療機関及び第二種協定指定医療機関の指定等に関する事務（第三十八条第二項、第五項、第七項、第八項、第十項及び第十一項）については、感染症の患者が発生した場合の医療提供体制の整備が確実に行われる必要があることから法定受託事務と整理する。

新型インフルエンザ等感染症に関する事務（第四十四条の二から第四十四条の六）

感染を防止するための協力の事務のうち、健康状態についての報告徴収、患者との接触者等の外出の自粛や、健康観察の委託、委託を受けた者の報告、患者の宿泊療養・自宅療養等の感染防止の協力の要請、宿泊療養を行うための宿泊施設の確保（第四十四条の三第一項、第二項、第四項から第六項まで及び第十一項）、新型インフルエンザ等感染症に係る検体の提出要請等（第四十四条の三の五）、新型インフルエンザ等感染症の患者の退院等の届出（第四十四条の三の六）、他の都道府県知事等による応援等（第四十四条の四の二）、厚生労働大臣による総合調整のための報告又は資料の提出（第四十四条の五第四項）及び経過の報告（第四十四条の六）は、まん延防止のための措置であること、当該事務による収集情報を基にまん延防止事務を行うことを予定していること、当該情報を広く国民に提供することによってまん延防止を図ることを予定していることから、緊急性、広域性を有する事務として、法定受託事務とするが、食事の提供等、実費の徴収、市町村長への協力要請（第四十四条の三第七項から第十項）、都道府県及び保健所設置市・特別区による外出自粛対象者の医療に要する費用の負担（第四十四条の三の二から第四十四条の三の四）は、当該事務の対象者によりその内容が異なり、広域性を有する事務ではないことから、自治事務と整理する。

新感染症に関する事務（第四十四条の十から第五十三条）

第十六条から第三十六条まで及び新型インフルエンザ等感染症に関する同様の規定の整理に準じる。

結核に関する事務（第五十三条の二から第五十三条の十五）

結核固有の規定に基づく事務については、広域性、緊急性を有するものではなく、地域の実情を踏まえ、地域の特性を反映しつつ、その自主的判断、裁量を尊重すべきものであることから、自治事務として整理する。なお、二類感染症としての結核の患者に対する措置等については、第三章、第四章における整理に従う。

感染症の病原体を媒介するおそれのある動物の輸入に関する措置（第五十四条から第五十六条の二）

感染症の発生状況を把握し、国内への感染症の侵入を防止する上で国の機関との連絡により、緊急性のある情報を扱うことから、法定受託事務に該当する。

都道府県知事による総合調整・指示（第六十三条の三及び第六十三条の四）

総合調整・指示については、

・当該都道府県区域内における医療機関等をその役割に応じて横断的に調整するといった広域性を有していること

・当該総合調整により、医療提供体制等を確保し、直接的に感染症のまん延防止を図るものであることから、当該規定に係る事務は法定受託事務と整理する。

（権限の委任）

第六十五条の三　この法律に規定する厚生労働大臣の権限は、厚生労働省令で定めるところにより、地方厚生局長に委任することができる。

２　前項の規定により地方厚生局長に委任された権限は、厚生労働省令で定めるところにより、地方厚生支局長に委任することができる。

〔解　説〕

○　第六十五条の三は、厚生労働大臣の権限を施設等機関である地方厚生局長に委任できる根拠規定であり（第一項）、さらに地方厚生局長に委任された権限を地方厚生支局長に再委任できる根拠規定である（第二項）。

○　具体的には、

・第四十三条第一項の規定による特定感染症指定医療機関の管理者に対する報告の請求及び検査の権限

・第五十六条の十六の規定による三種病原体の所持の届出の受理の権限
・第五十六条の十七の規定による三種病原体の輸入の届出の受理の権限
・第五十六条の三十の規定による三種病原体等所持者、四種病原体等所持者、三種病原体等を輸入した者及び四種病原体等を輸入した者に係る報告徴収の権限
・第五十六条の三十一の規定による三種病原体等所持者、四種病原体等所持者、三種病原体等を輸入した者及び四種病原体等を輸入した者に係る立入検査の権限
・第五十六条の三十二の規定による三種病原体等所持者及び四種病原体等所持者に係る改善命令の権限
・第五十六条の三十七の規定による三種病原体等所持者及び四種病原体等所持者に係る災害時の措置命令の権限

が地方厚生局長に委任されている（規則第三十二条）。

〔**参　考**〕
令和五年六月七日法律第四十七号第八条の改正により、第六十五条の三の次に次の二条が追加される。（令和五年六月七日から起算して三年を超えない範囲内において政令で定める日施行）

（機構への事務の委託）
第六十五条の四　厚生労働大臣は、国立健康危機管理研究機構（以下この条及び次条において「機構」という。）に、次に掲げる事務を行わせるものとする。ただし、報告又は届出の受理以外の事務については、厚生労働大臣が自ら行うことを妨げない。
一　第十二条第二項（同条第四項、第九項及び第十項において準用する場合を含む。）の規定による事務
二　第十三条第三項（同条第五項及び第七項において準用する場合を含む。）の規定による事務
三　第十四条第三項（同条第九項において準用する場合を含む。）及び第七項の規定による事務（同項の規定による通知を除く。）

四　第十四条の二第四項及び第五項の規定による事務（同項の規定による求めを除く。）
五　第十五条第二項、同条第六項において準用する同条第三項並びに同条第八項、第十項、第十一項、第十三項、第十五項及び第十六項の規定による事務（同条第六項において準用する同条第三項及び同条第十五項の規定による求め、同条第八項の規定による命令並びに同条第十項の規定による通知を除く。）
六　第十五条の二第二項の規定による事務
七　第十五条の三第二項及び第三項の規定による事務
八　第十六条第一項の規定による事務
九　第十六条の三第二項、第四項及び第八項から第十項まで並びに同条第十一項において準用する同条第五項及び第六項の規定による事務（同条第二項の規定による勧告、同条第四項の規定による検体の採取、同条第九項の規定による求め及び同条第十一項において準用する同条第五項の規定による通知を除く。）
十　第二十六条の三第二項、第四項及び第六項から第八項までの規定による事務（第五十条第七項の規定により実施される場合を含み、第二十六条の三第二項の規定による命令、同条第四項の規定による検体又は感染症の病原体の収去及び同条第七項の規定による求めを除く。）
十一　第二十六条の四第二項、第四項及び第六項から第八項までの規定による事務（第五十条第七項の規定により実施される場合を含み、第二十六条の四第二項の規定による命令、同条第四項の規定による検体の採取及び同条第七項の規定による求めを除く。）
十二　第三十六条第三項において準用する同条第一項及び第二項の規定による事務（同条第三項において準用する同条第一項の規定による通知を除く。）
十三　第三十六条の五第四項の規定による事務及び同条第九項の規定による事務（同条第四項の規定による報告に係るものに限る。）
十四　第三十六条の八第三項の規定による事務及び同条第五項の規定による事務（同条第三項の規定による報告に係るものに限る。）

十五　第四十四条の二第一項の規定による事務（感染症の発生の予防又はそのまん延の防止に必要な情報の公表に限る。）
十六　第四十四条の三の五第一項、第二項、第四項及び第五項並びに同条第六項において準用する第二十六条の三第一項及び第三項の規定による事務（第四十四条の三の五第一項の規定による要請、同条第二項の規定による通知及び同条第五項の規定による求め並びに同条第六項において準用する第二十六条の三第一項の規定による命令及び第四十四条の三の五第六項において準用する第二十六条の三第三項の規定による検体又は感染症の病原体の収去を除く。）
十七　第四十四条の三の六の規定による事務
十八　第四十四条の六第一項（同条第二項において準用する場合を含む。）の規定による事務
十九　第四十四条の七第一項の規定による事務（指定感染症の発生の予防又はそのまん延の防止に必要な情報の公表に限る。）
二十　第四十四条の十第一項の規定による事務（新感染症の発生の予防又はそのまん延の防止に必要な情報の公表に限る。）
二十一　第四十四条の十一第二項、第四項及び第六項から第八項まで並びに同条第十項において準用する第十六条の三第五項及び第六項の規定による事務（第四十四条の十一第二項の規定による勧告、同条第四項の規定による検体の採取、同条第七項の規定による求め及び同条第十項において準用する第十六条の三第五項の規定による通知を除く。）
二十二　第五十条の六第一項、第二項、第四項及び第五項並びに同条第六項において準用する第二十六条の三第一項及び第三項の規定による事務（第五十条の六第一項の規定による要請、同条第二項の規定による通知及び同条第五項の規定による求め並びに同条第六項において準用する第二十六条の三第一項の規定による命令及び第五十条の六第六項において準用する第二十六条の三第三項の規定による検体又は感染症の病原体の収去を除く。）
二十三　第五十条の七の規定による事務
二十四　第五十二条第一項（同条第二項において準用する場合を含む。）の規定による事務
二十五　第五十六条第二項の規定による事務
二十六　第四十四条の九第一項の規定により実施する前各号（第十五号及び第十九号から第二十四号までを除く。）に掲げる事務

二十七　前各号に掲げるもののほか、厚生労働省令で定める事務
2　厚生労働大臣は、機構が天災その他の事由により前項各号に掲げる事務の全部又は一部を実施することが困難又は不適当となったと認めるときは、同項各号に掲げる事務の全部又は一部を自ら行うものとする。
3　第一項第五号の規定により機構の職員が第十五条第二項の規定による質問若しくは調査を行うとき、又は同号の規定により同条第十六項の規定により派遣された機構の職員が同条第一項の規定による質問若しくは調査を行うときは、その身分を示す証明書を携帯し、かつ、関係者の請求があるときは、これを提示しなければならない。
4　前三項に定めるもののほか、機構又は厚生労働大臣による第一項各号に掲げる事務の実施に関し必要な事項は、厚生労働省令で定める。

（機構による検体の採取等の実施）

第六十五条の五　厚生労働大臣は、必要があると認めるときは、機構に、第十六条の三第四項、第二十六条の四第四項若しくは第四十四条の十一第四項の規定による検体の採取又は第二十六条の三第四項若しくは第四十四条の三の五第六項若しくは第五十条の六第六項において準用する第二十六条の三第三項の規定による検体若しくは感染症の病原体の収去（これらの措置が第五十条第七項の規定により実施される場合を含む。）を行わせることができる。
2　厚生労働大臣は、第二十六条の三第二項若しくは第四項又は第二十六条の四第二項若しくは第四項に規定する措置を機構に実施させるため必要があると認めるときは、機構に、第三十五条第四項において準用する同条第一項の規定による質問又は調査（これらの措置が第五十条第七項の規定により実施される場合を含む。）を行わせることができる。
3　厚生労働大臣は、前二項の規定により検体の採取、検体若しくは感染症の病原体の収去又は質問若しくは調査（以下この条において「検体の採取等」という。）を行わせる場合には、機構に対し、検体の採取等の場所その他必要な事項を示してこれを実施すべきことを指示するものとする。
4　機構は、前項の規定による指示に従って検体の採取等を行ったときは、その結果を厚生労働大臣に報告しなければならない。
5　第二項の規定により機構の職員が質問又は調査を行うときは、その身分を示す証明書を携帯し、かつ、関係者の請求があ

るときは、これを提示しなければならない。
6　機構が行う第一項又は第二項に規定する検体の採取、検体若しくは感染症の病原体の収去又は調査に係る処分については、厚生労働大臣に対し、審査請求をすることができる。この場合において、厚生労働大臣は、行政不服審査法第二十五条第二項及び第三項並びに第四十七条の規定の適用については、機構の上級行政庁とみなす。
7　前各項に定めるもののほか、機構による検体の採取等の実施に関し必要な事項は、厚生労働省令で定める。

（経過措置）
第六十六条　この法律の規定に基づき命令を制定し、又は改廃する場合においては、その命令で、その制定又は改廃に伴い合理的に必要と判断される範囲内において、所要の経過措置（罰則に関する経過措置を含む。）を定めることができる。

〔解　説〕
○　第六十六条は、政令又は省令の制定、改廃に際して所要の経過措置を定めることができる旨を入念的に明らかに規定した条文である。

第十五章　罰　則

第六十七条　一種病原体等をみだりに発散させて公共の危険を生じさせた者は、無期若しくは二年以上の懲役又は千万円以下の罰金に処する。

2　前項の未遂罪は、罰する。

3　第一項の罪を犯す目的でその予備をした者は、五年以下の懲役又は二百五十万円以下の罰金に処する。ただし、同項の罪の実行の着手前に自首した者は、その刑を減軽し、又は免除する。

〔解　説〕

○　第六十七条は、一種病原体等の発散罪とその未遂罪及び予備罪に関して規定した条文である。一種病原体等の危険性に鑑み独立して設けられた刑事罰で、一種病原体等をみだりに発散させて公共の危険を生じさせる罪であり、具体的危険犯である。

○　「みだりに発散させ」とは、社会通念上正当と認められる理由なくして、一種病原体等を外部空気中や水中に拡散させていく行為をいう。例えば、試験研究のため安全性を確保し、感染防止を図った上で発散させる行為は、該当しない。

○　「公共の危険を生じ」とは、不特定又は多数の人の生命又は身体に一種病原体等による感染症の被害を生じさせる危険があることをいう。現実に健康被害が生ずる必要性はない。

○　本罪は、公共の危険が発生したことで既遂となる。本罪の成立には、一種病原体等の発散と公共の危険を発生させることの認識（故意）が必要であり、試験研究のため発散を行ったが、設備、器具に故障があり、結果として、健康被害が生じたような場合には、故意が認められず、本罪は成立しない。

○　本罪の未遂は処罰される（第二項）。これは、一種病原体等の高い危険性に鑑み、設けられたものであり、発散行為の実行に着手したが、公共の危険が生じなかった場合に成立する。具体的には、一種病原体等を住宅街で発散させようとして装置を備え付けたが、発見されたため、未然に阻止された事例が考えられる。一種病原体等の危険性、感染性に照らすと、発散行為が行われてしまうと、感染のおそれが高まり、健康被害の危険が生ずるので、既遂となる。

○　本罪の予備は処罰される（第三項）。一種病原体等が極めて感染性の高い危険な病原体等であり、これを発散する本罪は、人の生命及び身体への重大な被害をもたらす重大な犯罪であることから、実行行為に着手する前の段階である準備行為について、著しい違法性があるといえ、感染性の発生及びまん延を防止するためには、これを処罰することにより発散の未然防止を図る必要性が高いことを理由とする。

○　予備罪の成立には、第一項の罪を犯す目的が必要であり、一種病原体等を発散させて公共の危険を生じさせる目的が必要である。他人が発散罪を犯すために予備をする場合も含まれる。

○　「予備」とは、発散のために使用する器材、器具、装置を製造する行為や発散するために病原体等を保管場所等から持ち出し、運搬するような準備行為など、直接又は間接に発散の実行行為を可能、容易ならしめる行為をいう。

○　発散罪の実行行為に着手する前に自首した者は、その刑を減軽し、又は免除される（第三項ただし書）。発散罪は、人の生命及び身体への重大な被害をもたらす重大な犯罪であることから予備行為の段階で思いとどまることを促すよう刑事政策的配慮を行い、発散による感染の発生を未然に防止する趣旨である。本項は、自首した場合には必ず刑を減軽する必要的減免規定である。なお、自首については、刑事訴訟法（昭和二十三年法律第百三十一号）第二百四十五条等参照。

○　本条の発散罪は、公共危険罪であることから、発散罪の成立は、刑法（明治四十年法律第四十五号）の殺人罪（刑法第百九十九条、第二百一条、第二百三条）の成立を妨げず、両者は観念的競合の関係に立つこととなる（刑法第五十四条第一項）。細菌兵器（生物兵器）及び毒素兵器の開発、生産及び貯蔵の禁止並びに廃棄に関する条約等の実施に関する法律（昭和五十七年法律第六十一号）との関係については、同法は感染症法と趣旨目的を異にすることから、①生物兵器又は毒素兵器を使用して、当該生物兵器又は当該毒素兵器に充てんされた生物剤又は毒素を発散させた場合、及び②生物剤又は毒素をみだりに発散させて人の生命、身体又は財産に危険を生じさせた場合には、本条による発散罪のほかに、同法第九条の規定による発散罪が成立し、両者は観念的競合の関係に立つ。

第六十八条　第五十六条の四の規定に違反した場合には、当該違反行為をした者は、十年以下の懲役又は五百万円以下の罰金に処する。

2　前条第一項の犯罪の用に供する目的で前項の罪を犯した者は、十五年以下の懲役又は七百万円以下の罰金に処する。

3　前二項の未遂罪は、罰する。

4　第一項又は第二項の罪を犯す目的でその予備をした者は、三年以下の懲役又は二百万円以下の罰金に処する。

〔解　説〕

○　第六十八条は、一種病原体等の輸入罪とその未遂罪及び予備罪に関して規定した条文である。一種病原体等の危険性に鑑み独立して設けられた刑事罰で、一種病原体等を輸入する罪である。輸入行為自体が我が国に一種病原体等を持ち込み、公共の危険性を発生させる行為であることから、刑事罰として重く処罰する趣旨である。

○　第五十六条の四の規定に違反して一種病原体等を輸入した者は、十年以下の懲役又は五百万円以下の罰金に処せられる（第一項）。第五十六条の四ただし書に規定する外国からの調達が必要である特定一種病原体等として厚生労働大臣が指定するものを輸入する場合でないのに輸入が行われた場合、我が国に一種病原体等を持ち込み、具体的な発散の目的がなかったとしても（発散の目的がある場合には、第二項によって、加重処罰される。）、人為的な感染に使用されるおそれがあるほか、不注意によって感染が発生、拡大し、多数の人命・健康に被害が生ずる可能性が高いため、特に重く処罰している。

○　第六十七条第一項の発散罪の用に供する目的で輸入罪を犯した場合には、十五年以下の懲役又は七百万円以下の罰金に処せられる（第二項）。具体的に発散による人の生命・健康に被害が生じ、公共の危険が発生するおそれが極めて高いことから、発散罪の準備行為にも該当するが、輸入罪の特別規定として、特に加重処罰するものである。

○　第二項の輸入罪の成立には、自己又は他人が犯す発散罪の用に供する目的が必要である。

○　第一項及び第二項の輸入罪の未遂は処罰される（第三項）。これは、一種病原体等の高い危険性に鑑み、設けられたものであり、輸入行為の実行に着手したが、船舶による陸揚げを開始し、又は航空機からの取り下ろしを開始したが輸入に至らなかった場合に成立する。具体的には、一種病原体等を輸入しようとしたが、船舶から保税地域に陸揚げし、又は税関空港に着陸した航空機から取り下ろすことによって既遂になるものと解される。

○　本罪の予備は処罰される（第四項）。一種病原体等が極めて感染性の高い危険な病原体等であり、これを輸入する行為は、一種病原体等を我が国に持ち込むことで、人の生命及び身体への重大な被害をもたらす重大な犯罪であることから、実行行為に着手する前の段階である準備行為について、著しい違法性があるといえ、感染性の発生及びまん延を防止するためには、これを処罰することにより輸入の未然防止を図る必要性が高いことを理由とする。

○　予備罪の成立には、第一項又は第二項の輸入罪を犯す目的が必要である。

○　「予備」とは、直接又は間接に輸入の実行行為を可能、容易ならしめる行為をいい、輸入に要する資金の調達等が該当する。
○　予備罪を犯した者が発散罪の実行に着手したときは、予備罪は発散罪に吸収され、発散罪のみが成立する。

第六十九条　次の各号のいずれかに該当する場合には、当該違反行為をした者は、七年以下の懲役又は三百万円以下の罰金に処する。
一　第五十六条の三の規定に違反して一種病原体等を所持したとき。
二　第五十六条の五の規定に違反して、一種病原体等を譲り渡し、又は譲り受けたとき。
2　第六十七条第一項の犯罪の用に供する目的で前項の罪を犯した者は、十年以下の懲役又は五百万円以下の罰金に処する。
3　前二項の未遂罪は、罰する。

〔解　説〕

○　第六十九条は、一種病原体等の所持罪及び譲渡罪・譲受罪とその未遂罪に関して規定した条文である。一種病原体等の高い危険性に鑑み独立して設けられた刑事罰で、一種病原体等の所持、譲渡し及び譲受けをする罪である。所持、譲渡し及び譲受け行為自体が一種病原体等による感染のおそれが高く、公共の危険性を発生させる行為であることから、刑事罰として重く処罰する趣旨である。
○　第五十六条の三の規定に違反して一種病原体等を所持した者及び第五十六条の五の規定に違反して一種病原体等を譲り渡し、又は譲り受けた者は、七年以下の懲役又は三百万円以下の罰金に処せられる（第一項）。第五十六条の三第一項各号及び第五十六条の五各号に規定する所持、譲渡し及び譲受けが認められる場合でないのにこれらの行為が行われた場合には、具体的な発散の目的がなかったとしても（発散の目的がある場合には、第二項によって、加重処罰される。）、人為的な感染に使用されるおそれがあるほか、不注意によって感染が発生、拡大し、多数の人命・健康に被害が生ずる可能性が高いため、重く処罰している。

○　所持罪については、輸入、譲渡し又は譲受けに随伴して行われる所持については、輸入罪、譲渡罪・譲受罪に吸収され、輸入罪、譲渡罪・譲受罪のみが成立する。

○　第六十七条第一項の発散罪の用に供する目的で所持罪及び譲渡罪・譲受罪を犯した場合には、十年以下の懲役又は五百万円以下の罰金に処せられる（第二項）。具体的に発散による人の生命・健康に被害が生じ、公共の危険が発生するおそれが極めて高いことから、発散罪の準備行為にも該当するが、所持罪及び譲渡罪・譲受罪の特別規定として、特に加重処罰するものである。これらの罪を犯した者が発散罪の実行に着手したときは、これらの罪は、発散罪に吸収され、発散罪のみが成立する。

○　第二項の所持罪及び譲渡罪・譲受罪の成立には、自己又は他人が犯す発散罪の用に供する目的が必要である。第一項及び第二項の所持罪及び譲渡罪・譲受罪の未遂は処罰される（第三項）。これは、一種病原体等の危険性に鑑み、設けられたものであり、所持罪及び譲渡罪・譲受罪の実行行為に着手したが、所持、譲渡し及び譲受けに至らなかった場合に成立する。所持罪の未遂は、輸入又は譲受けに該当しない態様で所持の移転が行われようとしたが所持に至らなかった場合の準備行為が未遂に該当し得る。また、譲渡し及び譲受けは、所有権等を伴う所持の移転を必要とするが、所持の移転行為又は所持の移転の準備行為を開始したが所持の移転に至らなかった場合が未遂に該当し得る。

第七十条　第五十六条の十二第一項の許可を受けないで二種病原体等を輸入した場合には、当該違反行為をした者は、五年以下の懲役又は二百五十万円以下の罰金に処する。

第七十一条　次の各号のいずれかに該当する場合には、当該違反行為をした者は、三年以下の懲役又は二百万円以下の罰金に処する。

一　第五十六条の六第一項本文の許可を受けないで二種病原体等を所持したとき。

二　第五十六条の十五の規定に違反して、二種病原体等を譲り渡し、又は譲り受けたとき。

第七十二条　次の各号のいずれかに該当する場合には、当該違反行為をした者は、一年以下の懲役又は百万円以下の罰金に処する。

一　第五十六条の十一第一項本文の許可を受けないで第五十六条の六第二項第二号から第四号までに掲げる事項を変更したとき。

二　第五十六条の十四において読み替えて準用する第五十六条の十一第一項の規定に違反して同項本文の許可を受けないで第五十六条の十二第二項第二号から第七号までに掲げる事項を変更したとき。

三　第五十六条の十九第一項の規定に違反したとき。

四　第五十六条の二十二第一項の規定に違反したとき。

五　第五十六条の二十九第一項の規定に違反し、又は第五十六条の三十七の規定による命令に違反したとき。

六　第五十六条の三十の規定による報告をせず、又は虚偽の報告をしたとき。

七　第五十六条の三十一第一項の規定による立入り、検査若しくは収去を拒み、妨げ、若しくは忌避し、又は質問に対して陳述をせず、若しくは虚偽の陳述をしたとき。

八　第五十六条の三十八第二項の規定による立入り若しくは検査を拒み、妨げ、若しくは忌避し、又は質問に対して陳述をせず、若しくは虚偽の陳述をしたとき。

〔解　説〕

○　第七十条から第七十二条までは、第十一章の特定病原体等の規制に関する行政刑罰を規定した条文である。罰則については、他法令における行政刑罰との均衡等も考慮しつつ、法目的達成のため規制を担保する必要性に照らして、その程度が定められている。

○　第七十条は、二種病原体等の無許可輸入に関する罰則である。二種病原体等の輸入に関しては、輸入行為が、我が国に新たに二種病原体等を持ち込む危険性の高い行為であり、感染症の発生及びまん延の防止という法目的に照らし、許可制度の趣旨を担保するため、処罰することとしている。

○　第七十一条は、①二種病原体等の無許可所持（第一号）及び②二種病原体等の無許可譲渡・譲受（第二号）に関する罰則である。二種病原体等の所持、譲渡し及び譲受けに関しては、所持、譲渡し及び譲受け行為自体が二種病原体等による感染のおそれが高い行為であることから、感染症の発生及びまん延の防止という法目的に照らし、許可制度の趣旨を担保するため、処罰することとしている。

○　第七十二条は、①二種病原体等の所持許可事項の無許可変更（第一号）、②二種病原体等の輸入許可事項の無許可変更（第二号）、③病原体等取扱主任者の選任規定違反（第三号）、④滅菌等義務違反（第四号）、⑤災害時の応急処置義務・措置命令違反（第五号）、⑥報告徴収違反・虚偽報告（第六号）、⑦厚生労働大臣等立入検査収去拒否・妨害・忌避・質問陳述違反・虚偽陳述（第七号）、⑧警察庁長官等立入検査拒否・妨害・忌避・質問陳述違反・虚偽陳述（第八号）に関する罰則である。病原体等の規制に関する義務に違反する行為は、いずれも感染症の発生及びまん延の防止という法目的に反する行為であり、このような行政上の義務違反に対し処罰、義務履行の確保をすることによって各制度の趣旨を担保している。

第七十三条　医師が、感染症の患者（疑似症患者及び無症状病原体保有者並びに新感染症の所見がある者を含む。第七十四条第一項において同じ。）であるかどうかに関する健康診断又は当該感染症の治療に際して知り得た人の秘密を正当な理由がなく漏らしたときは、一年以下の懲役又は百万円以下の罰金に処する。

2　第十二条から第十四条までの規定（これらの規定が第四十四条の九第一項の規定に基づく政令によって準用される場合（同条第二項の政令により、同条第一項の政令の期間が延長される場合を含む。以下同じ。）及び第五十三条第一項の規定に基づく政令によって適用される場合（同条第二項の政令により、同条第一項の政令の期間が延長される場合を含む。以下同じ。）を含む。）による届出の受理、第十四条の二第二項（第四十四条の九第一項の規定に基づく政令によって準用される場合及び第五十三条第一項の規定に基づく政令によって適用される場合を含む。）の規定による検体若しくは感染症の病原体の受理、第十四条の二第三項（第四十四条の九第一項の規定に基づく政令によって準用される場合及び第五十三条第一項の規定に基づく政令によって適用される場合を含む。）若しくは第二十六条の三第五項（第四十四条の九第一項の規定に基づく政令によって準用される場合、第五十条第二項において準用される場合及び第五十三条第一項の規定に基づく政令によって適用される場合を含む。）の規定による検体若しくは感染症の病原体の検査、第十五条（第四十四条の九第一項の規定に基づく政令によって準用される場合及び第五十三条第一項の規定に基づく政令によって適用される場合を含む。）、第十五条の二第一項若しくは第十五条の三第二項（同条第七項の規定により読み替えて適用される場合を含む。）

の規定による質問若しくは調査、同条第一項の規定による報告若しくは質問、第十六条の三第一項若しくは第二項（これらの規定が第四十四条の九第一項の規定に基づく政令によって準用される場合及び第五十三条第一項の規定に基づく政令によって適用される場合を含む。）若しくは第四十四条の十一第一項若しくは第二項の規定による検体の受理若しくは採取、第十六条の三第三項若しくは第四項（これらの規定が第四十四条の九第一項の規定に基づく政令によって準用される場合及び第五十三条第一項の規定に基づく政令によって適用される場合を含む。）若しくは第四十四条の十一第三項若しくは第四項の規定による検体の採取、第十六条の三第七項（第四十四条の九第一項の規定に基づく政令によって準用される場合及び第五十三条第一項の規定に基づく政令によって適用される場合を含む。）、第二十六条の四第五項（第四十四条の九第一項の規定に基づく政令によって準用される場合、第五十条第三項において準用される場合及び第五十三条第一項の規定に基づく政令によって適用される場合を含む。）若しくは第四十四条の十一第五項の規定による検体の検査、第十七条（第四十四条の九第一項の規定に基づく政令によって準用される場合及び第五十三条第一項の規定に基づく政令によって適用される場合を含む。）、第四十五条若しくは第五十三条の二の規定による健康診断、第十九条、第二十条若しくは第二十六条において準用する第十九条若しくは第二十条の規定（これらの規定が第四十四条の九第一項の規定に基づく政令によって準用される場合及び第五十三条第一項の規定に基づく政令によって適用される場合を含む。）若しくは第四十六条の規定による入院、第二十六条の三第一項（第四十四条の三の五第六項及び第五十条の六第六項において準用する場合を含む。）若しくは第二項（これらの規定が第四十四条の九第一項の規定に基づく政令によって準用される場合及び第五十三条第一項の規定に基づく政令によって適用される場合を含む。）の規定による検体若しくは感染症の病原体の受理（第五十条第一項又は第七項の規定により実施される場合を含む。）、第二十六条の三第三項（第四十四条の三の五第六項及び第五十条の六第六項において準用する場合を含む。）若しくは第四項（これらの規定が第四十四条の九第一項の規定に基づく政令によって準用される場合及び第五十三条第一項の規定に基づく政令によって適用される場合を含む。）の規定による検体若しくは感染症の病原体の収去（第五十条第一項又は第七項の規定により実施される場合を含む。）、第二十六条の四第一項若しくは第二項（これらの規定が第四十四条の九第一項の規定に基づく政令によって準用される場合及び第五十三条第一項の規定に基づく政令によって適用される場合を含む。）の規定による検体の受理若しくは採取（これらが第五十条第一項又は第七項の規定により実施される場合を含む。）、第二十六条の四第三項若しくは第四項（これらの規定が第四十四条の九第一項の規定に基づく政令によって準用される場合及び第五十三条第一項の規定に基づく政令によって適用される場合を含む。）の規定による検体の採取（第五十条第一項又は第七項の規定により実施される場合を含む。）、第二十七条（第四十四条の九第一項の規定に基づく政令によって準用される場合及び第五十三条第一項の規定に基づく政令によって適用される場合を含む。）、第二十八条（第四十四条の四第一項の規定に基づく政令によって適用される場合（同条第二項の政令により、同条第一項の政令の期間が延長される場合を含む。以下この項及び第七十七条第一項において同じ。）、第四十四条の九第一項の規定に基づく政令によって準用される場合及び第五十三条第一項の規定に基づく政令によって適用される場合を含む。）、第二十九条若しくは第三十条の規定（これらの規定が第四十四条の九第一項の規定に基づく政令によって準用される場合及び第五十三条第一項の規定に基づく政令によって適用される場合を含む。）若しくは第三十一条から第三十三条まで若しくは第三十五条の規定（これらの規定が第四十四条の四第一項の規定に基づく政令によって適用される場合、第四十四条の九第一項の規定に基づく政令によって準用される場合及び第五十三条第一項の規定に基づく政令によって適用される場合を含む。）による措置（第五十条第一項、第七項又は第十項の規定により実施される場合を含む。）、第四十四条の三第一項若しくは第二項（これらの規定が第四十四条の九第一項の規定に基づく政令によって準用される場合を含む。）若しくは第五十条の二第一項若しくは第二項の規定による報告若しくは協力の求め、第四十四条の三第七項若しくは第八項（これらの規定が第四十四条の九第一項の規定に基づく政令によって準用される場合及び第五十条の二第四項において準用される場合を含む。）の規定による食事の提供等、第四十四条の三第九項（第四十四条の九第一項の規定に基づく政令によって準用される場合及び第五十条の二第四項において準用される場合を含む。）の規定による市町村長の協力、第四十四条の三の五第三項若しくは第五項（これらの規定が第四十四条の九第一項の規定に基づく政令によって準用される場合を含む。）若しくは第五十条の六第三項若しくは第五項の規定による検体若しくは病原体の受理、第四十四条の三の五第四項（第四十四条の九第一項の規定に基づく政令によって準用される場合を含む。）若しくは第五十条の六第四項に規定する検査の実施、第四十四条の三の六（第四十四条の九第一項の規定に基づく政令によって準用される場合を含む。）若しくは第五十条の七の規定による届出の受理又は第五十三条の十三の規定による精密検査に関する事務に従事した公務員又は公務員であった者が、その職務の執行に関して知り得た人の秘密を正当な理由がなく漏らしたときも、前項と同様とする。

3　職務上前項の秘密を知り得た他の公務員又は公務員であった者が、正当な理由がなくその秘密を漏らしたときも、第一項と同様とする。

第七十三条の二　第四十四条の三第四項又は第五項（これらの規定が第四十四条の九第一項の規定に基づく政令によって準用される場合及び第五十条の二第四項において準用される場合を含む。）の規定により第四十四条の三第一項若しくは第二項（これらの規定が第四十四条の九第一項の規定に基づく政令によって準用される場合を含む。）又は第五十条の二第一項若しくは第二項の規定による報告の求めの委託を受けた者（その者が法人である場合にあっては、その役員）若しくはその職員又はこれらの者であった者が、当該委託に係る事務に関して知り得た人の秘密を正当な理由がなく漏らしたときは、一年以下の拘禁刑又は百万円以下の罰金に処する。

第七十三条の三　次の各号のいずれかに該当する場合には、当該違反行為をした者は、一年以下の拘禁刑若しくは五十万円以下の罰金に処し、又はこれを併科する。

一　第五十六条の四十五の規定に違反して、匿名感染症関連情報の利用に関して知り得た匿名感染症関連情報の内容をみだりに他人に知らせ、又は不当な目的に利用したとき。

二　第五十六条の四十七の規定による命令に違反したとき。

第七十四条　感染症の患者であるとの人の秘密を業務上知り得た者が、正当な理由がなくその秘密を漏らしたときは、六月以下の懲役又は五十万円以下の罰金に処する。

2　第十五条の三第一項の規定による報告をせず、若しくは虚偽の報告をし、又は同項の規定による当該職員の質問に対して答弁をせず、若しくは虚偽の答弁をした者は、六月以下の懲役又は五十万円以下の罰金に処する。

〔解　説〕

○　第七十三条及び第七十四条第一項は、感染症の患者についての秘密の漏洩に係る罰則に関して規定した条文である。

○　医療従事者や公務員が秘密漏洩した場合の罰則については、旧後天性免疫不全症候群の予防に関する法律（以下「エイズ予防法」という。）や旧性病予防法では、刑法や地方公務員法（昭和二十五年法律第二百六十一号）の秘密漏洩に罰量を加重して規定されていたが、旧伝染病予防法には秘密漏洩に関する罰則が通常以上の量刑を定めることによって存在しなかった。しかしながら、感染症の患者等が感染症に対する誤解から不当な差別的取扱いを受けやすいことから、職務上取得した感染症に関する他人の情報を厳格に保護することが必要であり、罰量の加重規定を置くこととされた。

○　刑は、医師又は公務員若しくは公務員であった者については一年以下の懲役又は百万円以下の罰金（第七十三条）、その他の感染症の患者であるとの人の秘密を業務上知り得た者については六月以下の懲役又は五十万円以下の罰金（第七十四条第一項）である。その他の感染症の患者であるとの人の秘密を業務上知り得た者としては、看護師や診療報酬支払基金の職員等が想定される。

○　正当な理由がある場合には、感染症の患者であるとの人の秘密を漏らした場合も罰せられない。正当な理由がある場合とは、都道府県知事への届出（第十二条）その他法令に基づく行為の場合や、感染症のまん延を防止するために緊急やむを得ずある者が感染症の患者であることを他言する必要がある場合等、公益上の必要があるときが考えられるが、厳格な運用が必要である。

〔参考〕各法における医師等の秘密の保持に関する罰則について

・刑法第百三十四条（医師等）

六月以下の懲役又は十万円以下の罰金

・精神保健及び精神障害者福祉に関する法律第五十三条（精神科病院の管理者、指定医等及び精神科病院の職員等）
　一年以下の懲役又は百万円以下の罰金
・原子爆弾被爆者に対する援護に関する法律第五十三条（健康診断等に従事した者）
　一年以下の懲役又は三十万円以下の罰金
・母体保護法（昭和二十三年法律第百五十六号）第三十三条（不妊手術等に従事した者）
　六月以下の懲役又は三十万円以下の罰金

○　第七十三条の三は、第五十六条の四十五の規定に基づく匿名感染症関連情報の不適切利用の禁止といった匿名感染症関連情報利用者の義務違反、第五十六条の四十七の規定に基づく厚生労働大臣による是正命令違反に係る罰則に関して規定した条文である。

○　匿名感染症関連情報利用者の義務に関する規定や、それらの実効性を確保するための規定へ罰則を設けることにより、匿名感染症関連情報に係る不適切な利用や漏洩に伴う個人の権利利益の侵害や、制度に対する信頼の失墜を未然に防ぐことを目的としている。

○　当該違反行為をした者は、一年以下の拘禁刑若しくは五十万円以下の罰金に処し、又はこれを併科することとされている。これは、匿名感染症関連情報の保護の必要性が、匿名診療等関連情報（健康保険法）や匿名医療保険等関連情報（高齢者の医療の確保に関する法律）と同じ程度のものであることや、匿名感染症関連情報の利用又は提供に係る規定が前記の二つの法律と同様のものであることから、同水準の罰則とされている。

〔参考〕各法における情報利用者の義務違反及び厚生労働大臣による是正命令違反に関する罰則について
・健康保険法第二百七条の三（匿名診療等関連情報利用者）
　一年以下の懲役若しくは五十万円以下の罰金又はこれの併科
・高齢者の医療の確保に関する法律第百六十七条の二（匿名医療保険等関連情報利用者）

一年以下の懲役若しくは五十万円以下の罰金又はこれの併科

○　第七十四条第二項は、第十五条の三第一項に基づく報告徴求又は質問に対する報告拒否、虚偽報告又は答弁拒否及び虚偽答弁に係る罰則に関して規定した条文である。

○　新型インフルエンザ等感染症の病原体に感染したおそれのある者で停留されない者に係る検疫所長からの通知を受けた都道府県知事が、第十五条の三第一項の規定により行う報告徴求及び質問は、新型インフルエンザ等感染症の発生及びまん延の防止上その実効性を担保し、状況把握の確実性を高めることが重要であることから、これに対する拒否等については、検疫法第十八条第二項に基づく報告、質問に関する罰則との均衡も踏まえ、第七十七条第三号に規定する第十五条の二第一項又は第十五条の三第二項の規定による質問に対する虚偽答弁等に比して重く処罰されている。

第七十五条　次の各号のいずれかに該当する場合には、当該違反行為をした者は、三百万円以下の罰金に処する。

一　第五十六条の九第一項（第五十六条の十一第四項及び第五十六条の十四において準用する場合を含む。）の条件に違反したとき。

二　第五十六条の十六第一項本文及び第五十六条の十七の規定による届出をせず、又は虚偽の届出をしたとき。

三　第五十六条の二十二第二項の規定による届出をせず、又は虚偽の届出をしたとき。

四　第五十六条の二十四の規定（特定一種病原体等所持者又は二種病原体等許可所持者に係るものに限る。）に違反したとき。

五　第五十六条の二十七第一項の規定による届出をせず、又は虚偽の届出をして一種病原体等、二種病原体等又は三種病原体等を運搬したとき。
六　第五十六条の二十七第四項の規定に違反したとき。
七　第五十六条の三十二の規定による命令に違反したとき。
八　第五十六条の三十六の規定による命令に違反したとき。

第七十六条　次の各号のいずれかに該当する場合には、当該違反行為をした者は、百万円以下の罰金に処する。
一　第五十六条の十一第二項（第五十六条の十四において準用する場合を含む。）の規定による届出をせず、又は虚偽の届出をして第五十六条の十一第一項ただし書に規定する変更をしたとき。
二　第五十六条の十六第二項、第五十六条の二十八又は第五十六条の二十九第三項の規定による届出をせず、又は虚偽の届出をしたとき。
三　第五十六条の二十一の規定に違反したとき。
四　第五十六条の二十三第一項の規定に違反して帳簿を備えず、帳簿に記載せず、若しくは虚偽の記載をし、又は同条第二項の規定に違反して帳簿を保存しなかったとき。
五　第五十六条の二十七第五項の規定による警察官の停止命令に従わず、提示の要求を拒み、検査を拒み、若しくは妨げ、又は同項の規定による命令に従わなかったとき。

〔解　説〕

○　第七十五条及び第七十六条は、第十一章の特定病原体等の規制に関する行政刑罰を規定した条文である。罰則については、他法令における行政刑罰との均衡等も考慮しつつ、法目的達成のため規制を担保する必要性に照らして、その程度が定められている。

○　第七十五条は、①二種病原体等の所持・輸入・変更許可の条件違反（第一号）、②三種病原体等の所持・輸入の届出義務違反・虚偽届出（第二号）、③滅菌譲渡届出義務違反・虚偽届出（第三号）、④特定一種病原体等所持者・二種病原体等許可所持者の施設基準違反（第四号）、⑤一種病原体等・二種病原体等・三種病原体等の無届出・虚偽届出運搬（第五号）、⑥運搬証明書携帯・記載内容遵守違反（第六号）、⑦改善命令違反（第七号）、⑧滅菌等の措置命令違反（第八号）に関する罰則である。病原体等の規制に関する義務に違反する行為は、いずれも感染症の発生及びまん延の防止という法目的に反する行為であり、このような行政上の義務違反に対し処罰、義務履行の確保をすることによって各制度の趣旨を担保している。

○　第七十六条は、①二種病原体等の所持・輸入許可事項の変更届出義務違反・虚偽届出（第一号）、②三種病原体等の所持届出事項の変更届出義務違反・虚偽届出、事故届出義務違反、災害時届出義務違反（第二号）、③教育訓練実施義務違反（第三号）、④帳簿備付義務違反・記帳義務違反・虚偽記載・帳簿保存義務違反（第四号）、⑤警察官停止命令違反、運搬証明書提示要求拒否・検査拒否・妨害、措置命令違反（第五号）に関する罰則である。病原体等の規制に関する義務に違反する行為は、いずれも感染症の発生及びまん延の防止という法目的に反する行為であり、このような行政上の義務違反に対し処罰、義務履行の確保をすることによって各制度の趣旨を担保している。

第七十七条　次の各号のいずれかに該当する場合には、当該違反行為をした者は、五十万円以下の罰金に処する。

一　医師が第十二条第一項若しくは第八項又は同条第十項において準用する同条第一項の規定（これらの規定が第四十四条の九第一項の規定に基づく政令によって準用される場合を含む。）による届出（新感染症に係るものを除く。）をしなかったとき。

二　獣医師が第十三条第一項又は同条第七項において準用する同条第一項の規定（これらの規定が第四十四条の九第一項の規定に基づく政令によって準用される場合を含む。）による届出をしなかったとき。

三　第十五条の二第一項若しくは第十五条の三第二項（同条第七項の規定により読み替えて適用される場合を含む。）の規定による当該職員の質問に対して答弁をせず、若しくは虚偽の答弁をし、又はこれらの規定による当該職員の調査を拒み、妨げ若しくは忌避したとき。

四　第十八条第一項（第四十四条の九第一項の規定に基づく政令によって準用される場合及び第五十三条第一項の規定に基づく政令によって適用される場合を含む。）の規定による通知を受けた場合において、第十八条第二項（第四十四条の九第一項の規定に基づく政令によって準用される場合及び第五十三条第一項の規定に基づく政令によって適用される場合を含む。）の規定に違反したとき。

五　第二十七条第一項（第四十四条の九第一項の規定に基づく政令によって準用される場合及び第五十三条第一項の規定に基づく政令によって適用される場合を含む。）、第二十八条第一項（第四十四条の九第一項の規定に基づく政令によって適用される場合、第四十四条の九第一項の規定に基づく政令によって準用される場合及び第五十三条第一項の規定に基づく政令によって適用される場合を含む。）、第二十九条第一項若しくは第三十条第一項の規定（これらの規定が第四十四条の九第一項の規定に基づく政令によって準用される場合及び第五十三条第一項の規定に基づく政令によって適用される場合を含む。）又は第三十一条第一項、第三十二条第一項若しくは第三十三条の規定（これらの規定が第四十四条の四第一項の規定に基づく政令によって適用される場合、第四十四条の九第一項の規定に基づく政令によって準用される場合及び第五十三条第一項の規定に基づく政令によって適用される場合を含む。）による都道府県知事（保健所設置市等の長を含む。）の命令（第五十条第一項の規定により実施される場合を含む。）に従わなかったとき。

六　第三十条第二項（第四十四条の九第一項の規定に基づく政令によって準用される場合及び第五十三条第一項の規定に基づく政令によって適用される場合を含む。）又は第五十条第一項の規定により実施される第三十条第二項の規定に違反したとき。

七　第三十五条第一項（第四十四条の四第一項の規定に基づく政令によって適用される場合、第四十四条の九第一項の規定に基づく政令によって準用される場合及び第五十三条第一項の規定に基づく政令によって適用される場合を含む。）若しくは第五十条第一項、第七項若しくは第十項の規定により実施される第三十五条第一項の規定による当該職員の質問に対して答弁をせず、若しくは虚偽の答弁をし、又は同項（第四十四条の四第一項の規定に基づく政令によって適用される場合、第四十四条の九第一項の規定に基づく政令によって準用される場合及び第五十三条第一項の規定に基づく政令によって適用される場合を含む。）若しくは第五十条第一項、第七項若しくは第十項の規定により実施される第三十五条第一項の規定による当該職員の調査を拒み、妨げ若しくは忌避したとき。

八　第三十六条の二十二第一項（第三十六条の二十三第四項及び第三十六条の二十四第二項において準

用する場合を含む。）の規定による報告をせず、若しくは虚偽の報告をし、又はこれらの規定による検査を拒み、妨げ、若しくは忌避したとき。

九　第三十六条の二十七の規定による報告若しくは文書その他の物件の提出をせず、又は虚偽の報告をし、若しくは虚偽の物件を提出したとき。

十　第五十三条の二十三第一項の規定による報告をせず、若しくは虚偽の報告をし、又は同項の規定による検査を拒み、妨げ、若しくは忌避したとき。

十一　第五十四条又は第五十五条第一項、第二項若しくは第四項の規定（これらの規定が第四十四条の九第一項の規定に基づく政令によって準用される場合及び第五十三条第一項の規定に基づく政令によって適用される場合を含む。）に違反して指定動物を輸入したとき。

十二　第五十六条の二第一項の規定に違反して届出動物等を輸入したとき。

十三　第五十六条の四十六第一項の規定による報告若しくは帳簿書類の提出若しくは提示をせず、若しくは虚偽の報告若しくは虚偽の帳簿書類の提出若しくは提示をし、又は同項の規定による質問に対して答弁をせず、若しくは虚偽の答弁をし、若しくは同項の規定による立入検査を拒み、妨げ、若しくは忌避したとき。

２　支払基金又は受託者の役員又は職員が、第三十六条の三十七第一項の規定による報告をせず、若しくは虚偽の報告をし、又は同項の規定による検査を拒み、妨げ、若しくは忌避したときは、五十万円以下の罰金に処する。

第七十七条の二　第五十三条の十六第三項（第五十三条の十八第二項において読み替えて準用する場合を

含む。）の規定による届出をしなかったときは、当該違反行為をした者は、二十万円以下の罰金に処する。

〔解　説〕

○　第七十七条及び第七十七条の二は個別の命令等に違反した場合の罰則に関して規定した条文である。

○　医師・獣医師の届出義務違反→罰則あり（第七十七条第一項第一号、第二号）

医師・獣医師からの届出によって、都道府県は感染症の発生及びまん延防止のための施策を講じることとなるため、届出義務を担保することが必要である。したがって、当該義務は罰則をもって担保することとされている（ただし、新感染症の疑いのあるものについては、判断が非常に困難なので罰則を科さない。）。しかし、定点調査の届出（第十四条）及び検体等の提出（第十四条の二）については、指定届出機関は、開設者の同意を得て指定を行うこととなっており、罰則によって届出（提出）を担保しなくても届出（提出）が行われるものと思料されるので、罰則は不必要と判断された。

〔参考〕各法における届出に関する罰則について

・食品衛生法第八十三条第一号

一年以下の懲役又は百万円以下の罰金

○　検体等の採取等、健康診断関係→罰則なし

検体の採取等（第十六条の三、第四十四条の七）、健康診断（第十七条、第四十五条）については、まず、勧告を行い、当該勧告に従わない場合に、強制力を持って措置を行うこととされている（「命令」は存在しない。）。そのため、検体の採取等、健康診断について義務違反は想定できず、また、その実効は措置により図られることから罰則を設けない。

○　検疫所長から健康状態に異状がある者に係る通知を受けた都道府県知事が行う質問・調査（第十五条の三第五項の規定

により、都道府県知事の行う事務を厚生労働大臣が実施する場合を含む。）に対する虚偽答弁、調査拒否・妨害↓罰則あり（第七十七条第一項第三号）

感染症の発生及びまん延防止のために都道府県知事に必要な調査を行う権限が与えられている。質問・調査は、各種の感染症の発生及びまん延防止措置に必要なものであるので、その実効性を担保することは重要であり、質問への答弁、調査を拒んだ者、虚偽の答弁をした者等については罰則を科す。

○就業禁止違反↓通知を受けた者については罰則あり（第七十七条第一項第四号）

就業禁止違反については、都道府県知事から届出内容の通知があったときから就業禁止の義務を課しており、その実効性を担保するために罰則を科す。

〔参考〕各法における就業禁止義務（行動制限）に関する罰則について

・食品衛生法第八十三条第四号（営業許可に付された条件に違反した者）

一年以下の懲役又は百万円以下の罰金

・食品衛生法第八十三条第五号（営業停止命令を受け、又は営業許可を取り消されたにもかかわらず営業等をした者）

一年以下の懲役又は百万円以下の罰金

○入院に係るもの↓罰則あり（第八十条）（後述）

○検体の収去等↓罰則なし

第二十九条第一項の物件に係る措置などの対物措置に関しては、当該措置を講ずべき命令への違反については、罰則が設けられているが、当該命令については、命令の対象とした物件を感染症の感染源として捉えており、当該命令に従わないこと自体が感染症の発生及びまん延の危険を高める行為であることに鑑み、当該命令の実効性を担保するため、罰則を設けているものである。一方、検体の収去等、採取等（第二十六条の三、第二十六条の四（第五十条第一項及び第七項により準用する場合を含む。））については命令を前置し、それに従わない場合に、強制力を持って措置を行うこととされ、検体の確保が可能である。また、これらの規定は、第二十九条などの他の対物措置の規定のように、当該検体を感染源として捉えているのではなく、当該検体を活用し病原体情報を収集することにより、感染症の発生及びまん延の防止対策を立案することを目的としているものであるため、他の対物措置の規定とは異なり、罰則の適用については謙抑的であるべきである。よって、これらの命令については、罰則規定を設けないこととしている。

○　家屋等の消毒義務違反に関するもの→罰則あり（第七十七条第一項第五号）

感染症の病原体に汚染された家屋等については、消毒命令・消毒措置がなされる。消毒命令を受けた者について消毒を実施する能力がない場合も想定できる（特に一般私人については、消毒実施能力は極めて低いと思料される。）が、その場合には、消毒命令を発することなく、市町村職員が消毒を行うことにより実効を担保している。一方、消毒の能力がある者については、本来その者が消毒を行うべきものであり、消毒命令に従わないことは感染症のまん延の危険を高める行為であり、消毒命令の実効を担保するために罰則を科すこととされた。

○　飲食物その他の物件に対する処分違反に関するもの→罰則あり（第七十七条第一項第五号）

感染症の病原体に汚染され、又は汚染された疑いがある飲食物その他の物件に対する措置としては、移動の制限・禁止、消毒命令、廃棄命令、その他の処分の命令、消毒措置、廃棄措置、その他の措置がある。移動の制限・禁止については、「措置」が想定できない以上、移動の制限・禁止の実効を担保するために罰則を科す。一方、消毒・廃棄・その他の措置については、それぞれの命令に従う能力がない者については命令を発するのではなく、「措置」を行うことで感染拡大防止の実効を図る。消毒・廃棄・その他の措置に従う能力がある者については、その者が消毒・廃棄・その他の措置を行うべきものであるので、その実効を担保するために罰則を科す。

〔参考〕各法における飲食物販売禁止に関する罰則について

・食品衛生法第八十一条（販売を禁止されている食品及び添加物等を販売した者）

　三年以下の懲役又は三百万円以下の罰金（情状により併科可能）

・食品衛生法第八十五条第一号（臨検検査に際し、収去を拒み、妨げた者）

五十万円以下の罰金

号）

○　死体に対する移動制限命令・禁止命令違反、火葬義務違反に関するもの→罰則あり（第七十七条第一項第五号、第六

感染症の病原体に汚染され、又は汚染された疑いがある死体については、移動制限命令・禁止命令の措置があり、また、火葬義務が課せられる。いずれについても「措置」が想定されていないことから実効性担保の観点から原則として罰則が必要である。

〔参考〕各法における死体に対する処分等に関する罰則について

・墓地、埋葬等に関する法律第二十一条（死後二十四時間以内に埋葬又は火葬した者、墓地以外の区域で埋葬をした者、火葬場以外の施設で火葬した者、許可を受けずに埋葬・火葬・改葬をした者）

二万円（一千円）以下の罰金又は拘留若しくは科料

○　水の使用制限及び禁止違反に関するもの→罰則あり（第七十七条第一項第五号）

感染症の病原体に汚染され、又は汚染された疑いがある水については、その使用の制限命令・禁止命令を想定。しかし、その実効性の担保のための「措置」は想定していない。したがって、水の使用制限及び禁止違反については罰則をもってこれを担保する。

〔参考〕各法における水の使用制限に関する罰則について

・水道法第五十三条第十号（給水停止命令違反）

一年以下の懲役又は百万円以下の罰金

○　建築物に対する立入禁止命令違反に関するもの→罰則あり（第七十七条第一項第五号）

感染症の病原体に汚染された建築物であって消毒によっては感染症の病原体を除去できないものについては、当該建築

物の所有者、管理者又は占有者に対して立入りの禁止を命じ、それによっても感染症の発生及びまん延を防止できないときに封鎖その他の措置が講ぜられる。建物に対する立入禁止命令については「措置」による実効が担保されていないので罰則をもって実効を図る。

〔参考〕各法における建築物に対する処分に関する罰則について

・成田国際空港の安全確保に関する緊急措置法第九条第一項（使用禁止命令違反）

六月以下の懲役又は十万円以下の罰金

○　交通の制限及び遮断に関するもの→罰則あり（第七十七条第一項第五号）

感染症の発生及びまん延防止のため緊急の必要があると認めるときは、感染症の患者がいる場所その他感染症の病原体に汚染された場所等の交通を制限し、又は遮断することを想定。交通の制限及び遮断は最終的には措置で担保するとされているが、命令が出されることもある。そこで、当該命令の実効性を担保するために罰則を科す。

〔参考〕各法における通行の制限及び遮断に関する罰則について

・狂犬病予防法第二十七条第九号（交通の遮断又は制限違反）

二十万円以下の罰金

・家畜伝染病予防法第六十八条第三号（通行の制限又は遮断違反）

三十万円以下の罰金

○　調査・質問に関するもの→罰則あり（第七十七条第一項第七号）

感染症の発生及びまん延防止のために都道府県等の職員に必要な調査を行う権限が与えられている。質問・調査は、各種の感染症の発生及びまん延防止措置に必要なものであるので、その実効性を担保することは重要であり、質問への答弁、調査を拒んだ者、虚偽の答弁をした者等については罰則を科す。

〔参考〕各法における立入検査・質問に関する罰則について

・食品衛生法第八十五条第二号（報告徴収に応じず、又は虚偽の報告をした者）

五十万円以下の罰金

○流行初期医療確保拠出金等の額の算定に関する報告及び検査に関するもの→罰則あり（第七十七条第一項第八号）

厚生労働大臣又は都道府県知事は、保険者等に対し、流行初期医療確保拠出金等の額の算定に関して必要があると認めるときは、その業務に関する報告を徴し、又は当該職員に実地にその状況を検査させることができることとしており（第三十六条の二十二第一項）、当該報告をせず、若しくは虚偽の報告をし、又はこれらの規定による検査を拒み、妨げ、若しくは忌避したときに罰則を科す。

〔参考〕各法における厚生労働大臣からの報告徴収・実地検査に関する罰則について

・高齢者の医療の確保に関する法律第百六十八条第一項第一号（報告徴収に応じず、虚偽報告をした者又は検査を拒み、妨げ、忌避した者）

五十万円以下の罰金

○保険者等の報告又は文書その他物件の提出に関するもの→罰則あり（第七十七条第一項第九号）

支払基金は、保険者等に対し、毎年度、加入者数その他の厚生労働省令で定める事項に関する報告を求めるほか、第三十六条の二十五第一項第一号に掲げる業務に関し必要があると認めるときは、文書その他の物件の提出を求めることができることとしており（第三十六条の二十七）、当該報告若しくは文書その他の物件の提出をせず、又は虚偽の報告をし、若しくは虚偽の物件を提出したときに罰則を科す。

〔参考〕各法における支払基金からの報告徴収に関する罰則について

・高齢者の医療の確保に関する法律第百六十八条第一項第二号（報告徴収に応じず、又は虚偽の報告をした者）

五十万円以下の罰金

○感染症対策物資に関する事業者の報告・検査に関するもの→罰則あり（第七十七条第一項第十号）

厚生労働大臣及び感染症対策物資等を所管する大臣は、生産指示、輸入指示、売渡しの指示等の規定の施行に必要な限度において、事業者に対して、業務状況や経理状況について報告させ、又はその職員に、これらの者の営業所、事務所その他の事業場に立ち入り、帳簿、書類その他の物件を検査させることができることとしており（第五十三条の二十三）、当該報告をせず、若しくは虚偽の報告をし、又は立入検査を拒み、妨げ、若しくは忌避した者に罰則を科す。

〔参考〕各法における大臣からの報告徴収・実地検査に関する罰則について

・建築物のエネルギー消費性能の向上に関する法律（平成二十七年法律第五十三号）第七十五条（報告徴収等義務違反）

五十万円以下の罰金

○ 動物の輸入検査違反に関するもの→罰則あり（第七十七条第一項第十一号）

指定動物の輸入については、輸出国の証明書の添付及び輸入時の検査がなされる。しかし、当該義務については、法律上当然課せられるものであって、何らかの行政行為は介在しない。そのため、輸出国の証明書の添付・輸入時の検査については措置が想定できないことから、輸出国の証明書の添付及び輸入時の検査については、罰則をもってこれを担保する。

○ 動物の輸入届出義務違反→罰則あり（第七十七条第一項第十二号）

届出動物等の輸入については、届出書の提出及び輸出国の証明書の添付並びに厚生労働省令の定めるところに従った輸入の届出が義務づけられている。しかし、当該義務については、法律上当然課せられるものであって、何らかの行政行為は介在しない。そのため、届出書の提出及び輸出国の証明書の添付並びに厚生労働省令の定めるところに従った輸入の届出については、措置が想定できないことから、罰則をもってこれを担保する。

〔参考〕各法における輸入禁止に関する罰則について

・家畜伝染病予防法第六十三条第四号（輸入の条件違反）、第五号（輸入検査義務違反）

三年以下の懲役又は三百万円以下の罰金

・狂犬病予防法第二十六条第一号（輸入禁止義務違反）

三十万円以下の罰金

・食品衛生法第八十五条第三号（届出義務違反）

五十万円以下の罰金

○　匿名感染症関連情報利用者による報告・検査に関するもの↓罰則あり（第七十七条第一項第十三号）

匿名感染症関連情報利用者に対しては、匿名感染症関連情報を管理する設備や人員体制に関する義務の履行状況について、個々の実態を正確に把握し、違反内容に則した個別具体的な是正命令等を行うことを可能とするため、報告徴収及び立入検査の規定が置かれているが、当該報告をせず、若しくは虚偽の報告をし、又は立入検査を拒み、妨げ、若しくは忌避した者に罰則を科す。

〔参考〕各法における報告徴収及び立入検査の拒否又は虚偽の対応等に関する罰則について

・健康保険法第二百十三条の二第一号（匿名診療等関連情報利用者に対する報告徴収及び立入検査の拒否又は虚偽の対応等）

五十万円以下の罰金

○　支払基金等の役員による報告徴収に関するもの↓罰則あり（第七十七条第二項）

第三十六条の三十七第一項では、厚生労働大臣又は都道府県知事は、支払基金又は受託者について、流行初期医療確保措置関係業務に関し必要があると認めるときは、その業務又は財産の状況に関する報告を徴し、又は当該職員に実地にその状況を検査させることができることとしている。

当該報告の徴収等の実効性を確保し、流行初期医療確保措置関係業務の適切な実施を図るため、支払基金等の役員等が当該報告の徴収等に係る規定に違反した場合等における罰則規定を置いている。

〔参考〕各法における支払基金に対する報告徴収・実地検査に関する罰則について

・高齢者の医療の確保に関する法律第百六十八条第二項（報告徴収に応じず、虚偽報告をした者又は検査を拒み、妨げ、忌避した者）

五十万円以下の罰金

○　感染症対策物資の生産・輸入計画の届出に関するもの→罰則あり（第七十七条の二）

厚生労働大臣は、感染症対策物資等が不足する等の一定の条件下において、当該感染症対策物資等の生産・輸入業者に対し、生産・輸入を促進するよう要請することができ、当該要請を受けた生産・輸入業者は、厚生労働大臣及び事業所管大臣に対して生産・輸入計画を届け出なければならないこととしており（第五十三条の十六第一項及び第三項（第五十三条の十八第二項において読み替えて準用する場合を含む。）並びに第五十三条の十八第一項）、当該届出をしなかった者に罰則を科す。

〔参考〕各法における届出義務違反に関する罰則について

・国民生活安定緊急措置法第三十五条（届出義務違反）

二十万円以下の罰金

第七十八条　第六十七条の罪は、刑法（明治四十年法律第四十五号）第四条の二の例に従う。

第七十八条の二　第七十三条の三の罪は、日本国外において同条の罪を犯した者にも適用する。

〔解　説〕

○　第七十八条及び第七十八条の二は、国外犯の処罰に関して規定した条文である。第七十八条の規定は、第六十七条（一種病原体等の発散罪）の国外犯の処罰に関する規定であり、刑法第四条の二の例に従うこととしている。刑法第四条の二は、「この法律は、日本国外において犯したときであっても罰すべきものとされているものを犯したすべての者に適用する」と規定している。

○　第七十八条の二は、第七十三条の三の罪（法第五十六条の四十五の規定による匿名感染症関連情報利用者の義務違反、第五十六条の四十七の規定に基づく厚生労働大臣による是正命令違反）について、日本国外において同条の罪を犯した者にも適用することとするものである。匿名感染症関連情報利用者が国外で匿名感染症関連情報を利用することも想定され、その過程で法の規定に違反する行為が行われた場合には、匿名感染症関連情報の漏洩等が発生する危険性が大きくなる。匿名感染症関連情報は、特定の個人を識別することができないよう加工された情報ではあるが、個人の健康状態等に関する機微な情報であり、また、他の情報と照合を行うこと等により、情報に係る特定の個人を識別できる可能性もあることから、国外での利用において、法の規定に違反する行為が行われた場合には、国内犯と同様に、罰則規定を適用する必要がある。

〔参考〕各法における国外犯への罰則の適用について

・健康保険法第二百十三条の四（匿名診療等関連情報の利用に関する国外犯への適用）

同法第二百七条の三（匿名診療等関連情報利用者の義務違反及び是正命令違反に係る罪に対する罰則（一年以下の懲役若しくは五十万円以下の罰金又はこれの併科））は、日本国外において同条の罪を犯した者にも適用

第七十九条　法人（法人でない社団又は財団で代表者又は管理人の定めがあるもの（以下この条において「人格のない社団等」という。）を含む。以下この条において同じ。）の代表者（人格のない社団等の管理人を含む。）又は法人若しくは人の代理人、使用人その他の従業者が、その法人又は人の業務に関し、第六十七条の罪を犯し、又は第六十八条から第七十二条まで、第七十三条の三、第七十五条、第七

十六条、第七十七条第一項第十号から第十三号まで若しくは第七十七条の二の違反行為をしたときは、行為者を罰するほか、その法人又は人に対しても、各本条の罰金刑を科する。

２　人格のない社団等について前項の規定の適用がある場合には、その代表者又は管理人がその訴訟行為につき当該人格のない社団等を代表するほか、法人を被告人又は被疑者とする場合の刑事訴訟に関する法律の規定を準用する。

〔解　説〕

○　第七十九条は、いわゆる両罰規定を規定したものであり、法人の代表者又は従業者、個人に使用される従業者がその業務に関し違反行為を行った場合に、事業主である法人又は個人をも処罰するものである。

○　第六十七条の罪及び第六十八条から第七十二条まで、第七十三条の三、第七十五条、第七十六条又は第七十七条第一項第十号から第十三号まで若しくは第七十七条の二の違反行為の主体は、いずれも事業主たる法人の代表者又は従業者、事業主たる個人に使用される従業者である場合が前提又は想定されることから、これらの法人又は個人についても罰則を科すこととしたものである。

○　なお、令和四年改正により、匿名感染症関連情報の提供に関する規定が創設された際、感染症関連情報を人格のない社団等が取り扱うことが想定されることや、改正前の法第七十九条の対象としている罰則についても、人格のない社団等に適用することが望ましいことから、人格のない社団等についても、本条の罰則の射程に追加された。

第八十条　第十九条第一項、第二十条第一項若しくは第二十六条において準用する第十九条第一項若しくは第二十条第一項（これらの規定が第四十四条の九第一項の規定に基づく政令によって準用される場合及び第五十三条第一項の規定に基づく政令によって適用される場合を含む。）若しくは第四十六条第一項の規定による入院の勧告若しくは第十九条第三項若しくは第五項、第二十条第二項若しくは第三項若しくは第二十六条において準用する第十九条第三項若しくは第五項若しくは第二十条第二項若しくは第三項（これらの規定が第四十四条の九第一項の規定に基づく政令によって準用される場合及び第五十三条第一項の規定に基づく政令によって適用される場合を含む。以下この条において同じ。）若しくは第四十六条第二項若しくは第三項の規定による入院の措置により入院した者がその入院の期間（第二十条第四項若しくは第二十六条において準用する同項（これらの規定が第四十四条の九第一項の規定に基づく政令によって準用される場合及び第五十三条第一項の規定に基づく政令によって適用される場合を含む。）又は第四十六条第四項の規定により延長された期間を含む。）中に逃げたとき又は第十九条第三項若しくは第五項、第二十条第二項若しくは第三項若しくは第二十六条において準用する第十九条第三項若しくは第五項若しくは第二十条第二項若しくは第三項若しくは第四十六条第二項若しくは第三項の規定による入院の措置を実施される者（第二十三条若しくは第二十六条において準用する第二十三条（これらの規定が第四十四条の九第一項の規定に基づく政令によって準用される場合及び第五十三条第一項の規定に基づく政令によって適用される場合を含む。）又は第四十九条において準用する第十六条の三第五項の規定による通知を受けた者に限る。）が正当な理由がなくその入院すべき期間の始期までに入院しなかったときは、五十万円以下の過料に処する。

〔解　説〕

○　第八十条は、正当な理由がなく入院措置に応じない場合又は入院先から逃げた場合の過料を規定する条文である。

○　感染症法上の入院は、感染症のまん延防止という、緊急かつ公益性の高い目的の下、

・　感染力及び罹患した場合の病態の重篤度から判断した危険性が高い疾病に罹患した者を入院させることで、早期に周囲への二次的な感染を防ぐとともに、

・　感染症患者に医療を提供し、当該者を重症化させないこと等により、病状を早期に回復させ、病状の回復により感染力を早期に減弱・消失させることにより、退院後の感染の拡大を防ぐことで、前記の目的（感染症のまん延防止）の達成を担保しようとするものである。

○　この点、感染症法に基づく入院の措置については、入院を命じ、罰則で担保するという方法は、間接的な方法に留まり、危険な感染症に対する緊急時の対応としては不十分であることから、即時強制として規定されている。

○　その上で、即時強制によって履行を確保するため、入院の措置については義務違反が一般的には想定できないところであるが、新型コロナウイルス感染症（COVID-19）対応においては、入院医療機関でセキュリティシステム等を作動させていたにも関わらず、患者が偽って入院医療機関から逃げ出し、行方不明になる事例が複数発生していた。こうしたことを受け、医療機関外で感染を拡大させるおそれがあり、検疫法に基づく隔離・停留においても、即時強制と罰則の両方が規定されている。

○　このため、正当な理由がなく入院措置に応じない場合又は入院先から逃げた場合、即時強制のほか、五十万円以下の過料を科すこととした。

○　この点、そもそも入院勧告や措置を行う際には、対象となる患者に対して、入院の必要性等について丁寧に説明し、対象者の理解を得ながら入院に応じていただくことが重要であり、罰則に至る前に、複数の対応を行う仕組みとなっているので、これらの手続きを丁寧かつ十分に行うとともに、入院が困難である理由に対する相談・支援を十分に尽くし、慎重

に対応する必要がある。

なお、過料を科する場合の具体的な手順は、別途事務連絡が発出されている（「「新型インフルエンザ等対策特別措置法等の一部を改正する法律」の施行に伴う罰則に係る事務取扱いについて（感染症法関係）」（令和三年二月十日厚生労働省健康局結核感染症課事務連絡））。

○「正当な理由がなく入院措置に応じない場合」の「正当な理由」については、患者等の個人の権利利益と感染症の予防及びまん延防止という公共の利益を考慮して、正当な理由と言えるかどうか判断することが基本的な考え方となる。一概に確定することはできないが、例えば、新型コロナウイルス感染症（COVID-19）に関する場合、入院措置の対象となっても、患者本人やその家族に必要な介護や保育等の福祉サービスを確保できないために、当該措置で指定された医療機関に入院できない場合などは「正当な理由」に該当し得ると考えられる。

○なお、令和三年改正の政府案においては、正当な理由がなく入院措置に応じない場合又は入院先から逃げた場合、即時強制のほか、懲役又は罰金（刑事罰）を科する案であったが、衆議院での修正により、過料に修正され、附帯決議も付されているため、政府及び関係者においては、本法の施行等に当たってこれらに十分に留意することが必要である。

第八十一条　第十五条第八項の規定（第四十四条の九第一項の規定に基づく政令によって準用される場合及び第五十三条第一項の規定に基づく政令によって適用される場合を含む。）による命令を受けた者が、第十五条第一項若しくは第二項の規定（これらの規定が第四十四条の九第一項の規定に基づく政令によって準用される場合及び第五十三条第一項の規定に基づく政令によって適用される場合を含む。）による当該職員の質問に対して正当な理由がなく答弁をせず、若しくは虚偽の答弁をし、又は正当な理由がなくこれらの規定による当該職員の調査（第十五条第三項（同条第六項において準用される場合、

第四十四条の九第一項の規定に基づく政令によって準用される場合及び第五十三条第一項の規定に基づく政令によって適用される場合を含む。）の規定による求めを除く。）を拒み、妨げ若しくは忌避したときは、三十万円以下の過料に処する。

〔解　説〕

○　第八十一条は、積極的疫学調査に関する過料を規定する条文である。

○　新型コロナウイルス感染症（COVID-19）対応において、患者に対し、感染源の推定や当該感染症にかかっていると疑うに足りる正当な理由のある者の把握等のための聞き取り等を行った際に、これを拒否され、円滑かつ確実な調査ができなかった事例があったとの指摘を踏まえ、積極的疫学調査の実効性の確保のため、

①　一類感染症、二類感染症若しくは新型インフルエンザ等感染症の患者、指定感染症又は新感染症の所見がある者（以下「特定患者等」という。）が

②　積極的疫学調査として行われる当該職員の質問又は必要な調査に対して正当な理由がなく協力しない場合において、感染症の発生を予防し、又はそのまん延を防止するため必要があると認めるときは、その特定患者等に対し、積極的疫学調査に応ずべきことを命ずることができ（第十五条第八項）

③　命令を受けた者が、当該職員の質問に対して正当な理由がなく答弁をせず、若しくは虚偽の答弁をし、又は正当な理由がなくこれらの規定による当該職員の調査（第三項の規定による求めを除く。）を拒み、妨げ若しくは忌避したときは、三十万円以下の過料に処する

こととされている。

○　感染症対策上、感染源の推定や感染症にかかっていると疑うに足りる正当な理由のある者の把握、必要な検査、医療に

つなげるため、積極的疫学調査は重要であり、この点、積極的疫学調査の実施に当たっては、こういった重要性を含め、まずは丁寧な説明等を行うことにより、罰則に至る前に、対象者の理解・協力を得られるようにすることが適切である（例えば、自治体が積極的疫学調査により取得した情報は、マスメディアを含め一般や他者にむやみに公表されるものではなく、個人情報はその十分な保護が図られる旨は、対象者の協力を得るために重要であり、特に丁寧に説明する）。なお、過料を科する場合の具体的な手順は、別途事務連絡が発出されている（「「新型インフルエンザ等対策特別措置法等の一部を改正する法律」の施行に伴う罰則に係る事務取扱いについて（感染症法関係）」（令和三年二月十日厚生労働省健康局結核感染症課事務連絡））。

○　積極的疫学調査に応じない「正当な理由」については、患者等の個人の権利利益と感染症の予防及びまん延防止という公共の利益を考慮して、正当な理由と言えるかどうか判断することが基本的な考え方となる。一概に確定することはできないが、積極的疫学調査については、感染症の発生を予防し、又は感染症の発生の状況、動向及び原因を明らかにするために行うものであるため、接触者の名前、連絡先、訪れた場所等は、基本的に回答いただくべきものである。他方で、例えば、特定の場所を訪れた理由、接触した人との人間関係、接触した人との会話の内容など、感染症の予防等の観点からは必ずしも必要のない質問への回答を拒否する場合等には、罰則の対象にはならない。いずれにせよ、積極的疫学調査への回答が得られない理由が「正当な理由」に該当するか判断するに当たっては、私権の保護と公共の利益への影響のバランスについて、慎重に判断することが必要である。

○　なお、令和三年改正の政府案においては、特定患者等が、質問に対して正当な理由がなく答弁をせず、若しくは虚偽の答弁をし、又は正当な理由がなく調査を拒み、妨げ若しくは忌避した場合の罰金（刑事罰）を科する案であったが、衆議院での修正により、命令を前置し、過料に修正されたものであり、附帯決議も付されているため、政府及び関係者においては、本法の施行等に当たってこれらに十分に留意することが必要である。

第八十二条　次の各号のいずれかに該当する場合には、当該違反行為をした支払基金の役員は、二十万円以下の過料に処する。
一　この法律により厚生労働大臣の認可又は承認を受けなければならない場合において、その認可又は承認を受けなかったとき。
二　第三十六条の三十四の規定に違反して業務上の余裕金を運用したとき。

〔**解　説**〕

○　第八十二条は、流行初期医療確保措置に関し支払基金の役員に対する罰則を定めた規定である。以下のいずれかに該当する場合には、当該違反行為をした支払基金の役員は、二十万円以下の過料に処することとする。

・　感染症法により厚生労働大臣の認可又は承認を受けなければならない場合において、その認可又は承認を受けなかったとき。

・　第三十六条の三十四の規定に違反して業務上の余裕金を運用したとき。

〔参考〕各法における支払基金の役員の違反行為に対する罰則について

・地域における医療及び介護の総合的な確保の促進に関する法律（平成元年法律第六十四号）第四十三条（厚生労働大臣の認可・承認を受けなかったとき、業務上の余裕金を運用したとき）

二十万円以下の過料

・介護保険法第二百十二条（厚生労働大臣の認可・承認を受けなかったとき、業務上の余裕金を運用したとき）

二十万円以下の過料

第八十三条　次の各号のいずれかに該当する者は、十万円以下の過料に処する。
一　第五十六条の十八第一項の規定に違反した者
二　第五十六条の十九第二項の規定による届出をしなかった者
三　第五十六条の三十三の規定による命令に違反した者

第八十四条　次の各号のいずれかに該当する者は、五万円以下の過料に処する。
一　第五十六条の十一第三項（第五十六条の十四において読み替えて準用する場合を含む。）の規定による届出をしなかった者
二　第五十六条の十八第二項の規定による届出をしなかった者

〔**解　説**〕

○　第八十三条及び第八十四条は、第十一章の特定病原体等の規制に関する行政上の秩序罰を規定した条文である。過料とは、行政上の秩序を維持するために、行政法規上の義務違反に対して科される罰則である。過料については、他法令における秩序罰との均衡等も考慮しつつ、法目的達成のため規制を担保する必要性に照らして、その程度が定められている。

○　第八十三条は、①感染症発生予防規程届出義務違反（第一号）、②病原体等取扱主任者届出義務違反（第二号）、③感染症発生予防規程の変更命令違反（第三号）に関する罰則である。これらの義務違反について、行政上の秩序を維持するため、過料に処することとしている。

○　第八十四条は、①二種病原体等許可所持者・輸入許可者の氏名等変更届出義務違反（第一号）、②感染症発生予防規程

の変更届出義務違反（第二号）に関する罰則である。これらの義務違反について、行政上の秩序を維持するため、過料に処することとしている。

感染症法における罰則について

○感染症の予防及び感染症の患者に対する医療に関する法律における罰則について

条　項	項　目	罰　則
第67条第１項	一種病原体等をみだりに発散させて公共の危険を生じさせた場合	無期又は２年1000万円
第67条第２項	第67条第１項の未遂罪	罰する
第67条第３項本文	第67条第１項の予備罪	５年・250万円
同　但書	第67条第１項の罪の実行の着手前に自首した場合	減軽又は免除
第68条第１項	一種病原体等の輸入の禁止（第56条の４）に違反した場合	10年・500万円
第68条第２項	一種病原体等のみだりな発散による公共の危険の発生（第67条第１項）の用に供する目的での一種病原体等の輸入の禁止（前項）に違反した場合	15年・700万円
第68条第３項	前２項の未遂罪	罰する
第68条第４項	第１項又は第２項の予備罪	３年・200万円
第69条第１項第１号	一種病原体等の所持の禁止（第56条の３）に違反した場合	７年・300万円
第69条第１項第２号	一種病原体等の譲渡し及び譲受けの禁止（第56条の５）に違反した場合	７年・300万円
第69条第２項	一種病原体等のみだりな発散による公共の危険の発生（第67条第１項）の用に供する目的で前項に違反した場合	10年・500万円
第69条第３項	第１項、第２項の未遂罪	罰する
第70条	二種病原体等の輸入の許可（第56条の12第１項）に違反した場合	５年・250万円
第71条第１号	二種病原体等の所持の許可（第56条の６第１項）に違反した場合	３年・200万円
第71条第２号	二種病原体等の譲渡し及び譲受けの制限（第56条の15）に違反した場合	３年・200万円
第72条第１号	二種病原体等の所持許可事項の変更の許可（第56条の11第１項）に違反した場合	１年・100万円
第72条第２号	二種病原体等の輸入許可事項の変更の許可（第56条の14において準用する第56条の11第１項）に違反した場合	１年・100万円
第72条第３号	一種・二種病原体等取扱主任者の選定等（第56条の19第１項）に違反した場合	１年・100万円
第72条第４号	一種病原体等又は二種病原体等の滅菌等（第56条の22第１項）に違反した場合	１年・100万円
第72条第５号	災害時の特定病原体等所持者等の応急措置（第56条の29第１項）・災害時の措置命令（第56条の37）に違反した場合	１年・100万円
第72条第６号	厚生労働大臣又は都道府県公安委員会による特定病原体等所持者からの報告徴収（第56条の30）違反、又は虚偽の報告をした場合	１年・100万円
第72条第７号	厚生労働大臣又は都道府県公安委員会による特定病原体等所持者の事務所、事業所への立入検査等（第56条の31第１項）の拒否、妨害、忌避、陳述拒否、虚偽陳述をした場合	１年・100万円
第72条第８号	警察庁長官又は海上保安庁長官による特定病原体等所持者の事務所又は事業所への立入検査等（第56条の38第２	１年・100万円

	項）の拒否、妨害、忌避、陳述拒否、虚偽陳述をした場合	
第73条	医師等が秘密を漏洩した場合（罰の加重）	１年・100万円
第73条の２	健康観察の委託を受けた者が秘密を漏洩した場合	１年・100万円
第73条の３第１号	匿名感染症関連情報の内容をみだりに他人に知らせ、不当な目的に利用した場合	１年・50万円
第73条の３第２号	匿名感染症関連情報利用者が是正命令（第56条の47）に違反した場合	１年・50万円
第74条第１項	業務上秘密を知り得た者が秘密を漏洩した場合	６月・50万円
第74条第２項	新型インフルエンザ等感染症に係る報告徴求、質問に対する拒否等をした場合	６月・50万円
第75条第１号	二種病原体等の所持許可の条件（第56条の９第１項）に違反した場合・二種病原体等の所持／輸入に係る事項の変更許可の条件（第56条の11第１項（同条第４項による準用）／第56条の12（第56条の14による準用））に違反した場合	300万円
第75条第２号	三種病原体等の所持の届出義務（第56条の16第１項）違反、虚偽の届出・三種病原体等の輸入の届出義務（第56条の17）違反、虚偽の届出をした場合	300万円
第75条第３号	一種・二種病原体等の滅菌等又は引渡に係る届出義務（第56条の22第２項）の違反、虚偽の届出をした場合	300万円
第75条第４号	一種・二種病原体等所持者に係る施設の基準（第56条の24）に違反した場合	300万円
第75条第５号	一種・二種・三種病原体等所持者、一種・二種滅菌譲渡義務者、これらの者から運搬を委託された者が、一種・二種・三種病原体等を運搬する場合における都道府県公安委員会への届出義務（第56条の27第１項）違反、虚偽の届出をした場合	300万円
第75条第６号	一種・二種・三種病原体等所持者、一種・二種滅菌譲渡義務者、これらの者から運搬を委託された者の運搬証明書の携帯等義務（第56条の27第４項）に違反した場合	300万円
第75条第７号	厚生労働大臣の特定病原体等保管者に対する特定病原体等の所持等に係る技術上の基準適合のための改善命令（第56条の32）に違反した場合	300万円
第75条第８号	一種・二種病原体等の滅菌等又は引渡に係る措置の命令（第56条の36）に違反した場合	300万円
第76条第１号	二種病原体等の所持／輸入に係る所持目的等の軽微な変更の届出義務（第56条の11第２項／第56条の12（第56条の14による準用））違反又は虚偽の届出をした場合	100万円
第76条第２号	三種病原体等所持の届出事項の変更届（第56条の16第２項）、事故届出（第56条の28）、災害時の届出（第56条の29第３項）違反又は虚偽の届出をした場合	100万円
第76条第３号	教育及び訓練の実施（第56条の21）に違反した場合	100万円
第76条第４号	一種・二種・三種病原体等所持者による記帳義務（第56条の23第１項）違反、虚偽記載、保存義務（同条第２項）違反をした場合	100万円
第76条第５号	自動車又は軽車両により運搬される一種・二種・三種病原体等の盗取、所在不明の防止のための警察官による停止命令、措置命令（第56条の27第５項）違反、検査拒否、妨害をした場合	100万円
第77条第１項第１号	医師が届出義務に違反した場合	50万円

第77条第１項第２号	獣医師が届出義務に違反した場合	50万円
	（健康診断の受診命令を拒否した場合）	罰則なし
第77条第１項第３号	健康状態に異状を生じた者等が虚偽の答弁等をした場合	50万円
第77条第１項第４号	就業禁止の通知を受けた者が禁止業務に従事した場合	50万円
第77条第１項第５号	家屋等の消毒命令に違反した場合 ねずみ族、こん虫の駆除命令に違反した場合 飲食物その他の物件の処分命令に違反した場合 死体に対する移動制限命令に違反した場合 水の使用制限・使用禁止命令に違反した場合 建物への立入制限・禁止命令に違反した場合 通行の制限及び遮断命令に違反した場合	50万円 50万円 50万円 50万円 50万円 50万円 50万円
第77条第１項第６号	死体の火葬原則に違反した場合	50万円
	（市町村長の許可を受けずに24時間以内に火葬した場合）	墓地埋葬法の罰則で対応
第77条第１項第７号	質問に対する虚偽答弁、立入調査を拒否、妨害した場合	50万円
第77条第１項第８号	厚生労働大臣又は都道府県知事による保険者等への報告徴収（第36条の22第１項）違反又は虚偽報告、実地検査を拒否、妨害した場合	50万円
第77条第１項第９号	支払基金による保険者等への報告の求め（第36条の27）違反又は虚偽報告、虚偽の物件を提出した場合	50万円
第77条第１項第10号	厚生労働大臣等による事業者への立入検査等（第53条の23第１項）違反、虚偽報告、立入検査を拒否、妨害した場合	50万円
第77条第１項第11・12号	動物の輸入違反・輸入検疫違反・輸入届出違反	50万円
第77条第１項第13号	厚生労働大臣による匿名感染症関連情報利用者への報告命令、質問（第56条の46第１項）に対する虚偽答弁、立入検査を拒否、妨害した場合	50万円
第77条第２項	厚生労働大臣又は都道府県知事による支払基金等への報告徴収（第36条の37第１項）違反又は虚偽報告、実地検査を拒否、妨害した場合	50万円
第77条の２	生産計画／輸入計画（第53条の16第３項／第53条の18第２項による準用）の届出違反	20万円
第78条	第67条の罪は刑法第４条の２（※）の例に従う。（※）この法律は、日本国外において、第二編の罪であって条約により日本国外において犯したときであっても罰すべきものとされているものを犯したすべての者に適用する。	
第78条の２	第73条の３の罪は、日本国外において同条の罪を犯した者にも適用する。	
第79条	第67条の罪、第68条から第72条まで、第73条の３、第75条、第76条、第77条第１項第10号から第13号まで若しくは第77条の２の違反行為に係る両罰規定	50万円
第80条	入院勧告・入院措置による入院中に逃亡した場合又は入院措置に正当な理由なく従わなかった場合	50万円（過料）

第81条	積極的疫学調査に応ずべきことの命令（第15条第８項）を受けた者が質問に対する正当な理由のない虚偽答弁、調査を拒否、妨害した場合	30万円（過料）
第82条第１号	支払基金が厚生労働大臣の認可・承認を受けなかった場合	20万円（過料）
第82条第２号	支払基金が第36条の34の規定に違反して業務上の余裕金を運用した場合	20万円（過料）
第83条第１号	一種・二種病原体等所持者に係る感染症発生予防取扱規程の作成、届出義務（第56条の18第１項）に違反した場合	10万円（過料）
第83条第２号	一種・二種病原体等所持者に係る病原体等取扱主任者の選任及び解任の届出義務（第56条の19第２項）に違反した場合	10万円（過料）
第83条第３号	一種・二種病原体等所持者に係る感染症発生予防取扱規程の変更命令（第56条の33）に違反した場合	10万円（過料）
第84条第１号	二種病原体等所持者による氏名等の変更の届出義務（第56条の11第３項／第56条の12（第56条の14による準用））に違反した場合	５万円（過料）
第84条第２号	一種・二種病原体等所持者による感染症発生予防取扱規程の変更の届出義務（第56条の18第２項）に違反した場合	５万円（過料）
平成18年改正法附則第９条第１項	改正法の施行の際に二種病原体等を所持し、許可を受けてないものは猶予期間後遅滞なく、猶予期間に申請した許可を拒否された場合はその処分後遅滞なく二種病原体等を滅菌又は無害化する義務（平成18年改正法附則第８条第１項）に違反した場合	１年・50万円
平成18年改正法附則第９条第２項第１号	二種病原体等による感染症の発生の予防等に必要な措置を講じる義務（平成18年改正法附則第８条第４項）に違反した場合	30万円
平成18年改正法附則第９条第２項第２号	滅菌等の方法の届出（前条第６項において準用する新感染症法第56条の22第２項）違反又は虚偽の届出をした場合	30万円
平成18年改正法附則第９条第２項第３号	滅菌等の措置の命令（前条第６項において準用する新感染症法第56条の36）に違反して二種病原体等を滅菌又は無害化をした場合	30万円
平成18年改正法附則第９条第３項	平成18年改正法附則第９条第１項及び第２項の違反行為に係る両罰規定	50万円（第１項)、30万円（第２項）

附　則

（施行期日）

第一条　この法律は、平成十一年四月一日から施行する。ただし、次の各号に掲げる規定は、当該各号に定める日から施行する。

一　附則第十三条の規定　公布の日

二　第八章の規定、第六十一条第一項及び第六十九条第七号の規定並びに附則第三十四条の規定　公布の日から起算して二年を超えない範囲内において政令で定める日

〔解　説〕

○　附則第一条は、本法の施行日について規定した条文である。本法は原則として平成十一年四月一日から施行された。

○　平成十一年四月一日が施行日とならない事項は以下のものであり、①については公布の日（平成十年十月二日）から、②～⑤については公布の日から起算して二年を超えない範囲内において政令で定める日（平成十二年一月一日）から施行された。なお、⑤は感染症の病原体を媒介するおそれのある動物の輸入に関する措置を実施するための農林水産省設置法の改正であり、病原体を媒介するおそれのある動物の輸入に関する措置を実施するための体制整備には時間を要することから、施行日を遅らせているものである。

① 基本指針及び特定感染症予防指針の策定手続の特例（附則第十三条）
② 感染症の病原体を媒介するおそれのある動物の輸入に関する措置（第八章）
③ 感染症の病原体を媒介するおそれのある動物の輸入に係る費用負担（第六十一条第一項）
④ 感染症の病原体を媒介するおそれのある動物の輸入禁止違反に係る罰則（第六十九条第七号〔現行第七十七条第一項第十一号〕）
⑤ 農林水産省設置法の一部改正（附則第三十四条）

（検討）
第二条　この法律の規定については、この法律の施行後五年を目途として、感染症の流行の状況、医学医療の進歩の推移、国際交流の進展、感染症に関する知識の普及の状況その他この法律の施行の状況等を勘案しつつ検討するものとし、必要があると認められるときは、所要の措置を講ずるものとする。
２　第六条に規定する感染症の範囲及びその類型については、少なくとも五年ごとに、医学医療の進歩の推移、国際交流の進展等を勘案しつつ検討するものとし、必要があると認められるときは、所要の措置を講ずるものとする。

〔解　説〕
○　附則第二条は、法律全体並びに感染症の範囲及び類型の見直しについて規定した条文である。第一項は、本法制定時に参議院において追加されたものである。

○　第二項は、旧伝染病予防法における法定伝染病（旧伝染病予防法第一条第一項）、指定伝染病（旧伝染病予防法第一条第二項）及び届出伝染病（旧伝染病予防法第三条ノ二）について、時代の変化に応じた変更が必ずしも適宜、的確に行われてこなかった反省を踏まえ、感染症の範囲及びその類型に係る五年ごとの見直しを法定化し、その間の医学的知見の集積を踏まえた対応を行うこととされた。良質かつ適切な医療の提供、感染症の発生及びまん延防止のための必要最小限で均衡のとれた行動制限等を実施するためにも、一定期間毎に感染症の範囲及びその類型を見直すことは必要なことである。

（伝染病予防法等の廃止）

第三条　次に掲げる法律は、廃止する。

一　伝染病予防法（明治三十年法律第三十六号）

二　性病予防法（昭和二十三年法律第百六十七号）

三　後天性免疫不全症候群の予防に関する法律（平成元年法律第二号）

〔解　説〕

○　附則第三条は、関係法令の廃止について規定した条文である。本法の制定により伝染病予防法、性病予防法、後天性免疫不全症候群の予防に関する法律（エイズ予防法）が廃止された。

○　旧伝染病予防法、旧性病予防法、旧エイズ予防法の廃止により、個別の感染症を対象とした法律は、感染症法の制定時点では結核予防法のみとなった。

本法に統合することの是非

結核予防法においては、結核の特質に着目した、本法では対応できない対策が規定されていた。

・通院医療について適正医療の普及の観点からの医療の提供（第三十四条）

結核については、飛沫感染による強い感染性を有していること、治療が比較的長期にわたり医師の管理下による適正な医療を行う必要があるといった結核医療の特殊性から、その他の感染症と異なり、結核予防法で適正医療の普及のために公費による医療費の負担を規定する。

・学校や職場における定期・集団の健康診断（第四条）

他の感染症と異なり、結核患者数（結核登録者数十六万八千五百八十一名（平成七年末））は依然として多く、患者発生が常時起こり得ること、また、その強い感染性による集団発生の予防のため、結核予防法上、定期・集団の健康診断を学校・職場で行うこととする。

・健康診断の一部であるツベルクリン反応検査と連動した予防接種（第十三条）

一貫した結核対策の観点から、結核予防法には予防接種の規定が健康診断（ツベルクリン反応検査）と関連性を持ちながら規定する。

これらの規定については、結核独自の特質に着目したものであり、一般の感染症対策にはなじまないものであった。したがって、本法の一部として取り込んだ場合、本法の構成と融合し得ない規定群を形成するため、統合は不適当とされたのである。

なお、結核予防法は、既述の理由から、平成十八年改正において廃止され、本法に結核の章が設けられた。

（延滞金の割合の特例）

第十五条　第三十六条の二十第一項（第三十六条の二十三第四項及び第三十六条の二十四第二項において準用する場合を含む。以下この条において同じ。）に規定する延滞金の年十四・五パーセントの割合は、当分の間、第三十六条の二十第一項の規定にかかわらず、各年の延滞税特例基準割合（租税特別措置法（昭和三十二年法律第二十六号）第九十四条第一項に規定する延滞税特例基準割合をいう。）が年七・二パーセントの割合に満たない場合には、その年中においては、当該延滞税特例基準割合に年七・三パーセントの割合を加算した割合とする。

〔解　説〕

○　支払基金が流行初期医療確保措置拠出金等を保険者等から徴収するに当たり、保険者等から支払の遅延があった場合、第三十六条の二十において年一四・五％の割合で延滞金を徴収できることとしている。

この点、当該規定は、高齢者の医療の確保に関する法律第四十五条と同様の規定としているところ（※）、同法附則第十三条の六では、同法第四十五条第一項に規定する延滞金の割合に特例が設けられており、年一四・五％よりも軽減されている。

※　支払基金が保険者から拠出金（前期高齢者納付金や後期高齢者支援金等）を徴収するという構造は同じであるため。

○　具体的には、延滞金の割合である年一四・五％について、当分の間、各年の延滞税特例基準割合が年七・二％の割合に満たない場合には、その年中においては、当該延滞税特例基準割合に年七・三パーセントの割合を加算した割合とすることとされている。

○　当該延滞税及び延滞金の特例については、現在も有効となっていることから、令和四年改正により設けられる流行初期医療確保拠出金等の延滞金の割合についても、同様の特例を設けることとした。

○　なお、当該特例は当分の間の経過措置であることから、感染症法の原始附則（附則第十五条）に設けることとした。

関係各法の改正について

○　附則第十五条以降は、関係各法の改正に関する規定である。旧伝染病予防法の廃止に伴い、以下の法律について所要の改正が行われた。このうち、特に解説が必要な⑨についてのみ解説をすることとする。

①　監獄法（明治四十一年法律第二十八号。現在は廃止）
②　刑法施行法（明治四十一年法律第二十九号）
③　物品の無償貸付及び譲与等に関する法律（昭和二十二年法律第二百二十九号）
④　地方財政法（昭和二十三年法律第百九号）
⑤　社会保険診療報酬支払基金法（昭和二十三年法律第百二十九号）
⑥　医療法（昭和二十三年法律第二百五号）
⑦　簡易生命保険法（昭和二十四年法律第六十八号。現在は廃止）
⑧　国の所有に属する物品の売払代金の納付に関する法律（昭和二十四年法律第百七十六号）
⑨　出入国管理及び難民認定法（昭和二十六年政令第三百十九号）
⑩　学校保健法（昭和三十三年法律第五十六号。現：学校保健安全法）
⑪　激甚災害に対処するための特別の財政援助等に関する法律（昭和三十七年法律第百五十号）
⑫　保健所において執行される事業等に伴う経理事務の合理化に関する特別措置法（昭和三十九年法律第百五十五号）
⑬　沖縄振興開発特別措置法（昭和四十六年法律第百三十一号）
⑭　地方自治法（昭和二十二年法律第六十七号）
⑮　厚生省設置法（昭和二十四年法律第百五十一号。現在は廃止）
⑯　農林水産省設置法（昭和二十四年法律第百五十三号。現在は廃止）

○　関係各法の改正の基本的な考え方は以下のとおりである。

① 「伝染性の疾病」の用語は改正しない。

伝染性の疾病とは、人から人へ伝染する疾病であるが、旧伝染病予防法上の伝染病とは連動していない。したがって、今回の改正において「伝染性の疾病」を改正することはしない。

例：各種資格の要件（各種資格法）、入浴拒否（公衆浴場法）、宿泊拒否（旅館業法）

② 「伝染病」の用語は原則として改正しない。

旧伝染病予防法では、「旧伝染病予防法における伝染病」を定義しているにすぎず、他の法律の適用を受ける伝染病とは直接に連動していない。したがって、今回の改正において「伝染病」の用語は原則として改正しない。なお、「法定伝染病」といったように、旧伝染病予防法との連動があるものについては実質改正に及ばない範囲で改正することとする。

例：鉄道の乗車拒否（鉄道営業法）

③ 伝染病院等の施設に係る規定については改正する。

旧伝染病予防法の廃止に伴い、伝染病院等は廃止されることとなるが、所要の経過措置を設けることとする。これに伴い、伝染病院等に係る規定は改正する。

例：伝染病院等設置の際の負担の特例（沖縄振興開発特別措置法）等

④ 感染症患者の医療費の負担の仕組みの変更に伴う改正は行う。

感染症患者の医療費については、従来の公費負担の仕組みを改め、まず医療保険制度を適用し、その基盤の上に公費による負担を組み合わせた仕組みにするので、これに伴う関係法律は改正することとする。

例：社会保険診療報酬支払基金の業務（社会保険診療支払基金法）等

○　出入国管理及び難民認定法の改正について

（出入国管理及び難民認定法の一部改正）

第二十五条　出入国管理及び難民認定法（昭和二十六年政令第三百十九号）の一部を次のように改正する。

第五条第一項第一号を次のように改める。

一　感染症の予防及び感染症の患者に対する医療に関する法律（平成十年法律第百十四号）に定める一類感染症、二類感染症若しくは指定感染症（同法第七条の規定に基づき、政令で定めるところにより、同法第十九条又は第二十条の規定を準用するものに限る。）の患者（同法第八条の規定により一類感染症、二類感染症又は指定感染症の患者とみなされる者を含む。）又は新感染症の所見がある者

〔参考〕　現行の「出入国管理及び難民認定法」第五条第一項第一号は、令和四年法律第九十六号附則第二十四条により改正され、以下の通りとなっている。

（上陸の拒否）

第五条　次の各号のいずれかに該当する外国人は、本邦に上陸することができない。

一　感染症の予防及び感染症の患者に対する医療に関する法律（平成十年法律第百十四号）に定める一類感染症、二類感染症、新型インフルエンザ等感染症若しくは指定感染症（同法第四十四条の九の規定に基づき、政令で定めるところにより、同法第十九条又は第二十条の規定を準用するものに限る。）の患者（同法第八条（同法第四十四条の九において準用する場合を含む。）の規定により一類感染症、二類感染症、新型

インフルエンザ等感染症又は指定感染症の患者とみなされる者を含む。）又は新感染症の所見がある者

〔解　説〕

○　附則第二十五条は、出入国管理及び難民認定法の一部改正について規定した条文である。外国人のうち旧伝染病予防法の適用を受ける患者は日本に上陸することができないこととされていた（本条による改正前の出入国管理及び難民認定法第五条第一項第一号）。しかし、国内の感染症対策との整合性を図るため、上陸ができない者の範囲を変更し、以下の①～④に該当する者、すなわち本法で入院の対象となる者を上陸拒否対象者とした。

①　一類感染症の患者、疑似症患者、無症状病原体保有者

②　二類感染症の患者、第八条の政令で定められた疑似症患者

③　指定感染症の患者、疑似症患者、無症状病原体保有者（第十九条又は第二十条の規定を準用するものに限る。）

④　新感染症の所見がある者

○　なお、現在では前記①～④に加え、新型インフルエンザ等感染症の患者、疑似症患者（当該感染症にかかっていると疑うに足りる正当な理由のある者に限る。）、無症状病原体保有者も上陸拒否対象者とされている（平成二十年法律第三十号による改正で追加）。

○　後天性免疫不全症候群（エイズ）の病原体に感染している者であって、多数の者にその病原体を感染させるおそれがある者についても、上陸拒否対象者とされていた（本条による改正前の出入国管理及び難民認定法附則第七項）。旧エイズ予防法制定当時、エイズに感染・発症する病態は解明されておらず、治療法・予防法についても不明な点が多かった。しかし、本法制定時においては、エイズに関する疾患の解明、治療法の進歩、通常の接触では感染しないことが明らかになっており、入国拒否対象者とする必要性は認められないことから、出入国管理及び難民認定法の一部を改正し、上陸拒否対象者から除外したものである。

令和三年改正法附則（抄）

（施行期日）

第一条　この法律は、公布の日から起算して十日を経過した日から施行する。（略）

（感染症の予防及び感染症の患者に対する医療に関する法律の一部改正に伴う経過措置）

第三条　第二条の規定による改正後の感染症の予防及び感染症の患者に対する医療に関する法律第十五条第八項の規定は、施行日以後に行われる同条第一項又は第二項の規定による当該職員の質問又は必要な調査に対して正当な理由がなく協力しない特定患者等（同条第八項に規定する特定患者等をいう。）について適用する。

2　第二条の規定による改正後の感染症の予防及び感染症の患者に対する医療に関する法律第八十条の規定は、施行日以後に行われる感染症の予防及び感染症の患者に対する医療に関する法律の規定による入院の勧告若しくは入院の措置により入院する者又は施行日以後に行われる同法の規定による入院の措置を実施される者（施行日以後に行われる同法の規定による入院に係る通知を受けた者に限る。）について適用する。

（政令への委任）

第四条 この附則に規定するもののほか、この法律の施行に伴い必要な経過措置（罰則に関する経過措置を含む。）は、政令で定める。

令和四年改正法附則（抄）

（施行期日）

第一条 この法律は、令和六年四月一日から施行する。（略）

（検討）

第二条 政府は、新型コロナウイルス感染症（病原体がベータコロナウイルス属のコロナウイルス（令和二年一月に、中華人民共和国から世界保健機関に対して、人に伝染する能力を有することが新たに報告されたものに限る。）であるものに限る。以下同じ。）の罹《り》患後症状に係る医療の在り方について、科学的知見に基づく適切な医療の確保を図る観点から速やかに検討を加え、その結果に基づいて必要な措置を講ずるものとする。

2 政府は、新型コロナウイルス感染症に関する状況の変化を勘案し、当該感染症の新型インフルエンザ等感染症（感染症法第六条第七項に規定する新型インフルエンザ等感染症をいう。附則第六条において同じ。）への位置付けの在り方について、感染症法第六条に規定する他の感染症の類型との比較等の観点から速やかに検討を加え、その結果に基づいて必要な措置を講ずるものとする。

３　政府は、予防接種の有効性及び安全性に関する情報（副反応に関する情報を含む。）の公表の在り方について検討を加え、その結果に基づいて必要な措置を講ずるものとする。

４　政府は、この法律の施行後五年を目途として、この法律による改正後のそれぞれの法律（以下この項において「改正後の各法律」という。）の施行の状況等を勘案し、必要があると認めるときは、改正後の各法律の規定について検討を加え、その結果に基づいて所要の措置を講ずるものとする。

（感染症法の一部改正に伴う経過措置）

第三条　新型コロナウイルス感染症については、附則第一条第一号に掲げる規定の施行の日において、厚生労働大臣が当該感染症について第一条の規定（附則第一条第二号に掲げる改正規定を除く。）による改正後の感染症法（以下「第一号改正後感染症法」という。）第四十四条の二第一項の規定による公表を行ったものとみなす。

第四条　附則第一条第一号に掲げる規定の施行の際現に指定感染症（感染症法第六条第八項に規定する指定感染症（当該疾病にかかった場合の病状の程度が重篤であり、かつ、全国的かつ急速なまん延のおそれのあるものと認められるものに限る。）をいう。）が発生し、当該感染症について、第一条の規定（附則第一条第二号に掲げる改正規定を除く。）による改正前の感染症法第六条第八項の政令が定められた場合であって同項の政令の廃止が行われていないときは、附則第一条第一号に掲げる規定の施行の日において、厚生労働大臣が当該指定感染症について第一号改正後感染症法第十六条第二項に規定する新型インフルエンザ等感染症等に係る発生等の公表を行ったものとみなす。

第五条　第二条の規定による改正後の感染症法（以下「第二条改正後感染症法」という。）第十二条第五項（同条第九項及び第十項並びに第二条改正後感染症法第十四条第四項及び第十項において読み替えて準用する場合を含む。）の規定は、附則第一条第三号に掲げる規定の施行の日以後に第二条改正後感染症法第十二条第一項各号に掲げる者若しくは同条第八項に規定する慢性の感染症の患者を診断し、若しくは同条第一項各号に規定する感染症により死亡した者（当該感染症により死亡したと疑われる者を含む。）の死体を検案した医師、同日以後に第二条改正後感染症法第十四条第二項の規定による診断若しくは検案をした医師が属する同項に規定する指定届出機関の管理者又は同日以後に同条第八項の規定による診断若しくは検案をした同項に規定する指定届出機関以外の病院若しくは診療所の医師について適用し、同日前に第二条の規定による改正前の感染症法（以下「第二条改正前感染症法」という。）第十二条第一項各号に掲げる者若しくは同条第六項に規定する慢性の感染症の患者を診断し、若しくは同条第一項各号に規定する感染症により死亡した者（当該感染症により死亡したと疑われる者を含む。）の死体を検案した医師、同日前に第二条改正前感染症法第十四条第二項の規定による診断若しくは検案をした医師が属する同項に規定する指定届出機関の管理者又は同日前に同条第八項の規定による診断若しくは検案をした同項に規定する指定届出機関以外の病院若しくは診療所の医師については、なお従前の例による。

第六条　第二条改正後感染症法第四十四条の三の三及び第五十条の四の規定は、附則第一条第三号に掲げる規定の施行の日以後に新型インフルエンザ等感染症の患者又は感染症法第六条第九項に規定する新感染症の所見がある者が退院し、又は死亡した場合について適用する。

（感染症法の一部改正に伴う準備行為）

第八条　厚生労働大臣は、この法律の施行の日（以下「施行日」という。）前においても、第三条改正後感染症法第九条の規定の例により、基本指針（感染症法第九条第一項に規定する基本指針をいう。次項において同じ。）を変更することができる。

２　前項の規定により変更された基本指針は、施行日において第三条改正後感染症法第九条第三項の規定により変更されたものとみなす。

第九条　都道府県は、施行日前においても、第三条改正後感染症法第十条の規定の例により、予防計画（感染症法第十条第一項に規定する予防計画をいう。）を変更することができる。

２　保健所を設置する市及び特別区（以下「保健所設置市等」という。）は、施行日前においても、第三条改正後感染症法第十条の規定の例により、予防計画（同条第十四項に規定する予防計画をいう。）を定めることができる。

３　前二項の規定により変更され、又は定められた予防計画は、施行日において第三条改正後感染症法第十条の規定により変更され、又は定められたものとみなす。

第十条　都道府県知事は、施行日前においても、第三条改正後感染症法第三十六条の三の規定の例により、医療措置協定（同条第一項に規定する医療措置協定をいう。次項において同じ。）を締結することができる。

２　前項の規定により締結された医療措置協定は、施行日において第三条改正後感染症法第三十六条の三第一項の規定により締結されたものとみなす。

第十一条　都道府県知事及び保健所設置市等の長は、施行日前においても、第三条改正後感染症法第三十六条の六の規定の例により、検査等措置協定（同条第一項に規定する検査等措置協定をいう。次項において同じ。）を締結することができる。

２　前項の規定により締結された検査等措置協定は、施行日において第三条改正後感染症法第三十六条の六第一項の規定により締結されたものとみなす。

第十二条　都道府県知事は、施行日前においても、第三条改正後感染症法第三十八条第二項の規定の例により、第一種協定指定医療機関（第三条改正後感染症法第六条第十六項に規定する第一種協定指定医療機関をいう。）又は第二種協定指定医療機関（第三条改正後感染症法第六条第十七項に規定する第二種協定指定医療機関をいう。）の指定をすることができる。

２　前項の指定は、施行日において都道府県知事が行った第三条改正後感染症法第三十八条第二項の規定による指定とみなす。

（政令への委任）

第四十二条　この附則に規定するもののほか、この法律の施行に伴い必要な経過措置（罰則に関する経過措置を含む。）は、政令で定める。

第三編　参　考

1 附帯決議

○「感染症の予防及び感染症の患者に対する医療に関する法律案」及び「検疫法及び狂犬病予防法の一部を改正する法律案」に対する附帯決議

〔平成十年四月三十日 参議院国民福祉委員会〕

政府は、次の事項について、適切な措置を講ずべきである。

一 ハンセン病患者やＨＩＶ感染症患者を始めとする感染症患者等に対する差別や偏見が行われた事実等を重く受け止め、また、個別の感染症に対する特別な立法を置くことが患者等に対する差別や偏見につながったとの意見を真摯に受け止め一施策の実施に当たっては、感染症の患者等の人権を十分尊重すること。

二 感染症の新たな分類について、国民や医療関係者の理解が深まるよう、その定義の明確化に努めるとともに、その内容を本委員会に報告すること。また、これらが新たな差別や偏見につながらないよう、特段の配慮を行うこと。

三 健康診断、入院、移送等が、患者等の人権に配慮し、客観的に運用されるよう手続の明確化を図るとともに、これらの手続、退院の請求、審査請求等について、患者等に対して十分な説明が行われるように配慮すること。また、感染症指定医療機関等における通信等の自由を保障するため、必要な措置を講ずること。

四 感染症発生動向調査の体制強化を図り、感染症の発生・拡大の防止のために必要な情報を適時・的確に国民に提供・公開すること。また、感染症情報の収集及び公表に当たっては、個人情報の保護に万全を期すとともに、国民の感染症への過度な不安を引き起こすことがないように十分留意すること。

五 国の各行政機関、地方公共団体を始めとする関係各機関の役割分担を明確にし、緊密な連携を図るとともに、保健所が地域における感染症対策の中核的機関として十分に機能できるよう、その体制強化を図ること。
六　感染症の患者及び感染者に対し、その人権に配慮した良質かつ適切な医療が提供されるよう、医師、看護婦等の医療従事者の教育・研修、感染症専門医の育成等に努めるとともに、感染症指定医療機関について、国立国際医療センターや大学病院の充実・活用を含め、人材・設備の両面から計画的な整備を進めること。
七　安全面に配慮した病原体等安全管理基準のレベル４に対応する施設の在り方についての検討、国立感染症研究所等の機能強化を始めとする感染症の病原体や抗体の検査体制の整備に努めること。また、感染症の治療・予防のための医薬品の開発等の研究を推進するとともに、必要に応じ拡大治験の活用を図ること。
八　性感染症及びＨＩＶ感染症の予防について、特定感染症予防指針において総合的な対応を図るとともに、これらの患者・感染者に対する医療・施策が更に充実するよう努めること。
九　新感染症の発生や特定の感染症の集団発生に対して、直ちに専門家からなるプロジェクトチームが結成できるよう、感染症に対する危機管理体制の確立を図ること。また、新感染症については、国の責任において、積極的な対策を講ずること。
十　医療機関、老人福祉施設等における院内感染防止対策を強力に進めること。
十一　必要なワクチンや予防接種に関する適切な情報を国民に提供・公開し、予防接種に対する国民の理解を深めることにより、接種率の向上に引き続き努力すること。
十二　地球規模化する感染症問題に対応し、日本における感染症対策の水準の向上を図るため、海外の感染症研究機関との知見の交換や海外研修の充実を含め、感染症に関する国際協力を一層推進すること。
十三　検疫については、国内の感染症予防対策と連携のとれた一元的な運用に努めるとともに、感染症発生の状況・段階に応じて的確に対応できるよう、検疫所の機能強化を図ること。

右決議する。

○「感染症の予防及び感染症の患者に対する医療に関する法律案」及び「検疫法及び狂犬病予防法の一部を改正する法律案」に対する附帯決議

〔平成十年九月十六日
衆議院厚生委員会〕

本法の施行に当たり政府は、我が国の感染症政策の基本思想において、本法律をもって過去における社会防衛中心の政策から感染症予防と患者等の人権尊重との両立を基盤とする新しい感染症政策へと転換しようとするものであることを深く認識して、次の施策を実施すべきである。

一　ハンセン病患者やＨＩＶ感染症患者を始めとする感染症患者等に対する差別や偏見が行われた事実等を重く受け止め、また、個別の感染症に対する特別な立法や社会防衛を重点とした立法が患者等に対する差別や偏見につながったとの意見を真摯に受け止め、さらに、感染症を理由とする差別を実効的に排除するため、基本指針等において具体的施策を策定するとともに、国民に対する教育・啓発に最大限の努力をすること。

二　本法が目的とする感染症政策を実現するため、今後具体的な政策形成を行うに当たっては、感染症の患者等の意見を十分に徴すること。特に、法の定める「基本指針」、「特定感染症予防指針」等の策定に当たっては、患者の意見の十分な反映を図ること。

三　感染症の患者及び感染者に対し、その人権に配慮した良質かつ適切な医療が提供されるよう、医師、看護婦等の医療従事者の教育・研修、感染症専門医の育成等に努めるとともに、感染症指定医療機関について、国立国際医療センターや大学病院の充実・活用を含め、人材・設備の両面から計画的な整備を進めること。

四　地方衛生研究所については、地域における感染症対策の中核機関である保健所及び国の試験研究機関と密接な連携を図るとともに、都道府県における感染症対策の技術的、専門的機関としての位置づけを明確にし、感染症対策に係る試験検査、調査研究、研修指導及び情報関連の機能強化を図るために必要な方策を講ずるよう努めること。

五　ＨＩＶ感染者等に対する医療・施策が更に充実するよう努めること。特に、現在、ＨＩＶ感染症治療において先駆的役割を果たしているエイズ治療研究開発センターを今後とも中核的医療機関として整備すること。

六　感染力の強さを含めた、新感染症及び指定感染症の要件をより明確にし、地方公共団体や医療機関など、関係者に周知徹底を図ること。また、新感染症についての取扱いが、迅速、かつ公正・的確に行われるよう、国が積極的な施策を講じるとともに地方公共団体と密接な連携をとること。

七　患者に対する説明と理解を尊重した医療を実現するよう、趣旨の徹底に努めること。その際、患者等のプライバシーを確保するため、医師が都道府県知事への届出を行った場合には、当該患者等または保護者へ当該届出の事実等を通知するように徹底を図ること。

八　健康診断、入院、移送等の措置がなされる場合において、患者等の人権を尊重し、厳格かつ客観的に運用されるよう手続きの明確化を図ること。また、これらの措置に係る手続きや退院請求、審査請求などの不服申立手続きについて、患者等に十分に趣旨が理解できるような説明が行われるよう徹底させること。実際に、入院患者が退院請求を行った場合には、その判断は速やかに行われるようにすること。

九　感染症の診査に関する協議会は、患者の入院の必要性等を診査する機関であるとの趣旨をかんがみ、その構成員である「医療以外の学識経験を有する者」としては、患者・感染者等の人権尊重の観点からふさわしい人材が選ばれるよう、都道府県等に対し、趣旨の徹底を図ること。

十　入院時の通信・面会の自由が保障されるよう必要な措置を講じる等、入院患者の処遇について明確化すること。

十一　感染症情報の収集・公表に当たっては、個人情報の保護に万全を期し、無用な不安や不当な差別・偏見を引き起こすことがないように努めること。

特にマスコミの影響が大きいことから、常時、的確な情報を提供するとともに、誤った情報や不適当な報道がなされたときには、速やかにこれを訂正する報道がなされるようにしておくなど、マスコミその他関係諸機関との連携を図ること。

十二　地球規模化する感染症問題に対応し、日本における感染症対策の水準の向上を図るため、海外の感染症研究機関との知見の交換や海外研修の充実を含め、感染症に関する国際協力を一層推進すること。

十三　検疫については、国内の感染症予防対策と連携のとれた一元的な運用に努めるとともに、感染症発生の状況・段階に応じて的確に対応できるよう、検疫所の機能強化を図ること。

十四　世界保健機関その他国際機関等により新たな基準等が定められた場合は、必要に応じ、それとの整合を図るため速やかに適切な対応を行うこと。

○「感染症の予防及び感染症の患者に対する医療に関する法律案」及び「検疫法及び狂犬病予防法の一部を改正する法律案」に対する附帯決議

〔平成十年九月二十四日
参議院国民福祉委員会〕

本法の施行に当たり、政府は、我が国の感染症政策の基本思想において、本法律をもって過去における社会防衛中心の政策から感染症予防と患者等の人権尊重との両立を基盤とする新しい感染症政策へと転換しようとするものであることを深く認識し、また、国民に対しても教育・啓発を通じて理解を求め、次の施策を実施すべきである。

一　ハンセン病患者やＨＩＶ感染症患者を始めとする感染症患者等に対する差別や偏見が行われた事実等を重く受け止め、また、個別の感染症に対する特別な立法を置くことが患者等に対する差別や偏見につながったとの意見を真摯《し》に受け止め、施策の実施に当たっては、感染症の患者等の人権を十分尊重すること。

二　感染症の新たな分類について、国民や医療関係者の理解が深まるよう、その定義の明確化に努めるとともに、その内容を本委員会に報告すること。また、これらが新たな差別や偏見につながらないよう、特段の配慮を行うこと。

三　健康診断、入院、移送等が、患者等の人権に配慮し、客観的に運用されるよう手続の明確化を図るとともに、これらの手続、退院の請求、審査請求等について、患者等に対して十分な説明が行われるように配慮すること。また、感染症指定医療機関等における通信等の自由を保障するため、必要な措置を講ずること。

四　感染症発生動向調査の体制強化を図り、感染症の発生・拡大の防止のために必要な情報を適時・的確に国民に提供・公開すること。また、感染症情報の収集及び公表に当たっては、個人情報の保護に万全を期すとともに、国民の感染症への過度な不安を引き起こすことがないように十分留意すること。

五　国の各行政機関、地方公共団体を始めとする関係各機関の役割分担を明確にし、緊密な連携を図るとともに、保健所が地域における感染症対策の中核的機関として十分に機能できるよう、その体制強化を図ること。

六　感染症の患者及び感染者に対し、その人権に配慮した良質かつ適切な医療が提供されるよう、医師、看護婦等の医療従事者の教育・研修、感染症専門医の育成等に努めるとともに、感染症指定医療機関について、国立国際医療センターや大学病院の充実・活用を含め、人材・設備の両面から計画的な整備を進めること。

七　安全面に配慮した病原体等安全管理基準のレベル４に対応する施設の在り方についての検討、国立感染症研究所等の機能強化を始めとする感染症の病原体や抗体の検査体制の整備に努めること。また、感染症の治療・予防のための医薬品の開発等の研究を推進するとともに、必要に応じ拡大治験の活用を図ること。

八　性感染症及びＨＩＶ感染症の予防について、特定感染症予防指針において総合的な対応を図るとともに、これらの患者・感染者に対する医療・施策が更に充実するよう努めること。

九　新感染症の発生や特定の感染症の集団発生に対して、直ちに専門家からなるプロジェクトチームが結成できるよう、感染症に対する危機管理体制の確立を図ること。また、新感染症については、国の責任において、積極的な対策を講ずること。

十　医療機関、老人福祉施設等における院内感染防止対策を強力に進めること。

十一　必要なワクチンや予防接種に関する適切な情報を国民に提供・公開し、予防接種に対する国民の理解を深めることにより、接種率の向上に引き続き努力すること。

十二　地球規模化する感染症問題に対応し、日本における感染症対策の水準の向上を図るため、海外の感染症研究機関との知見の交換や海外研修の充実を含め、感染症に関する国際協力を一層推進すること。

十三　検疫については、国内の感染症予防対策と連携のとれた一元的な運用に努めるとともに、感染症発生の状況・段階に応じて的確に対応できるよう、検疫所の機能強化を図ること。

十四　世界保健機関その他国際機関等により新たな基準等が定められた場合は、必要に応じ、それとの整合を図るため速やかに適切な対応を行うこと。

右決議する。

○「感染症の予防及び感染症の患者に対する医療に関する法律及び検疫法の一部を改正する法律案」に対する附帯決議

〔平成十五年十月三日
衆議院厚生労働委員会〕

政府は、次の事項について適切な措置を講ずるべきである。

一　SARSに係る感染症法上の類型については、ウイルスの解明、SARSの病態・感染経路の解明を急ぎ、治療薬・ワクチンの開発などの医療の状況も含め医学的知見の集積等を踏まえ、二年毎の見直しを行うこと。

二　検疫法第十八条第二項に規定する入国者に係る入国後の健康状態の報告義務については、SARSの疑いがある患者がいる医療機関で働いていた者や患者の家族等、濃厚接触のあった者等に限定するなど、科学的根拠に基づいた運用を図ること。また、これらの者に係る個人情報の保護については万全を期すこと。

三　検疫については、国内の対策と密接な連携を取りつつ的確な運用に努めるとともに、感染症の発生状況に応じて機動的な対応が可能となるよう人員の配置等体制の強化に努めること。

四　保健所については、緊急時において、国、地方公共団体の関係行政機関と緊密な連携を図りつつ、住民に対して必要な情報の提供に努めるとともに、地域における感染症対策の中核機関として、その機能が十分果たせるよう機能強化を図るため必要な措置を講じること。

五　感染症患者や家族に対する差別や偏見が生じないよう、関係省庁間の連携を取りつつ、職場、地域、学校等への啓発を徹底すること。

○「感染症の予防及び感染症の患者に対する医療に関する法律及び検疫法の一部を改正する法律案」に対する附帯決議

〔平成十五年十月九日 参議院厚生労働委員会〕

政府は、次の事項について適切な措置を講ずるべきである。

一　ＳＡＲＳについては、ウイルス、病態及び感染経路の解明並びに治療法、治療薬及びワクチンの開発を急ぐとともに、これらの医学的知見の集積等を踏まえ、その感染症法上の類型について、二年ごとの見直しを行うこと。

二　検疫法第十八条第二項に規定する入国者に係る入国後の健康状態の報告義務については、ＳＡＲＳの疑いがある患者がいる医療機関で働いていた者や患者の家族等、濃厚接触のあった者等に限定するなど、科学的根拠に基づいた運用を図ること。また、これらの者に係る個人情報の保護については万全を期すこと。

三　検疫については、国内の感染症対策と密接な連携を取りつつ的確な運用に努めるとともに、感染症の発生状況に応じて機動的かつ柔軟に対応できるよう人員を配置する等体制の強化に努めること。

四　保健所については、地域における感染症対策の中核機関として、国、地方公共団体の関係機関と緊密な連携を図りつつ、住民に対する必要な情報の提供等、その役割が十分果たせるよう体制の強化を図ること。

五　感染症に係る施策の実施に当たっては、感染症患者やその家族に対する差別や偏見が生じないよう、関係機関との連携を取りつつ、職場、地域、学校等への啓発を徹底すること。

六　ＳＡＲＳに感染した疑いのある者に係る外来診療については、対応可能な体制を備えた拠点医療提供機関（協力医療機関）を定める等により、地域における医療提供体制に混乱が生じないよう必要な措置を早急に講ずるよう努めること。

七　生物テロへの対応については、引き続き、必要となる治療薬及びワクチンの確保に努めるとともに、医師、看護師、保健師等に対する教育・研修の充実を図ること。

八　感染症を人に感染させるおそれのある動物等の輸入に係る届出制度については、できるだけ早期に実施できるよう準備を急ぐとともに、当該動物等の所有者、管理者に対しては、それらの管理を適切に行うことができるよう必要な情報の提供等に努めること。

九　地球規模化する感染症問題については、海外の事例の収集、分析等を踏まえ、新感染症等への速やかな対応が可能となるよう人材の確保、研究機関の体制整備等を重点的かつ積極的に行うこと。また、海外における患者情報の把握及び発生源対策が重要であることにかんがみ、ＷＨＯ及びＡＳＥＡＮ並びに二国間協議等を通じた国際医療協力の一層の推進を図ること。

十　感染症の患者及び感染者に対し、その人権に配慮した良質かつ適切な医療が提供されるよう、医師、看護師、保健師等に対する教育・研修の充実、感染症専門医の育成等に努めるとともに、感染症指定医療機関について、その指定が促進されるよう必要な措置を講ずるよう努めること。

右決議する。

○感染症の予防及び感染症の患者に対する医療に関する法律等の一部を改正する法律案に対する附帯決議

〔平成十八年十一月十日　衆議院厚生労働委員会〕

政府は、本法の施行に当たり、次の事項について適切な措置を講ずるべきである。

一　結核対策において結核予防法が果たしてきた役割の大きさと、いまだに結核が主要な感染症である現実とを踏まえ、結核予防法廃止後においても結核対策の一層の充実を図ること、特に、地域における結核対策の中核機関である保健所については、その役割が十分果たせるよう体制の強化に努めること。また、結核患者の治療成功率の向上に向けて、医師等に対する結核の標準治療法の一層の周知や研修に取り組むこと。

二　結核が感染症診査協議会の診査対象になること及び感染症患者の人権への一層の配慮のために同協議会の役割が増大することに鑑み、各地域において同協議会が十分な機能を果たせるよう、必要な支援策を講ずること。

三　病原体等の所持等に関する情報の管理については、厳重な管理システムの構築、取扱基準の策定及び遵守を徹底することにより、万が一にも漏出することがないよう万全を期すこと。

四　病原体等の管理基準等に関する政省令の策定に当たっては、医療機関、検査機関、研究機関等の実態に留意し、遵守可能な合理的なものとすること。また、移送に当たっての届出等の手続については、業務に支障が生じないよう十分周知するとともに、円滑な窓口業務が実施されるよう留意すること。

五　生物テロの発生や災害等により病原体等が流出したケースを想定した緊急対応マニュアルを示し、保健所その他の関係機関が住民の健康を守るために迅速かつ的確な対応がとれるようその周知を図るとともに、実地訓練の実施を促進すること。

六　感染症に関する研究を推進し、一類感染症等の国内発生や生物テロなどの緊急時に備えるため、周辺への安全配慮の下、Ｐ４施設を確保し、稼働させること。

七　新型インフルエンザの発生に備え、実効性のある計画を策定し、国と地方との連携等について訓練を実施するなど国内における初動態勢の確保に努めること。また、新型インフルエンザが発生する危険性が高いとされる東南アジア地域の各国と緊密な情報交換を行うとともに、保健医療分野における支援を含め協力関係を更に推進すること。

八　感染症は過去の疾病ではなく、日常的な疾病であることから、医師を始めとする医療関係者に対し定期的に研修を実施し、診断、治療、感染予防等の知識の普及に努めるとともに、指定医療機関における感染症専門医等の確保など医療機関の体制整備を図ること。また、感染症専門医、研究者の養成のため、海外への派遣研修などの事業を更に充実させること。

○感染症の予防及び感染症の患者に対する医療に関する法律等の一部を改正する法律案に対する附帯決議

〔平成十八年十一月三十日
参議院厚生労働委員会〕

政府は、本法の施行に当たり、次の事項について適切な措置を講ずるべきである。

一　国の基本指針については、今回の改正の趣旨を踏まえ、生物テロによる感染症の発生及びまん延を防止する対策を含め、総合的な感染症予防対策を推進する観点から、その策定に向け、速やかに検討を行い、実効性のあるものとすること。あわせて、都道府県の予防計画について、基本指針に即して速やかに策定されるよう、都道府県に対し適切な指導を行うこと。

二　結核対策については、結核予防法が果たしてきた役割の大きさと未だに結核が主要な感染症である現実とを踏まえ、結核予防法廃止後においても結核対策の一層の充実を図ること。特に、最近の結核の発生動向にかんがみ、発病しやすい高齢者等及び感染を受けやすい医療従事者等に対する対策の強化に努めること。

三　地域における結核対策の中核機関である保健所については、その役割が十分果たせるよう体制の強化に努めること。また、結核患者の治療成功率の向上に向けて、医師等に対する結核の標準治療法の一層の周知や研修に取り組むこと。

四　感染症診査協議会については、結核がその診査対象になること及び感染症患者の人権を一層尊重するために同協議会の役割が増大することにかんがみ、各地域において同協議会が十分な機能を果たせるよう、必要な支援策を講ずること。

五　慢性の感染症に係る医師の届出に関する省令の策定及び運用に当たっては、患者に対する差別、偏見につながることのないよう、人権を十分尊重すること。また、収集された感染症情報が患者の治療等に真に役立つよう、実態を適切に把握し、これを感染症施策の展開に反映させるとともに、感染症のまん延を防止する対策を講ずること。

六　病原体等の所持等に関する情報の管理については、厳重な管理システムの構築、取扱基準の策定及び遵守を徹底することにより、万が一にも漏出することがないよう万全を期すこと。

七　病原体等の管理基準等に関する政省令の策定に当たっては、医療機関、検査機関、研究機関等の実態に留意し、遵守可能な合理的なものとすること。また、移送に当たっての届出等の手続については、業務に支障が生じないよう十分周知するとともに、円滑な窓口業務が実施されるよう留意すること。

八　生物テロの発生や災害等により病原体等が流出したケースを想定した緊急対応マニュアルを示し、保健所その他の関係機関が住民の健康を守るために迅速かつ的確な対応がとれるよう、その周知を図るとともに、実地訓練の実施を促進すること。

九　感染症に関する研究を推進し、一類感染症等の国内発生や生物テロなどの緊急時に備えるため、周辺への安全配慮の下、Ｐ４施設を確保し、稼働させること。

十　新型インフルエンザの発生に備え、実効性のある計画を策定し、国と地方との連携等について訓練を実施するなど国内における初動態勢の確保に努めるとともに、その流行の拡大に備え、医療機関等で使用するマスクや消毒薬等が十分確保されるよう、必要な対策を講ずること。また、新型インフルエンザが発生する危険性が高いとされる東南アジア地域の各国と緊密な情報交換を行うとともに、保健医療分野における支援を含め協力関係を更に推進すること。

十一　感染症のワクチン、新薬等の研究・開発については、国による支援の強化を図り、その一層の促進に努めること。特に、新型インフルエンザワクチンについては、その緊急性にかんがみ、早急な開発・製造を可能とする体制整備を進めること。

十二　感染症は過去の疾病ではなく、日常的な疾病であることから、医師をはじめとする医療関係者に対し定期的に研修を実施し、診断、治療、感染予防等の知識の普及に努めるとともに、指定医療機関における感染症専門医等の確保など医療機関の体制整備を図ること。また、感染症専門医、研究者の養成のため、海外への派遣研修などの事業を更に充実させること。あわせて、その際に必要な財政支援措置を講ずること。

十三　感染症指定医療機関への感染症患者等の搬送については、その体制を更に整備するため、必要な対策を推進すること。

十四　院内感染対策については、安心かつ安全な医療を確保するため、その充実を図るとともに、相談体制の整備に努めること。また、医療従事者等に対して、ワクチンで予防できる疾患に対する予防接種が行われるよう配慮すること。

十五　肝炎対策については、検査体制の強化、診療体制の整備、有効性の高い治療法の確保方策、研究開発の推進、普及啓発・相談指導等、総合的な対策のより一層の充実を図ること。

十六　感染症に対する理解の促進及び感染症のまん延防止のため、国民に対し、感染症に関する知識の普及及び啓発を十分に行うこと。特に、性感染症については、若年層に対し、その予防教育を含めた正しい知識の普及に努めること。

十七　地球規模化する感染症問題については、海外の事例の収集、分析等を踏まえ、新感染症等への速やかな対応が可能となるよう研究機関の体制整備等を図るとともに、海外における患者情報の把握及び発生源対策が重要であることにかんがみ、ＷＨＯ、二国間協議等を通じた国際医療協力の一層の推進を図ること。

右決議する。

○感染症の予防及び感染症の患者に対する医療に関する法律及び検疫法の一部を改正する法律案に対する附帯決議

〔平成二十年四月二十三日
衆議院厚生労働委員会〕

政府は、発生が時間の問題とされている新型インフルエンザの脅威から、国民の生命及び健康を守るため、次の事項について対策を講ずるべきである。

一　新型インフルエンザが発生し、国内で大流行した場合の感染者数、受診患者数及び死亡者数等の推定については、諸外国の研究事例等を参考とし、様々な感染力や病原性を持つウイルスを想定したシミュレーションも行った上で試算を行い、これに基づいて行動計画及びガイドラインの再点検を行うこと。

二　プレパンデミックワクチンについては、その有効性や安全性を研究するとともに医療関係者等優先接種対象者への優先順位や接種体制、接種時期等の接種の在り方について、早急に検討すること。また、これらの者以外であって接種を希望する者に対する接種について、ワクチンの安全性や接種体制の確保等を踏まえ、検討を行うこと。プレパンデミックワクチンの備蓄については、必要な量の確保に努めること。なお、副作用被害については、医薬品副作用被害救済制度の活用を周知すること。

三　新型インフルエンザの感染予防対策の重要性にかんがみ、経鼻粘膜投与技術及び細胞培養による大量生産技術の開発等を推進すること。また、新型インフルエンザが出現した場合に、速やかにワクチンを大量に生産できるよう、必要な有精卵を確保するため、これらを生産する養鶏業者に対し、鳥インフルエンザ等の感染予防対策を支援するなど、必要な措置を講ずること。さらに、新型インフルエンザの大流行時において、全国民を対象に迅速かつ適切にワクチン接種ができるよう、薬剤師及び保健師等を活用した投与の在り方についても検討すること。

四　抗ウイルス薬について、必要に応じ、新型インフルエンザへの一人当たりの投与量の見直しを検討した上で、必要な者への投与が可能となる備蓄量の確保を図るとともに、備蓄体制及び配布方法等を見直すこと。併せて、期限切れによる無駄等が生じることのないよう、安全性・有効性を担保しつつ有効期限の延長について検討すること。

五　都道府県における感染症指定医療機関の指定及び協力医療機関の確保を支援し、必要な医療提供体制を整備すること。その際、これらの医療機関における院内感染防止策等入院患者の受入体制の整備や人工呼吸器等必要な医療機材の確保について必要な支援を行うこと。また、新型インフルエンザの流行初期における診断・治療体制を確立するため、都道府県による発熱相談センター及び発熱外来等の設置準備の進捗状況を総点検するとともに、これらに従事する医療関係者に対する研修・訓練等を実施すること。

六　新型インフルエンザの流行時においては、医療及び救急搬送等に従事する者を含め国民生活の基盤を支えているサービス業務に従事する社会機能維持者が感染等により大幅に不足する可能性を想定した上で、地域ごとに医師会をはじめ関係団体との協力体制の確立に努めること。

七　医療機関のみならず企業及び学校等集団生活を行う場においてもマスク等医療資材の確保に努めるよう普及啓発を図るとともに、必要な支援を講ずること。

八　新型インフルエンザ及び鳥インフルエンザに係る海外の情報収集については、ＷＨＯ及び諸外国の関係機関との一層の連携を強化し、最新の情報の入手・分析体制を確立するとともに、都道府県、保健所及び検疫所等の関係各機関相互の情報ネットワーク化を強化すること。また、緊急の場合において、各機関が適確な情報収集及び分析を実施できるよう体制を整備すること。

九　ホームページの掲載等をはじめ、随時、国民に対して新型インフルエンザに係る情報を提供するなど積極的な広報活動に取り組むことにより、国民の理解と協力を促し、もって、その不安感の軽減に努めること。

十　感染による健康への被害が大きいと考えられる子どもに対して、家庭、学校、地域において総合的な新型インフルエンザ対策を推進すること。

十一　水道、電力等基盤産業や国及び地方の行政機関等による社会機能活動の維持に不可欠な業務を継続するための計画の策定について、当該機関に対して周知徹底を図り、策定を促すこと。

十二　都道府県が策定した行動計画に基づく新型インフルエンザ対策の準備・進捗状況について総点検し、必要に応じて当該行動計画の見直しを含めた指導及び支援を行うこと。

十三　海外からの新型インフルエンザ感染者の入国を水際で防止するため、各国際空港・海港における検疫所、入国管理局及び税関等関係機関の連携・協力体制を強化すること。また、検疫所においては、新型インフルエンザの発生状況に応じて機動的な対応が可能となるよう、サーモグラフィ等の機器の効率的な活用及び検疫官の応援態勢の整備等により体制の強化に努めること。

十四　国立感染症研究所について、人員の配置等や地方衛生研究所等との連携の強化及び研究の支援等体制の強化を図るとともに、東南アジア諸国の感染症研究の支援・研修交流を推進すること。

○感染症の予防及び感染症の患者に対する医療に関する法律及び検疫法の一部を改正する法律案に対する附帯決議

〔平成二十年四月二十四日
参議院厚生労働委員会〕

政府は、発生が時間の問題とされている新型インフルエンザの脅威から、国民の生命及び健康を守るため、次の事項について対策を講ずるべきである。

一　新型インフルエンザが発生し、国内で大流行した場合の感染者数、受診患者数及び死亡者数等の推定については、諸外国の研究事例等を参考とし、様々な感染力や病原性を持つウイルスを想定したシミュレーションも行った上で試算を行い、これに基づいて行動計画及びガイドラインの点検を定期的に行うこと。

二　プレパンデミックワクチンについては、その有効性や安全性を研究するとともに医療関係者等優先接種対象者への優先順位や接種体制、接種時期等の接種の在り方について、早急に検討すること。また、これらの者以外であって接種を希望するすべての者に対する接種について、ワクチンの安全性や接種体制の確保等を踏まえ、検討を行うこと。プレパンデミックワクチンの備蓄について、財政措置を含め必要な量の確保に努めること。なお、副作用被害については、医薬品副作用被害救済制度の活用を周知すること。

三　新型インフルエンザの感染予防対策の重要性にかんがみ、ワクチンの経鼻粘膜投与技術及び細胞培養による大量生産技術の開発等を推進すること。また、新型インフルエンザが出現した場合に、速やかにワクチンを大量に生産できるよう、必要な有精卵を確保するため、これらを生産する養鶏業者に対し、鳥インフルエンザ等の感染予防対策を支援するなど、財政措置を含め必要な対策を講ずること。さらに、新型インフルエンザ感染症の流行時において、全国民を対象に迅速かつ適切にワクチン接種ができるよう、薬剤師及び保健師等を活用した投与の在り方についても検討すること。

四　抗ウイルス薬について、必要に応じ、新型インフルエンザへの一人当たりの投与量の見直しを検討した上で、必要な者への投与が可能となる備蓄量の確保を図るとともに、備蓄体制及び配布方法等を見直すこと。併せて、期限切れによる無駄等が生じることのないよう、安全性・有効性を担保しつつ有効期限の延長について検討すること。

五　都道府県における感染症指定医療機関の指定及び協力医療機関の確保を支援し、必要な医療提供体制を整備すること。その際、これらの医療機関における院内感染防止策等入院患者の受入体制の整備や人工呼吸器等必要な医療機材の確保について必要な支援を行うこと。また、新型インフルエンザの流行初期における診断・治療体制を確立するため、都道府県による発熱相談センター及び発熱外来等の設置準備の進捗状況を総点検するとともに、これらに従事する医療関係者に対する研修・訓練等を実施すること。

六　鳥インフルエンザ（H五N一）の患者又は鳥インフルエンザ（H五N一）ウイルスに感染したおそれのある者については、そのウイルスが変異して新型インフルエンザとなる可能性があることにかんがみ、我が国への入国に際し、人権に配慮しつつ、必要に応じ検査の結果が出るまでの一定期間の待機への協力を求めるとともに、都道府県と連携し、国内における居所、健康状態等についての報告、質問等を徹底するなど、新型インフルエンザの発生の予防及びそのまん延の防止に努めること。

七　新型インフルエンザ及び鳥インフルエンザに係る海外の情報収集については、WHO及び諸外国の関係機関との一層の連携を強化し、最新の情報の入手・分析体制を確立するとともに、都道府県、保健所及び検疫所等の関係各機関相互の情報ネットワーク化を強化すること。また、緊急の場合において、各機関が適確な情報収集及び分析を実施できるよう体制を整備すること。

八　国民に対して、随時、ホームページの掲載等により新型インフルエンザに係る情報を提供するなど積極的な広報活動に取り組み、国民の理解と協力を促すとともに、その不安感の軽減に努めること。また、水道、電力等基盤産業や国及び地方の行政機関等によるライフライン機能等に係る活動の維持に不可欠な業務を継続するための計画について、当該機関に対して周知徹底を図り、策定を促すこと。さらに、事業者が新型インフルエンザの流行に備えた計画の策定等の事前準備を行うことに対して、支援に努めること。

九　医療機関のみならず企業及び学校等集団生活を行う場においてもマスク等医療資材の確保に努めるよう普及啓発を図るとともに、必要な支援を講ずること。特に、感染による健康への被害が大きいと考えられる子ども及び若年者に対して、家庭、学校、地域において総合的な新型インフルエンザ対策を推進すること。

十　都道府県が策定した行動計画に基づく新型インフルエンザ対策の準備・進捗状況について、実践的訓練の実施結果も踏まえて総点検し、必要に応じて当該行動計画の見直しを含めた指導及び支援を行うこと。

十一　海外からの新型インフルエンザウイルス感染者の入国を水際で防止するため、各国際空港・海港における検疫所、入国管理局及び税関等関係機関の連携・協力体制を強化すること。また、検疫所においては、新型インフルエンザの発生状況に応じて機動的な対応が可能となるよう、サーモグラフィ等の機器の効率的な活用及び検疫官の応援体制の整備等により体制の強化に努めること。

十二　国立感染症研究所について、人員の配置等や地方衛生研究所等との連携の強化及び研究の支援等体制の強化を図るとともに、東南アジア諸国の感染症研究の支援・研修交流を推進すること。また、大学、民間研究機関等との連携を図り、官民一体となった新型インフルエンザに関する研究を推進するよう努めること。

右決議する。

○感染症の予防及び感染症の患者に対する医療に関する法律の一部を改正する法律案に対する附帯決議

〔平成二十六年十一月六日
参議院厚生労働委員会〕

政府は、本法の施行に当たり、次の事項について適切な措置を講ずるべきである。

一　感染症の患者等に対する検体採取等の勧告及び措置の実施に当たっては、患者等に対する差別や偏見につながることのないよう十分に配慮すること。また、感染症の検体に係る個人情報の管理に当たっては、個人のプライバシー保護の観点から、地方自治体、医療機関等に対し、管理システムの維持、取扱基準の遵守の徹底等が厳格に行われるよう必要な支援を行うこと。

二　エボラウイルスを始めとする一種病原体等を取り扱うＢＳＬ４施設を指定し稼働させることは、ウイルス変異の確定、治療薬やワクチンの研究開発等に不可欠であり、また国内における研究者の育成にも資することから、地域住民及び関係自治体の理解を得る努力を進め、政府を挙げて指定・稼働に向けた環境整備を速やかに実施すること。

三　原則として各都道府県に一つ指定される第一種感染症指定医療機関がいまだ九つの県において指定されていない状況に鑑み、都道府県における感染症指定医療機関の確保を支援し、感染症患者等が必要とする医療提供体制を全国的に整備すること。

四　地方衛生研究所が果たす役割の重要性に鑑み、地方衛生研究所について、感染症対策における位置付けを明確化し、国立感染症研究所との連携が強化されるよう配慮すること。

五　二類感染症である鳥インフルエンザの範囲について、政令で血清亜型を定めることにより特定することとしたことを踏まえ、政令に規定する感染症の重篤性及び感染力等を適切に勘案するとともに、後にその評価に変更が生じた場合には、速やかにその類型について見直しの検討を開始すること。

六　エボラ出血熱等の海外における発生の状況を踏まえ、これらの感染症が国内において発生した場合に迅速かつ適切に対処することができるよう、関係機関に対し対応策の周知徹底を図るとともに、学校保健及び産業保健領域を含むあらゆる医療従事者等が研修やシミュレーションを重ねることができるよう必要な支援を行うなど、備えに万全を期すこと。特に、感染症患者等の感染症指定医療機関への搬送については、緊急時における現場の混乱回避のための事前の詳細な実施手順の作成等、その体制整備が図られるよう、必要な支援を行うこと。

七　国民に対して、日頃より、健康に重大な影響を及ぼす感染症に関する正確で分かりやすい情報をインターネット等を通じて随時広く提供したり、医療機関、介護施設、学校等での周知を図るなど、迅速かつ積極的な広報を行い、感染症に対する国民の理解を促すとともに不安の軽減に努めること。

八　国境のボーダーレス化により輸入感染症の拡大が懸念される現状に鑑み、あらゆる感染症の予防・診断・治療に当たることができる専門家を育成するため、海外研修制度の充実等の必要な措置を講ずること。

九　地球規模化する感染症問題への対応に当たっては、ＷＨＯ及び諸外国の関係機関との連携を更に強化し、最新の情報の入手・分析体制を充実させるとともに、都道府県、保健所、検疫所、入国管理局等の関係各機関相互の情報ネットワークを強化すること。

右決議する。

○新型インフルエンザ等対策特別措置法等の一部を改正する法律案に対する附帯決議

〔令和三年二月一日　衆議院内閣委員会〕

政府は、本法の施行に当たっては、次の事項に留意し、その運用等について遺漏なきを期すべきである。

一　まん延防止等重点措置を公示する際に満たすべき要件について、新型コロナウイルス感染症対策分科会が提言したステージⅠからⅣ、六つの指標及び目安との関係などを含め、あらかじめ客観的な基準を示すこと。

二　まん延防止等重点措置の公示については、あらかじめ学識経験者の意見を聴いた上で行うこととし、国会へその旨及び必要な事項について速やかに報告すること。また、まん延防止等重点措置の公示期間の延長、区域変更、又は解除についても同様とすること。

三　まん延防止等重点措置の公示又は緊急事態宣言（以下「緊急事態宣言等」という。）について、都道府県知事からの要請を受けた場合は、当該要請を最大限尊重し、速やかに検討するとともに、要請に応じない場合は、当該要請を行った都道府県知事に対し、その旨及びその理由を示すこと。また、緊急事態宣言等の延長、区域変更、又は解除についても同様とすること。

四　まん延防止等重点措置の実施に当たっては、緊急事態措置以上に、国民の自由と権利の制限は必要最小限のものとすること。また、「まん延を防止するために必要な措置」とは、主として営業時間の変更及びみだりに出入りしないことの要請であり、営業時間の変更を超えた休業要請、イベントなどによる施設の使用停止、新型インフルエンザ等対策特別措置法（以下「特措法」という。）第四十五条第一項と同様の全面的な外出自粛要請等を含めないこと。

五　まん延防止等重点措置においては、国民の自由と権利の制限は必要最小限とすることについて、緊急事態措置における場合より一層配慮すること。また、適用できない「正当な理由」が認められる場合を、具体的なケースを含めガイドラインで明確に示すこと。

六　緊急事態措置における命令及び過料を適用できない「正当な理由」が認められる場合を、具体的なケースを含めガイドラインで明確に示すこと。

七　まん延防止等重点措置又は緊急事態措置（以下「緊急事態措置等」という。）に係る要請・命令の公表は、感染拡大防止の観点から逆効果になったり、誹謗中傷行為等が起きたりしないよう、その影響に配慮すること。

八　緊急事態措置等に係る立入検査の実施に当たっては、原則として立入先の同意を得て行うこととし、同意が得られない場合も物理力の行使等は行わないこと。

九　罰則・過料の適用に当たっては、国民の自由と権利が不当に侵害されることのないよう、慎重に運用すること。さらに、不服申立てその他救済の権利を保障すること。

十　入院拒否等に対する過料の適用については、現場で円滑に運用がなされるよう、その手順などを分かりやすく示すとともに、適用についての具体例など、適用の適否の判断材料をできる限り明確に示すこと。また、宿泊施設や居宅の場合も含め、本人、その子供や高齢者などの生活維持に配慮するとともに、必要な対応を行うこと。

十一　積極的疫学調査の拒否等に対する過料の適用については、ＰＣＲ等の検査拒否につながるおそれや保健所の対応能力も踏まえ、慎重に行うこととし、現場で円滑に運用がなされるよう、その手順などを分かりやすく示すとともに、適用についての具体例など、適用の適否の判断材料をできる限り明確に示すこと。

十二　国及び地方自治体は、かつてハンセン病や後天性免疫不全症候群等の患者等に対するいわれなき差別や偏見が存在したことを重く受け止め、国民は何人に対しても不当な差別的取扱い等を行ってはならないことを明確にし、悪質な差別的取扱い等を行った者には法的責任が問われ得ること等も含めて周知するとともに、不当な差別的取扱い等を受けた者に対する相談支援体制の整備など、万全の措置を講ずること。

十三　特措法第六十三条の二に基づく「必要な財政上の措置その他の必要な措置」は、同法第二十四条第九項、まん延防止等重点措置及び緊急事態措置に係る要請に応じた事業者に対しては、行うものとすること。また、これらの要請に伴う支援については、要請に応じたこと、要請による経営への影響の度合い等を勘案し、公平性の観点や円滑な執行等が行われることに配慮し、要請に十分な理解を得られるようにするため、必要な支援となるよう努めること。

十四　新型コロナウイルス感染症の感染拡大により所得が減少している国民及び協力事業者以外も含めた事業者に対し、生活及び事業継続等が可能となるよう万全の財政・金融政策を講ずること。

十五　新型コロナウイルス感染症の感染拡大に伴う自殺が増加していることから、地方自治体と連携し、自殺の原因となり得る事由に対応した効果的な対策を講ずること。

十六　国及び都道府県は、感染者のための病床等を確保するため、地方自治体及び医療機関等との連携や協力に応じる医療機関への費用、収入等経営状況を踏まえた財政的な支援など必要な措置を講ずること。また、都道府県知事が感染症の予防及び感染症の患者に対する医療に関する法律並びに特措法第二十四条及び第三十一条に基づき必要な要請等を行えるものと解釈すること。さらに、正当な理由がなく勧告に従わない場合の医療関係者等の公表は、医療機関等の事情も考慮し、慎重に行うこと。

十七　国、都道府県、保健所設置市等の間の情報連携の強化に当たっては、患者等のプライバシーが侵害されることのないよう、個人情報の利用及び関係者による閲覧を必要最小限とすること。また、新型コロナウイルス感染者等情報把握・管理支援システム（ＨＥＲ―ＳＹＳ）の入力作業の効率化に向けたシステム更改等、負担軽減のための措置を講ずること。

十八　医療機関、介護施設、障害者支援施設等の職員等に対する検査を徹底するとともに、エッセンシャルワーカーを含め社会経済活動のための検査が受けやすくなるよう、検査体制の強化に努めるとともに環境整備を進めること。

十九　約二週間ごとに変異する新型コロナウイルスに対して、現在流行している変異株を把握し対処するため、ゲノム分子疫学調査（全ゲノムシークエンス）の実施頻度を高め、速やかに公表すること。また、我が国における対策に大きな影響を及ぼし得る新型コロナウイルスの変異株の更なる市中感染拡大を防止するため、遺伝子解析等を実施する検体数の増加、変異株を特定できる技術の確立と普及の促進等、変異株の感染拡大防止に万全を期すこと。さらに、検疫官増員、検査機器充実等の体制強化、感染防止対策が施された移動手段の拡充の支援等水際対策を徹底すること。

二十　感染症研究に係る国の機関の人員及び予算の十分な確保を含め、その体制を強化すること。また、地方衛生研究所については、新型コロナウイルス感染症対策における位置付けを明確化し、国立感染症研究所及び保健所との連携を強化すること。

二十一　新型コロナウイルスに係るワクチン接種を迅速かつ円滑に実施できるよう、副反応情報、審議会の議事録の速やかな公表など安全性及び有効性その他の接種の判断に必要な情報を徹底して公表するとともに、住民票の住所地以外に住む者（例えば、単身赴任者や学生等）が当該地域でもワクチン接種ができるようにすること。また、地方自治体の接種体制整備に対し人材や財政措置を含む国による最大限の支援を行うこと。

二十二　まん延防止等重点措置が設けられること等により、地方自治体においても行動計画の見直し等の対応が必要となることから、特措法の運用指針等を速やかに定め、公表するとともに、運用・解釈に関する地方自治体からの質問に対して迅速かつ誠実に回答すること。

二十三　国及び都道府県は、これまでの検査、保健所、医療提供体制の問題点を検証の上、今後の計画的な整備を図ること。

二十四　新型インフルエンザ等の感染拡大に伴う諸課題の共有・解決に向け、与野党に対して必要な情報提供を適時、適切に行うとともに、与野党の意見を尊重して感染症対策の実施に当たること。

二十五　新型インフルエンザ等の感染拡大により緊急事態宣言等の決定に至り得る場合においては、会議録等の経過記録及び科学的根拠となるデータの保存に万全を期し、国民への説明責任を果たすとともに、海外の関係機関との情報共有を行い、今後の感染症対策のために活用できるようにすること。

二十六　令和二年五月の緊急事態解除宣言の時期の妥当性など、新型コロナウイルス感染症の感染拡大に関する政府のこれまでの対応について、今後の政府の対応に活用するために、第三者的立場から、客観的、科学的に検証し、その結果を公表すること。

二十七　今次法改正の実施状況を検証するとともに、前項の検証結果も合わせ、法制度面も含め必要な見直しを行うこと。

○新型インフルエンザ等対策特別措置法等の一部を改正する法律案に対する附帯決議

〔令和三年二月三日　参議院内閣委員会〕

政府は、本法の施行に当たり、次の諸点について適切な措置を講ずるべきである。

一　まん延防止等重点措置を公示する際に満たすべき要件について、新型コロナウイルス感染症対策分科会が提言したステージⅠからⅣ、六つの指標及び目安との関係などを含め、あらかじめ客観的な基準を示すこと。

二　まん延防止等重点措置の公示については、あらかじめ学識経験者の意見を聴いた上で行うこととし、国会へその旨及び必要な事項について速やかに報告すること。また、まん延防止等重点措置の公示期間の延長、区域変更、又は解除についても同様とすること。

三　まん延防止等重点措置の公示又は緊急事態宣言（以下「緊急事態宣言等」という。）について、都道府県知事からの要請を受けた場合は、当該要請を最大限尊重し、速やかに検討するとともに、要請に応じない場合は、当該要請を行った都道府県知事に対し、その旨及びその理由を示すこと。また、緊急事態宣言等の延長、区域変更、又は解除についても同様とすること。

四　まん延防止等重点措置の実施に当たっては、緊急事態措置以上に、国民の自由と権利の制限は必要最小限のものとすること。また、「まん延を防止するために必要な措置」とは、主として営業時間の変更及びみだりに出入りしないことの要請であり、営業時間の変更を超えた休業要請、イベントなどによる施設の使用停止、新型インフルエンザ等対策特別措置法（以下「特措法」という。）第四十五条第一項と同様の全面的な外出自粛要請等は含めないこと。

五　まん延防止等重点措置においては、国民の自由と権利の制限は必要最小限とすることについて、緊急事態措置における場合より一層配慮すること。また、適用できない「正当な理由」が認められる場合を、具体的なケースを含めガイドラインで明確に示すこと。

六　緊急事態措置における命令及び過料を適用できない「正当な理由」が認められる場合を、具体的なケースを含めガイドラインで明確に示すこと。

七　まん延防止等重点措置又は緊急事態措置（以下「緊急事態措置等」という。）に係る要請・命令の公表は、感染拡大防止の観点から逆効果になったり、誹謗中傷行為等が起きたりしないよう、その影響に配慮すること。

八　緊急事態措置等に係る立入検査の実施に当たっては、原則として立入先の同意を得て行うこととし、同意が得られない場合も物理力の行使等は行わないこと。

九　罰則・過料の適用に当たっては、国民の自由と権利が不当に侵害されることのないよう、慎重に運用すること。さらに、不服申立てその他救済の権利を保障すること。

十　入院拒否等に対する過料の適用については、本法に基づく入院勧告から措置に至る全ての手続を丁寧かつ十分に行うとともに、入院困難の理由に対する相談・支援を十分に尽くした上で、慎重に対応すること。また、その際には、現場で円滑に運用がなされるよう、その手順などを分かりやすく示すとともに、適用についての具体例など、適用の適否の判断材料をできる限り明確に示すこと。また、宿泊施設や居宅の場合も含め、本人、その子供や高齢者などの生活維持に配慮するとともに、必要な対応を行うこと。

十一　積極的疫学調査の拒否等に対する過料の適用については、ＰＣＲ等の検査拒否や陽性結果の秘匿につながるおそれや保健所の対応能力・事務負担等も踏まえ、慎重に行うこととし、現場で円滑に運用がなされるよう、その手順などを分かりやすく示すとともに、適用についての具体例など、適用の適否の判断材料をできる限り明確に示すこと。

十二　国及び地方自治体は、かつてハンセン病や後天性免疫不全症候群等の患者等に対するいわれなき差別や偏見が存在したことを重く受け止め、国民は何人に対しても不当な差別的取扱い等を行ってはならないことを明確にし、悪質な差別的取扱い等を行った者には法的責任が問われ得ること等も含めて周知を徹底するとともに、不当な差別的取扱い等を受けた者に対する相談支援体制の整備など、万全の措置を講ずること。

十三　特措法第六十三条の二に基づく「必要な財政上の措置その他の必要な措置」は、同法第二十四条第九項、まん延防止等重点措置及び緊急事態措置に係る要請に応じた事業者に対しては確実に行うものとすること。また、これらの要請に伴う支援については、要請に応じたことのみならず、要請による経営への影響の度合い等を勘案し、公平性の観点や円滑な執行等が行われることにも配慮しつつ、要請に十分な理解と協力を得られるようにするため、必要な支援となるよう努めること。

十四　新型コロナウイルス感染症の感染拡大により所得が減少している国民並びに協力事業者以外も含めた事業者及びその雇用する労働者に対し、生活及び事業継続等が可能となるよう万全の財政・金融政策を講ずること。

十五　新型コロナウイルス感染症の感染拡大に伴う自殺が増加していることから、地方自治体と連携し、自殺の原因となり得る事由に対応した効果的な対策を講ずること。

十六　国及び都道府県は、感染者のための病床等を確保するため、地方自治体及び医療機関等との連携や協力に応じる医療機関への費用、収入等経営状況を踏まえた財政的な支援など必要な措置を講ずること。また、都道府県知事が感染症の予防及び感染症の患者に対する医療に関する法律並びに特措法第二十四条及び第三十一条に基づき必要な要請等を行えるものと解釈すること。さらに、正当な理由がなく勧告に従わない場合の医療関係者等の公表は、医療機関等の事情も考慮し、慎重に行うこと。また、病床等の確保のために既に入院・通院状態にある患者が転院や主治医の交代等を余儀なくされる場合には、精神面でのケアを含め、患者の負担に十分に配慮すること。

十七　国、都道府県、保健所設置市等の間の情報連携の強化に当たっては、患者等のプライバシーが侵害されることのないよう、個人情報の利用及び関係者による閲覧を必要最小限とすること。また、新型コロナウイルス感染者等情報把握・管理支援システム（ＨＥＲ―ＳＹＳ）の入力作業の効率化に向けたシステム更改等、負担軽減のための措置を講ずること。

十八　医療機関、介護施設、障害者支援施設等の職員等に対する検査を徹底するとともに、エッセンシャルワーカーや通勤などで感染不安を持つ国民を含め社会経済活動のための検査が希望に応じて速やかに受けられるよう、検査体制の強化に努めるとともに環境整備を進めること。

十九　濃厚接触者の調査を効果的に実施し、必要な検査を幅広く実施するとともに、濃厚接触者の自宅待機などに対するフォロー体制に万全を期すこと。

二十　約二週間ごとに変異する新型コロナウイルスに対して、現在流行している変異株を把握し対処するため、ゲノム分子疫学調査（全ゲノムシークエンス）の実施頻度を高め、速やかに公表すること。また、我が国における対策に大きな影響を及ぼし得る新型コロナウイルスの変異株の更なる市中感染拡大を防止するため、遺伝子解析等を実施する検体数の増加、変異株を特定できる技術の確立と普及の促進等、変異株の感染拡大防止に万全を期すこと。さらに、検疫官増員、検査機器充実等の体制強化、感染防止対策が施された移動手段の拡充の支援等水際対策を徹底すること。

二十一　感染症研究に係る国の機関の人員及び予算の十分な確保を含め、その体制を強化すること。また、地方衛生研究所については、新型コロナウイルス感染症対策における位置付けを明確化し、国立感染症研究所及び保健所との連携を強化すること。

二十二　新型コロナウイルスに係るワクチン接種を希望する国民に迅速かつ安全・円滑に実施できるよう、副反応情報や、審議会の議事録等の速やかな公表など安全性及び有効性その他の接種の判断に必要な情報を徹底して公表するとともに、住民票の住所地以外に住む者（例えば、単身赴任者や学生、ホームレス等）が現在地でもワクチン接種ができるようにすること。また、地方自治体の接種体制整備に対し人材や財政措置を含む国による最大限の支援を行うとともに、国内に居住する外国人に対しても接種機会を確保し、必要な支援を行うこと。なお、審議会の議事録については、可能な限り早急に公表するとともに、当該ワクチンの接種が開始される前に必ず情報を開示し、その情報に基づく接種判断が行われるよう確保すること。

二十三　まん延防止等重点措置が設けられること等により、地方自治体においても行動計画の見直し等の対応が必要となることから、特措法の運用指針等を速やかに定め、公表するとともに、運用・解釈に関する地方自治体からの質問に対して迅速かつ誠実に回答すること。

二十四　現下の新型コロナウイルス感染症の感染拡大までに生じた検査、保健所、医療の諸課題を分析し、今後の感染拡大を最大限に封じ込めるとともに再度の感染拡大が生じた場合に対応可能な検査、保健所、医療提供体制を計画的に確保するため、国としての基本的な方針を示すとともに都道府県等の計画的取組の実施状況を的確に把握し、地域における対策の実効性を確保するために徹底したＰＤＣＡサイクルに基づき必要な措置を講ずること。また、これらの国及び都道府県等の対策の実施状況について適時に公表すること。

二十五　新型インフルエンザ等の感染拡大に伴う諸課題の共有・解決に向け、与野党に対して必要な情報提供を適時、適切に行うとともに、与野党の意見を尊重して感染症対策の実施に当たること。

二十六　新型インフルエンザ等の感染拡大により緊急事態宣言等の決定に至り得る場合においては、会議録等の経過記録及び科学的根拠となるデータの保存に万全を期し、国民への説明責任を果たすとともに、海外の関係機関との情報共有を行い、今後の感染症対策のために活用できるようにすること。

二十七　令和二年五月の緊急事態解除宣言の時期の妥当性など、新型コロナウイルス感染症の感染拡大に関する政府のこれまでの対応について、今後の政府の対応に活用するために、第三者的立場から、客観的、科学的に検証し、その結果を公表すること。

二十八　今次法改正の実施状況を検証するとともに、前項の検証結果も合わせ、法制度面も含め必要な見直しを行うこと。

右決議する。

○感染症の予防及び感染症の患者に対する医療に関する法律等の一部を改正する法律案に対する附帯決議

〔令和四年十一月四日
衆議院厚生労働委員会〕

政府は、本法の施行に当たり、次の事項について適切な措置を講ずるべきである。

一　本法施行までに相当の期間があることに鑑み、本法成立後、施行までの期間においても本法の趣旨を踏まえた感染症対策の全体的な取組の強化に努力し、当面する感染拡大に十二分に備えること。

二　保健所設置自治体が予防計画を作成するに当たり、市町村の意見を十分に聴き、市町村の役割を明確にし、保健所の負担軽減につながる方針を示すこと。

三　感染症危機時に確実に稼働する体制を構築するため、新型インフルエンザ等感染症等に係る医療提供体制確保等の協定が多くの医療機関との間で締結され、医療を必要とする者に確実に医療が提供されることとなるよう、地域における感染症医療提供体制整備に必要な支援を行うこと。

四　新型インフルエンザ等感染症等に係る医療提供体制確保等の協定の履行確保措置を講ずるに当たっては、地域の実情に応じた適切な運用となるようにするとともに、協定に基づき履行すべき内容と履行確保措置のバランス、地域医療への影響等に十分配慮すること。

五　流行初期医療確保措置が実施される期間について、保険者等の負担に鑑み、速やかな補助金、診療報酬の上乗せにより数か月程度の必要最小限の期間とすること。

六　新興感染症から国民の命を守るため、医療機関の協力が不可欠な状況に鑑み、平時からの備えに対する必要な支援を医療機関の経営面にも配慮し講ずること。

七　感染症危機に際しかかりつけ医等の地域の医療機関が可能な限り感染症医療を行うことができるよう、医薬品、個人防護具等の配布、治療方法の普及その他の必要な支援を行うこと。

八　感染症医療に対応する医療機関が、感染症患者と当該患者のかかりつけ医との関係を把握し、当該かかりつけ医等の地域の医療機関との連携を確保することができるような方策を検討し、速やかに必要な措置を講ずること。

九　地方衛生研究所について、本法の趣旨を踏まえ、法律上の位置付けを明確にしつつ、その体制整備等についての基本的な指針を地方公共団体に示すとともに、保健所及び地方衛生研究所の人員及び予算を確保し、試験及び検査、調査及び研究等のより一層の体制強化を図ること。

十　感染症対策及び予防接種事務に関するデジタル化及び情報基盤整備に当たっては、情報の流出の防止その他の国民のプライバシー情報の厳重管理を徹底すること。

十一　新型コロナウイルスの特性を考慮し、新型コロナワクチンの予防接種法上の扱いについて検討を行うこと。

十二　新型コロナウイルス感染症の罹患後症状に苦しむ患者について、治療と就労を両立するための支援を検討し、速やかに必要な措置を講ずること。

十三　新型コロナウイルスワクチン接種後の遷延する症状について、速やかに実態を把握し、病態の解明に必要な調査研究を行うこと。

十四　新型コロナウイルス感染症の罹患後症状及び新型コロナウイルスワクチン接種後の遷延する症状について、患者がかかりつけ医等の地域の医療機関での治療を受けられるよう必要な措置を講ずるとともに、その症状並びにその診断及び治療の方法に関する情報を収集し、整理し、及び分析し、その結果に基づき必要な情報を適切な方法により積極的に公表すること。

十五　薬事承認制度が製薬企業からの申請に基づくものであることを踏まえ、製薬企業の研究開発支援、申請時の企業負担の軽減、治験等の手続の簡素化、企業相談の実施その他の製薬企業の薬事承認申請を促進する措置を講ずるとともに、緊急時における国主導による医薬品等の確保の仕組みを検討し、必要な措置を講ずること。

十六　今回の新型コロナウイルス感染症対応を踏まえ、かかりつけ医の役割、新型コロナ患者の健康観察を行う主体の在り方も含め、「ウィズコロナ」下におけるあるべき地域保健医療提供体制について引き続き議論を進めること。

十七　「ウィズコロナ」への移行を更に進める観点や教育的観点から、今一度、関係省庁とも連携して、国民がマスク着用の必要のない場面で、マスクを外す判断ができる環境づくりを進めること。

十八　現下の新型コロナウイルスの特性を踏まえ、科学的知見等に基づき適切なマスク着用の基準の見直しを検討するとともに、その結果をわかりやすく国民に伝えること。

○感染症の予防及び感染症の患者に対する医療に関する法律等の一部を改正する法律案に対する附帯決議

〔令和四年十一月二十四日
参議院厚生労働委員会〕

政府は、本法の施行に当たり、次の事項について適切な措置を講ずるべきである。

一　本法施行までに相当の期間があることに鑑み、本法成立後、施行までの期間においても本法の趣旨を踏まえた感染症対策の全体的な取組の強化に努力し、当面する感染拡大に十二分に備えること。

二　保健所設置自治体が予防計画を作成するに当たり、市町村の意見を十分に聴き、市町村の役割を明確にし、保健所の負担軽減につながる方針を示すこと。

三　感染症危機時に確実に稼働する体制を構築するため、新型インフルエンザ等感染症等に係る医療提供体制確保等の協定が多くの医療機関との間で締結され、医療を必要とする者に確実に医療が提供されることとなるよう、地域における感染症医療提供体制整備、特に感染症危機時にはその感染症の特性に応じて、病床の確保や外来診療の増加及びそれらのために不可欠な医療従事者の確保などに必要な支援を行うこと。

四　新型インフルエンザ等感染症等に係る医療提供体制確保等の協定の履行確保措置を講ずるに当たっては、地域の実情に応じた適切な運用となるようにするとともに、協定に基づき履行すべき内容と履行確保措置のバランス、地域医療への影響等に十分配慮すること。

五　流行初期医療確保措置は、その費用の一部に保険料が充当される例外的かつ限定的な措置であり、実施される期間について、保険者等の負担に鑑み、速やかな補助金、診療報酬の上乗せにより、三箇月を基本として必要最小限の期間とすること。

六　新興感染症から国民の命を守るため、医療機関の協力が不可欠な状況に鑑み、平時からの備えに対する必要な支援を医療機関の経営面にも配慮し講ずること。

七　感染症危機に際しかかりつけ医等の地域の医療機関が可能な限り感染症医療を行うことができるよう、医薬品、個人防護具等の配布、治療方法の普及その他の必要な支援を行うこと。

八　感染症医療に対応する医療機関が、感染症患者と当該患者のかかりつけ医との関係を把握し、当該かかりつけ医等の地域の医療機関との連携を確保することができるような方策を検討し、速やかに必要な措置を講ずること。

九　地方衛生研究所について、本法の趣旨を踏まえ、法律上の位置付けを明確にしつつ、その体制整備等についての基本的な指針を地方公共団体に示すとともに、保健所及び地方衛生研究所の人員及び予算を確保し、試験及び検査、調査及び研究等のより一層の体制強化を図ること。

十　感染症対策及び予防接種事務に関するデジタル化及び情報基盤整備に当たっては、情報の流出の防止その他の国民のプライバシー情報の厳重管理を徹底すること。

十一　感染症対策物資等の確保に当たっては、その生産拠点が特定の外国に集中している場合に、生産要請や輸入要請等が実効的なものとならない可能性があることを踏まえ、当該物資等の国内生産の促進、備蓄の確保等の必要な対策を検討し実施すること。

十二　新型コロナウイルスの特性を考慮し、新型コロナウイルスワクチンの予防接種法上の扱いについて検討を行うこと。また、同ワクチンは本人又は保護者の意思により接種を受けるべきかを判断するものであること及びワクチンを接種していない者に対する差別、いじめ等の不利益取扱いは決して許されるものではないことについて積極的な広報等により周知徹底すること。

十三　新型コロナウイルス感染症への対応において、検疫所における検査・人員体制の強化等が図られたことを踏まえ、今後も新興感染症等の発生に備えた即応体制を維持・強化できるよう、関係機関等と連携した定期的な訓練の実施、海外の感染症発生動向に係る調査・研究能力の強化、検疫感染症発生時における迅速な検査能力の確保など必要な対策に取り組むこと。

十四　新型コロナウイルス感染症の罹患後症状に苦しむ患者について、治療と就労を両立するための支援を検討し、速やかに必要な措置を講ずること。

十五　第二百四回国会において採択された「新型コロナウイルス感染症と筋痛性脳脊髄炎の研究に関する請願」に基づき、早急にCOVID-19後にME/CFSを発症する可能性を調べる実態調査、並びにCOVID-19とME/CFSに焦点を絞った研究を、神経免疫の専門家を中心に開始する体制整備を行うこと。

十六　新型コロナウイルスワクチン接種後の遷延する症状について、速やかに実態を把握し、病態の解明に必要な調査研究を行うこと。

十七　新型コロナウイルス感染症の罹患後症状及び新型コロナウイルスワクチン接種後の遷延する症状について、患者がかかりつけ医等の地域の医療機関での治療を受けられるよう必要な措置を講ずるとともに、その症状並びにその診断及び治療の方法に関する情報を収集し、整理し、及び分析し、その結果に基づき必要な情報を適切な方法により積極的に公表すること。

十八　薬事承認制度が製薬企業からの申請に基づくものであることを踏まえ、製薬企業の研究開発支援、申請時の企業負担の軽減、治験等の手続の簡素化、企業相談の実施その他の製薬企業の薬事承認申請を促進する措置を講ずるとともに、緊急時における国主導による医薬品等の確保の仕組みを検討し、必要な措置を講ずること。

十九　今回の新型コロナウイルス感染症対応を踏まえ、かかりつけ医の役割、新型コロナ患者の健康観察を行う主体の在り方も含め、「ウィズコロナ」下におけるあるべき地域保健医療提供体制について引き続き議論を進めること。

二十　「ウィズコロナ」への移行を更に進める観点や教育的観点から、今一度、関係省庁とも連携して、国民がマスク着用の必要のない場面で、マスクを外す判断ができる環境づくりを進めること。

二十一　現下の新型コロナウイルスの特性を踏まえ、科学的知見等に基づき適切なマスク着用の基準の見直しを検討するとともに、その結果をわかりやすく国民に伝えること。

右決議する。

2 参考資料

○感染症法の対象となる感染症の定義・類型

<table>
<tr><th></th><th>性格</th><th>主な対応・措置</th><th>医療体制</th><th>公費負担医療</th></tr>
<tr><td>一類感染症</td><td>感染力、罹患した場合の重篤性等に基づく総合的な観点からみた危険性が極めて高い感染症</td><td>・原則入院
・消毒等の対物措置
(例外的に、建物への措置、通行制限等の措置も適用対象とする。)</td><td>特定感染症指定医療機関
〔入院医療機関として国が指定、全国に数か所〕
第一種感染症指定医療機関
〔入院医療機関として都道府県知事が指定、各都道府県に一か所〕</td><td rowspan="2">医療保険を適用
自己負担分を公費負担
〔自己負担なし〕
負担割合
国 $\frac{3}{4}$
都道府県 $\frac{1}{4}$</td></tr>
<tr><td>二類感染症</td><td>感染力、罹患した場合の重篤性等に基づく総合的な観点からみた危険性が高い感染症</td><td>・状況に応じて入院
・消毒等の対物措置</td><td>特定感染症指定医療機関
第一種感染症指定医療機関
第二種感染症指定医療機関
〔入院医療機関として都道府県知事が指定、二次医療圏に一か所〕</td></tr>
<tr><td>三類感染症</td><td>感染力、罹患した場合の重篤性等に基づく総合的な観点からみた危険性が高くないが、特定の職業への就業によって感染症の集団発生を起こし得る感染症</td><td>・特定職種への就業制限
・消毒等の対物措置</td><td>一般の医療機関</td><td>公費負担なし
〔医療保険を適用〕</td></tr>
</table>

四類感染症	五類感染症	新型インフルエンザ等感染症
人から人への感染はほとんどないが、動物、飲食物等の物件を介して感染するため、動物や物件の消毒、廃棄などの措置が必要となる感染症	国が感染症発生動向調査を行い、その結果等に基づいて必要な情報を一般国民や医療関係者に提供・公開していくことによって、発生・拡大を防止すべき感染症	〔新型インフルエンザ〕　新たに人から人に伝染する能力を有することとなったウイルスを病原体とするインフルエンザであって、全国的かつ急速なまん延により国民の生命及び健康に重大な影響を与えるおそれがあると認められるもの 〔再興型インフルエンザ〕　かつて世界的規模で流行したインフルエンザであってその後流行することなく長期間が経過しているものが再興したものであって、全国的かつ急速なまん延により国民の生命及び健康に重大な影響を与えるおそれがあると認められるもの（告示で指定） 〔新型コロナウイルス感染症〕　新たに人から人に伝染する能力を有することとなったコロナウイルスを病原体とする感染症であって、一般に国民が当該感染症に対する免疫を獲得していないことから、当該感染症の全国的かつ急速なまん延により国民の生命及び健康に重大な影響を与えるおそれがあると認められるもの 〔再興型コロナウイルス感染症〕　かつて世界的規模で流行したコロナウイルスを病原体とす
・動物の措置を含む消毒等の対物措置	・感染症発生状況の収集、分析とその結果の公開、提供	・状況に応じて入院 ・消毒等の対物措置 ・外出自粛の要請
		第一種協定指定医療機関 第二種協定指定医療機関 〔都道府県知事が指定。令和六年四月一日より〕 特定感染症指定医療機関 第一種感染症指定医療機関 第二種感染症指定医療機関
		一・二類感染症に同じ

	指定感染症	新感染症
る感染症であってその後流行することなく長期間が経過しているものとして厚生労働大臣が定めるものが再興したものであって、一般に現在の国民の大部分が当該感染症に対する免疫を獲得していないことから、当該感染症の全国的かつ急速なまん延により国民の生命及び健康に重大な影響を与えるおそれがあると認められるもの（告示で指定）	既知の感染症の中で前記一～三類に分類されない感染症において一～三類に準じた対応の必要が生じた感染症（政令で指定、一年限定）	人から人に伝染すると認められる疾病であって、既知の感染症と症状等が明らかに異なり、その伝染力及び罹患した場合の重篤度から判断した危険性が極めて高い感染症
	一～三類感染症に準じた入院対応や消毒等の対物措置を実施（適用する規定は政令で規定する。）	［当初］ 都道府県知事が、厚生労働大臣の技術的指導・助言を得て個別に応急対応する。（緊急の場合は、厚生労働大臣が都道府県知事に指示をする。） ［政令指定後］ 政令で症状等の要件指定した後に一類感染症に準じた対応を行う。
	一～三類感染症又は新型インフルエンザ等感染症に準じた措置	特定感染症指定医療機関 第一種協定指定医療機関 第二種協定指定医療機関
	一・二類感染症に同じ 又は三類感染症相当の場合は、公費負担なし（医療保険を適用）	医療保険を適用 自己負担分を公費負担 ［自己負担なし］ 負担割合 国 $\frac{3}{4}$ 都道府県 $\frac{1}{4}$

○感染症法における感染症の分類

感染症類型	疾病名	届出の要否：患者	届出の要否：疑似症（※１）	届出の要否：無症状病原体保有者	届出方法：定点種別	届出方法：時期	届出方法：内容	法に基づく入院勧告の可否：患者	法に基づく入院勧告の可否：疑似症（※１）	法に基づく入院勧告の可否：無症状病原体保有者	就業制限通知の可否：患者	就業制限通知の可否：疑似症（※１）	就業制限通知の可否：無症状病原体保有者
1	エボラ出血熱	○	○	○	（全数）	直ちに	a	○	○	○	○	○	○
1	クリミア・コンゴ出血熱	○	○	○	（全数）	直ちに	a	○	○	○	○	○	○
1	痘そう	○	○	○	（全数）	直ちに	a	○	○	○	○	○	○
1	南米出血熱	○	○	○	（全数）	直ちに	a	○	○	○	○	○	○
1	ペスト	○	○	○	（全数）	直ちに	a	○	○	○	○	○	○
1	マールブルグ病	○	○	○	（全数）	直ちに	a	○	○	○	○	○	○
1	ラッサ熱	○	○	○	（全数）	直ちに	a	○	○	○	○	○	○
2	急性灰白髄炎	○	×	○	（全数）	直ちに	a	○	×	×	○	×	○
2	結核	○	○	○	（全数）	直ちに	a	○	○	×	○	○	○
2	ジフテリア	○	×	○	（全数）	直ちに	a	○	×	×	○	×	○
2	重症急性呼吸器症候群（病原体がベータコロナウイルス属ＳＡＲＳコロナウイルスであるものに限る。）	○	○	○	（全数）	直ちに	a	○	○	×	○	○	○
2	中東呼吸器症候群（病原体がベータコロナウイルス属ＭＥＲＳコロナウイルスであるものに限る。）	○	○	○	（全数）	直ちに	a	○	○	×	○	○	○
2	鳥インフルエンザ（Ｈ５Ｎ１、Ｈ７Ｎ９）	○	○	○	（全数）	直ちに	a	○	○	×	○	○	○
3	コレラ	○	×	○	（全数）	直ちに	a	×	×	×	○	×	○
3	細菌性赤痢	○	×	○	（全数）	直ちに	a	×	×	×	○	×	○
3	腸管出血性大腸菌感染症	○	×	○	（全数）	直ちに	a	×	×	×	○	×	○
3	腸チフス	○	×	○	（全数）	直ちに	a	×	×	×	○	×	○
3	パラチフス	○	×	○	（全数）	直ちに	a	×	×	×	○	×	○
4	Ｅ型肝炎	○	×	○	（全数）	直ちに	a	×	×	×	×	×	×
4	ウエストナイル熱（ウエストナイル脳炎含む。）	○	×	○	（全数）	直ちに	a	×	×	×	×	×	×
4	Ａ型肝炎	○	×	○	（全数）	直ちに	a	×	×	×	×	×	×
4	エキノコックス症	○	×	○	（全数）	直ちに	a	×	×	×	×	×	×

感染症法における感染症の分類

4	エムポックス	○	×	○	（全数）	直ちに	a	×	×	×	×	×	×
4	黄熱	○	×	○	（全数）	直ちに	a	×	×	×	×	×	×
4	オウム病	○	×	○	（全数）	直ちに	a	×	×	×	×	×	×
4	オムスク出血熱	○	×	○	（全数）	直ちに	a	×	×	×	×	×	×
4	回帰熱	○	×	○	（全数）	直ちに	a	×	×	×	×	×	×
4	キャサヌル森林病	○	×	○	（全数）	直ちに	a	×	×	×	×	×	×
4	Ｑ熱	○	×	○	（全数）	直ちに	a	×	×	×	×	×	×
4	狂犬病	○	×	○	（全数）	直ちに	a	×	×	×	×	×	×
4	コクシジオイデス症	○	×	○	（全数）	直ちに	a	×	×	×	×	×	×
4	ジカウイルス感染症	○	×	○	（全数）	直ちに	a	×	×	×	×	×	×
4	重症熱性血小板減少症候群（病原体がフレボウイルス属ＳＦＴＳウイルスであるものに限る。）	○	×	○	（全数）	直ちに	a	×	×	×	×	×	×
4	腎症候性出血熱	○	×	○	（全数）	直ちに	a	×	×	×	×	×	×
4	西部ウマ脳炎	○	×	○	（全数）	直ちに	a	×	×	×	×	×	×
4	ダニ媒介脳炎	○	×	○	（全数）	直ちに	a	×	×	×	×	×	×
4	炭疽	○	×	○	（全数）	直ちに	a	×	×	×	×	×	×
4	チクングニア熱	○	×	○	（全数）	直ちに	a	×	×	×	×	×	×
4	つつが虫病	○	×	○	（全数）	直ちに	a	×	×	×	×	×	×
4	デング熱	○	×	○	（全数）	直ちに	a	×	×	×	×	×	×
4	東部ウマ脳炎	○	×	○	（全数）	直ちに	a	×	×	×	×	×	×
4	鳥インフルエンザ（鳥インフルエンザ（Ｈ５Ｎ１、Ｈ７Ｎ９）を除く。）	○	×	○	（全数）	直ちに	a	×	×	×	×	×	×
4	ニパウイルス感染症	○	×	○	（全数）	直ちに	a	×	×	×	×	×	×
4	日本紅斑熱	○	×	○	（全数）	直ちに	a	×	×	×	×	×	×
4	日本脳炎	○	×	○	（全数）	直ちに	a	×	×	×	×	×	×
4	ハンタウイルス肺症候群	○	×	○	（全数）	直ちに	a	×	×	×	×	×	×
4	Ｂウイルス病	○	×	○	（全数）	直ちに	a	×	×	×	×	×	×
4	鼻疽	○	×	○	（全数）	直ちに	a	×	×	×	×	×	×
4	ブルセラ症	○	×	○	（全数）	直ちに	a	×	×	×	×	×	×
4	ベネズエラウマ脳炎	○	×	○	（全数）	直ちに	a	×	×	×	×	×	×
4	ヘンドラウイルス感染症	○	×	○	（全数）	直ちに	a	×	×	×	×	×	×
4	発しんチフス	○	×	○	（全数）	直ちに	a	×	×	×	×	×	×
4	ボツリヌス症	○	×	○	（全数）	直ちに	a	×	×	×	×	×	×
4	マラリア	○	×	○	（全数）	直ちに	a	×	×	×	×	×	×
4	野兎病	○	×	○	（全数）	直ちに	a	×	×	×	×	×	×

4	ライム病	○	×	○	(全数)	直ちに	a	×	×	×	×	×	×
4	リッサウイルス感染症	○	×	○	(全数)	直ちに	a	×	×	×	×	×	×
4	リフトバレー熱	○	×	○	(全数)	直ちに	a	×	×	×	×	×	×
4	類鼻疽	○	×	○	(全数)	直ちに	a	×	×	×	×	×	×
4	レジオネラ症	○	×	○	(全数)	直ちに	a	×	×	×	×	×	×
4	レプトスピラ症	○	×	○	(全数)	直ちに	a	×	×	×	×	×	×
4	ロッキー山紅斑熱	○	×	○	(全数)	直ちに	a	×	×	×	×	×	×
5	アメーバ赤痢	○	×	×	(全数)	7日以内	b1	×	×	×	×	×	×
5	RSウイルス感染症	○	×	×	小児科	次の月曜	c1	×	×	×	×	×	×
5	咽頭結膜熱	○	×	×	小児科	次の月曜	c1	×	×	×	×	×	×
5	インフルエンザ（鳥インフルエンザ及び新型インフルエンザ等感染症を除く。）	○	×	×	インフル／COVID-19基幹（※2）	次の月曜	c1	×	×	×	×	×	×
5	新型コロナウイルス感染症（病原体がベータコロナウイルス属のコロナウイルス（令和二年一月に、中華人民共和国から世界保健機関に対して、人に伝染する能力を有することが新たに報告されたものに限る。）であるものに限る。）	○	×	×	インフル／COVID-19基幹（※2）	次の月曜	c1	×	×	×	×	×	×
5	ウイルス性肝炎（E型肝炎及びA型肝炎を除く。）	○	×	×	(全数)	7日以内	b1	×	×	×	×	×	×
5	A群溶血性レンサ球菌咽頭炎	○	×	×	小児科	次の月曜	c1	×	×	×	×	×	×
5	カルバペネム耐性腸内細菌目細菌感染症	○	×	×	(全数)	7日以内	b1	×	×	×	×	×	×
5	感染性胃腸炎（病原体がロタウイルスであるものを除く。）	○	—	×	小児科	次の月曜	c1	×	×	×	×	×	×
5	感染性胃腸炎（病原体がロタウイルスであるものに限る。）	○	—	×	基幹	次の月曜	c2	×	×	×	×	×	×
5	急性出血性結膜炎	○	×	×	眼科	次の月曜	c1	×	×	×	×	×	×
5	急性弛緩性麻痺（急性灰白髄炎を除く。）	○	×	×	(全数)	7日以内	b1	×	×	×	×	×	×
5	急性脳炎（ウエストナイル脳炎、西部ウマ脳炎、ダニ媒介脳炎、東部ウマ脳炎、日本脳炎、ベネズエラウマ脳炎及びリフトバレー熱を除く。）	○	×	×	(全数)	7日以内	b1	×	×	×	×	×	×
5	クラミジア肺炎（オウム病を除く。）	○	×	×	基幹	次の月曜	c2	×	×	×	×	×	×
5	クリプトスポリジウム症	○	×	×	(全数)	7日以内	b1	×	×	×	×	×	×
5	クロイツフェルト・ヤコブ病	○	×	×	(全数)	7日以内	b1	×	×	×	×	×	×
5	劇症型溶血性レンサ球菌感染症	○	×	×	(全数)	7日以内	b1	×	×	×	×	×	×

感染症法における感染症の分類

5	後天性免疫不全症候群	○	×	○	(全数)	7日以内	b2	×	×	×	×	×	×
5	細菌性髄膜炎（侵襲性インフルエンザ菌感染症、侵襲性髄膜炎菌感染症及び侵襲性肺炎球菌感染症を除く。）	○	×	×	基幹	次の月曜	c2	×	×	×	×	×	×
5	ジアルジア症	○	×	×	(全数)	7日以内	b1	×	×	×	×	×	×
5	侵襲性インフルエンザ菌感染症	○	×	×	(全数)	7日以内	b1	×	×	×	×	×	×
5	侵襲性髄膜炎菌感染症	○	×	×	(全数)	直ちに	a	×	×	×	×	×	×
5	侵襲性肺炎球菌感染症	○	×	×	(全数)	7日以内	b1	×	×	×	×	×	×
5	水痘	○	×	×	小児科	次の月曜	c1	×	×	×	×	×	×
5	水痘（入院例に限る。）	○	×	×	(全数)	7日以内	b1	×	×	×	×	×	×
5	性器クラミジア感染症	○	×	×	STD	翌月初日	c1	×	×	×	×	×	×
5	性器ヘルペスウイルス感染症	○	×	×	STD	翌月初日	c1	×	×	×	×	×	×
5	尖圭コンジローマ	○	×	×	STD	翌月初日	c1	×	×	×	×	×	×
5	先天性風しん症候群	○	×	×	(全数)	7日以内	b1	×	×	×	×	×	×
5	手足口病	○	×	×	小児科	次の月曜	c1	×	×	×	×	×	×
5	伝染性紅斑	○	×	×	小児科	次の月曜	c1	×	×	×	×	×	×
5	突発性発しん	○	×	×	小児科	次の月曜	c1	×	×	×	×	×	×
5	梅毒	○	×	○	(全数)	7日以内	b1	×	×	×	×	×	×
5	播種性クリプトコックス症	○	×	×	(全数)	7日以内	b1	×	×	×	×	×	×
5	破傷風	○	×	×	(全数)	7日以内	b1	×	×	×	×	×	×
5	バンコマイシン耐性黄色ブドウ球菌感染症	○	×	×	(全数)	7日以内	b1	×	×	×	×	×	×
5	バンコマイシン耐性腸球菌感染症	○	×	×	(全数)	7日以内	b1	×	×	×	×	×	×
5	百日咳	○	×	×	(全数)	7日以内	b1	×	×	×	×	×	×
5	風しん	○	×	×	(全数)	直ちに	a	×	×	×	×	×	×
5	ペニシリン耐性肺炎球菌感染症	○	×	×	基幹	翌月初日	c2	×	×	×	×	×	×
5	ヘルパンギーナ	○	×	×	小児科	次の月曜	c1	×	×	×	×	×	×
5	マイコプラズマ肺炎	○	×	×	基幹	次の月曜	c2	×	×	×	×	×	×
5	麻しん	○	×	×	(全数)	直ちに	a	×	×	×	×	×	×
5	無菌性髄膜炎	○	×	×	基幹	次の月曜	c2	×	×	×	×	×	×
5	メチシリン耐性黄色ブドウ球菌感染症	○	×	×	基幹	翌月初日	c2	×	×	×	×	×	×
5	薬剤耐性アシネトバクター感染症	○	×	×	(全数)	7日以内	b1	×	×	×	×	×	×
5	薬剤耐性緑膿菌感染症	○	×	×	基幹	翌月初日	c2	×	×	×	×	×	×
5	流行性角結膜炎	○	×	×	眼科	次の月曜	c1	×	×	×	×	×	×
5	流行性耳下腺炎	○	×	×	小児科	次の月曜	c1	×	×	×	×	×	×
5	淋菌感染症	○	×	×	STD	翌月初日	c1	×	×	×	×	×	×

（届出事項）ａ：氏名、年齢、性別、職業、住所、所在地、病名、症状、診断方法、初診・診断・推定感染年月日、感染原因、感染経路、感染地域、診断した医師の住所及び氏名、その他、（保護者の住所氏名）
ｂ１：年齢、性別、病名、症状、診断方法、初診年月日、診断年月日、推定感染年月日、感染原因、感染経路、感染地域、診断した医師の住所及び氏名
ｂ２：年齢、性別、病名、症状、診断方法、初診年月日、診断年月日、推定感染年月日、感染原因、感染経路、感染地域、診断した医師の住所及び氏名、最近数年間の主な居住地、国籍
ｃ１：年齢、性別
ｃ２：年齢、性別、原因病原体の名称、検査方法

※１　疑似症患者とは、明らかに当該感染症の症状を有しているが、病原体診断の結果が未定の者を指す。
※２　インフルエンザ（鳥インフルエンザ及び新型インフルエンザ等感染症を除く。）及び新型コロナウイルス感染症（病原体がベータコロナウイルス属のコロナウイルス（令和二年一月に中華人民共和国から世界保健機関に対して、人に伝染する能力を有することが新たに報告されたものに限る。）であるものに限る。）の基幹定点の届出については、届出対象は入院したもので、届出内容は入院時の対応を加える。

○平成十五年改正の概要

感染症の予防及び感染症の患者に対する医療に関する法律及び検疫法の一部を改正する法律

（平成十五年十月十六日法律第百四十五号）

1　感染症法の改正内容

〔1〕緊急時における感染症対策の強化

①　感染症の発生状況等の調査に関する国の事務の追加（第十五条関係）

厚生労働大臣は、緊急の必要があると認めるときは、自ら感染症の発生状況等の調査を行うことができることとする。

②　緊急時における感染症の予防等に関する計画の策定（第九条、第十条関係）

厚生労働大臣の定める基本指針及び都道府県の定める予防計画の中に、緊急時における感染症の予防等の計画の策定に関する事項を追加する。

③　関係行政機関に対する指示権限の創設（第六十三条の二関係）

厚生労働大臣は、感染症の発生を予防し、又はまん延を防止するため緊急の必要があると認めるときは、この法律の規定により都道府県知事等が行うこととされている事務に関し、必要な指示をすることができることとする。

〔2〕動物由来感染症対策の強化

①　動物の輸入に係る届出制度の創設（第五十六条の二関係）
感染症を感染させるおそれがある動物及びその死体を輸入する者は、輸出国における検査の結果、感染症にかかっていない旨の証明書を添付するとともに、種類、数量、輸入の時期等を届け出なければならないこととする。
②　感染症を感染させる動物等の調査（第十五条、第十五条の三関係）
感染症の発生状況等の調査において、感染症を感染させるおそれがある動物又はその死体の所有者等に対し質問・調査することができることを明確化する。
③　獣医師等の責務規定の創設（第五条の二関係）
獣医師、獣医療関係者について、国及び地方公共団体が講ずる施策に協力するよう努めなければならないこととする。また、動物等取扱業者について、動物の適切な管理その他の必要な措置を講ずるよう努めなければならないこととする。

〔3〕感染症法の対象疾病及び疾病分類の見直し等
①　感染症の類型の見直し等（第六条関係）
ア　一類感染症に「重症急性呼吸器症候群」及び「痘そう」（天然痘）を追加する。
イ　現行の四類感染症のうち鳥インフルエンザ等について、媒介動物の輸入規制、消毒、ねずみ等の駆除等の措置を講ずることができるようにするため、四類感染症の類型を見直す。
②　都道府県等による迅速な措置（第二十七条、第二十八条、第二十九条関係）
都道府県知事等が、市町村に指示するだけでなく、消毒及びねずみ等の駆除の措置を自ら行うことができることとする。
③　地方公共団体における調査体制の強化・連携（第三条、第十五条関係）
都道府県等は、感染症の発生状況等の調査を行うため、他の都道府県等に対し、検査研究機関の職員の派遣等の協力

を求めることができることとする。

〔4〕検疫との連携（第十五条の二関係）

都道府県知事等は、検疫法に基づき、検疫所長から検疫感染症に感染したおそれのある者であって健康状態に異状が生じたものに係る通知を受けたときは、当該者に対し必要な質問又は調査を行うことができることとする。

〔5〕罰則

〔2〕①及び〔4〕に係る罰則を整備する。

2 検疫法の改正内容

〔1〕検疫感染症に感染したおそれのある者に対する入国後の健康状態の確認等（第十八条関係）

① 検疫所長は、検疫感染症の病原体に感染したおそれのある者に対し、旅券の提示を求め、入国後の居所、連絡先、氏名及び旅程等の報告を求めるとともに、一定の期間、健康状態の報告を求め、質問を行うことができることとする。

② 検疫所長は、①の結果、健康状態に異状が生じた者を確認したときは、保健所その他の医療機関の診察を受けるべき旨その他必要な事項を指示するとともに、当該指示した旨を当該者の居所の所在地を管轄する都道府県知事等に通知しなければならないこととする。

〔2〕新感染症についての医師の診察（第三十四条の二関係）

厚生労働大臣は、外国に新感染症が発生した場合、当該新感染症の発生を予防し、まん延を防止するため緊急の必要があると認めるときは、検疫所長に、当該新感染症にかかっていると疑われる者に対する診察を行うことを行わせることができることとする。

〔3〕病原体の検査が必要な感染症の検疫感染症への追加（第二条関係）

国内への病原体の侵入を防止するため、医師による診察及び病原体の有無の検査が必要な感染症（デング熱、マラリア等）を検疫の対象となる感染症に機動的に追加することができるよう、検疫感染症の規定方法を見直す。

〔4〕新四類感染症に係る応急措置等（第二十四条、第二十六条の三関係）

感染症法の四類感染症の類型の見直しに伴い、①新四類感染症の患者等を発見した場合の診察・消毒等の応急措置、②新四類感染症の病原体保有者を発見した場合の都道府県知事等への通知の規定を整備する。

〔5〕罰則

〔1〕及び〔2〕に係る罰則を整備する。

３　施行期日

公布の日から起算して二十日を経過した日〔平成十五年十一月五日〕。ただし、動物の輸入に係る届出制度の創設は、公布の日から二年以内で政令で定める日〔平成十七年九月一日〕。

平成15年改正の概要

感染症対策の強化

最近の海外における感染症の発生状況、国際交流の進展等

※網掛け部分は平成15年の改正で措置

水際対策（国内に常在しない感染症の海外からの侵入防止）

◎検疫

検疫の対象となる感染症の病原体が国内に侵入するおそれが

- 「ある」→隔離・停留
- 「ほとんどない」→仮検疫済証の交付
- 感染症に感染したおそれのある者に対する入国後の健康状態の確認
- 健康状態に異状が生じた者を確認したときは、管轄の都道府県知事等に報告
- 「ない」→検疫済証の交付

◎動物由来感染症対策

- 輸入禁止（特定地域から発送されるサルなどの指定動物が対象）
- 輸入検疫（指定動物の係留観察）
- 輸入届出（指定動物以外で感染症を人に感染させるおそれがあるものの輸入について衛生証明書を添付して届出）

国内感染症対策（感染症の発生予防・まん延防止・患者に対する医療の提供）

◎国の基本指針と都道府県の予防計画（緊急時における対策を追加）

◎医師・獣医師の届出（対象となる感染症を追加）

◎積極的疫学調査（発生状況、動向及び原因の調査）

- 緊急時には厚生労働大臣も自ら実施
- 感染症の発生状況の調査に関する都道府県等の連携

◎水際対策との連携

- 都道府県知事等による健康状態に異状が生じた者に対する質問・調査
- 調査結果を厚生労働大臣に報告

◎対象疾病・疾病分類に応じた措置

- 一類感染症（最も重篤な感染症）に「重症急性呼吸器症候群（SARS）」及び「痘そう（天然痘）」を追加
→患者の入院、消毒等の措置
- 鳥インフルエンザ等動物から感染する感染症について新たに消毒等物的措置を講ずる。

緊急時における都道府県知事等に対する厚生労働大臣の指示

輸入動物の感染症対策の強化

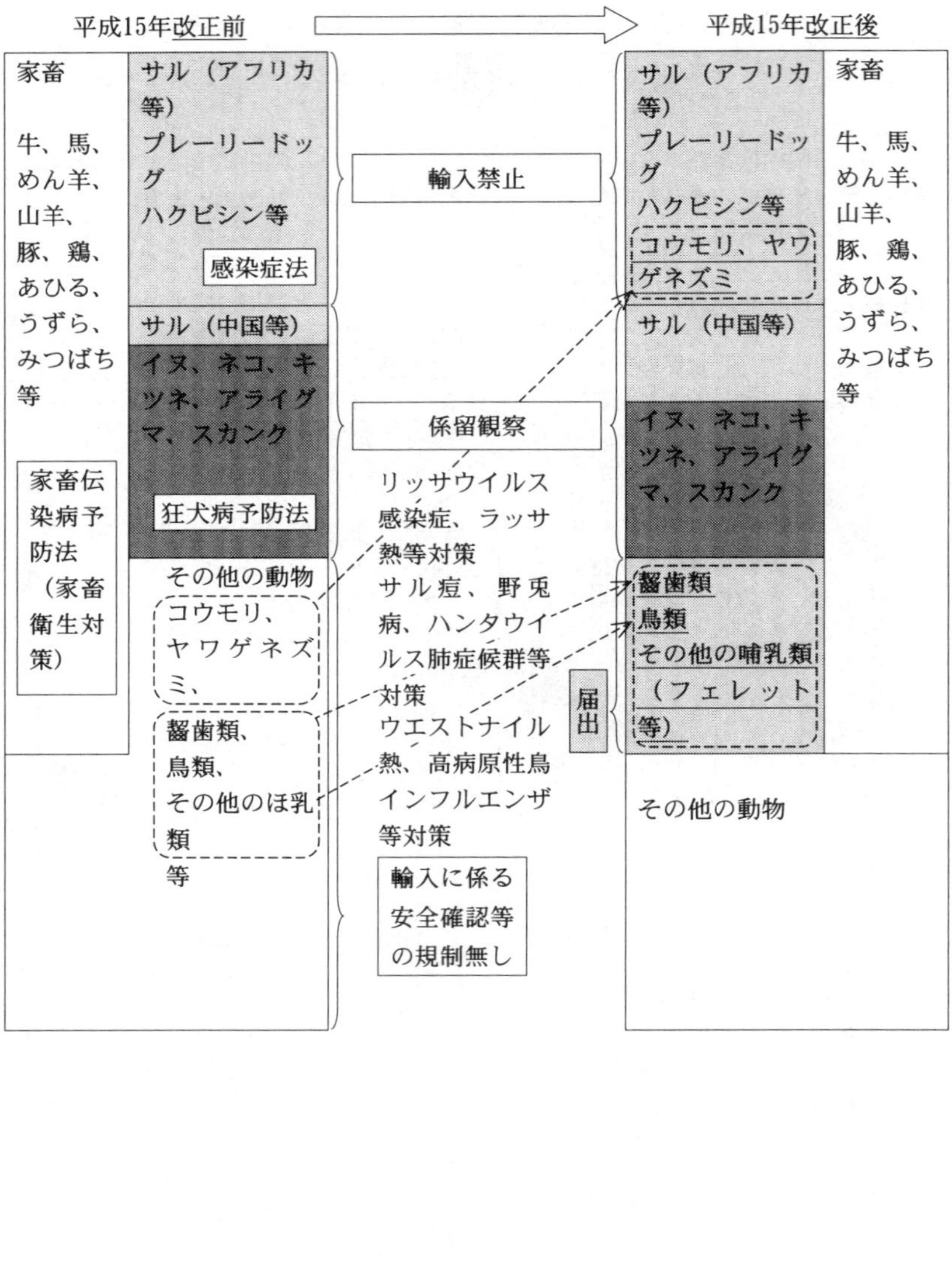

感染症法の対象疾病の見直し

一類	エボラ出血熱、クリミア・コンゴ出血熱、ペスト、マールブルグ病、ラッサ熱 （追加）…重症急性呼吸器症候群（病原体がＳＡＲＳコロナウイルスであるものに限る。）、痘そう（天然痘）
二類	急性灰白髄炎、コレラ、細菌性赤痢、ジフテリア、腸チフス、パラチフス
三類	腸管出血性大腸菌感染症
四類	ウエストナイル熱（ウエストナイル脳炎を含む。）、エキノコックス症、黄熱、オウム病、回帰熱、Ｑ熱、狂犬病、コクシジオイデス症、腎症候性出血熱、炭疽、つつが虫病、デング熱、日本紅斑熱、日本脳炎、ハンタウイルス肺症候群、Ｂウイルス病、ブルセラ症、発しんチフス、マラリア、ライム病、レジオネラ症 （追加）…Ｅ型肝炎、Ａ型肝炎、高病原性鳥インフルエンザ、サル痘、ニパウイルス感染症、野兎病、リッサウイルス感染症、レプトスピラ症 （変更）…ボツリヌス症（「乳児ボツリヌス症（四類全数）」を変更）
五類	（全数報告）アメーバ赤痢、ウイルス性肝炎（Ｅ型肝炎及びＡ型肝炎を除く。）、クリプトスポリジウム症、クロイツフェルト・ヤコブ病、劇症型溶血性レンサ球菌感染症、後天性免疫不全症候群、ジアルジア症、髄膜炎菌性髄膜炎、先天性風しん症候群、梅毒、破傷風、バンコマイシン耐性腸球菌感染症 （定点報告）咽頭結膜熱、インフルエンザ（高病原性鳥インフルエンザを除く。）、Ａ群溶血性レンサ球菌咽頭炎、感染性胃腸炎、急性出血性結膜炎、クラミジア肺炎（オウム病を除く。）、細菌性髄膜炎、水痘、性器クラミジア感染症、性器ヘルペスウイルス感染症、手足口病、伝染性紅斑、突発性発しん、百日咳、風しん、ペニシリン耐性肺炎球菌感染症、ヘルパンギーナ、マイコプラズマ肺炎、麻しん（成人麻しんを含む。）、無菌性髄膜炎、メチシリン耐性黄色ブドウ球菌感染症、薬剤耐性緑膿菌感染症、流行性角結膜炎、流行性耳下腺炎、淋菌感染症 （変更）…バンコマイシン耐性黄色ブドウ球菌感染症（全数）、ＲＳウイルス感染症（定点）、尖圭コンジローマ（定点）（「尖形コンジローム」から変更）、急性脳炎（ウエストナイル脳炎及び日本脳炎を除く。定点把握から全数把握に変更）

○平成十八年改正の概要

感染症の予防及び感染症の患者に対する医療に関する法律等の一部を改正する法律

（平成十八年十二月八日法律第百六号）

１　感染症法の改正内容

〔1〕　基本理念及び責務規定の見直し（第二条、第三条、第五条関係）

①　基本理念において、国際的動向を踏まえた施策の推進、感染症の患者等の人権の尊重について、規定する。

②　国及び地方公共団体の責務に、社会福祉等の関連施策との有機的な連携への配慮等を規定する。また、国の責務として、病原体等に関する情報の収集等を明記する。さらに、医師の感染症患者に対する説明等の責務等を規定する。

〔2〕　感染症の種類の見直し（第六条関係）

最新の医学的知見等を踏まえ、南米出血熱を一類感染症に、結核を二類感染症に追加し、重症急性呼吸器症候群（病原体がコロナウイルス属ＳＡＲＳコロナウイルスであるものに限る。）を一類感染症から二類感染症に改め、コレラ、細菌性赤痢、腸チフス及びパラチフスを二類感染症から三類感染症に改めるとともに、炭疽、ボツリヌス症及び野兎病を四類感染症に規定する。

〔3〕　感染症に関する情報の収集等（第十二条、第十四条、第十六条、第十六条の二関係）

①　慢性の感染症の予防、効果的な治療方法の確立等を図るため、慢性感染症の患者を治療する医師に対して、毎年度、その患者の年齢、性別等の届出を義務づける。

② 医師の確定診断ではなく、疑似症の診断の段階での情報を収集し、生物テロを含む感染症の発生を迅速に把握するため、指定届出機関による疑似症患者の年齢、性別等の情報の届出を義務づける。

③ 感染症に関する情報について、新聞、放送等により積極的に公表することとし、医療関係者に対する協力要請に関する規定を設ける。

〔4〕人権の尊重の観点からの規定の整備（第十八条、第十九条、第二十二条の二、第二十四条、第二十四条の二関係）

就業制限、入院勧告等の感染症の予防のための措置に関して、必要最小限度の原則、感染症診査協議会の関与の確保、感染症診査協議会への法律の専門家の参画、患者の意見陳述手続、苦情処理制度の創設など、人権の尊重の観点から、所要の規定を整備する。

〔5〕結核に関する規定の創設（第三十七条の二、第五十三条の二から第五十三条の十五関係）

結核について、事業者等による定期の健康診断、保健所長による登録票の記録、保健所による家庭訪問指導、結核患者の通院医療費用の公費負担等必要な規定を設ける。（従来、旧結核予防法で講じてきた施策のうち感染症法に従来規定のない事項を規定）

〔6〕病原体等に係る規制の創設（第五十六条の三から第五十六条の三十八関係）

① 一種病原体等の規制

イ 何人も、一種病原体等を所持してはならないこととする。ただし、国又は政令で定める法人であって厚生労働大臣が指定した者（特定一種病原体等所持者）が、試験研究が必要な一種病原体等として政令で定めるものを、厚生労働大臣が指定する施設における試験研究のために所持する場合等は、この限りでない。

ロ 何人も、一種病原体等を輸入してはならないこととする。ただし、特定一種病原体等所持者が、厚生労働大臣が指定する特定一種病原体等を輸入する場合は、この限りでない。

ハ 何人も、一種病原体等を譲り渡し、又は譲り受けてはならないこととする。ただし、特定一種病原体等所持者等の間で、譲り渡し、又は譲り受ける場合等は、この限りでない。

② 二種病原体等の規制

イ 二種病原体等を所持しようとする者は、厚生労働大臣の許可を受けなければならないこととする。

ロ 二種病原体等を輸入しようとする者は厚生労働大臣の許可を受けなければならないこととする。

ハ 二種病原体等は、二種病原体等許可所持者等の間で譲り渡し、又は譲り受ける場合のほか、譲り渡し、又は譲り受けてはならないこととする。

③ 三種病原体等の規制

三種病原体等を所持する者又は輸入した者は、その種類等を厚生労働大臣に事後に届け出なければならないこととする。

④ 所持者等の義務

感染症発生予防規程の作成等（一種、二種病原体等の所持者）、帳簿の記帳、運搬の届出（一種、二種、三種の病原体等の所持者）、施設基準、保管等の基準の遵守、事故届、災害時の応急措置（一種から四種までの病原体等の所持者）等、病原体等の種類に応じて所持者等の義務を設ける。

⑤ 監督

報告徴収、立入検査、施設基準、保管等の基準遵守の改善命令、指定の取消し等病原体等の取扱いに関する規制の監督規定を設ける。

⑥ 罰則

特定病原体等の規制等に関し所要の罰則を設ける。

2 予防接種法の改正内容

結核予防法の廃止に伴い、結核を予防接種の対象である一類疾病に位置づけて、結核に係る定期の予防接種等を行う（第二条関係）。

3　検疫法の改正内容

検疫制度について、感染症の種類の見直しに伴い、検疫対象となる検疫感染症からコレラ及び黄熱を除外するなど、所要の見直しを行う（第二条、第十四条、第十五条、第二十六条の三、第三十四条の三、第三十四条の四関係）。

4　施行期日等

〔1〕公布の日から六月以内で政令で定める日〔平成十九年六月一日〕。ただし、1〔5〕、2等一部の規定は、平成十九年四月一日（附則第一条関係）。

〔2〕結核を二類感染症とし、対策を講じることに伴い、結核予防法を廃止する（附則第二条関係）。

感染症対策の見直しの背景及び内容について

改正感染症法：平成18年12月８日公布

背　景

◆　生物テロの未然防止の必要性
・米、英等では、既に病原体等の管理体制が適正化
・我が国では、研究者、施設管理者等の自主性に依存

「テロの未然防止に関する行動計画」(H16.12)
・感染症法の改正による病原体等の管理体制の早期確立について指摘

◆　感染症をめぐる環境の変化
・WHOによるＳＡＲＳの終息宣言
・公衆衛生水準の向上　等

感染症の類型は、少なくとも５年ごとに、医学医療の進歩の推移、国際交流の進展等を勘案しつつ検討（感染症法附則）

◆　結核対策における見直しの必要性
・入院勧告等の仕組みを欠く等、人権尊重の観点が現行の結核予防法では不十分
・特定の感染症の病名を冠した法律については、差別、偏見の温床になるとの指摘

具体的な見直しの内容

◆　病原体等の管理体制の確立
病原性、国民の生命及び健康に対する影響に応じて、病原体等を一種から四種までに分類し、所持、輸入等の禁止、許可、届出、基準の遵守等の規制を設ける。

◆　最新の医学的知見に基づく感染症の分類の見直し
①南米出血熱を一類感染症に、ＳＡＲＳ、結核を二類感染症に、コレラ等を三類感染症に位置づけ
②コレラ及び黄熱を検疫法の検疫対象から除外

◆　結核予防法を廃止し感染症法に統合
①人権を尊重した手続に基づく法的措置が可能
②結核固有の対策として必要な定期の健康診断、通院医療等を感染症法に、定期の予防接種を予防接種法に位置づけ

施行期日：改正法の公布日から６月以内で政令で定める日（平成19年６月１日、結核に関する規定等一部の規定は、平成19年４月１日）

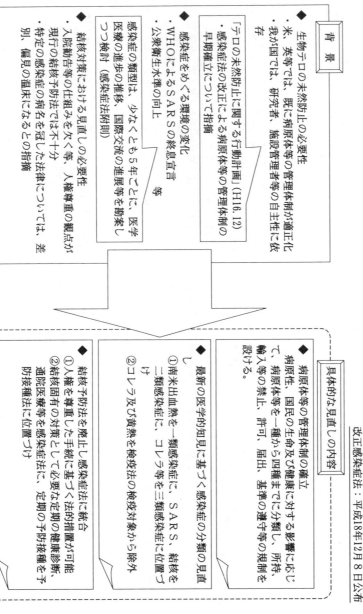

病原体等の適正管理について

国が所持を把握

〔所持等の禁止〕《一種病原体等》

- ○エボラウイルス
- ○クリミア・コンゴ出血熱ウイルス
- ○痘そうウイルス
- ○南米出血熱ウイルス
- ○マールブルグウイルス
- ○ラッサウイルス

（以上６）

↓

- ○国又は政令で定める法人のみ所持（施設を特定)、輸入、譲渡し及び譲受けが可能
- ○運搬の届出（公安委）
- ○発散行為の処罰

〔所持等の許可〕《二種病原体等》

- ○ＳＡＲＳコロナウイルス
- ○炭疽菌
- ○野兎病菌
- ○ペスト菌
- ○ボツリヌス菌
- ○ボツリヌス毒素

（以上６）

↓

- ○試験研究等の目的で厚生労働大臣の許可を受けた場合に、所持、輸入、譲渡し及び譲受けが可能
- ○運搬の届出（公安委）

〔所持等の届出〕《三種病原体等》

- ○Q熱コクシエラ、○狂犬病ウイルス
- ○多剤耐性結核菌

政令で定めるもの

- ○コクシジオイデス真菌、○サル痘ウイルス、○腎症候性出血熱ウイルス、○西部ウマ脳炎ウイルス、○ダニ媒介脳炎ウイルス、○オムスク出血熱ウイルス、○キャサヌル森林病ウイルス、○東部ウマ脳炎ウイルス、○ニパウイルス
- ○日本紅斑熱リケッチア
- ○発しんチフスリケッチア
- ○ハンタウイルス肺症候群ウイルス
- ○Ｂウイルス、○鼻疽菌、○ブルセラ属菌、○ベネズエラウマ脳炎ウイルス
- ○ヘンドラウイルス
- ○リフトバレーウイルス、○類鼻疽菌
- ○ロッキー山紅斑熱リケッチア

（以上23）

↓

- ○病原体等の種類等について厚生労働大臣へ事後届出（７日以内）
- ○運搬の届出（公安委）

〔基準の遵守〕《四種病原体等》

- ○インフルエンザウイルス（Ｈ２Ｎ２、Ｈ５Ｎ１、Ｈ７Ｎ７）
- ○黄熱ウイルス
- ○クリプトスポリジウム
- ○結核菌（多剤耐性結核菌を除く。）
- ○コレラ菌
- ○志賀毒素
- ○赤痢菌属
- ○チフス菌
- ○腸管出血性大腸菌
- ○パラチフスＡ菌
- ○ポリオウイルス

政令で定めるもの

- ○ウエストナイルウイルス
- ○オウム病クラミジア
- ○デングウイルス
- ○日本脳炎ウイルス

（以上16）

＋（一種・二種・三種病原体等）／↓（四種病原体等）

- ○病原体等に応じた施設基準、保管、使用、運搬、滅菌等の基準（厚生労働省令）の遵守
- ○厚生労働大臣等による報告徴収、立入検査
- ○厚生労働大臣による改善命令
- ○改善命令違反等に対する罰則

病院・診療所又は病原体等の検査機関の対応（イメージ）

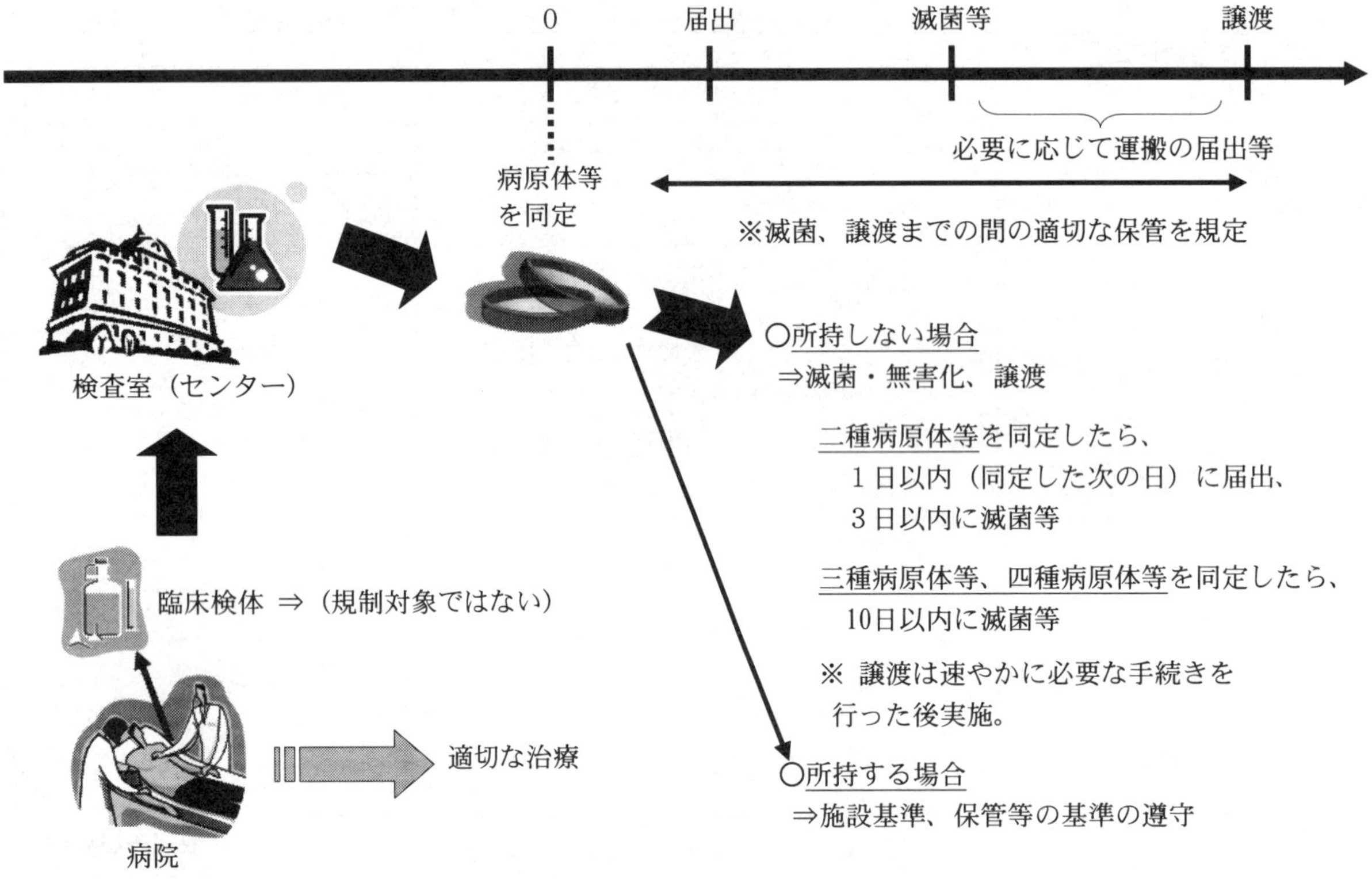

病院等が四種病原体等を滅菌するまでの義務等

四種病原体等を
同定

病院等の検査室
（検査センター等）

《滅菌までの間、守るべき事項》
・適切な保管（省令で規定）
（保管時の使用は不可）
・盗取等の事故時の警察官への届出
・災害等の発生時の応急措置
厚労大臣（結核感染症課）への届出

届出せず ⇒ 100万円以下の罰金
応急措置せず ⇒ 1年懲役又は100万円以下の罰金

滅菌・無害化

緊急時の対応等は定めておくこと。

二種病原体等、三種病原体等の譲渡し等について

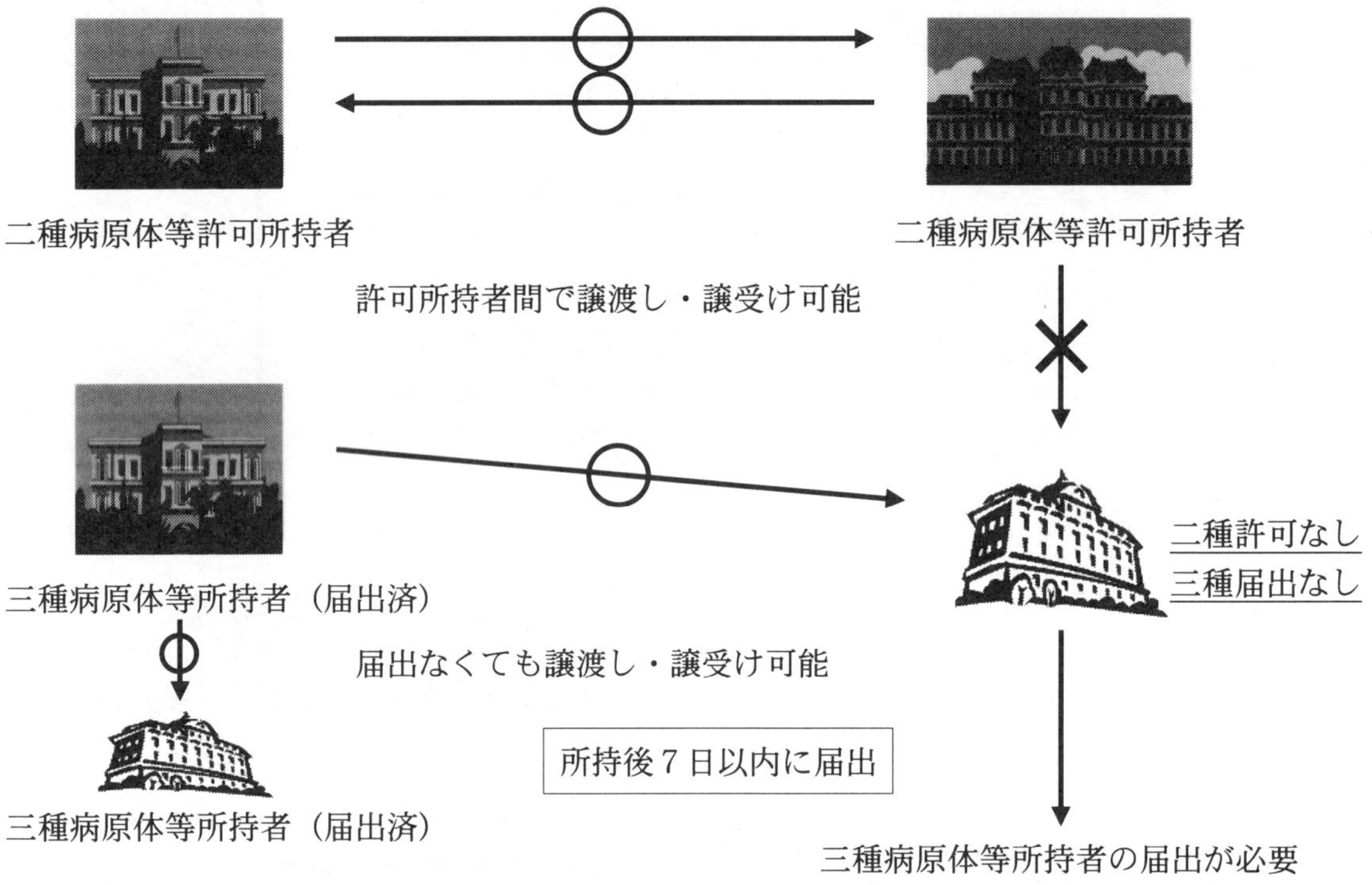

○平成二十年改正の概要

感染症の予防及び感染症の患者に対する医療に関する法律及び検疫法の一部を改正する法律

（平成二十年五月二日法律第三十号）

1　感染症の予防及び感染症の患者に対する医療に関する法律の一部改正

〔1〕　感染症の類型の新設等

①　新型インフルエンザ等感染症の新設（第六条関係）

感染症の類型に、新型インフルエンザ及び再興型インフルエンザからなる「新型インフルエンザ等感染症」を新設する。

②　二類感染症の疾病の追加（第六条関係）

二類感染症に鳥インフルエンザ（Ｈ５Ｎ１）を追加する。

③　疑似症患者等の法の規定の適用（第八条関係）

新型インフルエンザ等感染症の疑似症患者であって新型インフルエンザ等感染症にかかっていると疑うに足りる正当な理由がある者及び新型インフルエンザ等感染症の無症状病原体保有者については、患者とみなして、法の規定を適用する。

〔2〕　新型インフルエンザ等感染症に対する措置等

①　感染症に関する情報の収集等（第十二条、第十三条、第十五条関係）

医師の届出、獣医師の届出並びに感染症の発生の状況、動向及び原因の調査の対象に新型インフルエンザ等感染症を追加する。

② 検疫所長との連携（第十五条の三関係）

ア 都道府県知事は、検疫所長から新型インフルエンザ等感染症の病原体に感染したおそれのある者について通知を受けたときは、当該者に対し、健康状態について報告を求め、又は当該都道府県の職員に質問させることができるものとする。

イ 当該報告又は質問の結果、健康状態に異状を生じた者を確認したときは、都道府県知事は、直ちにその旨を厚生労働大臣に報告するとともに、当該職員に当該者その他の関係者に質問させ、又は必要な調査をさせることができるものとする。

③ 健康診断、就業制限及び入院（第十七条、第十八条、第二十六条関係）

健康診断、就業制限及び入院の対象に新型インフルエンザ等感染症を追加する。

④ 消毒その他の措置（第二十七条、第二十九条、第三十条、第三十五条関係）

感染症の病原体に汚染された場所の消毒、物件に係る措置、死体の移動制限等並びにそれらを実施するために必要な質問及び調査の対象に新型インフルエンザ等感染症を追加する。

⑤ 医療（第三十八条関係）

新型インフルエンザ等感染症の患者に係る医療について、特定感染症指定医療機関は厚生労働大臣が行う指導に、第一種感染症指定医療機関及び第二種感染症指定医療機関は都道府県知事が行う指導に従わなければならないこととする。

⑥ 発生及び実施する措置等に関する情報の公表（第四十四条の二関係）

厚生労働大臣は、新型インフルエンザ等感染症が発生したと認めたときは、速やかに、その旨及び発生した地域を公表するとともに、ウイルスの血清亜型及び検査方法、症状、診断及び治療並びに感染の防止の方法、実施する措置その他の発生の予防又はそのまん延の防止に必要な情報を逐次公表しなければならないこととする。

⑦　感染を防止するための協力（第四十四条の三関係）

ア　都道府県知事は、新型インフルエンザ等感染症のまん延を防止するため必要があると認めるときは、当該感染症にかかっていると疑うに足りる正当な理由のある者に対し、潜伏期間を考慮して定めた期間内において、体温その他の健康状態について報告を求めることができるものとする。

イ　都道府県知事は、新型インフルエンザ等感染症のまん延を防止するため必要があると認めるときは、居宅又はこれに相当する場所から外出しないことその他の感染の防止に必要な協力を求めることができるものとする。

⑧　建物に係る措置等の規定の適用（第四十四条の四関係）

新型インフルエンザ等感染症の発生を予防し、又はそのまん延を防止するため、特に必要があると認められる場合は、二年以内の政令で定める期間に限り、政令で定めるところにより、当該感染症を一類感染症とみなして、建物に係る措置等の規定を適用することができることとする。

〔3〕　罰則

〔2〕②に係る罰則を整備する。

2　検疫法の一部改正

〔1〕　検疫感染症の追加等

①　新型インフルエンザ等感染症の追加（第二条関係）

新型インフルエンザ等感染症を隔離、停留等を実施する検疫感染症とする。

②　疑似症患者の法の適用（第二条の二関係）

新型インフルエンザ等感染症の疑似症を呈している者であって新型インフルエンザ等感染症の病原体に感染したおそ

れのあるものについては、新型インフルエンザ等感染症の患者とみなして、この法律を適用する。

〔2〕新型インフルエンザ等感染症の患者の隔離等（第十五条、第十六条関係）

新型インフルエンザ等感染症の患者の隔離・停留は、原則として特定感染症指定医療機関、第一種感染症指定医療機関又は第二種感染症指定医療機関に委託して行うこととすること。停留については、宿泊施設の管理者の同意を得て宿泊施設等に収容して行うことができるものとする。

〔3〕都道府県との連携（第十八条関係）

検疫所長は、新型インフルエンザ等感染症の病原体に感染したおそれのある者で停留されないものに対し、国内における居所、連絡先及び氏名並びに旅行の日程等について報告を求めるとともに、当該者の居所の所在地を管轄する都道府県知事に通知しなければならないこととする。

〔4〕協力の要請（第二十三条の二関係）

検疫所長は、検疫業務を円滑に行うため必要があると認めるときは、船舶等の所有者等に対し必要な協力を求めることができるものとする。

〔5〕罰則

〔3〕に係る罰則を整備する。

3　施行期日等

〔1〕公布の日から起算して十日を経過した日（平成二十年五月十二日）から施行する。

〔2〕研究の促進等

国は、新型インフルエンザ等感染症に係るワクチン等の医薬品の研究開発を促進するために必要な措置等を講ずるとともに、抗インフルエンザ薬等の必要な量の備蓄に努めるものとする。

○平成二十六年改正の概要

感染症の予防及び感染症の患者に対する医療に関する法律の一部を改正する法律

（平成二十六年十一月二十一日法律第百十五号）

1　定義等

〔1〕感染症の類型（第六条第三項第五号、第六号関係）

①　二類感染症に中東呼吸器症候群（病原体がベータコロナウイルス属ＭＥＲＳコロナウイルスであるものに限る。）を追加する。

②　二類感染症である鳥インフルエンザについて、病原体がインフルエンザウイルスA属インフルエンザＡウイルスであってその血清亜型が新型インフルエンザ等感染症の病原体に変異するおそれが高いものの血清亜型として政令で定めるものであるものに限ることとする。

〔2〕病原体等の類型（第六条第二十二項第二号、第二十三項第一号関係）

①　三種病原体等であるマイコバクテリウム属ツベルクローシス（別名結核菌）について、イソニコチン酸ヒドラジド、リファンピシンその他結核の治療に使用される薬剤として政令で定めるものに対し耐性を有するものに限ることとする。

②　四種病原体等であるインフルエンザウイルスA属インフルエンザＡウイルスについて、血清亜型が政令で定めるものであることとする。

〔3〕 審議会からの意見聴取（第六条第二十四項関係）

厚生労働大臣は、〔1〕の②の政令の制定又は改廃の立案をしようとするときは、あらかじめ、厚生科学審議会の意見を聴かなければならないこととする。

2　感染症に関する情報の収集及び公表

〔1〕 医師の届出（第十二条第一項第一号関係）

医師の届出の対象に厚生労働省令で定める五類感染症を追加することとする。

〔2〕 獣医師等の届出（第十三条関係）

獣医師等の届出の対象から、実験のために届出の対象である感染症に感染させられている場合を除くこととする。

〔3〕 感染症の発生の状況及び動向の把握（第十三条、第十四条の二第二項から第七項関係）

① 都道府県知事は、開設者の同意を得て、厚生労働省令で定める五類感染症の患者の検体又は当該感染症の病原体の提出を担当させる病院若しくは診療所又は衛生検査所を指定することとする。

② ①の指定を受けた病院若しくは診療所又は衛生検査所（以下「指定提出機関」という。）の管理者は、医師が①の厚生労働省令で定める五類感染症の患者を診断したとき、又は当該指定提出機関（衛生検査所に限る。）の職員が当該患者の検体若しくは当該感染症の病原体について検査を実施したときは、当該患者の検体又は当該感染症の病原体の一部を都道府県知事に提出しなければならないこととする。

③ 都道府県知事は、②により提出を受けた検体又は感染症の病原体について検査を実施し、検査の結果等を厚生労働大臣に報告しなければならないこととする。

④ 厚生労働大臣は、自ら検査を実施する必要があると認めるときは、都道府県知事に対し②により提出を受けた検体又は感染症の病原体の一部の提出を求めることができることとする。

⑤　指定提出機関は、三十日以上の予告期間を設けて、①の指定を辞退することができることとし、都道府県知事は、指定提出機関の管理者が②に違反したとき、又は指定提出機関が②の提出を担当するについて不適当であると認められるに至ったときは、①の指定を取り消すことができることとする。

〔4〕　感染症の発生の状況、動向及び原因の調査（第十四条の二第六項、第七項、第十五条第九項関係）

①　都道府県知事は、必要があると認めるときは、感染症の発生を予防し、又は感染症の発生の状況、動向及び原因を明らかにするための必要な調査として当該職員に検体若しくは感染症の病原体を提出し、若しくは当該職員による当該検体の採取に応じるべきことを求めさせることができることとする。

②　都道府県知事は、①により提出を受けた検体若しくは感染症の病原体又は当該職員に採取させた検体について検査を実施しなければならないこととする。

③　厚生労働大臣は、自ら検査を実施する必要があると認めるときは、都道府県知事に対し①により提出を受けた検体若しくは感染症の病原体又は当該職員に採取させた検体の一部の提出を求めることができることとする。

3　就業制限その他の措置

〔1〕　都道府県知事は、一類感染症、二類感染症、新型インフルエンザ等感染症又は新感染症（以下「一類感染症等」という。）のまん延を防止するため必要があると認めるときは、一類感染症等の患者、疑似症患者若しくは無症状病原体保有者又は当該感染症にかかっていると疑うに足りる正当な理由のある者（以下「一類感染症等の患者等」という。）又はその保護者に対し当該者の検体を提出し、若しくは当該職員による当該検体の採取に応じるべきことを勧告することができることとし、勧告を受けた者が当該勧告に従わないときは、当該職員に検査のため必要な最小限度において、当該検体を採取させることができることとする（第十六条の三第一項、第三項、第四十四条の七第一項、第三項関係）。

〔2〕　厚生労働大臣は、一類感染症等のまん延を防止するため、緊急の必要があると認めるときは、一類感染症等の患者等又

はその保護者に対し当該者の検体を提出し、若しくは当該職員による当該検体の採取に応じるべきことを勧告することができることとし、勧告を受けた者が当該勧告に従わないときは、当該職員に検査のため必要な最小限度において、当該検体を採取させることができることとする（第十六条の三第二項、第四項、第四十四条の七第二項、第四項関係）。

〔3〕都道府県知事又は厚生労働大臣は、それぞれ〔1〕又は〔2〕の勧告又は措置を実施する場合には、当該勧告又は措置を実施する理由等を書面により通知しなければならないこととする。ただし、書面により通知しないで勧告又は措置を実施すべき差し迫った必要がある場合は、この限りでないこととする（第十六条の三第五項、第十一項、第四十四条の七第九項、第十項関係）。

〔4〕都道府県知事又は厚生労働大臣は、〔3〕のただし書の場合においては、当該勧告又は措置の後相当の期間内に、当該勧告を受け、又は当該措置を実施された者に対し、理由等を記載した書面を交付しなければならないこととする（第十六条の三第六項、第十一項、第四十四条の七第九項、第十項関係）。

〔5〕都道府県知事は、〔1〕により提出を受け、又は当該職員に採取させた検体について検査を実施し、当該検査の結果等を厚生労働大臣に報告しなければならないこととする（第十六条の三第七項、第八項、第四十四条の七第五項、第六項関係）。

〔6〕厚生労働大臣は、自ら検査を実施する必要があると認めるときは、都道府県知事に対し、〔1〕により提出を受け、又は当該職員に採取させた検体の一部の提出を求めることができることとする（第十六条の三第九項、第四十四条の七第七項関係）。

〔7〕都道府県知事は、〔1〕の検体の提出若しくは採取の勧告をし、当該職員に検体の採取の措置を実施させ、又は〔5〕により検体の検査を実施するため特に必要があると認めるときは、他の都道府県知事又は厚生労働大臣に対し感染症試験研究等機関の職員の派遣その他の必要な協力を求めることができることとする（第十六条の三第十項、第四十四条の七第八項関係）。

4　消毒その他の措置

〔1〕　都道府県知事は、一類感染症等の発生を予防し、又はそのまん延を防止するため必要があると認めるときは、一類感染症等の患者等又は一類感染症等を人に感染させるおそれがある動物若しくはその死体の検体又は感染症の病原体を所持している者（以下「一類感染症等検体等所持者」という。）に対し、当該検体又は感染症の病原体を提出すべきことを命ずることができることとし、命令を受けた者が当該命令に従わないときは、当該職員に検査のため必要な最小限度において、当該検体又は感染症の病原体を無償で収去させることができることとする（第二十六条の三第一項、第三項、第五十条第一項関係）。

〔2〕　厚生労働大臣は、一類感染症等の発生を予防し、又はそのまん延を防止するため緊急の必要があると認めるときは、一類感染症等検体等所持者に対し、当該検体又は感染症の病原体を提出すべきことを命ずることができることとし、命令を受けた者が当該命令に従わないときは、当該職員に検査のため必要な最小限度において、当該検体又は感染症の病原体を無償で収去させることができることとする（第二十六条の三第二項、第四項、第五十条第七項関係）。

〔3〕　都道府県知事は、〔1〕により提出を受け、又は当該職員に収去させた検体又は感染症の病原体について検査を実施し、当該検査の結果等を厚生労働大臣に報告しなければならないこととする（第二十六条の三第五項、第六項、第五十条第二項関係）。

〔4〕　厚生労働大臣は、自ら検査を実施する必要があると認めるときは、都道府県知事に対し、〔1〕により提出を受け、又は当該職員に収去させた検体又は感染症の病原体の一部の提出を求めることができることとする（第二十六条の三第七項、第五十条第二項関係）。

〔5〕　都道府県知事は、〔1〕の検体若しくは感染症の病原体の提出の命令をし、当該職員に検体若しくは感染症の病原体の収去の措置を実施させ、又は〔3〕により検体若しくは感染症の病原体の検査を実施するため特に必要があると認めるとき

は、他の都道府県知事又は厚生労働大臣に対し感染症試験研究等機関の職員の派遣その他の必要な協力を求めることができることとする（第二十六条の三第八項、第五十条第二項関係）。

〔6〕都道府県知事は、一類感染症等の発生を予防し、又はそのまん延を防止するため必要があると認めるときは、一類感染症等を人に感染させるおそれがある動物又はその死体の所有者又は管理者（以下「動物等所有者等」という。）に対し、当該動物又はその死体の検体を提出し、又は当該職員による当該検体の採取に応ずべきことを命ずることができることとし、命令を受けた者が当該命令に従わないときは、当該職員に検査のため必要な最小限度において、当該検体を採取させることができることとする（第二十六条の四第一項、第三項、第五十条第一項関係）。

〔7〕厚生労働大臣は、一類感染症等の発生を予防し、又はそのまん延を防止するため緊急の必要があると認めるときは、動物等所有者等に対し、当該動物又はその死体の検体を提出し、又は当該職員による当該検体の採取に応ずべきことを命ずることができることとし、命令を受けた者が当該命令に従わないときは、当該職員に検査のため必要な最小限度において、当該検体を採取させることができることとする（第二十六条の四第二項、第四項、第五十条第七項関係）。

〔8〕都道府県知事は、〔6〕により提出を受け、又は当該職員に採取させた検体について検査を実施し、当該検査の結果等を厚生労働大臣に報告しなければならないこととする（第二十六条の四第五項、第六項、第五十条第三項関係）。

〔9〕厚生労働大臣は、自ら検査を実施する必要があると認めるときは、都道府県知事に対し、〔6〕により提出を受け、又は当該職員に採取させた検体の一部の提出を求めることができることとする（第二十六条の四第七項、第五十条第三項関係）。

〔10〕都道府県知事は、〔6〕の検体の提出若しくは採取の命令をし、当該職員に検体の採取の措置を実施させ、又は〔8〕により検体の検査を実施するため特に必要があると認めるときは、他の都道府県知事又は厚生労働大臣に対し感染症試験研究等機関の職員の派遣その他の必要な協力を求めることができることとする（第二十六条の四第八項、第五十条第三項関係）。

〔11〕 都道府県知事又は厚生労働大臣は、それぞれ〔1〕若しくは〔6〕又は〔2〕若しくは〔7〕の措置を実施し、又は当該職員に実施させる場合には、その名あて人又はその保護者に対し、当該措置を実施する旨及びその理由等を書面により通知しなければならないこととする。ただし、書面により通知しないで措置を実施すべき差し迫った必要がある場合には、この限りではないこととする（第三十六条第一項、第三項、第五十条第九項関係）。

〔12〕 都道府県知事又は厚生労働大臣は、〔11〕のただし書の場合においては、当該措置を実施した後相当の期間内に、当該措置を実施した旨及びその理由等を記載した書面を当該措置の名あて人又はその保護者に交付しなければならないこととする（第三十六条第二項、第三項、第五十条第九項関係）。

5 結核

保健所長は、結核登録票に登録されている者について、結核の予防又は医療を効果的に実施するため必要があると認めるときは、病院、診療所、薬局等に対し、処方された薬剤を確実に服用する指導その他必要な指導の実施を依頼することができることとする（第五十三条の十四第二項関係）。

6 費用負担

感染症の発生の状況及び動向の把握、感染症の発生の状況、動向及び原因の調査、検体の採取等、検体の収去等に要する費用の支弁について、所要の規定の整備を行うこととする（第五十八条第一号、第四号の二、第四号の三関係）。

7 事務の区分

都道府県、保健所を設置する市又は特別区が処理することとされている2の〔4〕、3及び4の事務を地方自治法（昭和二十二年法律第六十七号）の第一号法定受託事務とすることとする（第六十五条の二関係）。

8　**検討**

政府は、この法律の施行後五年を経過した場合において、この法律の規定による改正後の規定の施行の状況について検討を加え、必要があると認めるときは、その結果に基づいて所要の措置を講ずることとする（附則第二条関係）。

9　**施行期日**

この法律は、一部の規定を除き、平成二十八年四月一日から施行する。

○令和三年改正の概要

新型インフルエンザ等対策特別措置法等の一部を改正する法律

（令和三年二月三日法律第五号）

1　**新型インフルエンザ等対策特別措置法関係**

〔1〕「まん延防止等重点措置」の創設

①　政府対策本部長は、特定の区域において、国民生活及び国民経済に甚大な影響を及ぼすおそれがある当該区域における新型インフルエンザ等の感染症のまん延を防止するため、「まん延防止等重点措置」を集中的に実施する必要があるものとして政令で定める要件に該当する事態が発生したと認めるときは、措置を実施すべき期間、区域（基本的に都道

府県単位を想定）等を告示する。

② 「まん延防止等重点措置」の区域に係る都道府県知事は、感染の状況等を考慮して都道府県知事が定める期間及び区域（区画や市区町村単位等）において、感染の状況について政令で定める事項を勘案して措置を講ずる必要があると認める業態に属する事業を行う者に対し、営業時間の変更等の措置を要請（※）することができることとする。また、当該者が正当な理由なく要請に応じないときは、まん延を防止するため特に必要があると認めるときに限り、命令できることとする。要請又は命令をしたときはその旨を公表できることとする。

※ 都道府県知事は、要請又は命令を行う必要があるか否かを判断するに当たっては、あらかじめ、専門家の意見を聴かなければならないことを規定

③ 「まん延防止等重点措置」の区域に係る都道府県知事は、住民に対し、②の要請に係る営業時間以外の時間に対象となる業態に属する事業を行う場所にみだりに出入りしないことその他の新型インフルエンザ等の感染の防止に必要な協力を要請することができることとする。

④ 政府対策本部長は、総合調整によっても都道府県知事による②③等の措置が実施されない場合、特に必要があると認めるときは、「まん延防止等重点措置」の区域に係る都道府県知事に対し必要な指示をすることができることとする。

⑤ 都道府県知事は、当該都道府県を「まん延防止等重点措置」を実施すべき区域とすることや期間の延長等について公示を行うよう国に要請できることとする。

〔2〕臨時の医療施設

現行法では緊急事態宣言中に開設できることとされている「臨時の医療施設」について、政府対策本部が設置された段階から開設できることとする。

※ 私人の土地を使用する場合は、同意がある場合のみ。同意なく使用できるのは、引き続き緊急事態宣言中のみ。

〔3〕緊急事態措置の見直し

第四十五条第二項の要請に正当な理由なく応じないときは、まん延を防止するため特に必要があると認めるときに限り、命令できることとする。

※　同条第三項の「指示」を「命令」に改正する。

〔4〕　事業者及び地方公共団体に対する支援

①　国及び地方公共団体は、新型インフルエンザ等感染症及び新型インフルエンザ等感染症のまん延の防止に関する措置が事業者の経営及び国民生活に及ぼす影響を緩和し、国民生活及び国民経済の安定を図るため、当該影響を受けた事業者に対する支援に必要な財政上の措置その他の必要な措置を効果的に講ずるものとする。

②　国及び地方公共団体は、新型インフルエンザ等が発生したときにおいて医療の提供体制の確保を図るため、新型インフルエンザ等対策に協力する医療機関及び医療関係者に対する支援その他の必要な措置を講ずるものとする。

③　国は、新型インフルエンザ等対策に関する地方公共団体の施策を支援するために必要な財政上の措置等を講ずるものとする。

〔5〕　差別の防止に係る国及び地方公共団体の責務

国及び地方公共団体は、新型インフルエンザ等に起因する差別的取扱い等が行われるおそれが高いことを考慮して、新型インフルエンザ等の患者及び医療従事者並びにこれらの者の家族等の人権が尊重され、何人も新型インフルエンザ等に起因する差別的取扱い等を受けることのないようにするため、実態の把握、相談支援、広報その他の啓発活動を行うものとする。

〔6〕　新型インフルエンザ等対策特別措置法の対象の見直し

指定感染症のうち、当該疾病にかかった場合の病状の程度が重篤であり、かつ、全国的かつ急速にまん延するおそれがあるものについて、特措法の対象に含めることとする。

〔7〕　罰則等

① 〔3〕の命令に違反した場合は三十万円以下、〔1〕②の命令に違反した場合は二十万円以下の過料を規定する。
② 都道府県知事は、〔1〕②又は〔3〕の命令の施行に必要な限度において立入検査・報告徴収ができることとし、これを拒否等した場合の二十万円以下の過料を規定する。

〔8〕 その他
新型インフルエンザ等対策有識者会議を「新型インフルエンザ等対策推進会議」として特措法上に位置づける。

2 感染症の予防及び感染症の患者に対する医療に関する法律

〔1〕 新型コロナウイルス感染症の法的位置づけ
「新型インフルエンザ等感染症」に「新型コロナウイルス感染症」及び「再興型コロナウイルス感染症」を追加し、指定感染症の期限経過後（感染症法：令和四年一月三十一日、検疫法：同年二月十三日）も、必要な対策を講ずることができることとする。

〔2〕 国や地方自治体間の情報連携【感染症法第十二条から第十五条関係】
① ア 保健所設置市・区から都道府県知事への発生届の報告、イ 積極的疫学調査の結果の関係自治体への通報を義務化する。
② 医師の発生届・都道府県知事等からの積極的疫学調査の結果の報告等について、電磁的な方法（ＨＥＲ―ＳＹＳ）を活用できることを規定する（※）。
※ 同一情報を国、都道府県等が閲覧できる状態に置いたときは、届出等があったものとみなす。

〔3〕 宿泊療養等の対策の実効性の確保
医療資源の重点化を図るとともに、対策の実効性を確保するため、①～③の措置を講ずる。
① 宿泊療養・自宅療養の法的位置づけ

新型インフルエンザ等感染症・新感染症のうち厚生労働大臣が定めるものについて、

ア　都道府県知事等による宿泊療養・自宅療養の協力要請規定を新設する。

イ　都道府県知事等による食事の提供・日用品の支給等や市町村長との連携の努力義務規定を新設する。

ウ　都道府県知事の宿泊施設の確保の努力義務規定を新設する。

※　検疫法も、検疫所長による宿泊療養・自宅待機その他の感染防止に必要な協力要請を規定。

②　入院勧告・措置の見直し

ア　新型インフルエンザ等感染症・新感染症のうち厚生労働大臣が定めるものについて、入院勧告・措置の対象を次の者に限定することを明示（※）。

(ア)　病状が重い者、重篤化するおそれのある者等

(イ)　宿泊療養等の協力の求めに応じない者（入院費用の自己負担徴収可）

※　新型コロナウイルス感染症については、現行も政省令により同様の対象者としている。

イ　正当な理由がなく入院措置に応じない場合又は入院先から逃げた場合の五十万円以下の過料を規定する。

③　積極的疫学調査等の実効性の確保

ア　積極的疫学調査について、新型インフルエンザ等感染症の患者等（※）が積極的疫学調査に対して正当な理由がなく協力せず、まん延防止等のため必要があると認めるときは、調査に応ずべきことを命令できることとし、命令を受けた者が、質問に対して正当な理由がなく答弁をせず、若しくは虚偽の答弁をし、又は正当な理由がなく調査を拒み、妨げ若しくは忌避した場合の三十万円以下の過料を規定する。

※　感染拡大防止のために必要最小限の範囲とする等の観点から、次の範囲とする。

・　一類感染症の患者、疑似症患者、無症状病原体保有者

・　二類感染症の患者、二類感染症のうち政令で定めるものの疑似症患者

・　新型インフルエンザ等感染症の患者、疑似症患者であって当該感染症にかかっていると疑うに足りる正当な理由のあるもの、無症状病原体保有者

・　新感染症の所見のある者

イ　新型インフルエンザ等感染症の患者、新感染症の所見のある者、これらの感染症にかかっていると疑うに足りる正当な理由のある者について、都道府県知事等による健康状態の報告の求めに応じる義務（罰則なし）を規定する（従来は努力義務）。

ウ　行政検査を行うに当たって、都道府県知事等は、無症状者を含む患者の迅速な発見のため、感染症の性質、地域の感染状況、感染症が発生している施設・業務等を考慮することを明示する。

〔4〕国と地方自治体の役割・権限の強化等

①　調査・研究の推進

感染症に関する調査研究の推進を図るため、次の規定を整備する。

ア　国は、感染症の発病の機構等、病原体等に関する調査・研究を推進する。

イ　厚生労働大臣は、アの成果を適切な方法により研究者等に対して積極的に提供する。

ウ　厚生労働大臣は、ア・イの事務を国立国際医療研究センター等に委託できる。

②　国・地方自治体の権限の強化

ア　新型インフルエンザ等感染症・新感染症に関し、厚生労働大臣の都道府県知事等への指示権限について、現行認められている緊急の必要があると認めるときのほか、都道府県知事等が感染症法・感染症法に基づく政令の規定に違反し、又はこれらの規定に基づく事務の管理・執行を怠っている場合にも必要な指示ができることとする（法定受託事務に限る。）。

イ　都道府県知事は、感染症指定医療機関が不足するおそれがある場合等に、保健所設置市長等、医療機関その他の関

係者に対し、入院等の総合調整を行うこととする。

ウ　厚生労働大臣・都道府県知事等は、緊急の必要があると認めるときは、医療関係者・民間等の検査機関に必要な協力を求めることができることとし（※）、当該協力要請に正当な理由がなく応じなかったときは勧告することができる（正当な理由がなく勧告に従わない場合は公表可）こととする。

※　現行法上も、医療関係者への協力要請については規定があるため、これを存置し、医療関係者に医療機関が含まれることを明確化。

③　その他

厚生労働大臣が定める基本指針の見直しについて、医療計画とあわせるため、「五年ごと」から「六年ごと」に改めることとする。

3　施行期日

公布の日〔令和三年二月三日〕から起算して十日を経過した日〔令和三年二月十三日〕（1の〔8〕は同年四月一日）

○令和四年改正の概要

感染症の予防及び感染症の患者に対する医療に関する法律等の一部を改正する法律の概要

（令和四年十二月九日法律第九十六号）

1　感染症発生・まん延時における保健・医療提供体制の整備等【感染症法、地域保健法、健康保険法、医療法等】

〔1〕感染症対応の医療機関による確実な医療の提供

①　都道府県が定める予防計画等に沿って、都道府県等と医療機関等の間で、病床、発熱外来、自宅療養者等（高齢者施設等の入所者を含む。）への医療の確保等に関する協定を締結する仕組みを法定化する。加えて、公立・公的医療機関等、特定機能病院、地域医療支援病院に感染症発生・まん延時に担うべき医療提供を義務づける。あわせて、保険医療機関等は感染症医療の実施に協力するものとする。また、都道府県等は医療関係団体に協力要請できることとする。

②　初動対応等を行う協定締結医療機関について流行前と同水準の医療の確保を可能とする措置（流行初期医療確保措置）を導入する（その費用については、公費とともに、保険としても負担）。また、協定履行状況の公表や、協定に沿った対応をしない医療機関等への指示・公表等を行うことができることとする。

〔2〕自宅・宿泊療養者等への医療や支援の確保

①　自宅療養者等への健康観察の医療機関等への委託を法定化する。健康観察や食事の提供等の生活支援について、都道府県が市町村に協力を求めることとし、都道府県と市町村間の情報共有を進めることとする。さらに、宿泊施設の確保

のための協定を締結することとする。

② 外来・在宅医療について、患者の自己負担分を公費が負担する仕組み（公費負担医療）を創設する。

〔3〕 医療人材派遣等の調整の仕組みの整備

○ 医療人材について、国による広域派遣の仕組みやＤＭＡＴ等の養成・登録の仕組み等を整備する。

〔4〕 保健所の体制機能や地域の関係者間の連携強化

○ 都道府県と保健所設置市・特別区その他関係者で構成する連携協議会を創設するとともに、緊急時の入院勧告措置について都道府県知事の指示権限を創設する。保健所業務を支援する保健師等の専門家（ＩＨＥＡＴ）や専門的な調査研究、試験検査等のための体制（地方衛生研究所等）の整備等を法定化する。

〔5〕 情報基盤の整備

○ 医療機関の発生届等の電磁的方法による入力を努力義務化（一部医療機関は義務化）し、レセプト情報等との連結分析・第三者提供の仕組みを整備する。

〔6〕 物資の確保

○ 医薬品、医療機器、個人防護具等の確保のため、緊急時に国から事業者へ生産要請・指示、必要な支援等を行う枠組みを整備する。

〔7〕 費用負担

○ 医療機関等との協定実施のために都道府県等が支弁する費用は国がその四分の三を補助する等、新たに創設する事務に関し都道府県等で生じる費用は国が法律に基づきその一定割合を適切に負担することとする。

2 機動的なワクチン接種に関する体制の整備等【予防接種法、特措法等】

① 国から都道府県・市町村に指示する新たな臨時接種類型や損失補償契約を締結できる枠組み、個人番号カードで接種

対象者を確認する仕組み等を導入する。

② 感染症発生・まん延時に厚生労働大臣及び都道府県知事の要請により医師・看護師等以外の一部の者が検体採取やワクチン接種を行う枠組みを整備する。

3　水際対策の実効性の確保【検疫法等】

○ 検疫所長が、入国者に対し、居宅等での待機を指示し、待機状況について報告を求める（罰則付き）ことができることとする。

4　施行期日

令和六年四月一日（ただし、１の〔4〕及び２の①の一部は公布日〔令和四年十二月九日〕、１の〔4〕及び〔5〕の一部は令和五年四月一日、１の〔2〕の①の一部及び３は公布日から十日を経過した日〔令和四年十二月十九日〕等）

○一類感染症の概要

〔1〕エボラ出血熱

〈定　義〉

エボラウイルス（フィロウイルス科）による熱性疾患である。

〈臨床的特徴〉

潜伏期間は二～二一日（平均約一週間）で、発症は突発的である。症状は発熱（ほぼ必発）、疼痛（頭痛、筋肉痛、胸痛、腹痛など）、無力症が多い。二～三日で急速に悪化し、死亡例では約一週間程度で死に至ることが多い。出血は報告にもよるが、主症状ではないことも多い（二〇〇〇年ウガンダの例では約二〇％）。ザイール型では致死率は約九〇％、スーダン型では致死率は約五〇％である。ヒトからヒトへの感染は血液、体液、排泄物等との直接接触により、空気感染は否定的である。

〔2〕クリミア・コンゴ出血熱

〈定　義〉

クリミア・コンゴウイルス（ブニヤウイルス科）による熱性疾患である。

〈臨床的特徴〉

潜伏期間は二～九日。初期症状は特異的ではない。ときに突発的に発生する。発熱、頭痛、悪寒、筋肉痛、関節痛、腹痛、嘔吐がみられ、続いて咽頭痛、結膜炎、黄疸、羞明及び種々の知覚異常が現れる。点状出血が一般的にみられ、進行すると紫斑も生ずる。特に針を刺した部位から拡がる。重症化するとさらに全身出血、血管虚脱を来し、死亡例では消化管出血が著明である。肝・腎不全も出現することがある。血液と体液は感染力が極めて強い。

〔3〕 痘そう

〈定　義〉

痘そうウイルスによる急性の発疹性疾患である。現在、地球上では根絶された状態にある。

〈臨床的特徴〉

主として、飛沫感染によりヒトからヒトへ感染する。患者や汚染された物品との直接接触により感染することもある。エアロゾルによる感染の報告もあるが、稀である。潜伏期間は約一二日（七～一七日）で、感染力は病初期（ことに四～六病日）に最も強く、発病前は感染力はないと考えられている。すべての発疹が痂皮（かさぶた）となり、これが完全に脱落するまでは感染の可能性がある。

主な症状は、

ア　前駆期：急激な発熱（三九度前後）、頭痛、四肢痛、腰痛などで始まり、発熱は二～三日で四〇度以上に達する。第三～四病日頃には、一時解熱傾向となり、発疹が出る。

イ　発疹期：発疹は、紅斑↓丘疹↓水疱↓膿疱↓結痂↓落屑と規則正しく移行する。その時期にみられる発疹はすべて同一のステージであることが特徴である。第九病日頃に膿疱となるが、この頃には再び高熱となり、結痂するまで続く。疼痛、灼熱感が強い。

ウ　回復期：二～三週間の経過で、脱色した瘢痕を残し治癒する。痂皮の中には、感染性ウイルスが長期間存在するので、必ず、滅菌消毒処理をする。

〔4〕 南米出血熱

〈定　義〉

アルゼンチン出血熱、ブラジル出血熱、ベネズエラ出血熱、ボリビア出血熱の総称であり、それぞれ、アレナウイルス科のフニンウイルス、サビアウイルス、ガナリトウイルス、マチュポウイルスによる感染症である。

〈臨床的特徴〉

主な感染経路は、ウイルス保有ネズミの排泄物、唾液、血液等との接触である。潜伏期間は七～一四日で、初期症状として突然の発熱、筋肉痛、悪寒、背部痛、消化器症状がみられる。三～四日後には衰弱、嘔吐、目まいなどが出現し、重症例では高熱、出血傾向、ショックが認められる。歯肉縁の出血が特徴的とされるが、その後皮下や粘膜からの出血に進展する。神経症状を呈することもあり、舌や手の振戦から、せん妄、こん睡、痙攣に至る。致死率は三〇％に上るとされる。回復例では発症後一〇～一三日頃から寛解傾向がみられるが、最終的には数か月かかることが多い。

〔5〕　ペスト

〈定　義〉

腸内細菌科に属するグラム陰性桿菌である*Yersinia pestis*の感染によって起こる全身性疾患である。

〈臨床的特徴〉

リンパ節炎、敗血症等を起こし、重症例では高熱、意識障害などを伴う急性細菌性感染症であり、死に至ることも多い。

臨床的所見により以下の三種に分けられる。

ア　腺ペスト（ヒトペストの八〇～九〇％を占める。）

潜伏期は三～七日。感染部のリンパ節が痛みとともに腫れる。菌は血流を介して全身のリンパ節、肝や脾でも繁殖し、多くは一週間くらいで死亡する。

イ　敗血症ペスト（約一〇％を占める。）

時に局所症状がないまま敗血症症状が先行し、皮膚のあちこちに出血斑が生じて全身が黒色となり死亡する。

ウ　肺ペスト

ペスト菌による気管支炎や肺炎を起こし、強烈な頭痛、嘔吐、三九～四一度の弛張熱、急激な呼吸困難、鮮紅色の泡立った血痰を伴う重篤な肺炎像を示し、二～三日で死亡する。

〔6〕 マールブルグ病

〈定　義〉

マールブルグウイルス（フィロウイルス科）による熱性疾患である。

〈臨床的特徴〉

潜伏期間は三～一〇日間である。発症は突発的である。発熱、頭痛、筋肉痛、皮膚粘膜発疹、咽頭結膜炎に続き、重症化すると下痢、鼻口腔・消化管出血がみられる（エボラ出血熱に類似する。）。

マールブルグウイルスの自然界からヒトへの感染経路は不明である。ヒトからヒトへは血液、体液、排泄物との濃厚接触及び性的接触によりウイルスが伝播する。

ドイツにおける集団発生（一九六七年）においてはアフリカミドリザルの血液、組織との接触によるものであった。アフリカ（ケニア等）での発生例にはサルは無関係であった。治療法は確立されておらず、対症療法のみである。

〔7〕 ラッサ熱

〈定　義〉

ラッサウイルス（アレナウイルス科）による熱性疾患である。

〈臨床的特徴〉

発症は突発的で進行は緩やかである。マストミスに咬まれたり尿や血液に触れたり、あるいは感染発症者の血液、体液、排泄物等に直接接触する等の後、潜伏期間（七～一八日）を経て、高熱（三九～四一度）、全身倦怠感に続き、三～四日目に大関節痛、咽頭痛、咳、筋肉痛、次いで心窩部痛、後胸部痛、嘔吐、悪心、下痢、腹部痛等が認められる。

重症化すると顔面頸部の浮腫、眼球結膜出血、消化管出血、心のう炎、胸膜炎、ショック。重症経過で治癒後、一側あるいは両側のろう（難聴）を示すことが二〇％以上ある。発症期の症状はインフルエンザ様である。

○二類感染症の概要

〔1〕 急性灰白髄炎

〈定　義〉

ポリオウイルス一～三型（ワクチン株を含む）の感染による急性弛緩性麻痺を主症状とする急性運動中枢神経感染症である。また、ポリオウイルス一～三型には、地域集団において継続的に伝播している野生株ポリオウイルス、ワクチン由来ポリオウイルス（ＶＤＰＶ）(※1)及びワクチン株ポリオウイルス(※2)がある。

※1…親株であるＯＰＶ株からのＶＰ1全領域における変異率により定義され、一型及び三型は一％以上の変異率（ＶＰ1領域における親株からの変異数が一〇塩基以上）を有するポリオウイルス、二型についてはＶＰ1領域における変異数が六塩基以上のポリオウイルスをＶＤＰＶとする。

※2…野生株ポリオウイルス・ＶＤＰＶ以外のポリオウイルスをワクチン株ポリオウイルスとする。

〈臨床的特徴〉

潜伏期は三～一二日で、発熱（三日間程度）、全身倦怠感、頭痛、吐き気、項部・背部硬直などの髄膜刺激症状を呈するが、軽症例（不全型）では軽い感冒様症状又は胃腸症状で終わることもある。髄膜炎症状だけで麻痺を来さないもの（非麻痺型）もあるが、重症例（麻痺型）では発熱に引き続きあるいは一旦解熱し再び発熱した後に、突然四肢の随意筋（多くは下肢）の弛緩性麻痺が現れる。罹患部位の腱反射は減弱ないし消失し、知覚感覚異常を伴わない。

〔2〕 結核

〈定　義〉

結核菌群（*Mycobacterium tuberculosis* complex、ただし *Mycobacterium bovis* BCGを除く。）による感染症である。

〈臨床的特徴〉

感染は主に気道を介した飛沫核感染による。感染源の大半は喀痰塗抹陽性の肺結核患者であるが、ときに培養のみ陽性の患者、稀に菌陰性の患者や肺外結核患者が感染源になることもある。感染後数週間から一生涯にわたり臨床的に発病の可能性があるが、発病するのは通常三〇%程度である。若い患者の場合、発病に先立つ数か月～数年以内に結核患者と接触歴を有することがある。

感染後の発病のリスクは感染後間もない時期（特に一年以内）に高く、年齢的には乳幼児期、思春期に高い。また、特定の疾患（糖尿病、慢性腎不全、エイズ、じん肺等）を合併している者、胃切除の既往歴を持つ者、免疫抑制剤（副腎皮質ホルモン剤、ＴＮＦα阻害薬等）治療中の者等においても高くなる。

多くの場合、最も一般的な侵入門戸である肺の病変として発症する（肺結核）が、肺外臓器にも起こり得る。肺外罹患臓器として多いのは胸膜、リンパ節、脊椎・その他の骨・関節、腎・尿路生殖器、中枢神経系、喉頭等であり、全身に播種した場合には粟粒結核となる。

肺結核の症状は咳、喀痰、微熱が典型的とされており、胸痛、呼吸困難、血痰、全身倦怠感、食欲不振等を伴うこともあるが、初期には無症状のことも多い。

〔3〕 ジフテリア

〈定　義〉

ジフテリア毒素を産生するジフテリア菌（*Corynebacterium diphtheriae*）の感染による急性感染症である。

〈臨床的特徴〉

ジフテリア菌が咽頭などの粘膜に感染し、感染部位の粘膜や周辺の軟部組織の障害を引き起こし、扁桃から咽頭粘膜表面の偽膜性炎症、下顎部から前頸部の著しい浮腫とリンパ節腫張（bullneck）などの症状が出現する。重症例では心筋の障害などにより死亡する。

〔４〕　重症急性呼吸器症候群（病原体がベータコロナウイルス属ＳＡＲＳコロナウイルスであるものに限る。）

〈定　義〉

コロナウイルス科ベータコロナウイルス属のＳＡＲＳ（Severe Acute Respiratory Syndrome）コロナウイルスの感染による急性呼吸器症候群である。

〈臨床的特徴〉

多くは二～七日、最大一〇日間の潜伏期間の後に、急激な発熱、咳、全身倦怠感、筋肉痛などのインフルエンザ様の前駆症状が現れる。二～数日間で呼吸困難、乾性咳嗽、低酸素血症などの下気道症状が現れ、胸部ＣＴ、Ｘ線写真などで肺炎像が出現する。肺炎になった者の八〇～九〇％が一週間程度で回復傾向になるが、一〇～二〇％が急性呼吸窮迫症候群（Acute Respiratory Distress Syndrome：ＡＲＤＳ）を起こし、人工呼吸器などを必要とするほど重症となる。致死率は一〇％前後で、高齢者及び基礎疾患のある者での致死率はより高い。

〔５〕　中東呼吸器症候群（病原体がベータコロナウイルス属ＭＥＲＳコロナウイルスであるものに限る。）

〈定　義〉

コロナウイルス科ベータコロナウイルス属のＭＥＲＳ（Middle East Respiratory Syndrome）コロナウイルスによる急性呼吸器症候群である。

〈臨床的特徴〉

ヒトコブラクダがＭＥＲＳコロナウイルスを保有しており、ヒトコブラクダとの濃厚接触が感染リスクであると考えられている。一方、家族間、感染対策が不十分な医療機関などにおける限定的なヒト—ヒト感染も報告されている。中東諸国を中心として発生がみられている。

潜伏期間は二～一四日（中央値は五日程度）。無症状例から急性呼吸窮迫症候群（ＡＲＤＳ）を来す重症例まである。典型的な病像は、発熱、咳嗽等から始まり、急速に肺炎を発症し、しばしば呼吸管理が必要となる。下痢などの消化器症状のほか、多臓器不全（特に腎不全）や敗血性ショックを伴う場合もある。高齢者及び糖尿病、腎不全などの基礎疾患を持つ者での重症化傾向がより高い。

〔6〕 鳥インフルエンザ（H５N１）

〈定　義〉

A型インフルエンザウイルス（H５N１）のトリからヒトへの感染による急性気道感染症である。

〈臨床的特徴〉

潜伏期間はおおむね二～八日である。症例の初期症状の多くが、高熱と急性呼吸器症状を主とするインフルエンザ様疾患の症状を呈する。下気道症状は早期に発現し、呼吸窮迫、頻呼吸、呼吸時の異常音がよく認められ、臨床的に明らかな肺炎が多くみられる。

呼吸不全が進行した例ではびまん性のスリガラス様陰影が両肺に認められ、急性窮迫性呼吸症候群（ARDS）の臨床症状を呈する。

死亡例は発症から平均九～一〇日（範囲六～三〇日）目に発生し、進行性の呼吸不全による死亡が多くみられる。

〔7〕 鳥インフルエンザ（H７N９）

〈定　義〉

鳥インフルエンザ（H７N９）ウイルスのヒトへの感染による急性疾患である。

〈臨床的特徴〉

高熱と急性呼吸器症状を特徴とする。下気道症状を併発し、重症の肺炎がみられることがある。呼吸不全が進行した例ではびまん性のスリガラス様陰影が両肺に認められ、急速に急性呼吸窮迫症候群（ARDS）の症状を呈する。二次感染、脳症、横紋筋融解症に進展した報告がある。

発症から死亡までの中央値は一一日（四分位範囲七～二〇日）であり、進行性の呼吸不全等による死亡が多い。

○三類感染症の概要

〔1〕　コレラ

〈定　義〉

コレラ毒素（ＣＴ）産生性コレラ菌（*Vibrio cholerae* O1）又は*V. cholerae* O139による急性感染性腸炎である。

〈臨床的特徴〉

潜伏期間は数時間から五日、通常一日前後である。近年のエルトールコレラは軽症の水様性下痢や軟便で経過することが多いが、稀に〝米のとぎ汁〟様の便臭のない水様便を一日数リットルから数十リットルも排泄し、激しい嘔吐を繰り返す。

その結果、著しい脱水と電解質の喪失、チアノーゼ、体重の減少、頻脈、血圧の低下、皮膚の乾燥や弾力性の消失、無尿、虚脱などの症状、及び低カリウム血症による腓腹筋（ときには大腿筋）の痙攣が起こる。胃切除を受けた人や高齢者では重症になることがあり、また死亡例も稀にみられる。

〔2〕　細菌性赤痢

〈定　義〉

赤痢菌（*Shigella dysenteriae. S. flexneri. S. boydii. S. sonnei*）の経口感染で起こる急性感染性大腸炎である。

〈臨床的特徴〉

潜伏期は一～五日（大多数は三日以内）。主要病変は大腸、特にＳ状結腸の粘膜の出血性化膿性炎症、潰瘍を形成することもある。

このため、発熱、下痢、腹痛を伴うテネスムス（tenesmus；しぶり腹―便意は強いがなかなか排便できないこと）、膿・

粘血便の排泄などの赤痢特有の症状を呈する。近年、軽症下痢あるいは無症状に経過する例が多い。症状は一般に成人よりも小児の方が重い。

〔3〕 腸管出血性大腸菌感染症

〈定　義〉

ベロ毒素（Verotoxin,VT）を産生する腸管出血性大腸菌（enterohemorrhagic *E.coli*, EHEC, Shigatoxin-producing *E. coli*, STECなど）の感染によって起こる全身性疾病である。

〈臨床的特徴〉

臨床症状は、一般的な特徴は腹痛、水様性下痢及び血便である。嘔吐や三八度台の高熱を伴うこともある。

さらにベロ毒素の作用により溶血性貧血、急性腎不全を来し、溶血性尿毒症症候群（Hemolytic Uremic Syndrome：HUS）を引き起こすことがある。小児や高齢者では痙攣、昏睡、脳症などによって致命症となることがある。

〔4〕 腸チフス

〈定　義〉

チフス菌（*Salmonella* serovar Typhi）の感染による全身性疾患である。

〈臨床的特徴〉

潜伏期間は七～一四日で発熱を伴って発症する。

患者、保菌者の便と尿が感染源となる。

三九度を超える高熱が一週間以上も続き、比較的徐脈、バラ疹、脾腫、下痢などの症状を呈し、腸出血、腸穿孔を起こすこともある。

重症例では意識障害や難聴が起きることもある。無症状病原体保有者はほとんどが胆嚢内保菌者であり、胆石保有者や慢性胆嚢炎に合併することが多く、永続保菌者となることが多い。

〔5〕 パラチフス

〈定　義〉

パラチフスA菌（*Salmonella* serovar Paratyphi A）の感染によって起こる全身性疾患である（*Salmonella* Paratyphi B, *Salmonella* Paratyphi Cによる感染症はパラチフスから除外され、サルモネラ症として取り扱われる。）。

〈臨床的特徴〉

臨床的症状は、腸チフスに類似する。七～一四日の潜伏期間の後に三八度以上の高熱が続く。比較的徐脈、脾腫、便秘、時には下痢等の症状を呈する。症状は腸チフスと比較して、軽症の場合が多い。

○四類感染症の概要

〔1〕 E型肝炎

〈定　義〉

E型肝炎ウイルスによる急性ウイルス性肝炎である。

〈臨床的特徴〉

途上国では主に水系感染であるが、我が国では汚染された食品や動物の臓器や肉の生食による経口感染が指摘されている。潜伏期間はA型肝炎より長く、平均六週間といわれている。臨床症状はA型肝炎と類似しており、予後も通常はA型肝炎と同程度で、慢性化することはない。しかし、妊婦（第３三半期）に感染すると劇症化しやすく、致死率も高く二〇％に達することもある。特異的な治療法は確立されておらず、対症療法が中心となる。

〔2〕 ウエストナイル熱（ウエストナイル脳炎を含む。）

〈定　義〉

フラビウイルス科に属するウエストナイルウイルスによる感染症で、蚊によって媒介される。

〈臨床的特徴〉

二～一四日の潜伏期の後に高熱で発症する。発熱は通常三～六日間持続する。同時に頭痛、背部の痛み、筋肉痛、食欲不振などの症状を有する。発疹が胸部、背、上肢に認められる場合もある。通常リンパ節腫脹が認められる。症状は通常一週間以内で回復するが、その後全身倦怠感が残ることも多い。特に高齢者においては、前記症状とともに、さらに重篤な症状として、激しい頭痛、悪心、嘔吐、方向感覚の欠如、麻痺、意識障害、痙攣等の症状が出現し髄膜脳炎、脳炎を発症することがある。重篤な例で筋力低下が約半数に認められている。

〔3〕　Ａ型肝炎

〈定　義〉

Ａ型肝炎ウイルスによる急性ウイルス性肝炎である。

〈臨床的特徴〉

主たる感染経路は、汚染された食品や水などを介した経口的な感染である。潜伏期間は平均四週間である。感染期間は、ウイルスが便に排泄される発病の三〜四週間前から発症後数か月にわたる。主な臨床症状は発熱、全身倦怠感、食欲不振で、黄疸、肝腫大などの肝症状が認められる。一般に予後は良く、慢性化することはないが、稀に劇症化することがある。小児では不顕性感染や軽症のことが多い。特異的な治療法は確立されておらず、対症療法が中心となる。

〔4〕　エキノコックス症

〈定　義〉

エキノコックス（*Echinococcus*）による感染症で、単包条虫（*Echinococcus granulosus*）と多包条虫（*Echinococcus multilocularis*）の二種類がある。

〈臨床的特徴〉

ヒトへの感染は、キツネやイヌなどから排泄された虫卵に汚染された水、食物、埃などを経口的に摂取したときに起こる。体内に発生した嚢胞は緩慢に増大し、周囲の臓器を圧迫する。多包虫病巣の拡大は極めてゆっくりで、肝臓の腫大、腹痛、黄疸、貧血、発熱や腹水貯留などの初期症状が現れるまで、成人では通常一〇年以上を要する。放置すると約半年で腹水が貯留し、やがて死に至る。

発症前や早期の無症状期でも、スクリーニング検査の超音波、ＣＴ、ＭＲＩの所見から検知される場合がある。

〔5〕　エムポックス

〈定　義〉

エムポックスウイルス（Monkeypox virus）による急性発疹性疾患である。

〈臨床的特徴〉

ウイルスを保有するヒトや齧歯類などの動物との接触、及びそれらの皮膚粘膜病変、血液、体液との接触により感染する。感染したヒトとの接触（性的接触を含む）の他、接近した対面による飛沫への長時間の曝露、体液や飛沫で汚染された寝具等との接触によっても感染する。潜伏期間は通常七～一四日（五～二一日）である。皮疹、粘膜疹、その他の皮膚粘膜病変、発熱、頭痛、筋肉痛、背部痛、咽頭痛、肛門直腸痛、倦怠感、リンパ節腫脹がみられる。致死率は低い。

〔6〕 黄熱

〈定　義〉

フラビウイルス科に属する黄熱ウイルスの感染によるウイルス性出血熱である。ネッタイシマカなどにより媒介される。

〈臨床的特徴〉

潜伏期間は三～六日間で、発症は突然である。悪寒又は悪寒戦慄とともに高熱を出し、嘔吐、筋肉痛、出血（鼻出血、歯齦出血、黒色嘔吐、下血、子宮出血）、蛋白尿、比較的徐脈、黄疸等を来す。普通は七～八病日から治癒に向かうが、重症の場合には乏尿、心不全、肝性昏睡などで、五～一〇病日に約一〇％が死亡する。

〔7〕 オウム病

〈定　義〉

オウム病クラミジア*Chlamydophila*（*Chlamydia*）*psittaci*を病原体とする呼吸器疾患である。

〈臨床的特徴〉

主にオウムなどの愛玩用のトリからヒトに感染し、肺炎などの気道感染症を起こす。一～二週間の潜伏期の後に、突然の発熱で発病する。初期症状として悪寒を伴う高熱、頭痛、全身倦怠感、食欲不振、筋肉痛、関節痛などがみられる。呼吸器症状として咳、粘液性痰などがみられる。軽い場合はかぜ程度の症状であるが、高齢者などでは重症になりやすい。胸部レントゲンで広範な肺病変はあるが、理学的所見は比較的軽度である。重症になると呼吸困難、意識障害、播種性血管内凝固症候群（Disseminated Intravascular Coagulation：ＤＩＣ）などがみられる。発症前にトリとの接触があったかどうかが診断のための参考になる。

〔8〕 オムスク出血熱

〈定　義〉

フラビウイルス科フラビウイルス属に属するオムスク出血熱ウイルスによる感染症である。

〈臨床的特徴〉

自然界ではマダニと齧歯類の間で感染環が維持されている。ヒトは主にマダニの刺咬により感染するが、齧歯類等の尿や血液による接触感染もあり得る。また、稀にはヒト―ヒト感染、飛沫感染もあるとされる。潜伏期間は三～九日で、突然の発熱、頭痛、筋肉痛、咳、徐脈、脱水、低血圧、消化器症状を生じ、稀には出血熱となる。患者の三〇～五〇％は二相性の発熱を示し、第二期には髄膜炎、腎機能障害、肺炎などを生じる。致死率は〇・五～三％であるが、難聴や脱毛、神経精神障害などの後遺症を残すことがある。

〔9〕 回帰熱

〈定　義〉

シラミあるいはヒメダニ（Ornithodoros属：ヒメダニ属）によって媒介されるスピロヘータ（回帰熱ボレリア）感染症である。

〈臨床的特徴〉

コロモジラミ媒介性*Borrelia recurrentis*やヒメダニ媒介性*B. duttonii*等がヒトに対する病原体である。

菌血症による発熱期、菌血症を起こしていない無熱期を三～五回程度繰り返す、いわゆる回帰熱を主訴とする。感染後五～一〇日を経て菌血症による頭痛、筋肉痛、関節痛、羞明、咳などをともなう発熱、悪寒がみられる（発熱期）。

また、このとき点状出血、紫斑、結膜炎、肝臓や脾臓の腫大、黄疸もみられる。

発熱期は三〜七日続いた後、一旦解熱する（無熱期）。

無熱期では血中から菌は検出されない。発汗、全身倦怠感、ときに低血圧や斑状丘疹をみることもある。この後五〜七日後再び発熱期に入る。

前記症状以外で肝炎、心筋炎、脳出血、脾破裂、大葉性肺炎などがみられる場合もある。

〔10〕 キャサヌル森林病

〈定　義〉

フラビウイルス科フラビウイルス属に属するキャサヌル森林病ウイルスによる感染症である。

〈臨床的特徴〉

自然界では、マダニと齧歯類を主とする脊椎動物の間で感染環が維持されている。ヒトへの感染もマダニの刺咬によって生じる。潜伏期間は三〜一二日であり、突然の発熱、頭痛、筋肉痛、咳嗽、徐脈、脱水、低血圧、消化器症状、出血などを来たす。約四〇％に出血性肺水腫がみられ、ときに腎不全も生じる。患者の一五〜五〇％では一〜三週間寛解が続いた後、再度発熱がみられ、髄膜炎や脳炎を生じて項部硬直、精神障害、振戦、めまいなどを来たす。致死率は三〜五％であり、後遺症を残すことはない。

〔11〕 Q熱

〈定　義〉

コクシエラ科コクシエラ属の*Coxiella burnetii*の感染によって起こる感染症である。

〈臨床的特徴〉

通常は家畜やネコなどのペットの流産や出産に関連して、胎盤に感染している*C.burnetii*を吸入するなどによって、二〜三週間の潜伏期を経て発症する。急性Q熱ではインフルエンザ様で突然の高熱、頭痛、筋肉痛、全身倦怠感、眼球後部痛の症状で始まる。自然治癒傾向が強く、多くは一四日以内に解熱する。間質性肺炎が主体の肺炎型や肝機能異常が主体の肝炎型がある。予後は一般に良い。一割程度が慢性Ｑ熱に移行するとされ、弁膜症などの基礎疾患を持つ例で心内膜炎を起こすと難治性となり、致死率が高くなる。

〔12〕　狂犬病

〈定　義〉

ラブドウイルス科に属す狂犬病ウイルスの感染による神経疾患である。

〈臨床的特徴〉

狂犬病は狂犬病ウイルスを保有するイヌ、ネコ、コウモリ、キツネ、スカンク、コヨーテなどの野生動物に咬まれたり、引っ掻かれたりして感染し、発症する。

潜伏期は一～三か月で、稀に一年以上に及ぶ。臨床的には咬傷周辺の知覚異常、疼痛、不安感、不穏、頭痛、発熱、恐水発作、麻痺と進む。発症すると致命的となる。

〔13〕　コクシジオイデス症

〈定　義〉

真菌の*Coccidioides immitis*の感染症である。

〈臨床的特徴〉

強風や土木工事などにより土壌中の*C. immitis*の分節型分生子が土埃と共に空中に舞い上がり、これを吸入することにより肺感染が起こり、そのうち約〇・五％の患者が全身感染へと進む。この病原体を取り扱う実験者、検査従事者などの二次感染の危険性が高い。日本では、慢性肺コクシジオイデス症がみられることが多く、ＣＴなどの画像診断において、結節や空洞病変が確認される。

〔14〕　ジカウイルス感染症

〈定　義〉

フラビウイルス科フラビウイルス属に属するジカウイルスによる、主としてヤブカによって媒介される感染症である。現状で得られる知見が限られているため、以下の記載内容については、今後変更の可能性がある。

〈臨床的特徴〉

ア　ジカウイルス病

一般的に二～一二日（多くは二～七日）の潜伏期の後の発熱（多くは三八・五度以下）、発疹等で発症する。感染者のうち、発症するのは約二〇％とされている。関節痛、結膜充血、頭痛、後眼窩部痛、筋痛、関節腫脹等を伴うことがあるが、大半の患者においては重症化することなく数日程度で回復する。疫学的にはギラン・バレー症候群との関連性が指摘されているが、因果関係は明らかでない。

イ　先天性ジカウイルス感染症

ジカウイルスに感染した母体から胎児への垂直感染により、小頭症や頭蓋内石灰化、その他の先天性障害を来す可能性があるとされている。

〔15〕　重症熱性血小板減少症候群（病原体がフレボウイルス属ＳＦＴＳウイルスであるものに限る。）

〈定　義〉

ブニヤウイルス科フレボウイルス属の重症熱性血小板減少症候群（Severe Fever with Thrombocytopenia Syndrome：ＳＦＴＳ）ウイルスによる感染症である。

〈臨床的特徴〉

主にＳＦＴＳウイルスを保有するマダニに刺咬されることで感染する。

潜伏期間は六～一四日。発熱、消化器症状（嘔気、嘔吐、腹痛、下痢、下血）を主徴とし、ときに、頭痛、筋肉痛、神経症状、リンパ節腫脹、出血症状などを伴う。血液所見では、血小板減少（一〇万／㎣未満）、白血球減少（四〇〇〇／㎣未満)、血清酵素(AST、ALT、LDH)の上昇が認められる。致死率は一〇～三〇%程度である。

〔16〕**腎症候性出血熱**

〈定　義〉

ハンタウイルス(ブニヤウイルス科ハンタウイルス属)による熱性・腎性疾患である。

〈臨床的特徴〉

主にネズミの排泄物に接触(エアロゾルの吸入を含む。)することにより、ヒトにウイルスが伝播する。このウイルスはヒトに感染すると状況により重篤な全身感染、あるいは腎疾患を生じ、以下の型が知られている。

ア　重症アジア型

ドブネズミ、高麗セスジネズミが媒介する。潜伏期間は一〇～三〇日で、発熱で始まる有熱期、低血圧期(ショック)(四～一〇日)、乏尿期(八～一三日)、利尿期(一〇～二八日)、回復期に分けられる。全身皮膚に点状出血が出ることがある。発症から死亡までの時間は四～二八日で、尿素窒素は五〇～三〇〇㎎/dlに達する。常時高度の蛋白尿、血尿を伴う。

イ　軽症スカンジナビア型

ヤチネズミによる。ごく軽度の発熱、蛋白尿、血尿がみられるのみで、極めて稀に重症化する。

〔17〕**西部ウマ脳炎**

〈定　義〉

トガウイルス科アルファウイルス属に属する西部ウマ脳炎ウイルスによる感染症である。

〈臨床的特徴〉

自然界では、イエカと鳥の間で感染環が維持されている。ヒトへの感染もイエカの刺咬による。潜伏期間は五～一〇日であり、頭痛、発熱、情緒不安、振戦、易興奮性、項部硬直、羞明、ときに異常な精神状態などがみられる。脳炎を生じると意識障害、弛緩性／痙性麻痺がみられる。特に乳児では急速な経過を取り、固縮、痙攣、泉門膨隆などがみられ、生残者の六〇％以上で脳に障害を残し、進行性の知能発育不全を来す。年長になるほど回復は早く、通常は五～一〇日で回復する。

〔18〕 ダニ媒介脳炎

〈定　義〉

フラビウイルス科フラビウイルス属に属するダニ媒介脳炎ウイルスによる感染症であり、中央ヨーロッパダニ媒介脳炎とロシア春夏脳炎の二型に分けられる。

〈臨床的特徴〉

自然界ではマダニと齧歯類との間に感染環が維持されているが、マダニでは経卵伝播もあり得る。ヒトへの感染は主にマダニの刺咬によるが、ヤギの乳の飲用によることもある。潜伏期間は通常七～一四日である。中央ヨーロッパ型では、発熱、筋肉痛などのインフルエンザ様症状が出現し、二～四日間続く。症例の三分の一では、その後数日経って第Ⅱ期に入り、髄膜脳炎を生じて痙攣、眩暈、知覚異常などを呈する。致死率は一～二％であるが、神経学的後遺症が一〇～二〇％にみられる。ロシア春夏脳炎では、突然に高度の頭痛、発熱、悪心、羞明などで発症し、その後順調に回復する例もあるが、他では髄膜脳炎に進展し、項部硬直、痙攣、精神症状、頸部や上肢の弛緩性麻痺などがみられる。致死率は二〇％に上り、生残者の三〇～四〇％では神経学的後遺症を来す。

〔19〕 炭疽《そ》

〈定　義〉

本症は炭疽菌（*Bacillus anthracis*）によるヒトと動物の感染症である。

〈臨床的特徴〉

ヒト炭疽には四つの主要な病型がある。

ア　皮膚炭疽

全体の九五～九八％を占める。潜伏期は一～七日である。初期病変はニキビや虫さされ様で、かゆみを伴うことがある。初期病変周囲には水疱が形成され、次第に典型的な黒色の痂皮となる。およそ八〇％の患者では痂皮の形成後七～一〇日で治癒するが、二〇％では感染はリンパ節及び血液へと進展し、敗血症を発症して致死的である。

イ　肺炭疽

上部気道の感染で始まる初期段階はインフルエンザ等のウイルス性呼吸器感染や軽度の気管支肺炎に酷似しており、軽度の発熱、全身倦怠感、筋肉痛等を訴える。数日して第二の段階へ移行すると突然呼吸困難、発汗及びチアノーゼを呈する。この段階に達すると通常、二四時間以内に死亡する。

ウ　腸炭疽

本症で死亡した動物の肉を摂食した後二～五日で発症する。腸病変部は回腸下部及び盲腸に多い。初期症状として悪心、嘔吐、食欲不振、発熱があり、次いで腹痛、吐血を呈し、血液性の下痢を呈する場合もある。毒血症へと移行すると、ショック、チアノーゼを呈し死亡する。腸炭疽の致死率は二五～五〇％とされる。

エ　髄膜炭疽

皮膚炭疽の約五％、肺炭疽の三分の二に引き続いて起こるが、まれに初感染の髄膜炭疽もある。髄膜炭疽は治療を行っても、発症後二～四日で一〇〇％が死亡する。

〔20〕　チクングニア熱

〈定　義〉

トガウイルス科アルファウイルス属に属するチクングニアウイルスによる感染症である。

〈臨床的特徴〉

チクングニアウイルスを保有するヤブカ属のネッタイシマカ、ヒトスジシマカなどに刺されることで感染する。潜伏期間は三～一二日（通常三～七日）で、患者の大多数は急性熱性疾患の症状を呈する。発熱と関節痛は必発であり、発疹は八割程度に認められる。関節痛は四肢（遠位）に強く対称性で、その頻度は手首、足首、指趾、膝、肘、肩の順であり、関節の炎症や腫脹を伴う場合もある。関節痛は急性症状が軽快した後も、数週間から数か月にわたって続く場合がある。その他の症状としては、全身倦怠感・頭痛・筋肉痛・リンパ節腫脹である。血液所見では、リンパ球減少、血小板減少が認められる。重症例では神経症状（脳症）や劇症肝炎が報告されている。アフリカ、インド洋島嶼国、インド、東南アジアの熱帯・亜熱帯地域を中心として流行がみられている。

〔21〕 つつが虫病

〈定　義〉

つつが虫病リケッチア（*Orientia tsutsugamushi*）による感染症である。

〈臨床的特徴〉

つつが虫病リケッチアを保有するツツガムシに刺されて五～一四日の潜伏期の後に、全身倦怠感、食欲不振とともに頭痛、悪寒、発熱などを伴って発症する。体温は段階的に上昇し数日で四〇度にも達する。刺し口は皮膚の柔らかい隠れた部分に多い。刺し口の所属リンパ節は発熱する前頃から次第に腫脹する。第三～四病日より不定型の発疹が出現するが、発疹は顔面、体幹に多く四肢には少ない。テトラサイクリン系の有効な抗菌薬による治療が適切に行われると劇的に症状の改善がみられる。重症になると肺炎や脳炎症状を来す。北海道、沖縄など一部の地域を除いて全国で発生がみられる。

発生時期は春～初夏及び晩秋から冬であるが、媒介ツツガムシの生息地域によって異なる。

〔22〕 デング熱

〈定　義〉

フラビウイルス科に属するデングウイルス感染症である。

〈臨床的特徴〉

二～一四日（多くは三～七日）の潜伏期の後に突然の高熱で発症する。頭痛、眼窩痛、顔面紅潮、結膜充血を伴う。発熱は二～七日間持続する（二峰性であることが多い。）。初期症状に続いて全身の筋肉痛、骨関節痛、全身倦怠感を呈する。発症後三～四日後胸部、体幹から始まる発疹が出現し、四肢、顔面へ広がる。症状は一週間程度で回復する。血液所見では高度の白血球減少、血小板減少がみられる。出血やショック症状を伴う重症型としてデング出血熱(※)があり、全身管理が必要となることもある。ヒトからヒトへの直接感染はないが、熱帯・亜熱帯（特にアジア、オセアニア、中南米）に広く分布する。海外で感染した人が国内で発症することがある。

(※)デング出血熱：デング熱とほぼ同様に発症経過するが、解熱の時期に血漿漏出や血小板減少による出血傾向に基づく症状が出現し、死に至ることもある。

〔23〕　東部ウマ脳炎

〈定　義〉

トガウイルス科アルファウイルス属に属する東部ウマ脳炎ウイルスによる感染症である。

〈臨床的特徴〉

自然界では蚊と鳥の間で感染環が維持されており、鳥への媒介蚊は主にハボシカ属の蚊であるが、キンイロヤブカなども関係する。ヒトへの感染は主にヤブカの刺咬による。潜伏期間は三～一〇日であり、高熱、悪寒、倦怠感、筋肉痛などを生じるが、一～二週間で回復することが多い。しかし、ときには脳炎を発症して、昏睡、死亡に至ることがある。脳炎は五〇歳以上や一五歳以下で起こりやすく、致死率は三三％にも上り、生残者の半数は軽度～高度の永続的な神経学的後遺症を残す。

〔24〕　鳥インフルエンザ（鳥インフルエンザ（Ｈ５Ｎ１及びＨ７Ｎ９）を除く。）

〈定　義〉

トリに対して感染性を示すＡ型インフルエンザウイルス（Ｈ５Ｎ１及びＨ７Ｎ９亜型を除く。）のヒトへの感染症である。

〈臨床的特徴〉

鳥インフルエンザウイルスに感染した家禽などからヒトへウイルスが感染することがごく稀に起こる。Ｈ５、Ｈ７、Ｈ９亜型ウイルスのヒトへの感染が報告されており、一九九七年の香港でのＡ／Ｈ５Ｎ１、二〇〇三年オランダでのＡ／Ｈ７Ｎ７による事例では、ヒトからヒトへの感染伝播も起こったと報告されている。

鳥インフルエンザウイルスのＨ５、Ｈ７亜型の感染例では、潜伏期間は通常のインフルエンザと同じく一〜三日と考えられており、症状は突然の高熱、咳などの呼吸器症状の他、下痢、重篤な肺炎、多臓器不全などの全身症状を引き起こす重症例もある。

Ａ／Ｈ７Ｎ７亜型ウイルスの感染では結膜炎を起こした例が多い。

香港などで数例報告されているＡ／Ｈ９Ｎ２亜型ウイルスによる感染では、発熱、咳等の通常のインフルエンザ様症状を呈したと報告されている。

〔25〕 ニパウイルス感染症

〈定　義〉

ニパウイルスによる感染症である。

〈臨床的特徴〉

感染経路は感染動物（主にブタ）の体液や組織との接触によると考えられている。通常、発熱と筋肉痛などのインフルエンザ様症状を呈し、その一部が意識障害、痙攣などを伴い、脳炎を発症する。

〔26〕 日本紅斑熱

〈定　義〉

日本紅斑熱リケッチア（*Rickettsia japonica*）による感染症である。

〈臨床的特徴〉

日本紅斑熱リケッチアを保有するマダニ（キチマダニ、フタトゲチマダニなど）に刺されることで感染する。刺されてから二～八日頃から頭痛、全身倦怠感、高熱などを伴って発症する。刺し口を見つけることは診断の助けとなる。高熱とほぼ同時に紅色の斑丘疹が手足など末梢部から求心性に多発する。リンパ節腫脹はあまりみられない。ＣＲＰ陽性、白血球減少、血小板減少、肝機能異常などはつつが虫病と同様であるが、つつが虫病に比べ播種性血管内凝固症候群（ＤＩＣ）など重症化しやすい。

〔27〕　日本脳炎

〈定　義〉

フラビウイルス科に属する日本脳炎ウイルスの感染による急性脳炎である。ブタが増幅動物となり、コガタアカイエカなどの蚊が媒介する。

〈臨床的特徴〉

感染後一～二週間の潜伏期を経て、急激な発熱と頭痛を主訴として発症する。その他、初発症状として全身倦怠感、食欲不振、吐き気、嘔吐、腹痛も存在する。その後、症状は悪化し、項部硬直、羞明、意識障害、興奮、仮面様顔貌、筋硬直、頭部神経麻痺、眼振、四肢振戦、不随意運動、運動失調、病的反射が出現する。知覚障害は稀である。発熱は発症四～五日に最も高くなり、熱はその後次第に低下する。致死率は約二五％、患者の五〇％は後遺症を残し、その他は回復する。死亡する場合は発症後一週間程度で死亡する。

〔28〕　ハンタウイルス肺症候群

〈定　義〉

ブニヤウイルス科、ハンタウイルス属の新世界ハンタウイルス（シンノンブレウイルス等）による急性呼吸器感染症である。

〈臨床的特徴〉

前駆症状として発熱と筋肉痛がみられる。次いで咳、急性に進行する呼吸困難が特徴的で、しばしば消化器症状及び頭痛を伴う。頻呼吸、頻拍の出現頻度が高い。半数に低血圧等を伴う。発熱・悪寒は一〜四日続き、次いで進行性呼吸困難、酸素不飽和状態に陥る（肺水腫、肺浮腫による）。早い場合は発症後二四時間以内の死亡も頻繁にみられる。肺水腫等の機序は心原性ではない。X線で肺中に広範な滲出液の貯留した特徴像が出る。致死率は四〇〜五〇％である。

感染経路としては、①ウイルスを含む排泄物（尿、便）、唾液により汚染されたほこりを吸い込む（これが最も多い）、②手足の傷口からウイルスに汚染されたネズミの排泄物、唾液が接触して入る、③ネズミに咬まれる等である。

媒介動物は、米国ではシカシロアシネズミ、南米ではコットンラットがウイルス保有動物として最も一般的である。ウイルスを媒介するこの群のネズミは米国、カナダ、中南米（チリ、アルゼンチン等）にも存在する。このネズミとウイルスは日本では見つかっていない。

〔29〕 Bウイルス病

〈定　義〉

マカク属のサルに常在するBウイルス（ヘルペスウイルス科・アルファヘルペスウイルス亜科）による熱性・神経性疾患である。

〈臨床的特徴〉

サルによる咬傷後、症状発現までの潜伏期間は早い場合二日、通常二〜五週間である。早期症状としては、サルとの接触部位（外傷部）周囲の水疱性あるいは潰瘍性皮膚粘膜病変、接触部位の疼痛、掻痒感、所属リンパ節腫脹を来し、中期症状としては発熱、接触部位の感覚異常、接触部位側の筋力低下あるいは麻痺を、眼にサルの分泌物等がはねとんだ際には結膜炎を来す。晩期には副鼻腔炎、項部強直、持続する頭痛、悪心・嘔吐、脳幹部症状として複視、構語障害、目まい、失語症、交差性麻痺及び知覚障害、意識障害、脳炎症状を来し、無治療での致死率は七〇〜八〇％。生存例でも重篤な神経障害が後遺症としてみられる。

感染経路は実験室、動物園あるいはペットのマカク属サルとの接触（咬傷、擦過傷）及びそれらのサルの唾液、粘液とヒト粘膜との接触（とびはね）による。また実験室ではサルに使用した注射針の針刺し、培養ガラス器具による外傷によっても感染する。

〔30〕　鼻疽《そ》

〈定　義〉

鼻疽菌（*Burkholderia mallei*）による感染症である。

〈臨床的特徴〉

主な感染経路は、ウマの分泌物の吸入あるいはそれらとの接触感染である。潜伏期間は通常一～一四日であるが、稀に年余にわたることもある。初発症状は発熱、頭痛などであるが、重篤な敗血症性ショックを生じやすい。特徴的な局所症状はほとんどないが、皮膚に潰瘍を形成することもある。また、肺炎（急性壊死性肺炎）や肺膿瘍を発症する例もある。慢性感染の場合は、皮下、筋肉、腹部臓器などに膿瘍を形成する。

〔31〕　ブルセラ症

〈定　義〉

本症はウシ、ブタ、ヤギ、イヌ及びヒツジの感染症であるが、原因菌（*Brucella abortus*, *B.suis*, *B.melitensis*, 及び*B. canis*）がヒトに感染して発症する。波状熱、マルタ熱、地中海熱などの名前でも呼ばれる。

〈臨床的特徴〉

感染動物の加熱殺菌不十分な乳・チーズなど乳製品や肉の喫食による経口感染が最も一般的である。家畜の流産仔や悪露への直接接触、汚染エアロゾルの吸入でも感染する。ヒト―ヒト感染は、授乳、性交、臓器移植による事例が報告されているが極めてまれである。*B.canis*は流産仔や悪露、血液などへの接触により感染するが、尿中に排菌されることも知られている。

潜伏期間は通常一～三週、時に数か月との報告がある。臨床所見としては倦怠感、発熱、発汗、腰背部痛、関節痛、悪寒などインフルエンザ様で、その他、関節炎、リンパ節腫脹、脾腫、肝腫、中枢神経症状が見られることもある。合併症として、仙腸骨炎、心内膜炎、肺炎、骨髄炎、膵炎を呈することがある。未治療時の致死率は五％程度で、心内膜炎が死亡原因の大半を占める。男性では二〇％程度の患者に、精巣上体炎・精巣痛があらわれる。

〔32〕 ベネズエラウマ脳炎

〈定　義〉

トガウイルス科アルファウイルス属に属するベネズエラウマ脳炎ウイルスによる感染症である。

〈臨床的特徴〉

自然界ではイエカと齧歯類の間で感染環が維持されている。ヒトへの感染もイエカの刺咬によって生じる。潜伏期間は二～五日であり、発熱、頭痛、筋肉痛、硬直などを生じる。中枢神経病変を生じると項部硬直、痙攣、昏睡、麻痺などがみられるが、これらは一五歳未満の小児患者の四％にみられる。致死率は一〇～二〇％とされている。

〔33〕 ヘンドラウイルス感染症

〈定　義〉

パラミクソウイルス科ニパウイルス属に属するヘンドラウイルスによる感染症である。

〈臨床的特徴〉

自然宿主はオオコウモリである。ヒトへの感染は、動物（主にウマ）の体液や組織との接触感染によると考えられている。ヒト症例は非常に少数であり、臨床像の詳細は明らかでないが、発熱や筋肉痛などのインフルエンザ様症状から、重篤な肺炎、さらには脳炎による意識障害、痙攣などがあり得る。

〔34〕 発しんチフス

〈定　義〉

*Rickettsia prowazekii*による急性感染症で、コロモジラミによって媒介される。

〈臨床的特徴〉

発熱、頭痛、悪寒、脱力感、手足の疼痛を伴って突然発症する。熱は三九～四〇度に急上昇する。発疹は発熱第五～六病日に、体幹から全身に拡がるが、顔面、手掌、足底に出現することは少ない。発疹は急速に点状出血斑となる。患者は明らかな急性症状を呈するが、発熱からおよそ二週間後に急速に解熱する。重症例の半数に精神神経症状が出現する。

初感染後、潜伏感染し数年後に再発することがある（Brill-Zinsser病）が、症状は軽度である。

〔35〕　ボツリヌス症

〈定　義〉

ボツリヌス菌（*Clostridium botulinum*）が産生するボツリヌス毒素、又は*C. butyricum*、*C. baratii*などが産生するボツリヌス毒素により発症する神経、筋の麻痺性疾患である。

〈臨床的特徴〉

ボツリヌス毒素又はそれらの毒素を産生する菌の芽胞が混入した食品の摂取などによって発症する。潜伏期は、毒素を摂取した場合（食餌性ボツリヌス症）には、五時間～三日間（通常一二～二四時間）とされる。

神経・筋接合部、自律神経節、神経節後の副交感神経末端からのアセチルコリン放出の阻害により、弛緩性麻痺を生じ、種々の症状（全身の違和感、複視、眼瞼下垂、嚥下困難、口渇、便秘、脱力感、筋力低下、呼吸困難など）が出現し、適切な治療を施さない重症患者では死亡する場合がある。

感染経路の違いにより、以下の四つの病型に分類される。

ア　食餌性ボツリヌス症（ボツリヌス中毒）

食品中でボツリヌス菌が増殖して産生された毒素を経口的に摂取することによって発症

イ　乳児ボツリヌス症

一歳未満の乳児が菌の芽胞を摂取することにより、腸管内で芽胞が発芽し、産生された毒素の作用によって発症

ウ　創傷ボツリヌス症

創傷部位で菌の芽胞が発芽し、産生された毒素により発症

エ　成人腸管定着ボツリヌス症

ボツリヌス菌に汚染された食品を摂取した一歳以上のヒトの腸管に数か月間菌が定着し毒素を産生し、乳児ボツリヌス症と類似の症状が長期にわたって持続

〔36〕　マラリア

〈定　義〉

マラリアは*Plasmodium*属原虫の*Plasmodium vivax*（三日熱マラリア原虫）、*Plasmodium falciparum*（熱帯熱マラリア原虫）、*Plasmodium malariae*（四日熱マラリア原虫）、*Plasmodium ovale*（卵形マラリア原虫）などの単独又は混合感染に起因する疾患であり、特有の熱発作、貧血及び脾腫を主徴とする。ハマダラカによって媒介される。

〈臨床的特徴〉

最も多い症状は発熱と悪寒で、発熱の数日前から全身倦怠感や背部痛、食欲不振など不定の前駆症状を認めることがある。熱発は間隔をあけて発熱期と無熱期を繰り返す。発熱期は悪寒を伴って体温が上昇する悪寒期（一～二時間）と、悪寒がとれて熱感を覚える灼熱期（四～五時間）に分かれる。典型的には三日熱及び四日熱マラリアでは悪寒期に戦慄を伴うことが多い。

発熱期には頭痛、顔面紅潮や吐き気、関節痛などを伴う。その後に発汗・解熱し、無熱期へ移行する。発熱発作の間隔は虫種により異なり、三日熱と卵形マラリアで四八時間、四日熱マラリアで七二時間である。熱帯熱マラリアでは三六～四八時間、あるいは不規則となる。他の症状としては脾腫、貧血、血小板減少などが挙げられるが、原虫種、血中原虫数及び患者の免疫状態によって異なる。

未治療の熱帯熱マラリアは急性の経過を示し、錯乱など中枢神経症状（マラリア脳症）、急性腎不全、重度の貧血、低血糖、播種性血管内凝固症候群（ＤＩＣ）や肺水腫を併発して発病数日以内に重症化し、致死的となる。

〔37〕野兎《と》病

〈定　義〉

野兎病菌（*Francisella tularensis*）による発熱性疾患である。

〈臨床的特徴〉

保菌動物の解体や調理の時の組織又は血液との接触や、マダニ、アブなど節足動物の刺咬により感染する。また、汚染した生水からも感染する。ヒトは感受性が高く、健康な皮膚からも感染する。ヒトからヒトへの感染の報告はない。潜伏期間は三日をピークとする一～七日である。初期症状は菌の侵入部位によって異なり、潰瘍リンパ節型、リンパ節型、眼リンパ節型、肺炎型などがある。一般的には悪寒、波状熱、頭痛、筋肉痛、所属リンパ節の腫脹と疼痛などの症状がみられる。

〔38〕ライム病

〈定　義〉

マダニ（Ixodes属）刺咬により媒介されるスピロヘータ（ライム病ボレリア：*Borrelia burgdorferi* sensu lato）感染症である。

〈臨床的特徴〉

感染初期（stage Ⅰ）には、マダニ刺咬部を中心として限局性に特徴的な遊走性紅斑を呈することが多い。随伴症状として、筋肉痛、関節痛、頭痛、発熱、悪寒、全身倦怠感などのインフルエンザ様症状を伴うこともある。紅斑の出現期間は数日から数週間といわれ、形状は環状紅斑又は均一性紅斑がほとんどである。

播種期（stage Ⅱ）には、体内循環を介して病原体が全身性に拡散する。これに伴い、皮膚症状、神経症状、心疾患、眼症状、関節炎、筋肉炎など多彩な症状がみられる。

感染から数か月ないし数年を経て、慢性期（stage Ⅲ）に移行する。患者は播種期の症状に加えて、重度の皮膚症状、関節炎などを示すといわれる。日本では、慢性期に移行したとみられる症例は現在のところ報告されていない。症状としては、慢性萎縮性肢端皮膚炎、慢性関節炎、慢性脳脊髄炎などが挙げられる。

〔39〕リッサウイルス感染症

〈定　義〉

狂犬病ウイルスを除くリッサウイルス属のウイルスによる感染症である。

〈臨床的特徴〉

本ウイルスを保有する野生のコウモリとの接触により感染すると考えられている。潜伏期間は狂犬病ウイルスに準じた期間と考えられる（二〇～九〇日が基本的な潜伏期間。咬傷部位や数によって潜伏期間も異なってくると思われる。）。

臨床症状としては、頭痛、発熱、全身倦怠感、創傷部位の知覚過敏や疼痛を伴う場合があり、興奮、恐水症状、精神錯乱などの中枢神経症状を伴う場合もある。一般的に、発症後二週間以内に死亡する。

〔40〕リフトバレー熱

〈定　義〉

ブニヤウイルス科フレボウイルス属に属するリフトバレー熱ウイルスによる感染症である。

〈臨床的特徴〉

自然界では、主にヤブカ属の蚊とウシやヒツジの間で感染環が維持されている。ヒトへの感染は、主に蚊あるいは他の吸血性昆虫の刺咬によるが、動物の血液や他の体液による接触感染もあり得る。潜伏期間は二～六日で、発熱、頭痛、筋肉痛、背部痛等のインフルエンザ様症状を呈し、項部硬直、肝機能障害、羞明、嘔吐を呈することもあるが、通常は四～七日で回復する。重症例では網膜炎（〇・五～二％）、出血熱（＜１％）、脳炎（＜１％）を発症することがある。致死率は全体としては一％程度であるが、出血熱を呈した場合には五〇％にも達する。後遺症としては、網膜炎後の失明が重要である。

〔41〕　**類鼻疽**

〈定　義〉

類鼻疽菌（*Burkholderia pseudomallei*）による感染症である。

〈臨床的特徴〉

主な感染経路は土壌や地上水との接触感染であるが、粉塵の吸入や飲水などによることもある。潜伏期間は通常三～二一日であるが、年余にわたることもある。皮膚病変としてはリンパ節炎を伴う小結節を形成し、発熱を伴うこともある。呼吸器系病変としては気管支炎、肺炎を発症するが、通常は高熱を伴い、胸痛を生じ、乾性咳嗽、あるいは正常喀痰の湿性咳嗽がみられる。ＨＩＶ感染症、腎不全、糖尿病などの基礎疾患を有する場合には、敗血症性ショックを生じることがある。慢性感染では関節、肺、腹部臓器、リンパ節、骨などに膿瘍を形成する。

〔42〕　**レジオネラ症**

〈定　義〉

*Legionella*属菌（*Legionella pneumophila*など）が原因で起こる感染症である。

〈臨床的特徴〉

在郷軍人病（レジオネラ肺炎）とポンティアック熱が主要な病型である。腹痛、下痢、意識障害、歩行障害などを伴うことがある。臨床症状で他の細菌性肺炎と区別することは困難である。

免疫不全者の場合には、肺炎の劇症化と多臓器不全が起こることがある。

なお、届出上の病型については、肺炎若しくは多臓器不全の認められるものを肺炎型とし、それ以外をポンティアック熱型とする。

〔43〕　**レプトスピラ症**

〈定　義〉

病原性レプトスピラ（*Leptospira interrogans*など）による、多様な症状を示す急性の熱性疾患である。

〈臨床的特徴〉

病原性レプトスピラを保有しているネズミ、イヌ、ウシ、ウマ、ブタなどの尿で汚染された下水や河川、泥などにより経皮的に、ときには汚染された飲食物の摂取により経口的にヒトに感染する。

黄疸、出血、腎障害などの症状がみられる。重症型の黄疸出血性レプトスピラ病（ワイル病）と、軽症型の秋季レプトスピラ病やイヌ型レプトスピラ病などがある。

ワイル病は黄疸、出血、蛋白尿を主徴とし、最も重篤である。

潜伏期間は三〜一四日で、突然の悪寒、戦慄、高熱、筋肉痛、眼球結膜の充血が生じ、四〜五病日後、黄疸や出血傾向が増強する場合もある。

〔44〕 ロッキー山紅斑熱

〈定　義〉

紅斑熱群リケッチアに属するロッキー山紅斑熱リケッチア（*Rickettsia rickettsii*）による感染症である。

〈臨床的特徴〉

自然界ではダニ、齧歯類、大動物（イヌなど）の間で感染環が維持されている。ヒトへの感染はダニの刺咬による。潜伏期間は三〜一二日であり、頭痛、全身倦怠感、高熱などで発症する。通常、つつが虫病などでみられるような刺し口は生じない。高熱とほぼ同時に、紅色の斑丘疹が手足などの末梢部から求心性に多発し、部位によっては点状出血を伴う。ときにリンパ節腫脹がみられる。その後、中枢神経系症状、不整脈、乏尿、ショックなどの合併症を呈する。診断・治療の遅れ、高齢者、発疹がみられない、ダニの刺咬歴がある、冬季の発症などでは、致死率が高い。

○五類感染症の概要

〔1〕 アメーバ赤痢

〈定　義〉

赤痢アメーバ（*Entamoeba histolytica*）の感染に起因する疾患で、消化器症状を主症状とするが、それ以外の臓器にも病変を形成する。

〈臨床的特徴〉

病型は腸管アメーバ症と腸管外アメーバ症に大別される。

ア　腸管アメーバ症

下痢、粘血便、しぶり腹、鼓腸、排便時の下腹部痛、不快感などの症状を伴う慢性腸管感染症であり、典型的にはイチゴゼリー状の粘血便を排泄するが、数日から数週間の間隔で増悪と寛解を繰り返すことが多い。潰瘍の好発部位は盲腸から上行結腸にかけてと、Ｓ字結腸から直腸にかけての大腸である。稀に肉芽腫性病変が形成されたり、潰瘍部が壊死性に穿孔したりすることもある。

イ　腸管外アメーバ症

多くは腸管部よりアメーバが血行性に転移することによるが、肝膿瘍が最も高頻度にみられる。成人男性に多い。高熱（三八～四〇度）、季肋部痛、吐き気、嘔吐、体重減少、寝汗、全身倦怠感などを伴う。膿瘍が破裂すると腹膜、胸膜や心外膜にも病変が形成される。その他、皮膚、脳や肺に膿瘍が形成されることがある。

〔2〕 ウイルス性肝炎（Ｅ型肝炎及びＡ型肝炎を除く。）

〈定　義〉

ウイルス感染を原因とする急性肝炎（B型肝炎、C型肝炎、その他のウイルス性肝炎）である。慢性肝疾患、無症候性キャリア及びこれらの急性増悪例は含まない。

〈臨床的特徴〉

一般に全身倦怠感、感冒様症状、食欲不振、悪感、嘔吐などの症状で急性に発症して、数日後に褐色尿や黄疸を伴うことが多い。発熱、肝機能異常、その他の全身症状を呈する発病後間もない時期には、かぜあるいは急性胃腸炎などと類似した症状を示す。

潜伏期間は、B型肝炎では約三か月間、C型肝炎では二週間から六か月間である。

臨床病型は、黄疸を伴う定型的急性肝炎のほかに、顕性黄疸を示さない無黄疸性肝炎、高度の黄疸を呈する胆汁うっ滞性肝炎、急性肝不全症状を呈する劇症肝炎などに分類される。

〔3〕 カルバペネム耐性腸内細菌目細菌感染症

〈定　義〉

メロペネムなどのカルバペネム系薬剤及び広域β―ラクタム剤に対して耐性を示す腸内細菌目細菌による感染症である。

〈臨床的特徴〉

主に感染防御機能の低下した患者や外科手術後の患者、抗菌薬を長期にわたって使用している患者などに感染症を起こす。健常者に感染症を起こすこともある。肺炎などの呼吸器感染症、尿路感染症、手術部位や外傷部位の感染症、カテーテル関連血流感染症、敗血症、髄膜炎その他多様な感染症を起こす。ただし、無症状で腸管等に保菌されることも多い。

〔4〕 急性弛緩性麻痺（急性灰白髄炎を除く。）

〈定　義〉

ウイルスなどの種々の病原体の感染により弛緩性の運動麻痺症状を呈する感染症である。

〈臨床的特徴〉

多くは何らかの先行感染を伴い、手足や呼吸筋などに筋緊張の低下、筋力低下、深部腱反射の減弱ないし消失、筋萎縮などの急性の弛緩性の運動麻痺症状を呈する。発症機序が同一ではないが、同様の症状を呈するポリオ様麻痺、急性弛緩性脊髄炎、急性脳脊髄炎、急性脊髄炎、ギラン・バレー症候群、急性横断性脊髄炎、Hopkins 症候群等もここには含まれる。

〔5〕　急性脳炎（ウエストナイル脳炎、西部ウマ脳炎、ダニ媒介脳炎、東部ウマ脳炎、日本脳炎、ベネズエラウマ脳炎及びリフトバレー熱を除く。）

〈定　義〉

ウイルスなど種々の病原体の感染による脳実質の感染症である。炎症所見が明らかではないが、同様の症状を呈する脳症もここには含まれる。

〈臨床的特徴〉

多くは何らかの先行感染を伴い、高熱に続き、意識障害や痙攣が突然出現し、持続する。髄液細胞数が増加しているものを急性脳炎、正常であるものを急性脳症と診断することが多いが、その臨床症状に差はない。

〔6〕　クリプトスポリジウム症

〈定　義〉

クリプトスポリジウム属原虫（*Cryptosporidium* spp.）のオーシストを経口摂取することによる感染症である。

〈臨床的特徴〉

潜伏期は四～五日ないし一〇日程度と考えられ、無症状のものから、食欲不振、嘔吐、腹痛、下痢などを呈するものまで様々である。

患者の免疫力が正常であれば、通常は数日間で自然治癒するが、エイズなどの各種の免疫不全状態にある場合は、重篤な感染を起こすことがあり、一日に三〜五リットル、ときに一〇リットルをこえる下痢によって死亡することもある。

〔7〕 クロイツフェルト・ヤコブ病

〈定　義〉

クロイツフェルト・ヤコブ病に代表されるプリオン病とは、その感染因子が細菌やウイルスと異なり、核酸を持たない異常プリオン蛋白と考えられている伝播可能な致死性疾患である。すべてのプリオン病は中枢神経に異常プリオン蛋白が蓄積することによって発症し、致死性である。長い潜伏期を有する等の共通した特徴があるが、その臨床像は多彩である。

〔8〕 劇症型溶血性レンサ球菌感染症

〈定　義〉

β溶血を示すレンサ球菌を原因とし、突発的に発症して急激に進行する敗血症性ショック病態である。

〈臨床的特徴〉

初発症状は咽頭痛、発熱、消化管症状（食欲不振、吐き気、嘔吐、下痢）、全身倦怠感、低血圧などの敗血症症状、筋痛などであるが、明らかな前駆症状がない場合もある。後発症状としては軟部組織病変、循環不全、呼吸不全、播種性血管内凝固症候群（ＤＩＣ）、肝腎症状など多臓器不全を来し、日常生活を営む状態から二四時間以内に多臓器不全が完結する程度の進行を示す。Ａ群レンサ球菌等による軟部組織炎、壊死性筋膜炎、上気道炎・肺炎、産褥熱は現在でも致命的となり得る疾患である。

〔9〕 後天性免疫不全症候群

〈定　義〉

レトロウイルスの一種であるヒト免疫不全ウイルス（human immunodeficiency virus：ＨＩＶ）の感染によって免疫不全が生じ、日和見感染症や悪性腫瘍が合併した状態である。

〈臨床的特徴〉

ＨＩＶに感染した後、ＣＤ４陽性リンパ球数が減少し、無症候性の時期（無治療で数年から一〇年程度）を経て、生体が高度の免疫不全症に陥り、日和見感染症や悪性腫瘍が生じてくる。

〔10〕 ジアルジア症

〈定　義〉

消化管寄生虫鞭毛虫の一種であるジアルジア（別名ランブル鞭毛虫）（*Giardia lamblia.*）による原虫感染症である。

〈臨床的特徴〉

糞便中に排出された原虫嚢子により食物や水が汚染されることによって、経口感染を起こす。健康な者の場合には無症状のことも多いが、食欲不振、腹部不快感、下痢（しばしば脂肪性下痢）等の症状を示すこともあり、免疫不全状態では重篤となることもある。

〔11〕 侵襲性インフルエンザ菌感染症

〈定　義〉

*Haemophilus influenzae*による侵襲性感染症のうち、本菌が髄液又は血液などの無菌部位から検出された感染症である。

〈臨床的特徴〉

潜伏期間は不明である。発症は一般に突発的であり、上気道炎や中耳炎を伴って発症することがある。髄膜炎例では、頭痛、発熱、髄膜刺激症状の他、痙攣、意識障害、乳児では大泉門膨隆等の症状を示す。敗血症例では発熱、悪寒、虚脱や発疹を呈すが、臨床症状が特異的ではないことも多く、急速に重症化して肺炎や喉頭蓋炎並びにショックを来すことがある。

〔12〕 侵襲性髄膜炎菌感染症

〈定　義〉

*Neisseria meningitidis*による侵襲性感染症のうち、本菌が髄液又は血液から検出された感染症である。

〈臨床的特徴〉

潜伏期間は二〜一〇日（平均四日）で、発症は突発的である。髄膜炎例では、頭痛、発熱、髄膜刺激症状の他、痙攣、意識障害、乳児では大泉門膨隆等を示す。敗血症例では発熱、悪寒、虚脱を呈し、重症化を来すと紫斑の出現、ショック並びに播種性血管内凝固症候群（ＤＩＣ）に進展することがある。本疾患の特徴として、点状出血が眼球結膜や口腔粘膜、皮膚に認められ、また出血斑が体幹や下肢に認められる。

世界各地に散発性又は流行性に発症し、温帯では寒い季節に、熱帯では乾期に多発する。学生寮などで共同生活を行う一〇代が最もリスクが高いとされているため、特に共同生活をしている例ではアウトブレイクに注意が必要である。

〔13〕侵襲性肺炎球菌感染症

〈定　義〉

*Streptococcus pneumoniae*による侵襲性感染症のうち、本菌が髄液又は血液などの無菌部位から検出された感染症である。

〈臨床的特徴〉

潜伏期間は不明である。小児及び高齢者を中心とした発症が多く、小児と成人でその臨床的特徴が異なる。

ア　小児

成人と異なり、肺炎を伴わず、発熱のみを初期症状とした感染巣のはっきりしない菌血症例が多い。また、髄膜炎は、直接発症するものの他、肺炎球菌性の中耳炎に続いて発症することがある。

イ　成人

発熱、咳嗽、喀痰、息切れを初期症状とした菌血症を伴う肺炎が多い。髄膜炎例では、頭痛、発熱、痙攣、意識障害、髄膜刺激症状等の症状を示す。

〔14〕　水痘（入院例に限る。）

〈定　義〉

水痘・帯状疱疹ウイルスの初感染による感染症のうち二四時間以上入院を必要とするものである（他疾患で入院中に水痘を発症し、かつ、水痘発症後二四時間以上経過した例を含む。）。

〈臨床的特徴〉

冬から春に好発する感染症であるが、年間を通じて患者の発生がみられる。飛沫、飛沫核、接触感染などで感染する。潜伏期は二～三週間である。免疫がなければいずれの年齢でも罹患する。母子免疫は麻しんほど強力ではなく、新生児も罹患することがある。症状は発熱と発疹である。それぞれの発疹は紅斑、紅色丘疹、水疱形成、痂皮化へと約三日の経過で変化していくが、同一段階の皮疹が同時に全身に出現するのではなく、新旧種々の段階の発疹が同時に混在する。

発疹は体幹に多発し、四肢に少ない。発疹は頭皮、口腔などの粘膜にも出現する。健康児の罹患は軽症で予後は良好である。ただし、免疫不全状態の者が罹患した場合は重症化しやすく、致死的経過をとることもある。成人での罹患は小児での罹患より重症である。

合併症としては、肺炎、脳炎、小脳炎、小脳失調、肝炎、心膜炎、細菌の二次感染による膿痂疹《のうかしん》、蜂窩織炎《ほうかしきえん》、敗血症等が報告されている。

免疫不全状態にある者が水痘・帯状疱疹ウイルスに初感染し、水痘を発症した場合には、播種性血管内凝固症候群（ＤＩＣ）、多臓器不全、内臓播種性水痘等を合併し、極めて重篤な経過をとる場合がある。水疱出現前に激しい腹痛や腰背部痛を伴うことがある。

出産五日前から出産二日後に母体が水痘を発症すると、妊婦自身が重症化する可能性に加えて、児が重症の新生児水痘を発症する可能性がある。

また、他疾患で入院中の患者が水痘・帯状疱疹ウイルスに初感染し、水痘を発症した場合、入院期間の延長や、基礎疾患に影響を及ぼすことがある。

〔15〕 **先天性風しん症候群**

〈定　義〉

風しんウイルスの胎内感染によって先天異常を起こす感染症である。

〈臨床的特徴〉

先天異常の発生は妊娠週齢と明らかに相関し、妊娠一二週までの妊娠初期の初感染に最も多くみられ、二〇週を過ぎるとほとんどなくなる。

三徴は、白内障、先天性心疾患、難聴であるが、その他先天性緑内障、色素性網膜症、紫斑、脾腫、小頭症、精神発達遅滞、髄膜脳炎、骨のX線透過性所見、生後二四時間以内に出現する黄疸などを来し得る。

〔16〕 **梅毒**

〈定　義〉

スピロヘータの一種である梅毒トレポネーマ（*Treponema pallidum*）の感染によって生じる性感染症である。

〈臨床的特徴〉

Ｉ期梅毒として感染後三～六週間の潜伏期の後に、感染局所に初期硬結や硬性下疳、無痛性の鼠径部リンパ節腫脹がみられる。

Ⅱ期梅毒では、感染後三か月を経過すると皮膚や粘膜に梅毒性バラ疹や丘疹性梅毒疹、扁平コンジローマなどの特有な発疹がみられる。

感染後三年以上を経過すると、晩期顕症梅毒としてゴム腫、梅毒によると考えられる心血管症状、神経症状、眼症状などが認められることがある。なお、感染していても臨床症状が認められないものもある。

先天梅毒は、梅毒に罹患している母体から出生した児で、①胎内感染を示す検査所見のある症例、②Ⅱ期梅毒疹、骨軟骨炎など早期先天梅毒の症状を呈する症例、③乳幼児期は症状を示さずに経過し、学童期以後にHutchinson三徴候（実質性角膜炎、内耳性難聴、Hutchinson歯）などの晩期先天梅毒の症状を呈する症例がある。また、妊婦における梅毒感染は、先天梅毒のみならず、流産及び死産のリスクとなる。

〔17〕播種性クリプトコックス症

〈定　義〉

Cryptococcus属真菌による感染症のうち、本菌が髄液、血液などの無菌的臨床検体から検出された感染症又は脳脊髄液のクリプトコックス莢膜抗原が陽性となった感染症である。

〈臨床的特徴〉

潜伏期間は不明である。免疫不全の者である場合と免疫不全でない者である場合とでその臨床的特徴が異なる。

ア　免疫不全の者である場合

脳髄膜炎として発症することが多く、発熱、頭痛などの症状を呈する。リンパ節腫大や播種性病変として皮疹、骨、関節などの病変も認められる。

イ　免疫不全でない者である場合

中枢神経系の病変では、痙攣、意識障害などの重篤な症状がみられる症例から、発熱、頭痛等の典型的な脳髄膜炎症状を欠く症例まで様々である。中枢神経系の腫瘤性病変としてみられる場合は、腫瘍との鑑別が必要となる。慢性の脳圧亢進による性格変化などの症状のみを呈する場合もある。
中枢神経系以外の眼、皮膚、骨（骨髄）等への播種では局所に応じた症状を呈する。

〔18〕 **破傷風**

〈定　義〉

破傷風毒素を産生する破傷風菌（*Clostridium tetani*）が、外傷部位などから組織内に侵入し、嫌気的な環境下で増殖した結果、産生される破傷風毒素により、神経刺激伝達障害を起こす。

〈臨床的特徴〉

外傷部位などで増殖した破傷風菌が産生する毒素により、運動神経終板、脊髄前角細胞、脳幹の抑制性の神経回路が遮断され、感染巣近傍の筋肉のこわばり、顎から頸部のこわばり、開口障害、四肢の強直性痙攣、呼吸困難（痙攣性）、刺激に対する興奮性の亢進、反弓緊張（opisthotonus）などの症状が出現する。

〔19〕 **バンコマイシン耐性黄色ブドウ球菌感染症**

〈定　義〉

獲得型バンコマイシン耐性遺伝子を保有し、バンコマイシン耐性を示す黄色ブドウ球菌による感染症である。

〈臨床的特徴〉

バンコマイシンの長期間投与を受けた患者の検体などから検出される可能性がある。

〔20〕 **バンコマイシン耐性腸球菌感染症**

〈定　義〉

バンコマイシンに対して耐性を示す腸球菌（ＶＲＥ）による感染症である。

〈臨床的特徴〉

主に悪性疾患などの基礎疾患を有する易感染状態の患者において、日和見感染症や術後感染症、カテーテル性敗血症(line sepsis)などを引き起こす。発熱やショックなどの症状を呈し、死亡することもある。

〔21〕　百日咳《せき》

〈定　義〉

*Bordetella pertussis*によって起こる急性の気道感染症である。

〈臨床的特徴〉

潜伏期は通常五～一〇日（最大三週間程度）であり、かぜ様症状で始まるが、次第に咳が著しくなり、百日咳特有の咳が出始める。乳児（特に新生児や乳児早期）ではまれに咳が先行しない場合がある。

典型的な臨床像は顔を真っ赤にしてコンコンと激しく発作性に咳込み（スタッカート）、最後にヒューと音を立てて息を吸う発作（ウープ）となる。嘔吐や無呼吸発作（チアノーゼの有無は問わない）を伴うことがある。血液所見としては白血球数増多が認められることがある。乳児（特に新生児や乳児早期）では重症になり、肺炎、脳症を合併し、まれに致死的となることがある。

ワクチン既接種の小児や成人では典型的な症状がみられず、持続する咳が所見としてみられることも多い。

〔22〕　風しん

〈定　義〉

風しんウイルスによる急性熱性発疹性疾患である。

〈臨床的特徴〉

飛沫感染が主たる感染経路であるが、接触感染も起こりえる。潜伏期は通常二～三週間であり、全身性の小紅斑や紅色丘疹、リンパ節腫脹（全身、特に頸部、後頭部、耳介後部）、発熱を三主徴とする。皮疹は三日程度で消退する。リンパ節腫脹は発疹出現数日前に出現し三～六週間で消退する。発熱は風しん患者の約半数にみられる程度である。カタル症状、眼球結膜の充血を伴うことがあり、成人では関節炎を伴うこともある。風しん患者の多くは軽症であるが、まれに脳炎、血小板減少性紫斑病を合併し入院を要することがある。

妊婦の風しんウイルス感染は、先天性風しん症候群の原因となることがある。

〔23〕 麻しん

〈定　義〉

麻しんウイルスによる急性熱性発疹性疾患である。

〈臨床的特徴〉

潜伏期は通常一〇～一二日間であり、症状はカタル期（二～四日）には三八度前後の発熱、咳、鼻汁、くしゃみ、結膜充血、眼脂、羞明などであり、熱が下降した頃に頬粘膜にコプリック斑が出現する。発疹期（三～四日）には一度下降した発熱が再び高熱となり（三九～四〇度）、特有の発疹（小鮮紅色斑が暗紅色丘疹、それらが融合し網目状になる）が出現する。発疹は耳後部、頸部、顔、体幹、上肢、下肢の順に広がる。回復期（七～九日）には解熱し、発疹は消退し、色素沈着を残す。肺炎、中耳炎、クループ、脳炎を合併する場合がある。麻しんウイルスに感染後、数年から十数年以上経過してＳＳＰＥ（亜急性硬化性全脳炎）を発症する場合がある。

なお、前記症状を十分満たさず、一部症状のみの麻しん（修飾麻しん）もみられることがある。これはワクチンによる免疫が低下してきた者にみられることが多い。

〔24〕 薬剤耐性アシネトバクター感染症

〈定　義〉

広域β—ラクタム剤、アミノ配糖体、フルオロキノロンの三系統の薬剤に対して耐性を示すアシネトバクター属菌による感染症である。

〈臨床的特徴〉

感染防御機能の低下した患者や抗菌薬長期使用中の患者に日和見感染し、肺炎などの呼吸器感染症、尿路感染症、手術部位や外傷部位の感染症、カテーテル関連血流感染症、敗血症、髄膜炎、皮膚、粘膜面、軟部組織、眼などに多彩な感染症を起こす。

〔25〕 ＲＳウイルス感染症

〈定　義〉

ＲＳウイルス（respiratory syncytial virus）による急性呼吸器感染症である。乳児期の発症が多く、特徴的な病像は細気管支炎、肺炎である。

〈臨床的特徴〉

二日～一週間（通常四～五日）の潜伏期間の後に、初感染の乳幼児では上気道症状（鼻汁、咳など）から始まり、その後下気道症状が出現する。三八～三九度の発熱が出現することがある。二五～四〇％の乳幼児に気管支炎や肺炎の兆候がみられる。

一歳未満、特に六か月未満の乳児、心肺に基礎疾患を有する小児、早産児が感染すると、呼吸困難などの重篤な呼吸器疾患を引き起こし、入院、呼吸管理が必要となる。乳児では、細気管支炎による喘鳴（呼気性喘鳴）が特徴的である。

その後、多呼吸、陥没呼吸などの症状あるいは肺炎を認める。新生児期あるいは生後二～三か月未満の乳児では、無呼吸発作の症状を呈することがある。再感染の幼児の場合には、細気管支炎や肺炎などは減り、上気道炎が増える。中耳炎を合併することもある。

〔26〕 咽《いん》頭結膜熱

〈定　義〉

発熱・咽頭炎及び結膜炎を主症状とする急性のウイルス感染症である。

〈臨床的特徴〉

潜伏期は五～七日、症状は発熱、咽頭炎（咽頭発赤、咽頭痛）、結膜炎が三主症状である。アデノウイルス3型が主であるが、他に4、7、11型なども本症を起こす。発生は年間を通じてみられるが、様々な規模の流行的発生をみる。特に夏季に流行をみることがある。

〔27〕 Ａ群溶血性レンサ球菌咽頭炎

〈定　義〉

Ａ群レンサ球菌による上気道感染症である。

〈臨床的特徴〉

乳幼児では咽頭炎、年長児や成人では扁桃炎が現れ、発赤毒素に免疫のない人は猩紅熱といわれる全身症状を呈する。気管支炎を起こすことも多い。発疹を伴うこともあり、リウマチ熱や急性糸球体腎炎などの二次疾患を起こすこともある。

〔28〕 感染性胃腸炎

〈定　義〉

細菌又はウイルスなどの感染性病原体による嘔吐、下痢を主症状とする感染症である。原因はウイルス感染（ロタウイルス、ノロウイルスなど）が多く、毎年秋から冬にかけて流行する。また、エンテロウイルス、アデノウイルスによるものや細菌性のものもみられる。

〈臨床的特徴〉

乳幼児に好発し、一歳以下の乳児は症状の進行が早い。

主症状は嘔吐と下痢であり、種々の程度の脱水、電解質喪失症状、全身症状が加わる。嘔吐又は下痢のみの場合や、嘔吐の後に下痢がみられる場合と様々で、症状の程度にも個人差がある。三七～三八度の発熱がみられることもある。年長児では吐き気や腹痛がしばしばみられる。

〔29〕 **水痘**

〈定　義〉

水痘・帯状疱疹ウイルスの初感染による感染症である。

〈臨床的特徴〉

冬から春に好発する感染症であるが、年間を通じて患者の発生がみられる。飛沫、飛沫核、接触感染などで感染する。潜伏期は二～三週間である。乳幼児や学童いずれの年齢でも罹患する。母子免疫は麻しんほど強力ではなく、新生児も罹患することがある。症状は発熱と発疹である。それぞれの発疹は紅斑、紅色丘疹、水疱形成、痂皮化へと約三日の経過で変化していくが、同一段階の皮疹が同時に全身に出現するのではなく、新旧種々の段階の発疹が同時に混在する。発疹は体幹に多発し、四肢に少ない。発疹は頭皮、口腔などの粘膜にも出現する。健康児の罹患は軽症で予後は良好である。ただし、免疫不全状態の小児が罹患した場合は重症化しやすく、致死的経過をとることもある。

〔30〕 **手足口病**

〈定　義〉

主として乳幼児にみられる手、足、下肢、口腔内、口唇に小水疱が生ずる伝染性のウイルス性感染症である。コクサッキーA16型、エンテロウイルス71型のほか、コクサッキーA10型その他によっても起こることが知られている。

〈臨床的特徴〉

典型的なものでは、軽い発熱、食欲不振、のどの痛み等で始まり、発熱から二日ぐらい過ぎた頃から、手掌、足底にやや紅暈を伴う小水疱が多発し、舌や口腔粘膜に浅いびらんアフタを生じる。水疱はやや楕円形を呈し、臀部、膝部などに紅色の小丘疹が散在することもある。皮疹は一週間から一〇日で自然消退する。ごく稀に髄膜炎や脳炎などが生じることがあるので、発熱や嘔吐、頭痛などがある場合は注意を要する。エンテロウイルス71型による手足口病の場合にその頻度が高い。

〔31〕 伝染性紅斑《はん》

〈定　義〉

Ｂ19ウイルスの感染による紅斑を主症状とする発疹性疾患である。

〈臨床的特徴〉

幼少児（二～一二歳）に多いが、乳児、成人が罹患することもある。潜伏期は四～一五日。顔面、特に頬部に境界明瞭な平手で頬を打ったような紅斑が突然出現する。続いて四肢に対側性にレース様の紅斑が出現する。消退後さらに日光照射、外傷などによって再度出現することがある。発疹の他に発熱、関節痛、咽頭痛、鼻症状、胃腸症状、粘膜疹、リンパ節腫脹、関節炎を合併することがある。予後は通常、良好である。ただし、溶血性貧血の患者では、汎血球減少を起こすことがある。妊婦の場合には、胎児水腫又は流産を起こすことがある。

〔32〕 突発性発しん

〈定　義〉

乳幼児がヒトヘルペスウイルス6、7型の感染による突然の高熱と解熱前後の発疹を来す疾患である。

〈臨床的特徴〉

乳幼児期、特に六～一八か月の間に罹患することが多い。五歳以上は稀である。

突然、高熱で発症、不機嫌で大泉門の膨隆をみることがある。咽頭部の発赤、特に口蓋垂の両側に強い斑状発赤を認めることがある。軟便若しくは下痢を伴うものが多く、発熱は三～四日持続した後に解熱する。

解熱に前後して小さな紅斑や紅色丘疹が出現し、散在性、時に斑状融合性に分布する。発疹は体幹から始まり上肢、頸部の順に広がるが、顔面、下肢には少ない。発疹は一〜二日で消失する。脳炎を合併することがある。

〔33〕　ヘルパンギーナ

〈定　義〉

主にコクサッキーウイルスA群による口峡部に特有の小水疱と発熱を主症状とする夏かぜの一種である。多くは、コクサッキーウイルスA群2〜8、10、12型、稀にその他のエンテロウイルスも病原として分離されることがある。

〈臨床的特徴〉

潜伏期は二〜四日、初夏から秋にかけて、乳幼児に多い。突然の三八〜四〇度の発熱が一〜三日間続き、全身倦怠感、食欲不振、咽頭痛、嘔吐、四肢痛などがある場合もある。咽頭所見は、軽度に発赤し、口蓋から口蓋帆にかけて一〜五㎜の小水疱、これから生じた小潰瘍、その周辺に発赤を伴ったものが数個認められる。

〔34〕　流行性耳下腺《せん》炎

〈定　義〉

ムンプスウイルス感染により耳下腺が腫脹する感染症である。

〈臨床的特徴〉

上気道を介して飛沫感染し潜伏期は二〜三週間で、両側又は片側の耳下腺が腫脹し、ものを噛むときに顎に痛みを訴えることが多い。このとき数日の発熱を伴うものが多い。耳下腺腫脹は有痛性で、境界不鮮明な柔らかい腫脹が耳朶を中心として起こる。他の唾液腺の腫脹をみることもある。耳下腺開口部の発赤が認められるが、膿汁の排泄はない。合併症としては、髄膜炎、脳炎、膵炎、難聴などがあり、その他成人男性には睾丸炎、成人女性には卵巣炎がみられることがある。

〔35〕　インフルエンザ（鳥インフルエンザ及び新型インフルエンザ等感染症を除く。）

〈定　義〉

インフルエンザウイルス（鳥インフルエンザの原因となるA型インフルエンザウイルス及び新型インフルエンザ等感染症の原因となるインフルエンザウイルスを除く。）の感染による急性気道感染症である。

〈臨床的特徴〉

上気道炎症状に加えて、突然の高熱、全身倦怠感、頭痛、筋肉痛を伴うことを特徴とする。流行期（我が国では、例年十一月～四月）にこれらの症状のあったものはインフルエンザと考えられるが、非流行期での臨床診断は困難である。合併症として、脳症、肺炎を起こすことがある。

〔36〕　急性出血性結膜炎

〈定　義〉

エンテロウイルス70型及びコクサッキーウイルスA24変異型の感染によって起こる急性結膜炎である。

〈臨床的特徴〉

潜伏期は一日で強い眼の痛み、異物感で始まり、結膜の充血、特に結膜下出血を伴うことが多い。眼瞼の腫脹、眼脂、結膜浮腫、角膜表層のびまん性混濁などがみられ眼痛、異物感がある。約一週間続いて治癒することが多いが、この疾患に罹患したのち六～一二か月後に四肢の運動麻痺を来すことがある。

〔37〕　流行性角結膜炎

〈定　義〉

アデノウイルスD種の8、37、53、54、56、64／19ａ型などによる眼感染症である。

〈臨床的特徴〉

約一～二週間の潜伏期の後、急性濾胞性結膜炎の臨床症状を示して発病する。結膜の浮腫や充血、眼瞼浮腫が強く、流涙や眼脂を伴う。結膜出血点の存在は特異性が高い。耳前リンパ節の腫脹と圧痛を来す場合が多い。角膜にはびまん性表層角膜炎や多発性角膜上皮下浸潤がみられ、異物感、眼痛を訴えることがある。偽膜を伴うことも多い。通常、発病後二～三週間程度で治癒する。感染性が大変強く、家庭内感染や院内感染を起こすことが多い。

〔38〕　性器クラミジア感染症

〈定　義〉

*Chlamydia trachomatis*による性感染症である。

〈臨床的特徴〉

男性では、尿道から感染して急性尿道炎を起こすが、症状は淋菌感染症よりも軽い。さらに、前立腺炎、精巣上体炎を起こすこともある。女性では、まず子宮頸管炎を起こし、その後、感染が子宮内膜、卵管へと波及し、子宮内膜炎、卵管炎、骨盤内炎症性疾患、肝周囲炎を起こす（しかし男女とも、症状が軽く自覚のないことも多い）。

また、子宮外妊娠、不妊、流早産の誘因ともなる。妊婦が感染している場合には、主として産道感染により、新生児に封入体結膜炎を生じさせることがある。また、一～二か月の潜伏期を経て、新生児、乳児の肺炎を引き起こすことがある。淋菌との混合感染も多く、淋菌感染症の治癒後も尿道炎が続く場合には、クラミジア感染症が疑われる。

〔39〕　性器ヘルペスウイルス感染症

〈定　義〉

単純ヘルペスウイルス（herpes simplex virus：ＨＳＶ、ＨＳＶ1型又は2型）が感染し、性器又はその付近に発症したものを性器ヘルペスという。

〈臨床的特徴〉

性器ヘルペスは、外部から入ったウイルスによる初感染の場合と、仙髄神経節に潜伏しているウイルスの再活性化による場合の二つがある。

初感染では、感染後三～七日の潜伏期の後に外陰部に小水疱又は浅い潰瘍性病変が数個ないし集簇的に出現する。発熱などの全身症状を伴うことが多い。二～四週間で自然に治癒するが、治癒後も月経、性交その他の刺激が誘因となって、再発を繰り返す。発疹は外陰部のほか、臀部、大腿にも生じることがある。

病変部位は男性では包皮、冠状溝、亀頭、女性では外陰部や子宮頸部である。口を介する性的接触によって口唇周囲にも感染する。ＨＳＶ２型による場合は、より再発しやすい。

〔40〕 尖圭《せんけい》コンジローマ

〈定　義〉

尖圭コンジローマは、ヒトパピローマウイルス（ヒト乳頭腫ウイルス：ＨＰＶ）の感染により、性器周辺に生じる腫瘍である。ヒトパピローマウイルスは八〇種類以上が知られているが、尖圭コンジローマの原因となるのは主にＨＰＶ６型とＨＰＶ11型であり、ときにＨＰＶ16型の感染でも生じる。

〈臨床的特徴〉

感染後、数週間から二～三か月を経て、陰茎亀頭、冠状溝、包皮、大小陰唇、肛門周囲等の性器周辺部に、イボ状の小腫瘍が多発する。腫瘍は、先の尖った乳頭状の腫瘤が集簇した独特の形をしており、乳頭状、鶏冠状、花キャベツ状等と形容される。尖圭コンジローマ自体は、良性の腫瘍であり、自然に治癒することも多いが、ときに癌に移行することが知られている。特に、ＨＰＶ16、52、58、18型などに感染した女性の場合、子宮頸部に感染し、子宮頸癌の発癌要因になることもあると考えられている。

〔41〕 淋《りん》菌感染症

〈定　義〉

淋菌（*Neisseria gonorrheae*）による性感染症である。

〈臨床的特徴〉

男性は急性尿道炎として発症するのが一般的であるが、放置すると前立腺炎、精巣上体炎となる。後遺症として尿道狭窄が起こる。

女性は子宮頸管炎や尿道炎を起こすが、自覚症状のない場合が多い。感染が上行すると子宮内膜炎、卵管炎等の骨盤内炎症性疾患を起こし、発熱、下腹痛を来す。後遺症として不妊症が起きる。

その他、咽頭や直腸などへの感染や産道感染による新生児結膜炎などもある。

〔42〕　感染性胃腸炎（病原体がロタウイルスであるものに限る。）

〈定　義〉

ロタウイルスの感染による下痢、嘔吐、発熱を主症状とする感染症である。

〈臨床的特徴〉

主に〇～二歳児を中心に好発し、毎年おおむね二月から五月にかけて流行がみられる。主症状は発熱、嘔吐、白色の水様便を特徴とする下痢であり、通常、三～七日で症状の回復がみられる。他のウイルス性胃腸炎と比べると重度の脱水症状を呈し、入院治療を必要とすることが多い。稀に死亡に至る例もある。ときに、合併症として痙攣、脳炎・脳症、腸重積、肝炎、腎炎などが認められ、心筋炎などの致死的感染症の報告も散見される。

〔43〕　クラミジア肺炎（オウム病を除く。）

〈定　義〉

Chlamydophila（*Chlamydia*）*pneumoniae*, *Chlamydia trachomatis*の感染による肺炎である。

〈臨床的特徴〉

*C. trachomatis*は子宮頸管炎を発症している母体からの産道感染で新生児、乳児に間質性肺炎を発症し無熱性である。*C. pneumoniae*は、飛沫感染により三～四週間の潜伏期を経て軽症の異型肺炎を発症する。小児及び高齢者で多くみられる。

〔44〕 細菌性髄膜炎（髄膜炎菌、肺炎球菌、インフルエンザ菌を原因として同定された場合を除く。）

〈定　義〉

髄膜炎菌、肺炎球菌、インフルエンザ菌が原因として同定された場合を除く種々の細菌感染による髄膜の感染症である。

〈臨床的特徴〉

発熱、頭痛、嘔吐を主な特徴とする。項部硬直、Kernig徴候、Brudzinski徴候などの髄膜刺激症状が見られることがあるが、新生児や乳児などではこれらの臨床症状が明らかではないことが多い。

〔45〕 ペニシリン耐性肺炎球菌感染症

〈定　義〉

ペニシリンGに対して耐性を示す肺炎球菌による感染症である。

〈臨床的特徴〉

小児及び成人の化膿性髄膜炎や中耳炎で検出されるが、その他、副鼻腔炎、心内膜炎、心囊炎、腹膜炎、関節炎、稀には尿路生殖器感染から菌血症を引き起こすこともある。

〔46〕 マイコプラズマ肺炎

〈定　義〉

*Mycoplasma pneumoniae*の感染によって発症する肺炎である。

〈臨床的特徴〉

好発年齢は、六～一二歳の小児であり、小児では発生頻度の高い感染症の一つである。潜伏期は二～三週間とされ、飛沫で感染する。異型肺炎像を呈することが多い。頑固な咳嗽と発熱を主症状に発病し、中耳炎、胸膜炎、心筋炎、髄膜炎などの合併症を併発する症例も報告されている。

〔47〕　**無菌性髄膜炎**

〈定　義〉

種々のウイルスを中心とした病原体の感染による髄膜の感染症である。

〈臨床的特徴〉

発熱、頭痛、嘔吐を主な特徴とするが、新生児や乳児などでは臨床症状が明らかではないことが多い。項部硬直、Kernig徴候、Brudzinski徴候などの髄膜刺激症状がみられるが同じく新生児や乳児などではこれらが明らかではないことも多い。

〔48〕　**メチシリン耐性黄色ブドウ球菌感染症**

〈定　義〉

メチシリンなどのペニシリン剤をはじめとして、β—ラクタム剤、アミノ配糖体剤、マクロライド剤などの多くの薬剤に対し多剤耐性を示す黄色ブドウ球菌による感染症である。

〈臨床的特徴〉

外科手術後の患者や免疫不全者、長期抗菌薬投与患者などに日和見感染し、腸炎、敗血症、肺炎などを来し、突然の高熱、血圧低下、腹部膨満、下痢、意識障害、白血球減少、血小板減少、腎機能障害、肝機能障害などの症状を示す。

〔49〕　**薬剤耐性緑膿《のう》菌感染症**

〈定　義〉

広域β—ラクタム剤、アミノ配糖体、フルオロキノロンの三系統の薬剤に対して耐性を示す緑膿菌による感染症である。

〈臨床的特徴〉

感染防御機能の低下した患者や抗菌薬長期使用中の患者に日和見感染し、敗血症や骨髄、気道、尿路、皮膚、軟部組織、耳、眼などに多彩な感染症を起こす。

○新型コロナウイルス感染症の概要

新型コロナウイルス感染症（病原体がベータコロナウイルス属のコロナウイルス（令和二年一月に中華人民共和国から世界保健機関に対して、人に伝染する能力を有することが新たに報告されたものに限る。）であるものに限る。）

〈定　義〉

新型コロナウイルス感染症（病原体がベータコロナウイルス属のコロナウイルス（令和二年一月に中華人民共和国から世界保健機関に対して、人に伝染する能力を有することが新たに報告されたものに限る。）であるものに限る。）による急性呼吸器症候群である。

〈臨床的特徴等（二〇二〇年五月十三日時点）〉

臨床的な特徴としては、潜伏期間は一～一〇日（通常二～四日）である。主な症状は、発熱、咳、全身倦怠感等の感冒様症状であり、頭痛、下痢、結膜炎、嗅覚障害、味覚障害等を呈する場合もある。高齢者及び基礎疾患を持つものにおいては重症化するリスクが一定程度あると考えられている。重症化すると、肺炎を起こし、急性呼吸窮迫症候群（ＡＲＤＳ）や多臓器不全に至る患者もある。

○感染症の発生等に関する情報の収集及び公表について

1　感染症情報の収集

(1)　全数把握（第十二条）

○医師から保健所所長を経由して都道府県知事に届け出。

・一～四類感染症及び一部の五類感染症については、直ちに氏名、年齢、性別等を届け出。

・五類感染症（前項に該当するものを除く）については、七日以内の届け出。氏名等の個人を識別できる情報は除外。

○届出を受けた都道府県知事は、その内容を電磁的方法により厚生労働大臣に報告。

○届出の対象となる者は以下の表のとおり。

一類感染症	患者、疑似症患者及び無症状病原体保有者
二類感染症	患者、政令で定める感染症の疑似症患者及び無症状病原体保有者
三類感染症	患者及び無症状病原体保有者
四類感染症	患者及び無症状病原体保有者
五類感染症	患者及び無症状病原体保有者（厚生労働省令で定めるものに限る。）
新型インフルエンザ等感染症	患者、疑似症患者（当該感染症にかかっていると疑うに足りる正当な理由のあるものに限る。）及び無症状病原体保有者

(2)　動物由来感染症の全数把握（第十三条）
○獣医師から保健所長を経由して都道府県知事に届け出。
・疾病にかかった動物の所有者等を届け出。
○届出を受けた都道府県知事は、その内容を電磁的方法により厚生労働大臣に報告。
○届出の対象となる動物は、エボラ出血熱等にかかったサル等。

(3)　定点把握（第十四条）
○都道府県知事は、開設者の同意を得て指定届出機関を指定。
○指定届出機関の管理者は、都道府県知事に届け出。
・年齢、性別等を届け出。氏名等の個人を識別できる情報を除く。
○届出を受けた都道府県知事は、その内容を電磁的方法により厚生労働大臣に報告。
○届出の対象となる者は五類感染症の患者（厚生労働省令で定めるもの）又は二類～五類感染症の疑似症のうち厚生労働省令で定めるもの（施行規則第六条第二項）。

(4)　指定提出機関（第十四条の二）
○都道府県知事は、開設者の同意を得て指定提出機関を指定。
○指定提出機関の管理者は、都道府県知事に五類感染症（厚生労働省令で定めるもの）の患者の検体等を提出。
○提出を受けた都道府県知事は検体等の検査を実施。
○都道府県知事は検査の結果を電磁的方法により厚生労働大臣に報告。
・年齢、性別等を報告。

(5)　積極的疫学調査（第十五条）
○感染症の予防及び感染症の患者に対する医療に関する法律に規定する感染症について、都道府県知事等が、その発生の状況、原因等を明らかにする場合に、当該感染症の患者等への質問、必要な調査を行う。緊急の必要がある場合には、厚生労働大臣が直接、関係者に対し、質問・必要な調査をさせることができる。

2 感染症情報の公表等

厚生労働大臣及び都道府県知事は、以上により収集した感染症情報を分析し、予防のための情報を新聞、放送、インターネット等の適切な方法により積極的に公表する。(注)氏名等の個人を識別できる情報を除く。

都道府県知事は、市町村長に対し情報の公表に関する必要な協力を求めることができ、当該協力のため必要と認めるときは、当該市町村長に対し、次の四点の情報を提供できる。

① 新型インフルエンザ等感染症、指定感染症の患者（または新感染症の所見のある者）の数
② ①の者の居住する市町村名
③ ①の者が患者であることまたは所見のある者であることが判明した日時
④ その他都道府県知事が必要と認める情報

○感染症発生動向調査対象感染症について

１　全数把握の対象

〔１〕　一類感染症
⑴エボラ出血熱、⑵クリミア・コンゴ出血熱、⑶痘そう、⑷南米出血熱、⑸ペスト、⑹マールブルグ病、⑺ラッサ熱

〔２〕　二類感染症
⑻急性灰白髄炎、⑼結核、⑽ジフテリア、⑾重症急性呼吸器症候群（病原体がベータコロナウイルス属ＳＡＲＳコロナウイルスであるものに限る。）、⑿中東呼吸器症候群（病原体がベータコロナウイルス属ＭＥＲＳコロナウイルスであるものに限る。）、⒀鳥インフルエンザ（Ｈ５Ｎ１）、⒁鳥インフルエンザ（Ｈ７Ｎ９）

〔３〕　三類感染症
⒂コレラ、⒃細菌性赤痢、⒄腸管出血性大腸菌感染症、⒅腸チフス、⒆パラチフス

〔４〕　四類感染症
⒇Ｅ型肝炎、(21)ウエストナイル熱（ウエストナイル脳炎を含む。）、(22)Ａ型肝炎、(23)エキノコックス症、(24)エムポックス、(25)黄熱、(26)オウム病、(27)オムスク出血熱、(28)回帰熱、(29)キャサヌル森林病、(30)Ｑ熱、(31)狂犬病、(32)コクシジオイデス症、(33)ジカウイルス感染症、(34)重症熱性血小板減少症候群（病原体がフレボウイルス属ＳＦＴＳウイルスであるものに限る。）、(35)腎症候性出血熱、(36)西部ウマ脳炎、(37)ダニ媒介脳炎、(38)炭疽、(39)チクングニア熱、(40)つつが虫病、(41)デング熱、(42)東部ウマ脳炎、(43)鳥インフルエンザ（Ｈ５Ｎ１及びＨ７Ｎ９を除く。）、(44)ニパウイルス感染症、(45)日本紅斑熱、(46)日本脳炎、(47)ハンタウイルス肺症候群、(48)Ｂウイルス病、(49)鼻疽、(50)ブルセラ症、(51)ベネズエラウマ脳炎、(52)ヘンドラウイル

ス感染症、(53)発しんチフス、(54)ボツリヌス症、(55)マラリア、(56)野兎病、(57)ライム病、(58)リッサウイルス感染症、(59)リフトバレー熱、(60)類鼻疽、(61)レジオネラ症、(62)レプトスピラ症、(63)ロッキー山紅斑熱

〔5〕 五類感染症

(64)アメーバ赤痢、(65)ウイルス性肝炎（E型肝炎及びA型肝炎を除く。）、(66)カルバペネム耐性腸内細菌目細菌感染症、(67)急性弛緩性麻痺（急性灰白髄炎を除く。）、(68)急性脳炎（ウエストナイル脳炎、西部ウマ脳炎、ダニ媒介脳炎、東部ウマ脳炎、日本脳炎、ベネズエラウマ脳炎及びリフトバレー熱を除く。）、(69)クリプトスポリジウム症、(70)クロイツフェルト・ヤコブ病、(71)劇症型溶血性レンサ球菌感染症、(72)後天性免疫不全症候群、(73)ジアルジア症、(74)侵襲性インフルエンザ菌感染症、(75)侵襲性髄膜炎菌感染症、(76)侵襲性肺炎球菌感染症、(77)水痘（患者が入院を要すると認められるものに限る。）、(78)先天性風しん症候群、(79)梅毒、(80)播種性クリプトコックス症、(81)破傷風、(82)バンコマイシン耐性黄色ブドウ球菌感染症、(83)バンコマイシン耐性腸球菌感染症、(84)百日咳、(85)風しん、(86)麻しん、(87)薬剤耐性アシネトバクター感染症

〔6〕 新型インフルエンザ等感染症

(113)新型インフルエンザ、(114)再興型インフルエンザ、(115)新型コロナウイルス感染症、(116)再興型コロナウイルス感染症

〔7〕 指定感染症

該当なし

2 定点把握の対象

〔1〕 五類感染症（定点）

(88)ＲＳウイルス感染症、(89)咽頭結膜熱、(90)インフルエンザ（鳥インフルエンザ及び新型インフルエンザ等感染症を除く。）、(91)A群溶血性レンサ球菌咽頭炎、(92)感染性胃腸炎、(93)急性出血性結膜炎、(94)クラミジア肺炎（オウム病を除く。）、(95)細菌性髄膜炎（インフルエンザ菌、髄膜炎菌、肺炎球菌を原因として同定された場合を除く。）、(96)新型コロナウイルス

感染症（病原体がベータコロナウイルス属のコロナウイルス（令和二年一月に中華人民共和国から世界保健機関に対して、人に伝染する能力を有することが新たに報告されたものに限る。）であるものに限る。（COVID-19））、(97)水痘、(98)性器クラミジア感染症、(99)性器ヘルペスウイルス感染症、(100)尖圭コンジローマ、(101)手足口病、(102)伝染性紅斑、(103)突発性発しん、(104)ペニシリン耐性肺炎球菌感染症、(105)ヘルパンギーナ、(106)マイコプラズマ肺炎、(107)無菌性髄膜炎、(108)メチシリン耐性黄色ブドウ球菌感染症、(109)薬剤耐性緑膿菌感染症、(110)流行性角結膜炎、(111)流行性耳下腺炎、(112)淋菌感染症

〔2〕　法第十四条第一項に規定する厚生労働省令で定める疑似症（定点）

(117)発熱、呼吸器症状、発しん、消化器症状又は神経学的症状その他感染症を疑わせるような症状のうち、医師が一般に認められている医学的知見に基づき、集中治療その他これに準ずるものが必要であり、かつ、直ちに特定の感染症と診断することができないと判断したもの。

3　法第十四条第八項の規定に基づく把握の対象

(118)発熱、呼吸器症状、発しん、消化器症状又は神経学的症状その他感染症を疑わせるような症状のうち、医師が一般に認められている医学的知見に基づき、集中治療その他これに準ずるものが必要であり、かつ、直ちに特定の感染症と診断することができないと判断したものであって、当該感染症にかかった場合の病状の程度が重篤であるものが発生し、又は発生するおそれがあると判断し、都道府県知事が指定届出機関以外の病院又は診療所の医師に法第十四条第八項に基づき届出を求めたもの。

○感染症発生動向調査における情報の流れ

患者情報の収集・分析及び提供・公開体制

「感染症の予防及び感染症の患者に対する医療に関する法律」第十二条から第十四条までの規定に基づき、診断医療機関、獣医師等から保健所へ届出のあった感染症に関する情報について、保健所から都道府県庁、厚生労働省を結ぶオンラインシステムを活用して迅速に収集し、専門家による解析を行い、国民、医療関係者等へ還元（提供・公開）することで、感染症に対する有効かつ的確な予防対策を図り、多様な感染症の発生・拡大を防止する。

（法第12条及び第14条に基づく情報の基本的流れ）

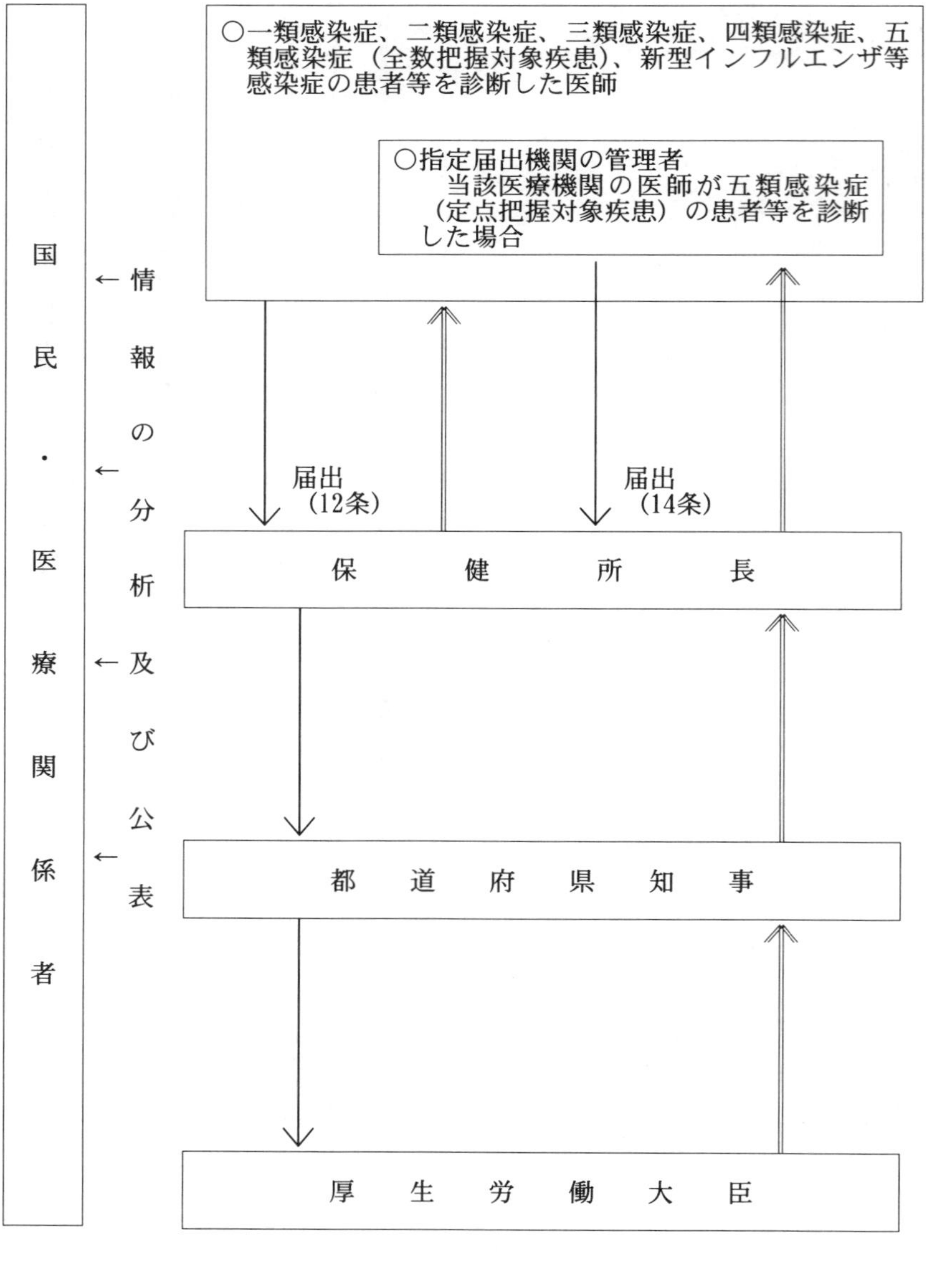

感染症発生動向調査における情報の流れ

（法第13条に基づく情報の流れ）

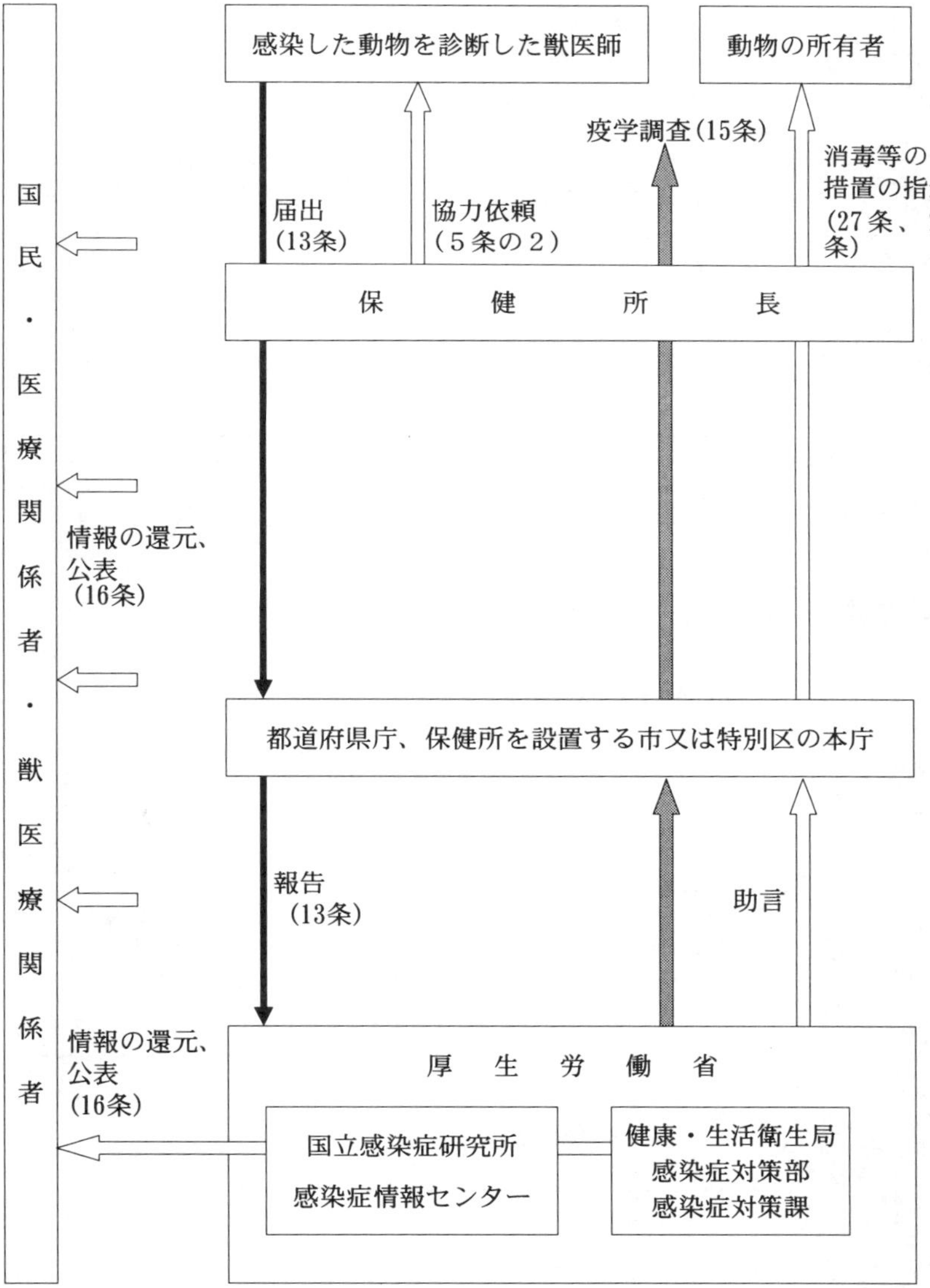

一類～四類感染症、五類感染症（全数把握）の病原体情報の収集・提供

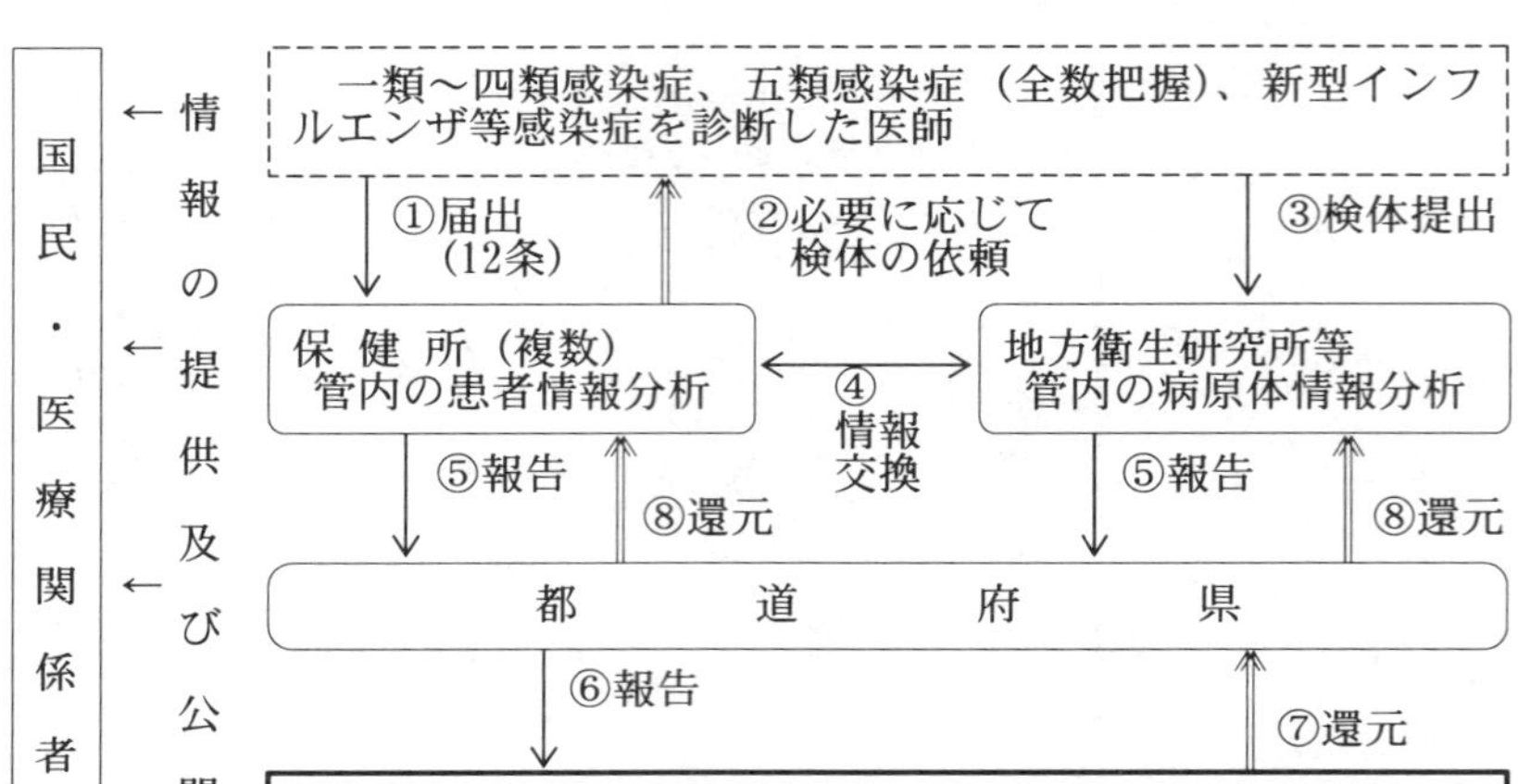

※　届出を行った医師への情報還元は必要に応じて実施することとする。

五類感染症（定点把握）の病原体情報の収集・提供

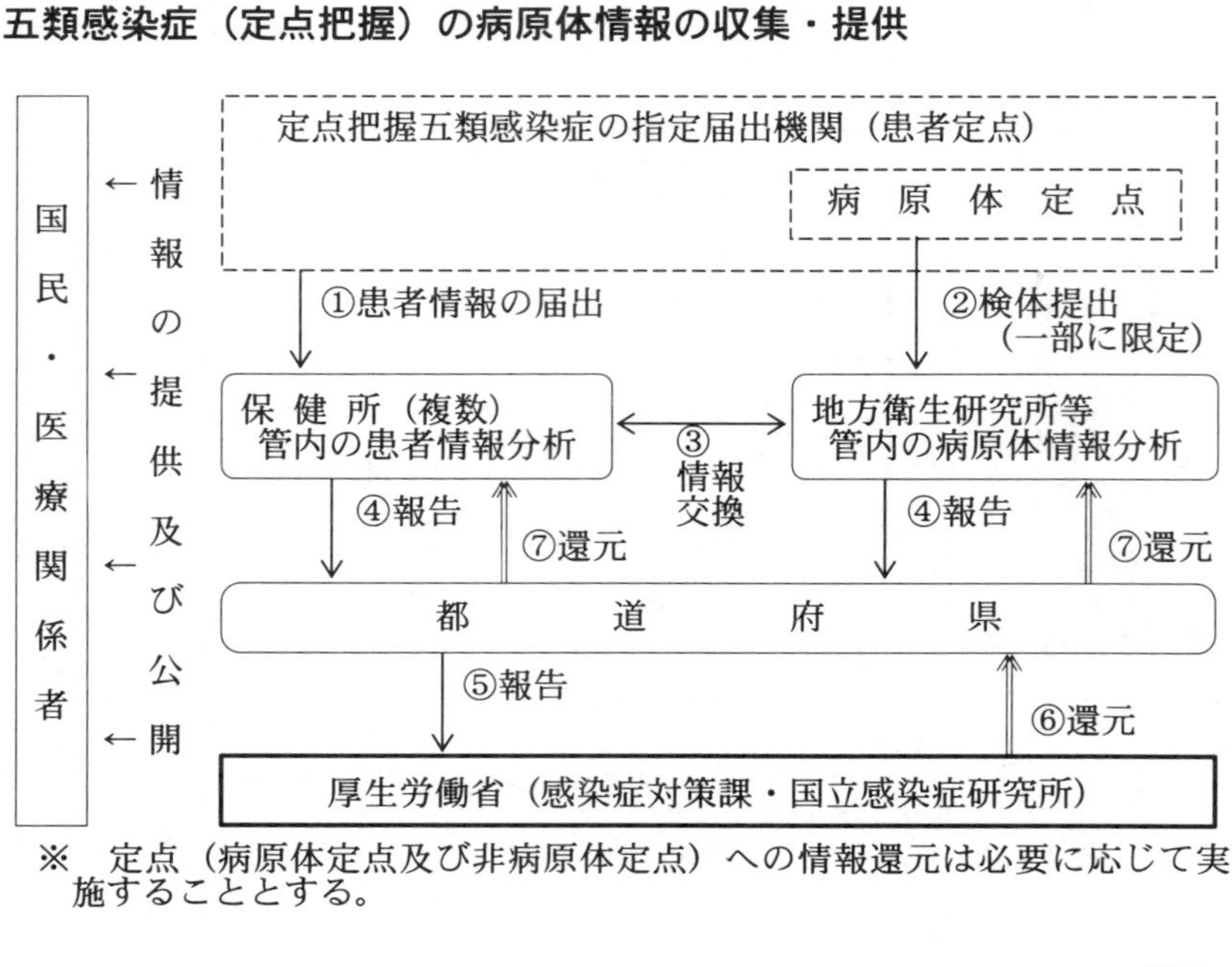

※　定点（病原体定点及び非病原体定点）への情報還元は必要に応じて実施することとする。

○一類感染症、二類感染症及び新型インフルエンザ等感染症の患者等の入院に係る手続

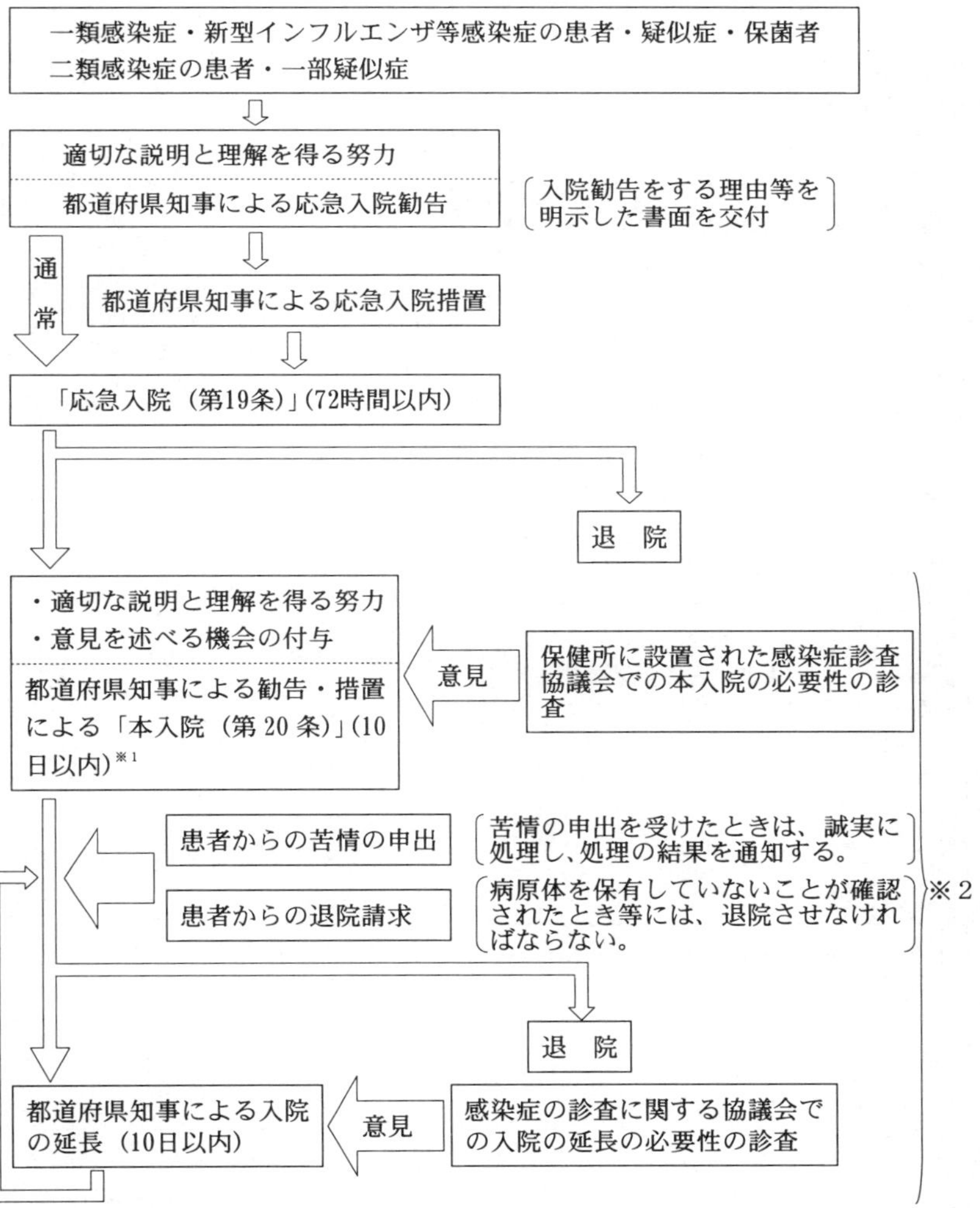

※１　結核患者が勧告に基づき入院した場合は「10日」を「30日」に読み替える。

※２　別途、入院の期間が30日を超える場合の厚生労働大臣への審査請求の特例として、疾病・障害認定審査会の意見を聴いて、５日以内に裁決しなければならないようにする。

○新感染症の患者の入院に係る手続

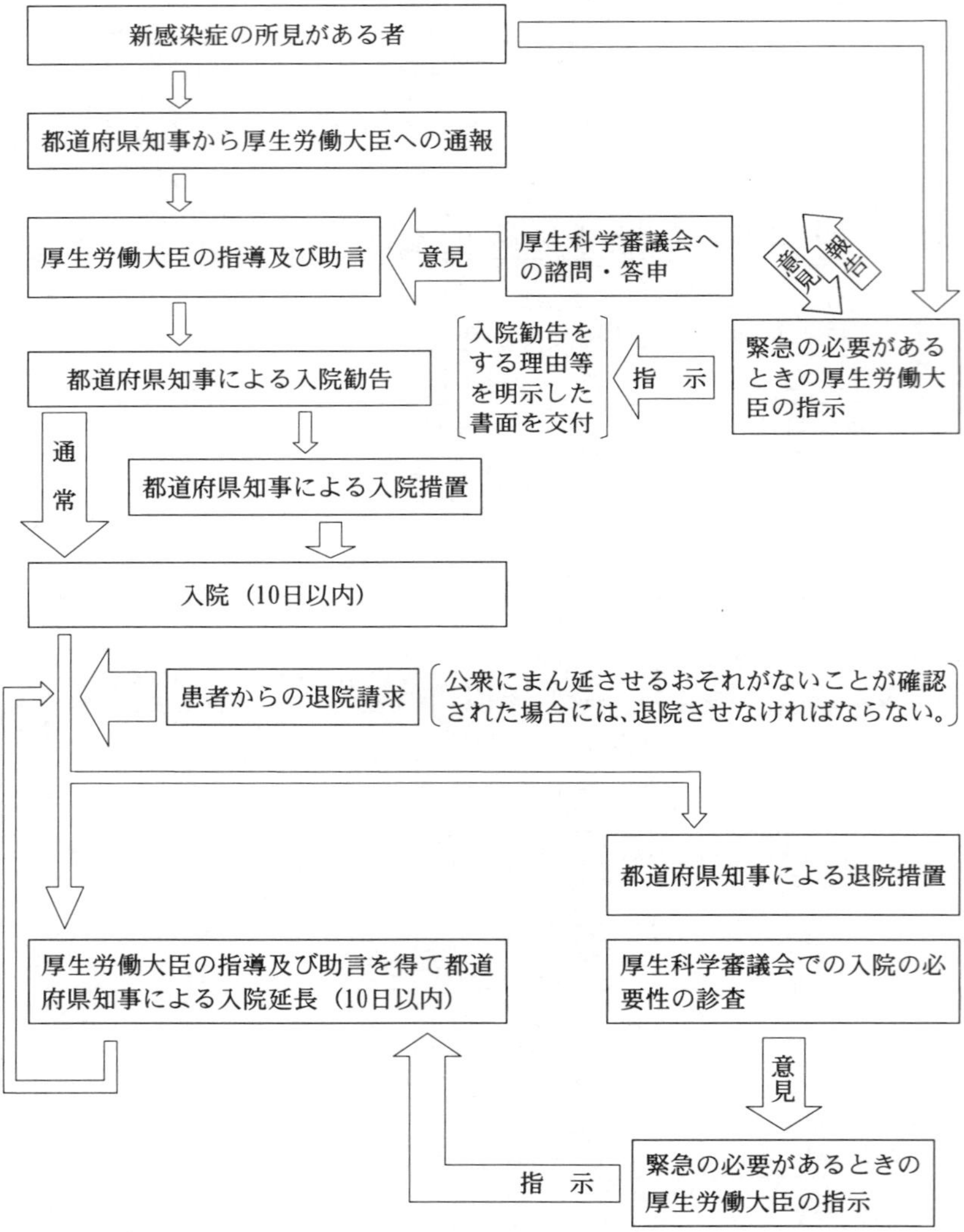

○感染症指定医療機関について

厚生労働大臣又は都道府県知事は、新感染症、一類感染症及び二類感染症の患者の医療を担当する感染症指定医療機関（一定の基準に合致する感染症指定病床を有する医療機関）及び協定指定医療機関を指定する。

○特定感染症指定医療機関

・厚生労働大臣が指定　・全国に二～四か所
・新感染症の患者の入院医療を担当できる基準に合致する病床を有する

○第一種感染症指定医療機関

・都道府県知事が指定　・原則として都道府県域ごとに一か所
・一類感染症の患者の入院医療を担当できる基準に合致する病床を有する

○第二種感染症指定医療機関

・都道府県知事が指定　・原則として二次医療圏域ごとに一か所
・二類感染症又は新型インフルエンザ等感染症の患者の入院医療を担当できる基準に合致する病床を有する

○第一種協定指定医療機関（令和六年四月一日より施行）

・医療措置協定に基づき、都道府県知事が指定。
・新型インフルエンザ等感染症もしくは指定感染症（当該疾病にかかった場合の病状の程度が重篤であり、かつ、全国的かつ急速なまん延のおそれのあるものと厚生労働大臣が認めたものに限る。）の患者又は新感染症の所見がある者の入院医療を担当。

○第二種協定指定医療機関（令和六年四月一日より施行）

・医療措置協定に基づき、都道府県知事が指定。
・外来医療又は外出自粛対象者の医療（在宅医療）を担当。

○特定病原体等の概要

1　一種病原体等の概要

(一)　アレナウイルス属ガナリトウイルス、サビアウイルス、チャパレウイルス、フニンウイルス、マチュポウイルス

南米出血熱（一類感染症）を発症させる病原体。南米出血熱の症状については、発熱と出血（吐血、消化管出血）が特徴的で、致死率は、三〇％に上るとされ、治療法としては対症療法しかない。南米（アルゼンチン、ボリビア、ベネズエラ、ブラジル等）で発生しており、感染源は野ネズミで、患者の体液・血液等によるヒト—ヒト感染もみられる。

規制としては、国際的に規制する必要性が高い（ＣＤＣの危険優先分類でＡ）こと、バイオセーフティレベル４で取り扱う必要があること、国内で発生がない病原体であること、一類感染症の病原体であり、治療法が確立されておらず、致死率が高いこと等から、一種病原体等としている。なお、ＣＦＲ（米国ＣＦＲ（Code of Federal Register 連邦規則））では、「南米出血熱ウイルス」としてフレクサルウイルスも対象となっている。これは、米国で特殊な環境（実験室内での研究者の感染）でウイルス感染が起こり軽微な症状を呈したため、入念的に対象とされたものであるが、同ウイルスのヒトへの病原性は未だ不明で、他のウイルスのような重篤な症状を起こしたものではないため、規制の対象外としている。

(二)　アレナウイルス属ラッサウイルス

ラッサ熱（一類感染症）を発症させる病原体。ラッサ熱の症状については、発熱や咽頭炎、結膜炎症状などを呈し、重症では出血傾向がみられる。入院患者の致死率は一五～二〇％と高く、治療法としては対症療法で、一部、治療薬（リバ

ビリン）が使用される。西アフリカに広く分布しているが、流行地以外での発生は少ない。感染源は、ネズミ（ヤワゲネズミ）で、患者の体液・血液等によるヒト―ヒト感染がある。

規制としては、国際的に規制する必要性が高い（ＣＤＣの危険優先分類でＡ）こと、バイオセーフティレベル４で取り扱う必要があること、国内で発生がない病原体であること、一類感染症の病原体であり、治療法が確立されておらず、致死率が高いこと等から、一種病原体等としている。

㈢　エボラウイルス属アイボリーコーストエボラウイルス、ザイールウイルス、スーダンエボラウイルス、ブンディブギョエボラウイルス、レストンエボラウイルス

エボラ出血熱（一類感染症）を発症させる病原体。エボラ出血熱の症状については、当初は発熱、倦怠感、食欲低下、頭痛等の非特異的症状を呈し、発症後七日前後になると次第に嘔吐、下痢、腹痛といった消化器症状が出現する。回復が見られない事例では症状が増悪し、血圧低下、意識障害などの神経学的障害、出血等の症状が出現し死亡する。従来はその名の通り出血症状が主たる臨床像であると考えられてきたが、二〇一四～二〇一五年の西アフリカでの流行では、出血症状が認められた患者は全体の一八％であり、目に見えるような明らかな出血症状を呈しないエボラ出血熱患者が比較的多いことが明らかとなった。致死率については、流行の原因となるエボラウイルスの種類によって異なる。そのなかでもザイールエボラウイルスによるエボラ出血熱の致死率は、八〇～九〇％と最も高い。過去の流行における致死率は二五～九〇％程度と幅があり、平均して五〇％前後である。治療法としては、経口または点滴の補液で行う支持療法や特異的な症状への対症療法は、生存率を向上させる。エボラ出血熱に対処できると証明された治療法はないが、血液療法、免疫療法、薬物療法など、ある種の治療法の可能性は、現在、評価の段階にある。アフリカ（スーダン、コンゴ（旧ザイール）、ガボン、ウガンダ等）で発生しており、感染源は不明で、患者の体液・血液等によるヒト―ヒト感染がある。

規制としては、国際的に規制する必要性が高い（ＣＤＣの危険優先分類でＡ）こと、バイオセーフティレベル４で取り扱う必要があること、国内で発生がない病原体であること、一類感染症の病原体であり、治療法が確立されておらず、致死率が高いこと等から、一種病原体等としている。なお、各ウイルスはさらに検出された場所等の名称がついた株（strain）で分類されているが、毒性は同じであるので、すべて規制対象としている。

㈣ **オルソポックスウイルス属バリオラウイルス（別名：痘そうウイルス）**

痘そう（天然痘：一類感染症）を発症させる病原体。痘そうの症状については、急激な発熱を伴う前駆期と、発疹を伴う発疹期に分けられ、発疹は、紅斑⇩丘疹⇩水疱⇩膿疱⇩痂皮と進行する。死亡率については、約三〇％で、治療法は対症療法しかない。痘そうは、一九八〇年に世界保健機関が根絶宣言をしており、ウイルスは現在、米国とロシアの研究施設の二箇所のみで保存されている。

規制としては、国際的に規制する必要性が高い（CDCの危険優先分類でA）こと、バイオセーフティレベル4で取り扱う必要があること、特別な場合を除いてウイルスが世界的に存在していないこと、一類感染症の病原体であり、治療法が確立されておらず、致死率が高いこと等から、一種病原体等としている。

㈤ **ナイロウイルス属クリミア・コンゴヘモラジックフィーバーウイルス（別名：クリミア・コンゴ出血熱ウイルス）**

クリミア・コンゴ出血熱（一類感染症）を発症させる病原体。クリミア・コンゴ出血熱の症状については、発熱、頭痛、筋肉痛、関節痛、上腹部痛、結膜炎症状、顔面や胸部の紅潮、下痢、紫斑、下血、意識障害などがみられる。感染者の約二〇％が発症し、発症者における致死率は一五～四〇％となっており、治療法は対症療法のほかは確立されていない。アフリカ大陸、東ヨーロッパ、中近東、中央アジアにおいて発生しており、感染源は、哺乳動物からダニを介してヒトに感染し、患者の体液・血液等によるヒト―ヒト感染もある。

規制としては、国際的に規制する必要性が高い（CDCの危険優先分類でA）こと、バイオセーフティレベル4で取り扱う必要があること、国内で発生がない病原体であること、一類感染症の病原体であり、治療法が確立されておらず、致死率が高いこと等から、一種病原体等としている。

㈥ **マールブルグウイルス属レイクビクトリアマールブルグウイルス**

マールブルグ病（一類感染症）を発症させる病原体。マールブルグ病の症状については、発熱、悪寒、頭痛、筋肉痛、悪心・嘔吐、胸痛、腹痛、咽頭痛、下痢、紫斑、吐血、下血、意識障害などの症状を呈し、致死率は三〇～九〇％となっており、治療法としては対症療法しかない。一九六七年に西ドイツのマールブルグや旧ユーゴスラビアのベオグラードでの発症例で初めてウイルスが分離され、それ以降、ケニア、ジンバブエ、コンゴ、アンゴラで発症例がある。感染源は、サルから感染する場合と不明な場合があり、患者の体液・血液等によるヒト―ヒト感染もある。

規制としては、国際的に規制する必要性が高い（ＣＤＣの危険優先分類でＡ）こと、バイオセーフティレベル４で取り扱う必要があること、国内で発生がない病原体であること、一類感染症の病原体であり、治療法が確立されておらず、死亡率が高いこと等から、一種病原体等としている。

２　二種病原体等の概要

(一)　エルシニア属ペスティス（別名：ペスト菌）

ペスト（一類感染症）を発症させる病原体。ペストの症状については、臨床的に、「腺ペスト（八〇～九〇％）」「敗血症ペスト（約一〇％）」「肺ペスト（腺ペスト、敗血症ペストに肺炎併発）」に分類され、重症例では高熱・意識障害等を伴い、死に至ることもあるが、抗菌薬による治療法が確立されており、致死率は低くなっている。感染源は、ノミであるが、肺ペストの場合は、ヒト―ヒト感染も起こす。我が国では、一九二六年に発生した例を最後に患者発生も輸入例もない。

規制としては、国際的に規制する必要性が高い（ＣＤＣの危険優先分類でＡ）が、ペスト菌はネズミからノミを介してヒトに感染するが、我が国ではネズミ等の駆除が行われていること、抗菌剤による治療が可能であること、さらに当該病原体の取扱いについてはバイオセーフティレベル３であること等から、二種病原体等としている。

(二) クロストリジウム属ボツリヌム（別名：ボツリヌス菌）

ボツリヌス症（四類感染症）を発症させる病原体であり、食中毒や乳児ボツリヌス症を引き起こす。ボツリヌス症は、菌が産生するボツリヌス毒素によって引き起こされ、弛緩性神経麻痺を呈することから、重症例では、呼吸筋麻痺による呼吸不全が起こる。我が国においては、食中毒（いずし、からしレンコン）によるものと、乳児ボツリヌス症による報告がある。治療法としては、呼吸管理が重要であり、その他、治療用ボツリヌス抗毒素もある。

規制としては、国際的に規制する必要性が高いボツリヌス毒素（ＣＤＣの危険優先分類でＡ）を産生するため、二種病原体等としている。

(三) ベータコロナウイルス属ＳＡＲＳコロナウイルス

重症急性呼吸器症候群（病原体がＳＡＲＳコロナウイルスに限る。）（二類感染症）を発症させる病原体。重症急性呼吸器症候群の症状は、急激な発熱、咳等が現れてから、数日で呼吸困難などの呼吸器症状を呈し、一〇％位の者は死亡に至る。感染源は、ハクビシンなどの野生動物が疑われているが、現在のところ不明で、ヒト—ヒト感染がみられる。国内の発生はないが、二〇〇三年六月に我が国を訪れた海外からの旅行者が発症、自国へ帰国後入院した事例が発生するなど、ＳＡＲＳの出現は、航空交通の発達に伴い、発生していない近隣諸国においても、感染拡大の恐れがあることが示唆されたところである。

規制については、原因病原体としてウイルスが確定されたのが二〇〇三年とまだ新しいため、効果的なワクチン・治療方法も確立していないこと、国内発生がないこと、院内感染など濃厚接触した際に致死率が高いこと等から、二種病原体等としている。

(四) バシラス属アントラシス（別名：炭疽菌）

炭疽（四類感染症）を発症させる病原体。炭疽の症状は、皮膚炭疽、肺炭疽、腸炭疽などに分類されるが、いずれも放置すると急性敗血症で致命的となる。治療は、適切な抗菌薬治療で治癒するが、二〇％程度は敗血症に移行して重症化し、そのうち死亡する場合もある。炭疽は、我が国での感染は稀で、ヒト—ヒト感染はない。しかしながら、二〇〇一年秋に米国でテロに使用され、二三症例（肺炭疽一一症例、皮膚炭疽一二症例）の健康危害が発生していることや、一九五〇～一九六〇年代米国で兵器化されており、その他イラクや旧ソ連でも保有されていたこともある。

規制としては、国際的に規制する必要性が高い（ＣＤＣの危険優先分類でＡ）ことや、過去にも生物兵器として開発されていること等があるが、抗菌剤による適切な治療で治癒すること、ヒト—ヒト感染がないこと、当該病原体の取扱いについてはバイオセーフティレベル３であること等から、二種病原体等としている。

(五)　フランシセラ属ツラレンシス（別名：野兎病菌）（亜種ツラレンシス及びホルアークティカ）

野兎病（四類感染症）を発症させる病原体。野兎病は、高熱と病原体が侵入した部位に関連するリンパ節の腫脹・疼痛がみられる。治療は抗菌薬の投与が主体となる。我が国においては、東北地方全域と関東地方の一部が多発地域で、最近では、国外から持ち込まれたペットによる感染例もある。様々な哺乳動物が感染源となり得るが、日本ではノウサギが主要な感染源で、これら動物の血液や臓器に触れることで感染を起こし、感染力は強いがヒト—ヒト感染はない。また野兎病菌は、日本の細菌兵器研究部隊が中国の満州で扱っていた細菌の一つでもあり、一九五〇～一九六〇年代には、米軍が、野兎病菌を噴霧する兵器の開発を進めていたこともある。

規制については、国際的に規制する必要性が高い（ＣＤＣの危険優先分類でＡ）ことや、過去にも生物兵器として開発されていること等があるが、治療法があること、ヒト—ヒト感染がないことから、二種病原体等としている。なお、フランシセラ属ツラレンシス（野兎病菌）は、家兎に対する病原性などにより、さらに亜種として分類されている。具体的には、家兎に対して病原性が強く北アメリカに分布する「ツラレンシス」、家兎に対して病原性が弱く広い地域に分布している「ホルアークティカ」、家兎に対して病原性が弱く中央アジアに分布している「メディアジアーティカ」の三種類の亜種に分けられている。このうち、ヒトに感染事例のあるツラレンシスとホルアークティカのみを規制の対象としている。

(六) ボツリヌス毒素（人工合成毒素であって、その構造式がボツリヌス毒素の構造式と同一であるものを含む。）

ボツリヌス症（四類感染症）を発症させる毒素。ボツリヌス毒素は、体重一kg当たり一ng（一〇億分の一g）が致死量とされている。国内では、ボツリヌス毒素による食中毒の発生がみられている。実際、ボツリヌス菌については、我が国の宗教団体が生物兵器としての使用を試みており、また、以前海外の軍隊でもボツリヌス毒素を兵器化したことがあるほか、保有している国のあることが国連の調査により判明しているとされている。

規制については、国際的に規制する必要性が高い（CDCの危険優先分類でA）ことや、過去にも生物兵器として開発されていること等があるが、ヒト―ヒト感染がないことから、二種病原体等としている。

3 三種病原体等の概要

(一) コクシエラ属バーネッティイ

Q熱（四類感染症）を発症させる病原体。Q熱には、急性と慢性があり、急性感染の症状はインフルエンザに類似し、突然の高熱、頭痛、筋肉痛などであり、その後、肝機能障害を伴うことも多い。慢性感染では心内膜症が特徴的である。治療法は急性感染の場合はテトラサイクリン系が有効であるが、慢性の場合には効果がない。世界中に広く分布しており、ヒトの感染は主に塵埃中の病原体の吸入や汚染した非殺菌牛乳等の摂取とされている。ヒト―ヒト感染はない。

規制としては、二種病原体等ほどの危険性はないが、国際的に規制する必要性があり（CDCの危険優先分類でB）、さらにその病原性からバイオセーフティレベル3で取り扱う必要があるため、三種病原体等としている。

(二) マイコバクテリウム属ツベルクローシス（別名：結核菌）（イソニコチン酸ヒドラジド、リファンピシンその他結核の治療に使用される薬剤として政令で定めるものに対し耐性を有するものに限る。）

結核（二類感染症）を発症させる病原体。感染はヒト―ヒト感染で、患者の咳やくしゃみによって出たしぶきに病原体が含まれており、これを吸入することで感染する。なお、多剤耐性結核においては、一次抗結核薬（結核治療の際に最初に選択される有効な薬剤）のみならず二次抗結核薬（一次抗結核薬と比較し抗菌力は劣るものの多剤併用により効果が期待される薬剤）についても効果がない場合もあり、ＷＨＯ（世界保健機関）においては二次抗結核薬に対しても耐性を有する結核菌について、各国にその対策を求めているところである。

規制としては、二次抗結核薬についても効果がない多剤耐性結核については治療が難しい状況から、その病原体については、人為的に使用された場合を想定し、より厳しい規制を行っておく必要がある。二次抗結核薬については、今後新たな薬剤の追加なども考えられることから、機動的に規定できるよう、政令委任している。具体的には、イソニコチン酸ヒドラジド及びリファンピシンに対し耐性を有し、かつ、モキシフロキサシン又はレボフロキサシンのいずれかに対し耐性を有し、かつ、ベダキリン又はリネゾリドの二種類の薬剤のうち一種以上に対し耐性を有する結核菌について、規制の対象としている。また、その病原性からバイオセーフティレベル3で取り扱う必要があることから、三種病原体としている。

(三)　リッサウイルス属レイビーズウイルス（別名：狂犬病ウイルス）

狂犬病（四類感染症）を発症させる病原体。狂犬病の症状については、急性神経症症状期が二～七日間続いた後、強い痛みを伴う咽頭の痙攣等により、食物等の摂取が不能となり、さらに進行すると、高熱、麻痺、全身痙攣等が現れ、その後昏睡に至り、呼吸麻痺となり死亡する。イヌやネコ、コウモリなどの野生動物が感染源となり、豪州、英国、我が国などいくつかの国を除き、狂犬病が発生している。予防法として狂犬病ワクチン（不活化）の接種により感染を予防でき、また、感染動物の咬傷等による曝露後でも、潜伏期間（一～三か月）内に発病予防のためのワクチンを接種することにより、発症を防止できる。ただし、これらの措置をしなければ、ヒトが発症したときはほぼ一〇〇％死亡する。

規制としては、二種病原体等に並ぶ病原体としての危険性はあるが、ワクチンの使用により感染・発病の予防が可能であることから、二種病原体等としての規制は必要ないが、米国ＮＩＡＩＤ等で人為的な健康被害に対する研究の必要性が指摘されていることや、その病原性から原則としてバイオセーフティレベル3で取り扱う必要があることから、三種病原体等としている。

㈣　アルファウイルス属イースタンエクインエンセファリティスウイルス（別名：東部ウマ脳炎ウイルス）、ウエスタンエクインエンセファリティスウイルス（別名：西部ウマ脳炎ウイルス）及びベネズエラエクインエンセファリティスウイルス（別名：ベネズエラウマ脳炎ウイルス）

①　アルファウイルス属イースタンエクインエンセファリティスウイルス（別名：東部ウマ脳炎ウイルス）

東部ウマ脳炎（四類感染症）を発症させる病原体。東部ウマ脳炎の症状については、発熱、頭痛、筋肉痛に始まり、その後、神経過敏、痙攣、昏睡等の脳炎症状を呈する。稀に発症した場合、致死率が高く、後遺症が認められる。治療法としては対症療法を行うが、米国ではワクチンが利用されている。米国ミシシッピ川の東部と中南米で広く発生がみられ、ヒトは感染蚊による吸血により感染する。ヒト―ヒト感染はない。

規制としては、二種病原体等ほどの危険性はないが、国際的に規制する必要性があり（CDCの危険優先分類でB）、さらにその病原性からバイオセーフティレベル3で取り扱う必要があるため、三種病原体等としている。

②　アルファウイルス属ウエスタンエクインエンセファリティスウイルス（別名：西部ウマ脳炎ウイルス）

西部ウマ脳炎（四類感染症）を発症させる病原体。西部ウマ脳炎の症状については、インフルエンザ様症状を呈するが、脳炎症状に至ることもある。致死率は一〇％以下とされている。治療法は対症療法を行うが、米国ではワクチンが利用されている。米国ミシシッピ川の西部と中南米で広く発生がみられ、ヒトは感染蚊による吸血により感染する。ヒト―ヒト感染はない。

規制としては、二種病原体等ほどの危険性はないが、国際的に規制する必要性があり（CDCの危険優先分類でB）、さらにその病原性からバイオセーフティレベル3で取り扱う必要があるため、三種病原体等としている。

③　アルファウイルス属ベネズエラエクインエンセファリティスウイルス（別名：ベネズエラウマ脳炎ウイルス）

ベネズエラウマ脳炎（四類感染症）を発症させる病原体。ベネズエラウマ脳炎の症状については、発熱、重度の頭痛、筋肉痛などであり、神経症状は子どもや高齢者に顕著で、痙攣、めまい、麻痺等を呈する。致死率は五～一四％程度であり、成人に比べ子どもや幼児の脳炎発症率は高い。治療法は対症療法を行うが、外国ではウマ用の生ワクチンが使用されている。これまで中央アメリカ、南米、メキシコ、米国（テキサス州）で発生しており、感染蚊による吸血による感染がある。ヒト―ヒト感染はない。

規制としては、二種病原体等ほどの危険性はないが、国際的に規制する必要性があり（ＣＤＣの危険優先分類でＢ）、さらにその病原性からバイオセーフティレベル３で取り扱う必要があるため、三種病原体等としている。

(五)　**オルソポックスウイルス属モンキーポックスウイルス（別名：エムポックスウイルス）**

エムポックス（四類感染症）を発症させる病原体。エムポックスの症状については、発疹、発熱、頭痛、リンパ節腫脹などであり、重症例では天然痘と臨床的に区別できない。致死率はアフリカの流行では数％～一〇％である。治療法は対症療法を行う。これまで中央・西アフリカに広く分布しており、また、二〇〇三年には、アフリカからの輸入齧歯類により米国内にウイルスが持ち込まれ、七一名の患者発生がみられた。感染源はアフリカの齧歯類等であり、主に感染動物の体液等との接触により感染した。

二〇二二年五月以降、従前のエムポックス流行国への海外渡航歴のないエムポックス患者が世界各地で報告されたが、二〇二三年三月時点では全体の症例の報告数は減少傾向に転じた。国内では、二〇二二年七月に一例目の患者が確認され、その後散発的に発生が報告されており、二〇二三年に入り患者の報告数が増加している（二〇二三年七月現在）。

規制としては、二種病原体等ほどの危険性はないが、感染の経路等から人為的に使用される可能性が考えられ、また、米国ＣＦＲ等で国際的な規制の必要性が指摘されており、さらにその病原性からバイオセーフティレベル３で取り扱う必要があるため、三種病原体等としている。

(六)　**コクシディオイデス属イミチス**

コクシジオイデス症（四類感染症）を発症させる病原体。コクシジオイデス症の症状については、初期は咳、発熱などの感冒様症状を呈し、稀に進行すると、髄膜炎、全身播種を起こし致死率が高い。治療法としては抗真菌剤が使用される。カリフォルニア等の米国南西部からメキシコを中心に分布している。ヒトの感染は主に大気中に浮遊している病原体の吸入とされる。ヒト―ヒト感染はない。

規制としては、二種病原体等ほどの危険性はないが、感染の経路等から人為的に使用される可能性が考えられ、また、米国ＣＦＲ等で国際的な規制の必要性が指摘されており、さらにその病原性からバイオセーフティレベル3で取り扱う必要があるため、三種病原体等としている。

(七) シンプレックスウイルス属Ｂウイルス

Ｂウイルス病（四類感染症）を発症させる病原体。Ｂウイルス病の症状については、感染部位に水疱、疼痛等があり、所属リンパ節が腫脹する。また発熱、筋肉痛等のインフルエンザ様症状が起こり、中枢神経系症状が現れ、感覚異常、意識障害に続き、痙攣、片麻痺、呼吸困難、昏睡等となる。治療法は抗ウイルス薬が使用されるが、治療しない場合は致死的である。アジアに棲息するアカゲザル、ニホンザル等が保有しており、ヒトは感染したサルからの咬傷、唾液との接触等により感染する。ヒト―ヒト感染はない。

規制としては、二種病原体等ほどの危険性はないが、感染の経路等から人為的に使用される可能性が考えられ、また、米国ＣＦＲ等で国際的な規制の必要性が指摘されており、さらにその病原性からバイオセーフティレベル3で取り扱う必要があるため、三種病原体等としている。

(八) バークホルデリア属シュードマレイ（別名：類鼻疽菌）及びマレイ（別名：鼻疽菌）

① バークホルデリア属シュードマレイ（別名：類鼻疽菌）

類鼻疽（四類感染症）を発症させる病原体。類鼻疽の症状は多様で、ペスト様症状で一週間以内に死亡する劇症型、腸チフス様の急性型、皮膚、骨等に膿瘍を生ずる慢性型から不顕性型まであり、罹患率は高くないが、発病して敗血症になった場合には致死率が高い。治療法は、初期にはテトラサイクリン、クロラムフェニコール等を併用するほか、多薬剤を二週間ほど集中投与する方法もある。タイ、マレーシアなど東南アジアに広く分布しており、ヒトは汚染地域の水田作業での接触感染や飛沫の吸入等により感染すると考えられている。ヒト―ヒト感染はない。

規制としては、二種病原体等ほどの危険性はないが、国際的に規制する必要性があり（ＣＤＣの危険優先分類でB）、さらにその病原性からバイオセーフティレベル３で取り扱う必要があるため、三種病原体等としている。

② バークホルデリア属マレイ（別名：鼻疽菌）

鼻疽（四類感染症）を発症させる病原体。鼻疽の症状については、急性又は慢性の化膿性・肉芽腫性病巣（結節病変）が皮膚、鼻粘膜にみられることが特徴的で、ときに敗血症も起こし、この場合は致死率も高い。治療法としてはサルファ剤等が使用される。イラン、トルコ等の中近東や南米などの一部に分布し、ヒトは感染した馬、ロバ等の鼻汁等との接触の他、呼吸器感染の例も知られている。ヒト―ヒト感染はない。

規制としては、二種病原体等ほどの危険性はないが、国際的に規制する必要性があり（ＣＤＣの危険優先分類でB）、さらにその病原性からバイオセーフティレベル３で取り扱う必要があるため、三種病原体等としている。

⑼ **ハンタウイルス属アンデスウイルス、シンノンブレウイルス、ソウルウイルス、ドブラバーベルグレドウイルス、ニューヨークウイルス、バヨウウイルス、ハンタンウイルス、プーマラウイルス、ブラッククリークカナルウイルス及びラグナネグラウイルス**

① ハンタウイルス属アンデスウイルス、シンノンブレウイルス、ニューヨークウイルス、バヨウウイルス、ハンタウイルス、ブラッククリークカナルウイルス、ラグナネグラウイルス

ハンタウイルス肺症候群（四類感染症）を発症させる病原体。ハンタウイルス肺症候群の症状については、三～七日間の発熱、頭痛、筋肉痛、下痢等の非特異的症状に続き、急激に呼吸不全及びショック状態に進行する。肺間質及び肺胞に浮腫が生じ、胸水を認めることがある。治療法は対症療法を行う。北米、南米に広く分布しており、感染源はシカ

シロアシネズミで、ヒトは感染した齧歯類の糞尿中に含まれる病原体を吸入して感染する。ヒト—ヒト感染はない。

規制としては、二種病原体等ほどの危険性はなく、ＣＤＣの危険優先分類でもＣ分類とされているが、国際的に規制する必要性は指摘されており、また、感染の経路等から人為的に使用される可能性が考えられ、さらにその病原性からバイオセーフティレベル３で取り扱う必要があるため、三種病原体等としている。

② ハンタウイルス属ソウルウイルス、ドブラバーベルグレドウイルス、ハンタンウイルス
腎症候性出血熱（四類感染症）を発症させる病原体。腎症候性出血熱の症状については、突然の発熱、頭痛、出血症状、腎不全による乏尿、それに続く多尿、ショック症状が現れる。軽症型と重症型があり、重症型での致死率は五〜一〇％、治療法は対症療法を行う。アジアからヨーロッパまで広く分布しており、感染源は、セスジネズミ等であり、我が国でも一九六〇年代に発生報告がある。ヒトは感染した齧歯類の糞尿中に含まれる病原体を吸入して感染する。ヒト—ヒト感染はない。

規制としては、二種病原体等ほどの危険性はなく、ＣＤＣの危険優先分類でもＣ分類とされているが、国際的に規制する必要性は指摘されており、また、これまでの発生状況や感染の経路等から人為的に使用される可能性が考えられ、さらにその病原性からバイオセーフティレベル３で取り扱う必要があるため、三種病原体等としている。

③ ハンタウイルス属プーマラウイルス
プーマラウイルスによるものは、軽症型の「流行性腎症（*Nephropathia eqidermica*：ＮＥ）」と呼ばれ、他の重症型腎症候性出血熱よりも致死率が低い（一％未満）。

しかしながら、人為的に使用される可能性を考えた場合、
・ＣＤＣでは、入手が可能で、製造、散布が容易であり、また高い発症率と致死率を有し公衆衛生に重大な影響を及ぼす潜在性があり、将来的に広範囲の散布法の開発が可能なような新興感染症（カテゴリーＣ）に、「ハンタウイルス」として規制の対象となっていること

・米国国立アレルギー・感染症研究所では、「Hantaviruses」として、すべてのハンタウイルスがカテゴリーA（バイオディフェンスの研究が必要なもの）として、規定されていること
・WHO、UNにおいても、同じく規制されていること等の評価があることや、さらに「プーマラウイルス」について、他のウイルス（ハンタンウイルス、ソウルウイルス、ドブラバ・ベルグラーデウイルス）と比較すると、
・他のウイルスと同様、感染経路が、自然宿主のネズミの糞尿中に含まれるウイルスを経気道経路で吸入して感染することとなっていること
・症状は、出血熱と腎障害を起こし、さらにプーマラウイルス感染患者の中には腎透析になるケースがあることの報告があること
・他のウイルスと同様に、治療法、ワクチン等が開発されておらず、対症療法を行うこととなっていることから、プーマラウイルスについても、三種病原体等として規制の対象としている。

(十)　フラビウイルス属オムスクヘモラジックフィーバーウイルス（別名：オムスク出血熱ウイルス）、キャサヌルフォレストディジーズウイルス（別名：キャサヌル森林病ウイルス）及びティックボーンエンセファリティスウイルス（別名：ダニ媒介脳炎ウイルス）

①　フラビウイルス属オムスクヘモラジックフィーバーウイルス（別名：オムスク出血熱ウイルス）

オムスク出血熱（四類感染症）を発症させる病原体。オムスク出血熱の症状については、気管支炎が一般的に起こり、また出血症状を示す場合もあり、致死率は一～二％である。治療法は対症療法を行う。シベリア西部に分布しており、ヒトは感染したカクマダニの一種のダニの吸血等により感染する。

規制としては、二種病原体等ほどの危険性はないが、感染の経路等から人為的に使用される可能性が考えられ、また、米国ＣＦＲ等で国際的な規制の必要性が指摘されており、さらにその病原性からバイオセーフティレベル３で取り

扱う必要があるため、三種病原体等としている。

② フラビウイルス属キャサヌルフォレストディジーズウイルス（別名：キャサヌル森林病ウイルス）

キャサヌル森林病（四類感染症）を発症させる病原体。キャサヌル森林病の症状については、発熱、胃腸炎症状や出血症状を示す場合もあり、致死率は三～五％である。治療法としては対症療法を行うが、不活化ワクチンが利用されている。南西インドのカマタカ州に分布しており、ヒトは感染したチマダニの一種のダニの吸血等により感染する。

規制としては、二種病原体等ほどの危険性はないが、感染の経路等から人為的に使用される可能性が考えられ、また、米国ＣＦＲ等で国際的な規制の必要性が指摘されており、さらにその病原性からバイオセーフティレベル３で取り扱う必要があるため、三種病原体等としている。

③ フラビウイルス属ティックボーンエンセファリティスウイルス（別名：ダニ媒介脳炎ウイルス）

ダニ媒介性脳炎（四類感染症）を発症させる病原体。ダニ媒介性脳炎の症状については、頭痛、発熱等に始まり、昏睡、痙攣、麻痺等の脳炎症状に至る。致死率一～二〇％で、回復しても多くで運動麻痺が起こる。治療法としては対症療法を行うが、不活化ワクチンが利用されている。ヨーロッパやロシアに広く分布しており、ヒトは感染したマダニ類の吸血等により感染する。

規制としては、二種病原体等ほどの危険性はないが、感染の経路等から人為的に使用される可能性が考えられ、また、米国ＣＦＲ等で国際的な規制の必要性が指摘されており、さらにその病原性からバイオセーフティレベル３で取り扱う必要があるため、三種病原体等としている。

㈩ **ブルセラ属アボルタス（別名：ウシ流産菌）、カニス（別名：イヌ流産菌）、スイス（ブタ流産菌）、メリテンシス（マルタ熱菌）**

ブルセラ症（四類感染症）を発症させる病原体。ブルセラ症の症状については、一日の中で高熱と平熱を繰り返す波状熱を特徴とする。急性発症する場合と徐々に発症する場合があり、病変は多臓器に生じるため、臨床症状は多彩である。

治療法としてはリファンピシン、ストレプトマイシン等の抗菌薬二種類以上が使用される。中近東、南ヨーロッパの一部、中南米に分布しており、ウシ、ブタ、イヌ等の臓器、血液等との接触、未殺菌の乳・乳製品の摂取等からヒトが感染する。

規制としては、二種病原体等ほどの危険性はないが、国際的に規制する必要性があり（ＣＤＣの危険優先分類でＢ）、さらにその病原性からバイオセーフティレベル３で取り扱う必要があるため、三種病原体等としている。

なお、規制については、ヒトに対して病原性を持つアボルタス、カニス、スイス、メリテンシスの四菌種に限定している。

㈩ **フレボウイルス属ＳＦＴＳウイルス及びリフトバレーフィーバーウイルス（別名：リフトバレー熱ウイルス）**

① フレボウイルス属ＳＦＴＳウイルス

重症熱性血小板減少症候群（ＳＦＴＳ）（四類感染症）を発症させる病原体。ＳＦＴＳはＳＦＴＳウイルスを有するマダニに咬まれることにより感染し、六～一四日の潜伏期を経て、発熱、消化器症状、頭痛、筋肉痛、神経症状等の症状が出現し、致死率は一〇～三〇％。流行期はマダニの活動が活発化する春から秋と考えられ、マダニ自体は、日本国内（主に山中）に広く分布している。特異的な治療法はなく、対症療法が主体となる。

二種病原体等ほどの危険性はないが、感染の経路等から人為的に使用される可能性が考えられ、その使用目的、使用・保管施設等を常時把握する必要がある病原体として規制の対象としている。

② フレボウイルス属リフトバレーフィーバーウイルス（別名：リフトバレーウイルス）

リフトバレー熱（四類感染症）を発症させる病原体。リフトバレー熱の症状については、インフルエンザに類似し、突然の高熱、頭痛、筋肉痛などであり、発症した一％前後の患者が重篤化し、うち出血性症候群や髄膜脳炎を起こした場合の致死率は五〇％に達する。治療法は対症療法を行うが、不活化ワクチンが利用されている。サハラ砂漠以南のアフリカを中心にサウジアラビア等の中近東にも分布しており、ヒトは感染した蚊などの吸血、感染動物の血液との接触等により感染する。ヒト—ヒト感染はない。

規制としては、二種病原体等ほどの危険性はないが、感染の経路等から人為的に使用される可能性が考えられ、また、米国ＣＦＲ等で国際的な規制の必要性が指摘されており、さらにその病原性からバイオセーフティレベル３で取り扱う必要があるため、三種病原体等としている。

㈩三 ベータコロナウイルス属ＭＥＲＳコロナウイルス

中東呼吸器症候群（二類感染症）を発症させる病原体。中東呼吸器症候群の症状としては、無症状例から急性呼吸窮迫症候群（ＡＲＤＳ）を来す重症例まであり、典型的な病像は、発熱、咳嗽等から始まり、急速に肺炎を発症し、しばしば呼吸管理が必要となる。また、下痢などの消化器症状のほか、多臓器不全（特に腎不全）や敗血性ショックを伴う場合もある。高齢者及び糖尿病、腎不全などの基礎疾患を持つ者での重症化傾向がより高い。

二種病原体等のように輸入や所持等についての事前の許可までは必要ないものの、国としてその所在を把握するとともに、所持者は施設基準や使用基準等に従って本病原体を取り扱う必要がある病原体として規制の対象としている。

㈩四 ヘニパウイルス属ニパウイルス及びヘンドラウイルス

① ヘニパウイルス属ニパウイルス

ニパウイルス感染症（四類感染症）を発症させる病原体。ニパウイルス感染症の症状については、発熱、頭痛等のインフルエンザ様症状に始まり、間代性痙攣に伴う疼痛、痙攣等の脳炎症状、さらに重症患者では意識レベルの低下がみられる。治療法は対症療法を行う。マレーシア、シンガポールなどに分布し、オオコウモリからブタに伝播した病原体が、ブタ体内で増殖し、感染ブタの体液等との接触からヒトが感染すると考えられている。

規制としては、二種病原体等ほどの危険性はないが、感染の経路等から人為的に使用される可能性が考えられ、また、米国ＣＦＲ等で国際的な規制の必要性が指摘されており、さらにその病原性からバイオセーフティレベル３で取り扱う必要があるため、三種病原体等としている。

②　ヘニパウイルス属ヘンドラウイルス

ヘンドラウイルス感染症（四類感染症）を発症させる病原体。ヘンドラウイルス感染症の症状については、筋肉痛、頭痛、呼吸器症状等のインフルエンザ様症状、あるいは頭痛、嘔吐等の脳炎症状を呈する。治療法は対症療法を行う。豪州に分布しており、オオコウモリが感染源と考えられており、感染したウマの体液等との接触により、ヒトが感染すると考えられている。

規制としては、二種病原体等ほどの危険性はないが、感染の経路等から人為的に使用される可能性が考えられ、また、米国ＣＦＲ等で国際的な規制の必要性が指摘されており、さらにその病原性からバイオセーフティレベル３で取り扱う必要があるため、三種病原体等としている。

(十五)　リケッチア属ジャポニカ（別名：日本紅斑熱リケッチア）、ロワゼキイ（別名：発しんチフスリケッチア）及びリケッチイ（別名：ロッキー山紅斑熱リケッチア）

①　リケッチア属ジャポニカ（別名：日本紅斑熱リケッチア）

日本紅斑熱（四類感染症）を発症させる病原体。日本紅斑熱の症状については、急激な発熱、頭痛、筋肉痛等に始まり、高熱とともに紅斑が全身に広がり、特徴的な点状出血等が出現する。治療法としては、テトラサイクリン系等の抗菌薬が使用される。我が国の関東以南に広く分布し、ヒトは感染したマダニ類の吸血等により感染する。

規制としては、二種病原体等ほどの危険性はないが、感染の経路等から人為的に使用される可能性が考えられ、また、米国ＮＩＡＩＤで人為的な健康被害に対する研究の必要性が指摘されており、さらにその病原性からバイオセーフティレベル３で取り扱う必要があるため、三種病原体等としている。

②　リケッチア属ロワゼキイ（別名：発しんチフスリケッチア）

発しんチフス（四類感染症）を発症させる病原体。発しんチフスの症状については、発熱、頭痛、発しんを三主徴とし、突然発症する。発しんは発熱後二～五日に体躯に初発し、その後全身に広がる。また、重症例の半数に精神神経症状が出現し、興奮発揚、幻覚を生じ、狂騒状態、意識混濁となるほか、頻脈を示す。治療法としては、テトラサイクリン系又はクロラムフェニコール系の抗菌薬が使用される。循環不全等を合併すると致死率は一〇～四〇%である。ヨーロッパ、アジア、アフリカ、中南米の一部に分布しており、感染したコロモジラミの吸血により感染する。

規制としては、二種病原体等ほどの危険性はないが、国際的に規制する必要性があり（CDCの危険優先分類でB）、さらにその病原性からバイオセーフティレベル3で取り扱う必要があるため、三種病原体等としている。

③ リケッチア属リケッチイ（別名：ロッキー山紅斑熱リケッチア）

ロッキー山紅斑熱（四類感染症）を発症させる病原体。ロッキー山紅斑熱の症状については、急激な発熱、頭痛、筋肉痛等に始まり、その後麻疹様の発疹が全身に広がり、特徴的な点状出血等が出現する。重症例や治療遅延例、小児では死亡の危険が高まる。治療法としては、テトラサイクリン系又はクロラムフェニコール系の抗菌薬が使用される。カナダ、米国東部から中西部、メキシコから中南米に広く分布し、ヒトは感染したマダニ類の吸血等により感染する。

規制としては、二種病原体等ほどの危険性はないが、感染の経路等から人為的に使用される可能性が考えられ、また、米国CFR等で国際的な規制の必要性が指摘されており、さらにその病原性からバイオセーフティレベル3で取り扱う必要があるため、三種病原体等としている。

4 四種病原体等の概要

(一) インフルエンザウイルスA属インフルエンザAウイルス

① インフルエンザウイルスA属インフルエンザAウイルス（血清亜型がH2N2であるものに限る。）

インフルエンザ（五類感染症）を発症させる病原体である。インフルエンザAウイルスは、ヒトだけでなく動物にも感染し、なかには動物のみに感染を起こすものもある。ヒトの症状は、発熱、頭痛、筋肉痛が突然現れ、呼吸器症状

（咳、咽頭痛等）は後期になって出現することが多い。毎年、冬に流行がみられ、ヒトからヒトへ感染する。これまでヒトに感染し流行したＡ型インフルエンザは、Ｈ１Ｎ１（ソ連型）、Ｈ２Ｎ２（アジア型）、Ｈ３Ｎ２（香港型）がある。

規制については、インフルエンザは五類感染症で人的・物的措置はなく、毎年流行していることもあり、本来、規制の対象ではないが、過去の発症例があるが近年発症がなく、感染すると大流行が起こる可能性が高いＨ２Ｎ２については、三種病原体等ほど危険性はなく、常時把握までは必要はないが保管等の基準の遵守を行う必要がある病原体として規制の対象としている。

② インフルエンザウイルスＡ属インフルエンザＡウイルス（血清亜型がＨ５Ｎ１、Ｈ７Ｎ７、Ｈ７Ｎ９であるものに限る。）

鳥インフルエンザ（二類感染症、四類感染症）を発症させる病原体である。鳥に感染しているインフルエンザがヒトに感染を起こすことで、これまで東南アジアを中心に発生しているＨ５Ｎ１、ヨーロッパで発生したＨ７Ｎ７がヒトに感染し、死亡例もみられている。また、二〇一三年以降、中国を中心にヒトにおける患者が報告されているＨ７Ｎ９についてもトリが感染源として疑われており、死亡例もみられている。

規制については、トリ―ヒト感染であり、濃厚接触しない限りヒトへの感染も稀であること等から、人為的な健康被害が発生する可能性は低いと思われるが、ヒトでの感染・発症・死亡例があるため、三種病原体等ほど危険性はなく、常時把握までは必要はないが、保管等の基準の遵守を行う必要がある病原体として規制の対象としている。

③ インフルエンザウイルスＡ属インフルエンザＡウイルス（新型インフルエンザ等感染症の病原体に限る。）

新型インフルエンザ等感染症を発症させる病原体である。新型インフルエンザ等感染症の病原体の病原性及び国民の生命・健康に対する影響については、Ｈ５Ｎ１やＨ２Ｎ２と同程度と考えられることから、病原体の分類もこれらと同様に、保管等の基準の遵守等を行う必要がある病原体として規制の対象としている。

(二) エシェリヒア属コリー（別名：大腸菌）（腸管出血性大腸菌に限る。）

腸管出血性大腸菌感染症（三類感染症）を発症させる病原体。症状としては、腹痛と下痢を主症状とし、ときに溶血性尿毒素症候群（ＨＵＳ）や脳症を併発し、死亡する例もある。また、腸管出血性大腸菌は、毒素（志賀毒素、別名ベロ毒素）を産生する。ヒト―ヒト感染を起こすが、食中毒の原因にもなる。日本でも、年間一〇〇〜一〇〇〇人の患者と数人の死者が発生している。

規制については、国際的にも規制する必要性がある（ＣＤＣの危険優先分類でＢ）とされているが、下痢症状が主で生命の危険性が低いこと、バイオセーフティレベル2での取扱いが基本となること等から、三種病原体等ほど危険性はなく、従って、常時把握までは必要はないが保管等の基準の遵守を行う必要がある病原体として規制の対象としている。

(三) エンテロウイルス属ポリオウイルス

急性灰白髄炎（二類感染症）を発症させる病原体。急性灰白髄炎の症状は、軽症例では発熱・胃腸炎症状だけで終わるが、重症例は下肢などの麻痺を起こす。一九〇〇年代以前には、世界中至る所で発生していたが、予防接種により激減し、日本では一九七二年以降は輸入例を除いては野生株と思われる発生の報告がない。現在、世界保健機関がワクチン投与による根絶運動を展開しており、近く根絶が達成される見込みである。

規制については、根絶されれば常時把握の必要があると思われるが、現在のところ、テロに使用される危険性は低いと解される。したがって、その根絶に向け、三種病原体等ほど危険性はなく、常時把握までは必要はないが、保管等の基準の遵守を行う必要がある病原体として規制の対象としている。

(四) クリプトスポリジウム属パルバム（遺伝子型がＩ型又はⅡ型であるものに限る。）

クリプトスポリジウム症（五類感染症）を発症させる病原体。クリプトスポリジウム症は、水様性下痢を主症状とし、半数以上に腹痛、嘔吐、発熱を伴う。通常は、数日〜一〇日前後で自然治癒するが、ＡＩＤＳを含む免疫不全患者が感染した場合は、有効な治療法がないため、命を落とす危険性がある。また、国内では水道水による集団感染もみられている。

規制については、国際的にも規制する必要性がある（ＣＤＣの危険優先分類でＢ）とされており、集団感染もみられているが、クリプトスポリジウム症は五類感染症で人的・物的措置はなく、下痢症状が主で生命の危険性が低いこと、通常は自然治癒すること、バイオセーフティレベル２での取扱いが基本となること等から、三種病原体等ほど危険性はなく、常時把握までは必要はないが保管等の基準の遵守を行う必要がある病原体として規制の対象としている。なお、遺伝子型により、さらに複数に分類されるが、そのうち、遺伝子型Ｉ型はヒト—ヒトのみで感染し、Ⅱ型は人獣共通の感染が確認されているため、この二型を対象としている。

(五) サルモネラ属エンテリカ（血清亜型がタイフィであるものに限る。）

腸チフス（三類感染症）を発症させる病原体。腸チフスは、特徴的な発熱、比較的徐脈、バラ疹、下痢等を起こす。現在は重症例が少なく、かつ抗菌剤が奏効するので死亡例はほとんどない。感染は、患者及び保菌者の糞便、汚染された食品、水、手指が感染源となる。日本を除くアジア、中東、アフリカ等にまん延しており、国内では、海外渡航者の発生が多い。

規制については、国際的にも規制する必要性がある（ＣＤＣの危険優先分類でＢ）とされており、バイオセーフティレベル３で取り扱う必要があるとされているが、下痢症状が主で生命の危険性が低いこと、治療法があること等から、三種病原体等ほど危険性はなく、常時把握までは必要はないが保管等の基準の遵守を行う必要がある病原体として規制の対象としている。

(六) サルモネラ属エンテリカ（血清亜型がパラタイフィＡであるものに限る。）

パラチフス（三類感染症）を発症させる病原体。パラチフスは、腸チフスと同様の臨床症状を起こす。現在は重症例が少なく、かつ抗菌剤が奏効するので死亡例はほとんどない。感染は、患者及び保菌者の糞便、汚染された食品、水、手指が感染源となる。日本を除くアジア、中東、アフリカ等にまん延しており、国内では、海外渡航者の発生が多い。

規制についても国際的にも規制する必要性がある（CDCの危険優先分類でB）とされており、バイオセーフティレベル3で取り扱う必要があるとされているが、下痢症状が主で生命の危険性が低いこと、治療法があること等から、三種病原体等ほど危険性はなく、常時把握までは必要はないが保管等の基準の遵守を行う必要がある病原体として規制の対象としている。

㈦ 志賀毒素（人工合成毒素であって、その構造式がボツリヌス毒素の構造式と同一であるものを含む。）

赤痢菌の一部（シゲラ属デイゼンテリエ1）及び腸管出血性大腸菌が産生する毒素で、それぞれ、細菌性赤痢、腸管出血性大腸菌感染症（三類感染症）を発症させる。

規制については、病原体が引き起こす細菌性赤痢・腸管出血性大腸菌感染症ともに下痢症状が主で生命の危険性が低いこと、治療法があること等から、志賀毒素についても、三種病原体等ほど危険性はなく、常時把握までは必要はないが保管等の基準の遵守を行う必要がある病原体として規制の対象としている。

㈧ シゲラ属（別名：赤痢菌）ソンネイ、デイゼンテリエ、フレキシネリー及びボイデイ

細菌性赤痢（三類感染症）を発症させる病原体。細菌性赤痢の症状は、発熱、腹痛、下痢が主症状で、重症例では粘血便を伴う。近年、重症例は少ない。発症は世界的にまん延しており、特に発展途上国で多発している。感染は、患者及び保菌者の糞便、それらで汚染された食品、水、手指が感染源となる。排便後の不十分な手洗いにより、便所の戸、タオル等を介して感染する。治療は抗菌薬投与を行う。また、一部の菌（シゲラ属デイゼンテリエ1）は、志賀毒素を産生する。

規制については、国際的にも規制する必要性がある（CDCの危険優先分類でB）とされているが、下痢症状が主で生命の危険性が低いこと、治療法があること、バイオセーフティレベル2での取扱が基本となること等から、三種病原体等ほど危険性はなく、常時把握までは必要はないが保管等の基準の遵守を行う必要がある病原体として規制の対象としている。なお、シゲラ属には四つの種（ソンネイ、デイゼンテリエ、フレキシネリー及びボイデイ）しかないが、すべてが細

菌性赤痢の原因となるため、規制の対象としている。

(九) ビブリオ属コレラ（別名：コレラ菌）（血清型がＯ一又はＯ一三九であるものに限る。）

コレラ（三類感染症）を発症させる病原体。コレラは、突然発症し、激しい水様性下痢と嘔吐が起こるが、発熱を伴わないのが特徴的で、多くは軽症・無症状に経過する。我が国でも、過去にコレラの集団発生が起こったが、現在では、東南アジアの流行地において感染した患者等による輸入感染例が報告されている。また、ヒトの輸入感染例以外に、食品（海産食品）にコレラが検出されることがあり、食中毒の原因となっている。感染は、患者及び保菌者の糞便、それらで汚染された食品、水、手指が感染源となる。治療は、脱水を起こした際の補液と抗菌薬投与を行う。

規制については、国際的にも規制する必要性がある（ＣＤＣの危険優先分類でＢ）とされているが、下痢症状が主で生命の危険性が低いこと、治療法があること、バイオセーフティレベル２での取扱いが基本となること等から、三種病原体等ほど危険性はなく、常時把握までは必要はないが保管等の基準の遵守を行う必要がある病原体として規制の対象としている。なお、ビブリオ属コレラ（コレラ菌）のうち、ヒトに対し病原性を持つ血清型がＯ一、Ｏ一三九のもののみを規制の対象としている。

(十) フラビウイルス属イエローフィーバーウイルス（別名：黄熱ウイルス）

黄熱（四類感染症）を発症させる病原体。黄熱は、突然の発熱、頭痛、悪心・嘔吐等が特徴的で、病気が進行すると、徐脈、蛋白尿が出現する。出血症状として、鼻出血、吐血、黒色便がみられる。致死率は五～一〇％で、治療は対症療法を行う。国内には、ワクチンによる予防方法がある。黄熱は、アフリカにおいて発生がみられるが、他の地域での患者発生はない。感染は蚊を媒介して起こり、ヒト―ヒト感染はない。

規制については、バイオセーフティレベル３で取り扱う必要があるとされているが、ヒト―ヒト感染がないこと、蚊を媒介させて感染が成立すること、ワクチンがあること等から、三種病原体等ほど危険性はなく、常時把握までは必要はないが保管等の基準の遵守を行う必要がある病原体として規制の対象としている。

(十二) **マイコバクテリウム属ツベルクローシス（別名：結核菌）（三種病原体等に分類されるものを除く。）**

結核（二類感染症）を発症させる病原体。現在、結核は、治療法の開発等により減少傾向にあるが、一九九六年から一九九九年にかけて罹患率が上昇している。感染はヒト―ヒト感染で、患者の咳やくしゃみによって出たしぶきに菌が含まれており、これを吸入することで感染する。治療は、治療薬（イソニコチン酸ヒドラジド、リファンピシン、ストレプトマイシン又はエタンブトール、ピラジナミドの四剤）を併用して使用する。

規制については、飛沫・空気感染により他者へ感染する可能性は高いが、現在、治療法等も確立していること、年間の国内患者数（新規）は約三万人であり、このうち多くの患者から診断のために結核菌が分離されており、このような状況では常時把握までは必要はないが保管等の基準の遵守を行う必要がある病原体として規制の対象としている。

(十三) **クラミドフィラ属シッタシ（別名：オウム病クラミジア）**

オウム病（四類感染症）を発症させる病原体。オウム病の症状は、突然の高熱、頭痛等のインフルエンザ様症状で発症し、治療が遅れると、呼吸困難、髄膜炎、多臓器不全等を起こす。治療法は抗菌剤投与を行う。感染は、主にペットのトリからの経気道感染で、ヒト―ヒト感染はない。

規制については、国際的にも規制する必要性がある（ＣＤＣの危険優先分類でＢ）とされているが、ヒト―ヒト感染がないこと、治療法があること、バイオセーフティレベル２での取扱いが基本となること等から、三種病原体等ほど危険性はなく、従って、常時把握までは必要はないが保管等の基準の遵守を行う必要がある病原体として規制の対象としている。

(十四) **フラビウイルス属ウエストナイルウイルス、ジャパニーズエンセファリティスウイルス（別名：日本脳炎ウイルス）及びデングウイルス**

① フラビウイルス属ウエストナイルウイルス

ウエストナイル熱（四類感染症）を発症させる病原体。ウエストナイル熱は、八〇％以上が不顕性感染で症状を示さずに終わると報告されている。症状を呈する場合は、多くは急な発熱、頭痛等の症状を示し、感染者の一五〇人に一人程度が脳炎、髄膜炎等を発症する。一九九四年以降、世界各地で比較的大きな流行が発生しているが、日本への侵入は起こっていない。感染は、感染蚊の吸血により感染し、ヒト―ヒト感染はみられない。治療は対症療法を行う。

規制については、バイオセーフティレベル３で取り扱う必要があるとされているが、ヒト―ヒト感染がないこと、蚊を媒介させて感染が成立すること、不顕性感染が多いこと等から、三種病原体等ほど危険性はなく、常時把握までは必要はないが保管等の基準の遵守を行う必要がある病原体として規制の対象としている。

② フラビウイルス属ジャパニーズエンセファリティスウイルス（別名：日本脳炎ウイルス）

日本脳炎（四類感染症）を発症させる病原体。日本脳炎は、突然の発熱で始まり、髄膜刺激症状（頭痛、嘔吐、項部硬直など）、意識障害がみられる。東・東南・南アジアに広く分布しており、感染蚊の刺咬によって感染するが、感染を受けても多くは不顕性感染に終わり、発症するのは、一〇〇～一〇〇〇人に一人といわれている。このため、汚染地域の成人は、大部分が免疫を持っており、我が国でも、近年は一〇名以下の発症例である。

規制については、ヒト―ヒト感染がないこと、蚊を媒介させて感染が成立すること、不顕性感染が多く発症率が低いこと、バイオセーフティレベル２での取扱いが基本となること等から、三種病原体等ほど危険性はなく、常時把握までは必要はないが保管等の基準の遵守を行う必要がある病原体として規制の対象としている。

③ フラビウイルス属デングウイルス

デング熱（四類感染症）を発症させる病原体。デング熱は、突然の発熱で始まり、熱は五～七日間続く。その他、激しい頭痛、関節や筋肉痛、発疹を特徴とする。デング熱は熱帯・亜熱帯地域の国で主に発生しており、流行は爆発的であるが、致命率は低い。感染は蚊の吸血によって起こり、ヒト―ヒト感染はない。

規制については、ヒト―ヒト感染がないこと、蚊を媒介させて感染が成立すること、致死率が低いこと、バイオセーフティレベル２での取扱いが基本となること等から、三種病原体等ほど危険性はなく、常時把握までは必要はないが保管等の基準の遵守を行う必要がある病原体として規制の対象としている。

㈩　ベータコロナウイルス属コロナウイルス（令和二年一月に、中華人民共和国から世界保健機関に対して、人に伝染する能力を有することが新たに報告されたものに限る）

新型コロナウイルス感染症（COVID−19）を発症させる病原体。発熱、咳、全身倦怠感等の感冒様症状であり、頭痛、下痢、結膜炎、嗅覚障害、味覚障害等を呈する場合もある。高齢者及び基礎疾患を持つものにおいては重症化するリスクが一定程度あると考えられている。

規制としては、新型コロナウイルスは新たな病原体であったため、国際的な規制の動向は当初定まっていなかったが、国内ではその病原性からバイオセーフティレベル３で取り扱う必要があるとされた一方、ＳＡＲＳ及びＭＥＲＳより感染性は高いものの致死率は低いこと等から、三種病原体等ほど危険性はなく、常時把握までは必要はないが保管等の基準の遵守を行う必要がある病原体として規制の対象としている。

詳解
感染症の予防及び感染症の患者に対する医療に関する法律
五訂版

令和6年2月1日　発行

監　修――厚生労働省健康・生活衛生局感染症対策部感染症対策課

発行者――荘　村　明　彦

発行所――中央法規出版株式会社

〒110-0016　東京都台東区台東3-29-1　中央法規ビル

T　E　L　03-6387-3196

U　R　L　https://www.chuohoki.co.jp/

装丁デザイン――ケイ・アイ・エス

印刷・製本――長野印刷商工株式会社

ISBN978-4-8058-8985-5